音楽が未来を連れてくる

時代を創った音楽ビジネス百年の革新者たち

Mikiro Enomo
榎本幹朗

本書は、音楽業界総合情報サイト「Musicman」（旧Musicman-NET）にて連載された「未来は音楽が連れてくる」および同連載の電子書籍版を加筆修正し、書き下ろしを加えたものです。

［初出］
○第一部 神話
「未来は音楽が連れてくる」（2013年2月21日〜7月8日）、同名電子書籍『Part 1 日本が世界の音楽業界にもたらしたもの』（株式会社エムオン・エンタテインメント、2014年7月4日）
○第二部 破壊
「未来は音楽が連れてくる」（2013年8月29日〜2014年7月4日）、同名電子書籍『Part 2 スティーブ・ジョブズが世界の音楽業界にもたらしたもの』（2014年10月31日）
○第三部 使命
「未来は音楽が連れてくる」（2014年9月1日〜2016年2月3日）、「カデンツァ」は書き下ろし

はじめに――音楽があなたの未来を切り拓く

本書は、音楽産業に次々と襲いかかる未曾有の危機を乗り越え、新たな黄金時代を創っていった革新者たちの魂の軌跡を描いた勇気の書である。過去のみならず、コロナ禍で壊滅的な打撃を受けたこの世界に希望の未来もささやかながら提示している。

あなたが音楽好きなら、学生であれビジネスマンであれ本書は人生のヒントにもなるかもしれない。我々はみな、時代の荒波にさらされて生きているが、音楽産業はいつも他に先立って新時代の大嵐に襲われ、破壊され、嘲笑され、しかしそれゆえにこそ自ら答えを見つけ、新しい常識を人類の前に連れてきたからだ。

もしあなたが今の日本に失望しているのなら、本書を読み終えた後には「日本は世界の音楽界にこれほど貢献してきたクリエイティヴな国だったのか」と元気になるかもしれない。

あるいは、あなたが何か新しいことをやってやろうと思いつつも障害を前に逡巡しているのなら、「乗り越えてやろうじゃないか」と読後に闘志が湧いているかもしれない。本書は、非難の嵐に何度も潰されながらも志を実現したヴィジョナリーたちを古今東西に渡って描いた一大物語だからだ。

だが、もしあなたが〝音楽ビジネスの最先端〟とか、流行になりそうな格好いいものを探して本書を手に取ったのなら、おすすめすべきかどうか筆者は迷う。

ここには音楽ビジネスの最先端も書いてあるが、〝最先端〟のニュースは過去に過ぎず、それはイノヴェーターたちの十年前に過ぎないと読後に知るからだ。本書は流行の礎を創る人の生き方と、未来を創る方程式について字数を費やしている。

だから、未来を手っ取り早く知りたい方にもおすすめできないかもしれない。確かに、ここには音楽産業の十年後、そして三十年後まで書いてあるし、サブスク・ブームが音楽から始まったことを考えれば、音楽産業の〝ポスト・サブスク〟の未来図は人類の未来に近しいかもしれない。だが、同時に「ここで知ったことをそのまま模倣しようとするな」と常に迫ってくるのが本書の登場人物たちの生き様である。

第一部は、今からおよそ百年近く前、放送がもたらした無料聴き放題の大波によって音楽ソフト産業がインターネットの登場やコロナ禍を超える大打撃を受けた場面から始まる。音楽はそこからいくつもの技術革新を経て復活へ向かうが、最後は音楽家出身ながら企業家となった日本人が世界の音楽産業を黄金時代に導くのを読者は見るだろう。

第二部は、ミレニアムを迎えた人類がインターネット・ブームに沸く傍らで、破滅に向かった音楽産業の舞台裏を描く。読者はそこで「頭の古い連中だ」と揶揄されていた音楽業界がどこよりも早く、次の時代へ向けて走り出していたことを知るだろう。今を時めくサブスクは、二〇〇一年末にアメリカのメジャーレーベルが立ち上げたものが始まりだった。

第三部では、日本のとあるイノヴェーションに脅威を感じたＡｐｐｌｅのスティーブ・ジョブズが、ついに音楽産業を救うことになる〝あるもの〟を創る決意を固める場面から話が始まる。ジョブズはｉＰｏｄとｉＴｕｎｅｓで音楽産業を救ったと言われるが、実はエジソン以来続いていた音楽ソフト産業の根底を変えたのは、彼の別の代表作だ。

同時に、第三部では音楽サブスクの時代を先導することになった若者の過去や、とあるミュージシャンが早くもAIのちからで音楽産業を変え始めた経緯が描かれてゆく。いわば今あるポストCDの世界の揺《よう》籃《らん》期《き》を描いたのが第三部だ。

最後の「カデンツァ」では、コロナ禍でライヴという片足を複雑骨折した音楽産業が、サブスクとライヴに続く第三の答えを見出しつつある姿を描いてゆく。〝ポスト・サブスク〟は、新型コロナが世界を襲う何年も前から既に始まっているのだ。

本書は大著である。読みやすいよう、歴史小説の手法を取り入れているが、それでも読書の旅路は長くなるだろう。だが旅を終えたとき、あなたが清涼感と活力を得ているよう、筆者は七年の歳月を費やし本書に魂を込めた。

ここまで読んでくださったあなたと、過去から未来へ向かう旅路を共にできることを願っている。

目次

黄金の章

四十年かかった音楽産業、黄金時代の再来

日本の章

日本が世界の音楽産業にもたらしたもの

再生の章

スティーブ・ジョブズが世界の音楽産業にもたらしたもの

カデンツァ　495

音楽産業の復活とポスト・サブスクの誕生――そして未来へ

第一部

神話

神話の章

かつて音楽産業は壊滅した

壊滅の危機から復活した音楽産業の歴史

音楽産業は、かつて売上が二十五分の一に落ちたことがある。一九三〇年初頭のアメリカでのことである。[★001]一九三〇年代、世界を覆った大不況はエンタメ産業の明暗を分けた。新興するラジオと映画は力強く、三〇年代に黄金時代を築いていった。一方、壊滅した音楽産業は、三〇年代のうちに恐慌前の水準へ戻ることはなかった。二十一世紀初頭の音楽産業を彷彿させる状況だ。放送に続いて誕生した、新たなフリー・メディアのインターネット。スマホの誕生、ゲーム、アプリ、次々と現れるエンタメ産業の競合。彼らに押された音楽産業の売上は、インターネット登場以前の半分にまで落ちた。[★002]

だが九十年前の音楽産業は諦めなかった。瀕死のなか、イノヴェーションを積み重ねて復活し、やがて黄金時代を再来させてみせた。彼らはどのように復活していったのだろうか。時の流れを読み解けば、黄金の未来はおのずと見えてくるだろう。

二〇年代［その一］――エジソンの憂鬱。ハード事業はレッド・オーシャンへ

一九二八年のことだった。社長室で報告書を眺める〝発明王〟トーマス・エジソンの顔色は優れなかった。「このビジネスは下り坂に入る……」エジソンはひとりごちた。彼の眺めていた書類は、エジソン・レコード社の売上報告だった。

発明王は「音楽産業の父」でもあった。彼の創業した世界初のメジャーレーベルは一九二〇年代、黄金時代を謳歌していたが、ここへ来て急ブレーキがかかっていた。

先立つ第一次世界大戦はアメリカに特需をもたらし、中流階級を拡大した。彼の発明したレコードは四十三年を経て、ホーム・エンタテインメントの王様となり、全米の応接間で音楽を奏でるようになっていた。

当時、レコード産業はエジソン社、ビクター、コロムビアのビッグ・スリーが寡占していた。しかし、この花形産業に参入する企業は後を絶たなくなり、一九

トーマス・エジソンとフォノグラフ。後世、レコードの発明は「科学がエンタテインメントにもたらした最大の貢献」と賞されるようになる。

"Edison and Phonograph". Wikimedia, https://commons.wikimedia.org/wiki/File:Edison_and_phonograph_edit2.jpg

一四年に十八社だったのが、四年後には一六六社にもなっていた。[★003]

なかんずく、蓄音機に需要を奪われたピアノメーカーと家具メーカーは存亡を賭けて参入してきた。一八七〇年代から急成長していたピアノは、レコードが一般家庭に入り出してからつるべ落としに調子を崩していた。ビクターの蓄音機ビクトローラは、アンティーク家具とハイテクを融合したデザインでリビングに溶け込み、ヒット商品となった（初代ｉＭａｃを思い出さないだろうか）。この路線をエジソン社などが追従したことで、家具メーカーも市場を荒らされていたのだ。

エジソンの予感は的中した。この年、十四万台あった蓄音機の売上数は翌年、わずか三万台に落ち込んだ。ビクターの売上数も五十六万台から三十二万台に下降した。[★004] コロムビアはほどなく経営危機に陥った。競争が激化し、血で血を洗うレッド・オーシャンと化した音楽産業は、価格崩壊を起こしていた。

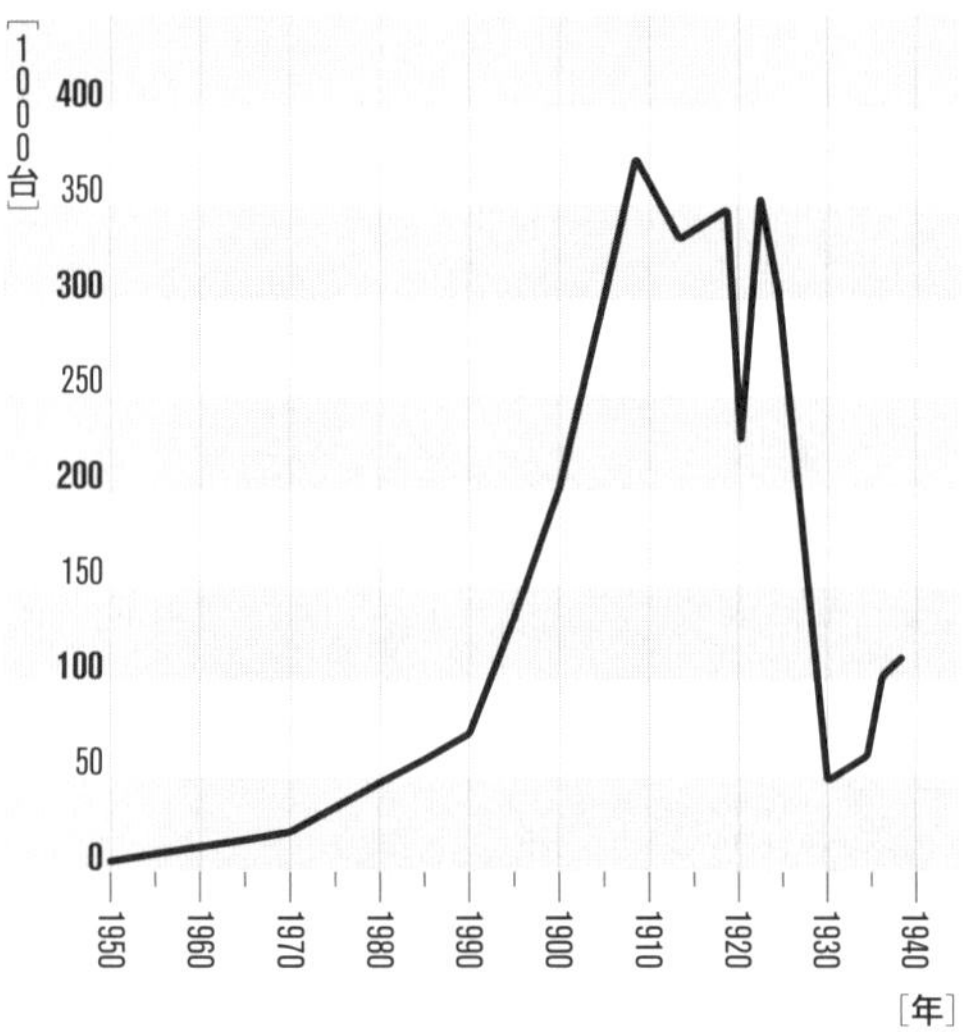

[図1－1]アメリカのピアノ生産数推移

1830年からブームが起こるが、レコードが普及した1910年代に頭打ち。ラジオの普及した1920年代につるべ落としとなっている。ホーム・エンタテインメントの王座の推移を物語るグラフだ。

資料：『Handbook of the Economics of Art and Culture Vol.1』[★003]

二〇年代「その二」——ソフトの時代へ

ゲームのルールが変わりつつあった。蓄音機とレコード、「ハードとソフトの両輪」でやってきた音楽産業は、ソフトで稼ぐほかなくなったのだ。ビッグ・スリーは音楽カタログの拡大に血道を上げ、大金を払って人気オペラ歌手と専属契約していった。

アーティスト・パワーでハードとソフトの両方のシェアを取りに行く手法は、一九〇二年にビクター社が発見したものだ。十九世紀の余韻が色濃く残る二十世紀初頭、音楽の中心はミラノ、パリ、ロンドンにあった。ミラノを訪れたビクターのフレッド・ガイズバーグは若きテノール歌手、エンリコ・カルーソの歌声に惚れ込み、前代未聞の「専属契約」を結んでスタジオ録音に入った。このレコードは史上初のミリオンセラーとなり、専属契約は音楽業界の常識となった。

ビクターは人気オペラ歌手のレコードを専門としたレーベル、レッド・シールを立ち上げる。当時のレコードは現在価値で一枚六千円もしたが、レッド・シールはこの四倍の二万四千円もするプレミアム価格が設定されていた。[★005]これが売れに売れた。当時レコードは規格競争が続いていたので、キラーコンテンツを取ったビクターの蓄音機ビクトローラは、エジソン社を超えてナンバーワンの座を奪う。そしてニッパー犬は蓄音機の象徴となった。

だが、技術力を誇りに企業運営してきたエジソンは、このアーティスト重視の流れを嫌った。彼は、レコードのラベルにアーティスト名を印刷することすら嫌がった。「音楽を安価で、だれの手にも届くように」というのがモットーだったエジソンにとって、無名のスタジオミュージシャンを使った安価なクラシック・レコードこそ正しかったのだ。[★006]

二〇年代［その三］——辺境から生まれたキラーコンテンツ

エジソンの美学に合わない話はほかにもあった。

一九二〇年はジャズから初のミリオンセラー作品が出た年でもあった。それは多民族国家アメリカで起きた、後世のグローバリゼーションの雛形とでもいうべき現象だった。第一次世界大戦の特需はシカゴ、デトロイトの工場に労働力不足を引き起こし、百万人以上の黒人が南部から移動してきた。そこで白人並みの所得を得た彼らが、ディキシーランド・ジャズのマーケットを作り始めていた。そしてオーケー・レコードなど、黒人音楽を専門としたインディーズレーベルが生まれ始めた。

当時のメインストリームであるオペラ歌手やブロードウェイ歌手は、メジャーに囲われていたので、インディーズは小さなセグメントを取りにいくしかなかったのだ。インディーズのオーケー・レコードから出た、黒人歌手メイミー・スミスの「クレイジー・ブルース」（一九二〇年）がヒットすると、コロムビアはさっそくオーケーを買収。黒人市場を取り込み始めた。★007

コロムビアは黒人女性歌手ベッシー・スミスと契約。デビュー作「ダウンハーテッド・ブルース」（一九二三年）はその後、六年で六百万枚のセールスを記録した。★008 オーケーは一九二〇年代後期、ルイ・アームストロングを録音。現代ジャズに連なる道を切り拓いた。

一方、ビクターは、黒人市場にとどまらなかった。ジャズを、メインストリームでもヒットするよう白人受けするサウンドに作りかえた。当時、ポピュラー音楽といえばブロードウェイものを指していたが、このブロードウェイもののバラードに、黒人音楽のリズミックなシンコペーションを取り入れたのだ。

一九二〇年。ポール・ホワイトマンの「ウィスパリング」は、ダブル・ミリオンを記録した。★007 四年後に彼の主催したコンサートは歴史的な瞬間となった。クラシックとジャズを融合した画期的な作品、ガーシュインの「ラプソディ・イン・ブルー」が演奏されたのだ。それは「アメリカ音楽の誕生」であり、第一次大戦以降、アメリカがヨーロッパから精神的に独立したことを象徴していた。

エジソンはどうしたか。彼は、ジャズやブロードウェイは嫌いだった。エジソン・レコードはクラシック路線を維持し、シェアを落としていった。[★007] しかし、皮肉な話だ。エジソンが社長を務めたGE社の新ビジネスが、ダンスミュージックのパイオニアであるジャズを広く白人層にまで浸透させていくことになる。ラジオの登場だ。

二〇年代［その四］――レコード産業、コンテンツと音質で無料のラジオに完敗

軍事技術が民主化し、その技術革新が文化に破壊と再生をもたらすという歴史の法則がある。その激震は平和主義である音楽を震源地に選びがちだ。

二十世紀末、マルコーニが開発した無線技術は、アメリカとヨーロッパ戦線との重要な繋ぎ役となったこともあり、アメリカでは軍が電波を一元管理していた。

戦後、海軍将校とGE社の幹部が会合。英国など海外に無線技術を売却しないことを条件に、放送免許を半独占的に卸すことが決まった。[★009] 放送産業のパイオニア、RCA社の誕生である。

若き経営幹部サーノフは、新しいビジネスモデルを着想した。電波を介して音楽を無料で流し、これをキラーコンテンツにして、無線受信機を全米の家庭に購入させる。そう、ラジオだ。のちに、彼はカラーテレビもビジネス化し、〝放送の父〟と呼ばれるようになる。一九二六年、RCAは放送ネットワークNBCを立ち上げた。初の全国ネットワークの誕生である。

ラジオは、無料で音楽が聴き放題。そのうえ、レコードより遙かに音質がよかった。当時レコードの音質は三五〇〇ヘルツだったのに対し、ラジオは五〇〇〇ヘルツだった。[★010] レコードはいったん物理的要素が入るのに対し、ラジオはマイクから放送まで電気化されていたからだ。

当時の音楽番組は、ライヴ中継が基本だった。低音質のレコードをかけても魅力的な放送とはならなかったのだ。サーノフは、ホールやホテルからコンサートを無線中継し、これをAT&Tの長距離電話回線で全国のネット局へ配信した。レコードなら一枚数万円もした一流歌手の音楽が、タダで楽しめるのだ。リビングの書棚に揃えたレコードよりも遙かにたくさんの音楽を聴くことができた。人びとは史上初の本格的なフリー・メディアに夢中となった。

ラジオの普及速度は、インターネットの普及速度を凌《りょう》駕《が》するほどのものだった。大規模な放送の開始(一九二六年)から十四年で、全米世帯の八〇%に到達している。[★011] アメリカでインターネットの普及率が七〇%を超えたのは二〇一〇年。[★012] ウィンドウズ95の記録的セールスを期にインターネットが一般層に普及し始めてから、十六年が過ぎていた。

ほどなくラジオは、現在の地上波テレビのように総合バラエティ化する。しかし、音声メディアの宿命だろう。音

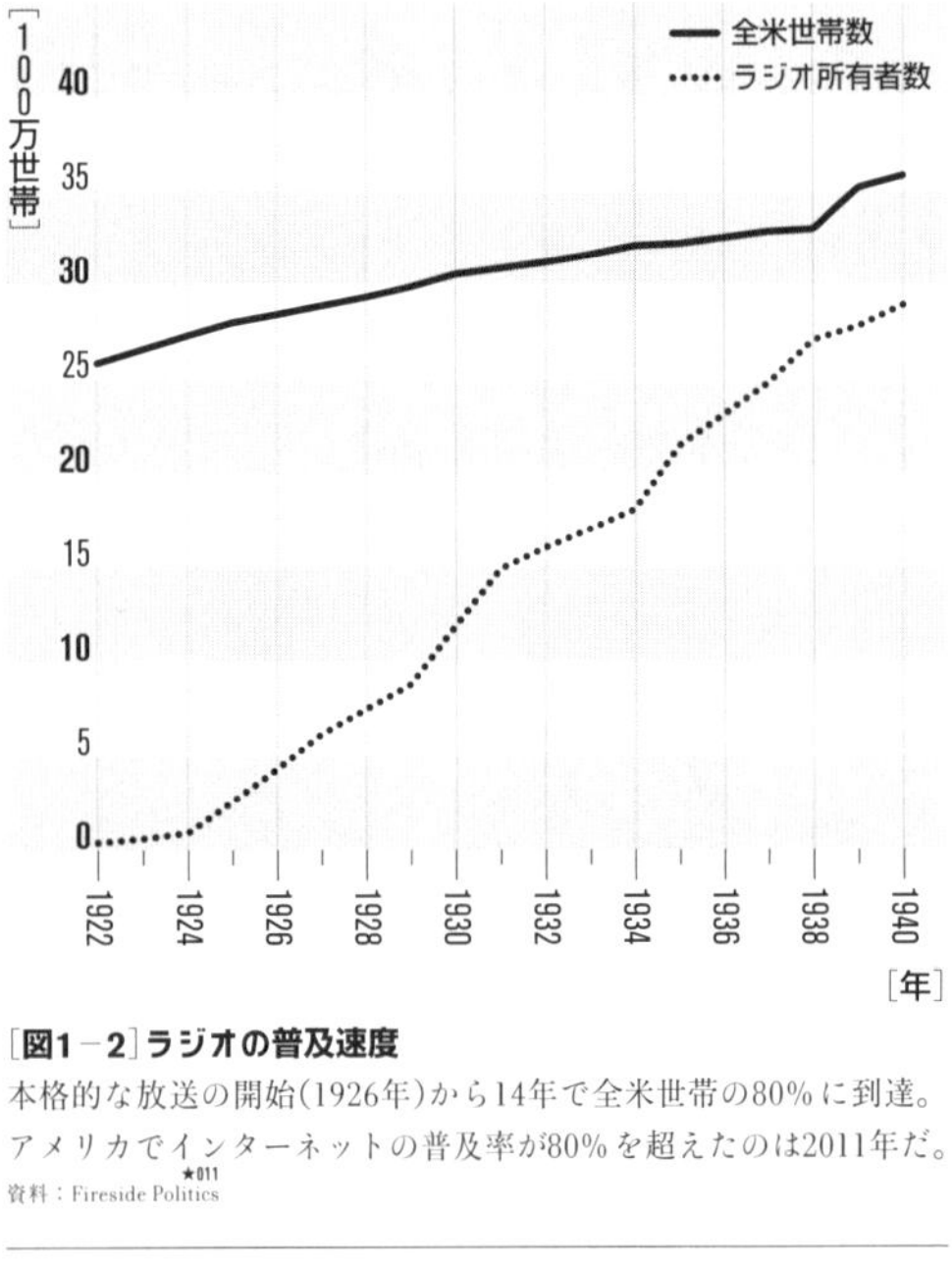

[図1-2]ラジオの普及速度

本格的な放送の開始(1926年)から14年で全米世帯の80%に到達。アメリカでインターネットの普及率が80%を超えたのは2011年だ。

資料：Fireside Politics [★011]

楽がキラーコンテンツの王座から離れることはなかった。この流れは、のちにユーチューブも踏襲することになる。

一九二七年。ラジオ放送が本格化した翌年だ。この年の一億四千万枚をピークに、レコード売上の下降が始まった。[★013] 大恐慌のどん底となった一九三二年には、総売上わずか六百万枚にまで激減。[★014] 実にマイナス九六%だ。音楽産業の惨状はインターネットの到来期やコロナ禍を遥かに超えていた。無料化の大津波で文字通り壊滅したのだ。

二〇年代［その五］――ラジオ・ネットワーク、メジャーレーベルを買収

過当競争、無料メディアの登場、そして大恐慌。一連のカタストロフィーで、メジャーレーベルの状況は一変した。

まず一九二三年、最大手コロムビア・レコードが破産した。同社の英国法人を所有していた英資本家が、コロムビア本社を逆買収。英国資本となったコロムビアは、一九二七年にラジオ・ネットワークＣＢＳをアメリカで創立し、放送事業へ参入した。ＲＣＡが初の放送ネットワークＮＢＣを立ち上げた翌年の話である。

一九二九年。株式大暴落の二日後のことだ。エジソンはレコード事業からの撤退を決定した。その後、ラジオ産業がレコード産業を買収していく流れとなった。同年、ビクターはＲＣＡに買収される。一九三八年には、ＣＢＳが親会社のコロムビア・レコードを逆買収するに至った。

かくてレコードは、ラジオに完敗を喫した。屈辱だったかもしれない。だが、ラジオとレコードのコングロマリットはその後、レコード産業復活に繋がっていく。

なお八十年後の執筆現在、ＲＣＡ、ビクター、米コロムビアは、すべてＳｏｎｙミュージックに統合された。Ｓｏｎｙのライバル、ユニバーサルの買収話が、Ａｐｐｌｅや中国テンセントから漏れ出ている。新興するテクノロジー企業がキラーコンテンツを買収する流れは、百年近く続いているのである。

三〇年代——新たな強敵、映画

歴史は繰り返す。

一九三〇年初頭の大恐慌は、「音楽を買って楽しむ」よりも「音楽を無料で楽しむ」スタイルをさらに加速させた。

谷底の一九三二年。レコードプレーヤーの年間売上はわずか五十万台だったのに対し、ラジオは二三〇万台だった。ウォール街大暴落から三年で、ソフトとハードを合わせたレコード産業の売上は十分の一になったが、ラジオのハード事業は半分で持ちこたえていたし、★015 ラジオ広告売上は恐慌の最中も成長を止めることがなかった。

さらには、レコードと同じ有料コンテンツの世界で、最強のライバルが現れた。すなわち、〝サウンド・フィルム〟の大流行である。

映画の黄金時代は、音楽が連れてきた。

一九二七年、ワーナーがジャズをテーマに初の音付き映画、『ジャズ・シンガー』を公開。翌年、ブロードウェイ・ミュージックを鏤《ちりば》めた『シンギング・フール』を公開すると、ブームが始まった。大暴落の一九二九年に、ワーナーブラザースは前年比七〇〇%の売上を叩き出し、その利益でもって九百の映画館を買収した。★016

音付きの映画、サウンド・フィルムは社会現象を起こした。映画の週間動員数は一九二八年に七千万人、一九二九年に一億一五〇〇万人、一九三〇年に一億二五〇〇万人へ。全米の国民(六歳以上)が週に一度、映画に行っていた計算になる。★016

映画の黄金時代は、十年前に下地が出来ていた。一九二〇年代、フォードのモデルTが大量生産され、中流階級に自動車が行き渡ったのだ。家族は週末夕方、自動車に乗って映画館やアミューズメントパークへ行くようになった。カーラジオと並び映画は、自動車社会のキラーコンテンツとなったのである。

急降下を続けるレコード産業と反比例して、映画産業は不況の最中、黄金時代を迎えようとしていた。だが、一九三一年に銀行の破綻が連鎖すると、映画からもついに客足が遠のき出し、映画館の三分の一が閉鎖となる。とはいっても、音楽産業と比べれば遙かにましだった。

いつの時代も不況で最も割を食うのは経済弱者だ。一九二〇年代にようやく育ちつつあったブラックミュージック市場は恐慌で壊滅。黒人市場をターゲットにしたブルースやホット・ジャズのインディーズレーベルは消滅した。パブでは閑古鳥が鳴き、演奏の場を失った黒人ミュージシャンたちは廃業に追い込まれた。

メジャーレーベルも悲惨なことになっていた。RCAビクターはこの年、一枚も新譜を出せなかった。スタジオから閉め出された音楽業界人たちは、それでもまだ仕事のあったハリウッドへ移動していった。★016

三〇年代の変革［その一］——技術革新。音質向上と普及機

レコード産業は存亡の危機に立たされた。約九十年前（執筆現在）の彼らは無策のまま、世を呪うばかりだったのだろうか。そうではなかった。レコード産業は、技術革新を起こしていた。

まず、音質向上が喫緊の課題だった。ラジオは無料で音楽が聴き放題。そのうえ、音質面でも完敗していては、勝ち目がなかったからだ。一九三一年、英EMIがムービング・コイルを使って微細な音を録音・再生する技術を開発した。EMIは欧州で随一のメジャーレーベルになっていた。

さらにウェスタン・エレクトリック社が、塩化ビニールをレコード素材に使う技術革新を起こす。エジソン以来使っていた、再生を繰り返すと音が劣化したワックス・レコードに比べ、耐性が向上しただけでなく、ビニール・レコードは遙かに精妙な音を記録可能だった。

このふたつの技術革新のおかげで、レコードの音質は三五〇〇ヘルツから一万ヘルツへと飛躍的に向上した。AMラジオの五〇〇〇ヘルツと比べ、数値的には二倍のクォリティだ。★017 なお、ウェスタン・エレクトリック社は後年、トランジスタ技術をSonyに提供する。これが音楽ビジネスの黄金時代再来に大きな影響を与えていく。

音質向上の翌年には、レコードプレーヤーに普及機が登場した。ラジオとレコードの結婚で生まれたRCAビクターは、出自にふさわしい普及機を開発した。当時のラジオは、スピーカーとアンプの付いたオールインワン・モデルだったが、これにアタッチできる廉価版のレコードプレーヤー、デュオ・ジュニアを十六ドル五十セントで発売。一九三〇年代を通じてトップセラーモデルとなった。★017

デュオ・ジュニアの定価を現在価値に直すと八万七千円だ。我々の感覚からすると、廉価版にしてはかなりお高いが、当時レコードプレーヤーのトップラインは三五〇ドル以上、現在価値で一八五万円以上だった。★018 自動車とさほど変わらない値段だったレコードプレーヤーが、そこまで安くなったのである。

三〇年代の変革［その二］——価格破壊

ハードの価格破壊に続いて、ソフトの価格破壊が起こった。これはレコードメーカーの自己変革というよりも、新参の起業家が引き起こした変革だった。

一九三一年。銀行の連鎖破綻が起こったこの年は、音楽レーベルのバーゲンセールだった。少年時代に新聞売りで頭角を現し、次にタバコのトップセールスマンとなったハーバート・イェーツは、この好機を逃さなかった。イェーツはため込んでいた起業資金でレコードプレス工場と、アメリカン・レコード・カンパニー（ARC）を買収した。

イェーツのARCは、瀕死の独立系レーベルを片っ端から買っていった。メジャーが有名歌手を中心にカタログを揃えていた一方、資本力のない独立系レーベルはホット・ジャズ、ブルース、カントリーなどニッチな音楽に向かい、地方受けするレコードを制作していた。

さらにイェーツは、映画主題歌に強いブランズウィック・レーベルをワーナーから買収。世は映画の黄金時代だ。ブランズウィックにはビング・クロスビーほかスターたちのヒットソングが揃っていた。かくしてARCは、キラーコンテンツを持つに至った。

そしてイェーツは価格破壊を起こした。当時のレコードの値段は七十五セント。現在の価値に直すと三五〇〇円だ。[★018] イェーツはこれを、半額以下の三十セントで売った。さらに通信販売を活用。メジャーの販売網が及んでいなかった地方を中心にシェアを急拡大させた。

一九三四年。起業家イェーツは、英EMI（元コロムビア本社）から見放され漂流していた米コロムビアのレコード事業部門を買収。わずか三年でメジャーの一角にのし上がった。だがすぐに彼は、あっさりレコード事業を売却してしまう。別に手がけていた絶好調の映画事業に専念するためだった。一九三八年、イェーツからARCコロムビアを買収したのは、かつて米コロムビアの子会社だった放送ネットワーク、CBSだった。のちにSonyに買収される、CBSレコードの誕生である。

三〇年代の変革［その三］——マイクロペイメントと口コミ

レーベルの買収と価格破壊でメジャーにのし上がったレコード会社は、もうひとつある。デッカ・レコードだ。アル・ジョルソンが映画で世界的なスターとなり、主題歌が欧州でミリオンセラーとなったのを観察して、「レコードは衰退産業どころか、世界的なビジネスになる」と踏んだ投資家がイギリスにいた。エドワード・ルイス卿である。

ルイス卿は欧州の独立系レーベルを次々と買収。クラシック中心のカタログを構築した後、一ドルが相場だったクラシック・レコードを一律三十五セントにして販売攻勢をかけた。

一九〇二年のエンリコ・カルーソ以来、クラシック音楽はメジャーレーベルのメインストリームだった。RCAビクターが支配していたこのクラシック市場を、新興のデッカは価格破壊で奪い取っていった。ARCの起業家イェーツは現在のアマゾンのように通信販売で流通革命を起こしたが、デッカを率いるルイス卿が着目したのは、ワンコインで高価なレコードが聴けるジュークボックスだった。

一九三三年、セオドア・ルーズベルトが禁酒法を廃止すると、全国でバーやレストランが復活。飲食業界は営業再開の際、かつてのようにミュージシャンを雇わなかった。彼らはミュージシャンの代わりにレコードが音楽を奏でるジュークボックスをこぞって導入した。ジュークボックスの稼働数は五十万台に到達し、その半数は南部にあった。

クラシックで成り上がったデッカを率いる貴族のルイス卿こそ、世界で初めてダンスミュージックを一大ビジネスにした張本人だ。卿は南部受けするスウィングやカントリー、ブルースを制作して、ジュークボックスにダンスものの人気レコードを供給する戦略を立てた。そしてライバルARCのブランズウィック・レーベルから元オーナーのジャック・キャップを引き抜き、同時にクロスビーなど主力陣も移籍させることに成功。これを武器にジュークボックス市場に販売を集中させた。

デッカは時代をよく読んでいた。ジュークボックスの流行は、レコード音楽の楽しみ方が変化したことを意味していた。レコードは、それまでリビングで家族と楽しむものだった。だが、三〇年代になり、ダンサブルなジャズ、スウィングが若者の間でブームを起こすと、家庭ではなく公衆で仲間と楽しむ文化が生まれた。ディスコ、クラブカルチャー、EDMの原型といえる現象だ。バーで仲間のかけた音楽を聴いて、レコードショップで購入する。若者の間で、そんな商流も開通した。現在のSNSに連なる、音楽の口コミ・マーケティングの誕生といえるだろう。ジュークボックスは一九三六年には、レコード生産の半数以上を消費。不況下にあるレコード産業の救世主となったが、このおいしいところをすべてデッカは持っていったのである。[★019]

三〇年代の変革［その四］――映像を使ったプロモーション

『ジャズ・シンガー』そして『シンギング・フール』。二〇年代の最後に登場し、映画の黄金時代を到来させたサウンド・フィルムだ。共に「歌う《Sing》」という言葉がタイトルに入っている、歌が中心の映画である。ふたつに主演したアル・ジョルソンのレコードは、空前の音楽不況の最中、立て続けにミリオンセラーとなった。

映画館は、ブロードウェイの歌手だったジョルソンを全国区にしただけでなく、世界的なスターに押し上げた。映像が音楽を売る時代が到来したのだ。映画の登場で、ブロードウェイとティンパンアレイ(音楽出版)の縮小は加速した。それは新興のワーナーにとって、さらなる好機の到来でもあった。

それまで映画プロデューサーは、ブロードウェイの音楽出版社に来て音楽を発注していたが、進取の精神に富むワーナーは『シンギング・フール』の成功を機に、音楽出版社の買収に乗り出す。映画が当たる。主題歌が売れる。ふたつのヒットをじぶんたちのものにする寸法だった。タイアップ・ソングのフォーマットが出来上がった瞬間である。一九三六年にはヒットソング五十六曲のうち、二十三曲がハリウッド映画から誕生した。[★020] 音楽ビジネスに参入したワーナーはやがてメジャーの一角を占めるようになってゆく。

三〇年代の変革［その五］——音楽番組、ダンスミュージック、そして魂の解放

映画の席巻は当初、ラジオにとっても脅威だった。いちばんの稼ぎ時だった週末夕方の番組リスナーを、ごっそり映画館に取られてしまったからだ。毎週末、家族で映画館に行く習慣が出来上がったためだった。

広告出稿していたナビスコは、映画に対抗しうる、全く新しい番組をＮＢＣに求めた。「若者を映画館に行かせず、家でリッツクラッカーを食べさせたい」と言ってきたのだ。ＮＢＣの出した答えは、「ダンスパーティを番組化して、若者をリビングから離れさせない」ことだった。

ジュークボックスの大流行で、ポピュラー音楽に変化が起きていた。この頃はスタジオライヴが音楽番組の基本だった。だが、一九二〇年代のスタジオ機材には欠点があった。ダイナミックレンジの高い歌唱法やドラムは、生放送中に真空管をパリンとやってしまうため、ＮＧだったのだ。そこで生まれた音楽が、楽器にドラムを使わず、歌手は囁くように歌うスウィート・ジャズだった。ニューオリンズにあったオリジナルのジャズよりも、むしろブロードウェイのバラードに近い音楽だった。

だが、ＮＢＣがダンスミュージックの番組を企画した一九三五年頃には、電気アンプが大幅に進歩し、みんながジュークボックスで大音量の音楽を聴くようになっていた。この技術革新が若年層の音楽趣味に変化を起こしつつあった。パワフルで、ダンサブルな音楽が受けるようになったのだ。オリジナルのジャズにあった、リズム重視の語法が復活しようとしていた。スウィング・ジャズの誕生である。

放送でのレコード使用が規制されていた当時、ＮＢＣの新番組『レッツ・ダンス』は、スタジオミュージシャンが次々と演奏することで、仮想のダンスパーティをリビングに創り上げようとしていた。このレギュラーに起用されたのが、のちに〝スウィングの王様〟と賞されるベニー・グッドマンだった。彼のダンスサウンドに若いリスナーは夢中

となった。

ラジオがダンスミュージックばかりになると、既存の音楽ファン層から非難も集まるようになった。メジャーレーベルのカタログが依然、クラシック中心だった時代だ。そこでNBCは、『レッツ・ダンス』を放送する一方、イタリアのマエストロ、トスカニーニの指揮する交響曲を毎週ライヴ放送した。これが聴取率四〇%という怪物番組となった。[★021]

次々と生まれる強力な音楽番組に押され、大恐慌下にもかかわらず、ラジオの広告売上は急成長を続けた。一九二九年、株式大暴落の最中、CBSの広告売上は前年の六倍に激増。全ラジオの広告売上は四千万ドルだった。恐慌の谷底の三二年には、その倍の八千万ドルに。そして『レッツ・ダンス』から二年後の三七年には、ラジオ広告売上は一億四五〇〇万ドルにまで成長した。[★022]後世、ユーチューブも無料の音楽ビデオを一番人気にして広告モデルを打ち立てた。

二十世紀初頭に始まった大量生産企業は三〇年代、ラジオが全国的な「視聴者」を創出するに至って、「マス広告」という強力なマーケティングツールを手に入れた。大量生産。大衆。マス広告。そして大量消費。ここに連鎖が完成した。そして、アメリカ経済は復活へ向かう。

グッドマンのスウィングが引き起こしたダンスミュージックのブームは、この新しい大量消費社会の構築に大きく関わることとなった。それは、音楽業界全体を回復させる原動力にもなってゆく。アメリカのレコード産業売上(ハード+ソフト)は、一九年の七五〇〇万ドルから三二年に六百万ドルへ転落。『レッツ・ダンス』の始まった三五年もたった九百万ドルだった。だが、ラジオ番組『レッツ・ダンス』から始まったスウィングの爆発的な流行で、翌年の一九三六年にはレコード産業売上は三一〇〇万ドルに。わずか一年で三倍以上となった。[★023]

RCAビクター、CBSレコードといったかたちでラジオ・ネットワークとレコードメーカーが融合したことで、レコード産業は、無料メディアのラジオとの付き合い方をようやく体得しつつあった。一九三九年には米レコードの総売上は五千万枚に。[★023] 十二年前のピーク、一億四千万枚の三分の一にまで戻ることとなった。[★024] 実に、全セールスの八五％がスウィングのレコードだったという。[★021] それから三年後。一九四二年に、アメリカのレコード売上枚数はようやく往年のピーク、一億四千万枚へ追いつくことができた。ラジオの席巻で壊滅したレコード産業は、イノヴェーションを重ねてきた。そして十五年の苦闘の末、ついに復活したのである。

三〇年代のまとめ——魂の自由がもたらすブーム

一九三〇年代後半に起きたダンスミュージックの席巻は、ポピュラー音楽全盛の時代が始まる合図でもあった。ダンスミュージックだったジャズを機にポピュラー音楽は変わった。

これまでは「ノスタルジー」「故郷」「家庭」をテーマにした歌詞で、大衆から共感を得るのがポップソングだった。しかし、ジャズのコード進行はシニカルで反逆的であり、歌詞には大人が顔をしかめるセクシーな表現があった。そしてスウィング以降、ポップソングは、どちらかというとリズムの躍動で大衆の共感を得ていくようになった。

二〇年代、〝キング・オブ・ジャズ〟と呼ばれたポール・ホワイトも、三〇年代、〝キング・オブ・スウィング〟と呼ばれたベニー・グッドマンも白人だ。本来のジャズを生んだ黒人ミュージシャンたちは、いまだ日の目を見ることはなかった。だが中流階級の白人の若者たちは、黒人音楽をルーツとするジャズの虜となった。

スウィング・ジャズのブームは、音楽、ダンス、ファッション、ヘアスタイル、若者用語、生活スタイルのすべてがひとつのパッケージとなった社会現象だった。それは、前世紀の英ヴィクトリア朝的なモラルから魂を解放しようとする、若者たちの革命でもあった。

「音楽は女のもの」といったタブーは破壊され、男性はおおっぴらに音楽を愛せるようになった。女性たちもまた、ダンスミュージックの創るカルチャーの一員となることで、「家庭的で従属的」という旧来の女性像の押しつけから解放されようとした。彼女たちフラッパーは、現代的な女性像の原型をつくり上げていった。その後、この文化的鋳型は、ロックンロール、ディスコ、ヒップホップ、レイヴで何度もリバイバルされてゆくことになる。

魂の解放。既存の価値観を壊すもの。白人の隷属下に置かれた黒人たちが音楽に込めた想いは、『中流的な価値観』に喘ぐ白人の若者たちの魂を解放したのだ。魂の自由こそがブームの本道であり、音楽不況を打ち破るスーパーパワーだ。それは八十年後の今も、これから八十年後の未来も、変わらないように思える。

一九三五年の〝スウィング・エラ〟開始から実に二十年後。黒人ミュージシャン、チャック・ベリー、ビル・ヘイリーたちのロック&ロールが堂々とチャートを席巻。そこに至って、レコード産業は黄金時代を迎えることになる。そして彼らを表舞台に上げたのは、四〇年代後半に現れた新たな職業、ディスクジョッキー(DJ)をこなす白人たちだった。

黄金の章

四十年かかった音楽産業、黄金時代の再来

音楽の黄金時代を導いた男

「アラン・フリード。僕の名前だ。僕の半生は、ロックンロールの歴史でもあるんだ」

男が壇上に立つと、オーディエンスが熱くなる。男のMCで伝説のロックンローラー、ビル・ヘイリーが呼び込まれ、熱気が爆発したようにライヴが始まる。

一九五七年のボストン。男の主催するこのライヴショーは、ロックンロールにとっても、男の人生にとっても頂点だったかもしれない。ロックンロールのブームは、この男がしかけた。そしてブームはピークを迎えていた。

オープニング曲はビル・ヘイリーの「ロック・アラウンド・ザ・クロック」。ロックンロールの最初にして最大の

ヒット曲だ。ビルボードで八週連続一位を飾り、売上枚数は累計二五〇〇万枚に達した。つまらない大人たちに反逆する当時のティーンエイジャーにとって、この曲は世代のアンセムとなった――。

映画『ミスター・ロックンロール』が描く、歴史のひとコマだ。主人公のアラン・フリードは、ロッカーではない。だが、ラジオDJの彼が「ロックンロールの生みの親」であることに間違いはなかった。彼こそが「ロックンロール」の名付け親であり、今ではチャック・ベリーやエルヴィス・プレスリーたちと共に、ロックの殿堂に並んでいる。

「北米レコード産業は、無料メディアのラジオが普及した際、恐慌も重なり壊滅した。だが、様々なイノヴェーションを重ね、十五年を費やし、一九四二年にようやく売上枚数を回復した」。前章でそう書いた。しかしそれは、一九二〇年代の黄金時代が再来したことを意味してはいなかった。ARC、デッカといった新興のメジャーレーベルが価格破壊を起こしていたからだ。値段が半額以下になったのなら、二倍以上の枚数を売らなければ、本当の意味での復活にはならない。黄金時代を再来させるためには、レコードの大量消費を生む「何か」が必要だった。

「ラジオはレコードをかけてはいけない」タブーを破った太平洋戦争

アラン・フリードの人生は、その答えの「何か」だった。

フリードは一九二〇年、白人の中流家庭に生まれた。そして高校時代に、ラジオ番組『レッツ・ダンス』が起こしたスウィング・ブームの洗礼を受ける。彼は、ベニー・グッドマンのダンスミュージックに心を奪われ、クラスメイトとバンドを組んだ。が、耳を患い、ミュージシャンの道を諦めた。

大学に進んだフリードは、ラジオの仕事に興味を持った。ほどなくアメリカは日本と開戦。従軍した彼はアメリカ陸軍のラジオ局に勤務することとなった。実はこの太平洋戦争が、米ラジオ業界にあったタブーを打ち破るきっかけとなる。今となっては信じがたい話だが、太平洋戦争以前、アメリカではラジオでレコードをかけることはタブーだった。

免許制が導入される以前、アメリカには無数のアマチュア放送局があった。一九二二年、合衆国政府はラジオ局の免許を卸すにあたり、「良質な番組を作成できること」を条件とした。★001 いつの時代も規制には既得権益者の意図が隠されているものだ。当時、レコードはラジオに比べ音質が劣っていた。レコードをラジオに使うと「質の悪い番組」。スタジオライヴやコンサート中継が「良質な番組」。この基準で放送免許が下りることとなった。

スタジオライヴ、コンサート中継にはそれなりの資金力が要る。必然とアマチュア放送局は淘汰され、ローカル局はNBCやCBSといった全国ネットワークに吸収されていった。その後、この規制は撤回され、レコードも飛躍的に音質が向上した。一九三五年にはニューヨークのローカル局でレコードを使ったダンス番組『メイク・ビリーヴ・ボールルーム』が成功する。だが、大勢を占める放送ネットワークは、レコードを使おうとしなかった。スタジオライヴやコンサート中継は依然として、ローカル局には不可能であり、そこにじぶんたち全国ネットの強みを見出していたからである。音楽会社も、レコードに「放送禁止」と刻印したままだった。

タブーを破ったのは、合衆国陸軍である。先の第一次大戦で、米軍はレコードを戦線に供給。音楽は、兵士の精神的健康を保つのに非常に有効と証明された。第二次大戦では、合衆国陸軍は軍営ラジオを開設。ここでは放送ネットワークの論理は不要だった。従軍するアラン・フリードのいた軍営ラジオは、レコードをかけまくった。★002

この頃、レコード会社やミュージシャン団体は、レコードを使用したラジオ局に裁判を起こしていた。が、一九四〇年から、ラジオ局に有利な判決が続出。「レコードの所有権は、購入された段階で購入者のものになる」という法理が成立し、買ったレコードを放送に使うのは自由となった。★003 かくして、DJの登場を阻むタブーは消滅した。

四〇年代――終戦後、音楽で起業していったアメリカの若者たち

日本との戦争が終わった後、アラン・フリードは地元クリーヴランドのローカル局に就職した。戦中、重工業が発展したクリーヴランドの工場は戦後、復興特需で人手不足となっていた。クリーヴランドに移住し、仕事にありついた黒人労働者は、白人並みの収入を得ることができた。彼らは音楽を求めた。

ブラックミュージックを供給していたインディーズレーベルは大恐慌でいったん壊滅したが、戦後、新たなレーベルが次々と立ち上がってきつつあった。戦地から帰ってきた若者たちは、中古市場で安いスタジオ機材を買って、レーベルを立ち上げることができたのだ。終戦をきっかけに、ドイツの軍事テクノロジーを駆使した秀逸なテープレコーダーがアメリカにやってきて、スタジオ機材の世代交代が起こったからだった。

四〇年代に登場したインディーズレーベルは、ブラックミュージックを多彩な世界にした。キング・レコードはカントリーとブルース。サヴォイ・レコードはゴスペルとビバップ。エレクトラ・レコードはフォーク、等々。なかでもアトランティック・レコードのリズム&ブルースと、チェス・レコードのエレキギターを使ったシカゴブルースは、ロックンロールの時代に大きな影響を与えていくことになる。彼らは新たなブラックミュージック市場を創り上げていった。一九二〇年代の、ジャズの興隆をなぞるような流れで、リズム&ブルースは登場した。

四〇年代後半は、アルバムを一枚に収められるLP盤と、小さなシングル盤も同時に登場し、レコードの音質は一万五〇〇〇ヘルツへとさらに向上した。なかでもシングル向けの七インチ盤は、登場から数年後、「ロックンロールのためのフォーマット」とまで呼ばれることになる。

フリードは当初、ジャズ、ポップソング、クラシックの番組を担当していた。どれも大人受けする番組内容だ。彼の番組担当スポンサーは、お金のない若者を相手にしたくなかったのだ。学生時代にハードなスウィングの洗礼を受

けたフリードは、マンネリ感でうんざりしていた。

一九五一年、転機は訪れた。

フリードは、局のスポンサーだった地元のレコードストアに呼ばれた。店に入った彼は、驚くべき場面を目にした。白人のティーンエイジャーが、店内に流れるリズム&ブルースに体をゆらしながら、黒人たちと一緒にレコードを漁っていたのだ。店長に訊けば、去年からずっとこんな感じだという。「リズム&ブルースの専門番組をやったら、スポンサーをやってくれるか?」興奮するフリードの問いに、店長は「もちろん、やるよ」と即答した。フリードはさっそくラジオのマネージャーにかけ合うが「リズム&ブルース? 黒人の子どもに向けて番組を創ったって儲からないだろう」と反論される。

「違うって。白人にリズム&ブルースを聴かせるんだよ。絶対すごいことになる。スポンサーも見つけてあるんだから文句ないだろう」そう言ってマネージャーを押し切ったフリードは、じぶんの持っていたクラシック番組を『ムーンドッグズ・ロックンロール・パーティ』という名に改変して、リズム&ブルース専門番組にしてしまった。

番組タイトルには、フリードの狙いが入っていた。まず彼は、じぶんにムーンドッグという人種不明のあだ名を付け、キッズを取り込むため、MCにくだけた言葉を多用することにした。さらに、「リズム&ブルースは黒人の音楽」というレッテルを取り払うため、このジャンルに新たな名前を付けた。それが、「ロックンロール」だ。実は、性的なスラングを黒人から拝借した。

フリードの読みは当たった。彼のリズム&ブルース番組はクリーヴランドでブームを起こし、フリードは地元キッズの英雄となった。黒人のリズム&ブルースは、反逆的なほどにバイタリティに溢れていた。

「僕らが子どもだった頃はね……」のちにDJとなったトニー・ピグは思い出す。「リズム&ブルースをやってるラジオは、白人の子どもにとって『死んだような中流社会』からの避難所だったんだ」

子どもにとって大人たちの聴くお行儀のよいポップソングは、社会の歯車となって心まで画一化した親のメンタリティを象徴していた。クリーヴランドでは、フリードが黒人のスラングから拝借した「クールでソウル」が、ティーンエイジャーの合い言葉となっていった。

六〇〜七〇年代の代表的なラジオDJとなったウルフマン・ジャックも、リズム&ブルースに夢中となった少年時代をこう追想している。「世界を好きになれなかった。別の世界で生きたかったんだ。そしてラジオとレコードは、じぶんにクールな世界を創ってくれた」[★004]

白人の少年少女たちにとって、白人の大人たちの価値観に毒されていないリズム&ブルース、すなわちロックンロールは魂の解放だったのだろう。それは、フリード自身が、スウィングのブームで体験した現象のリバイバルでもあった。冒頭の「ロック・アラウンド・ザ・クロック」も、リズムが跳ねて(スウィングして)いる。

番組開始から一年後、フリードは史上初のロックコンサートを主催。二万人の聴衆がクリーヴランドのホールに殺到した。黒人ももちろんいたが、大半が白人のティーンエイジャーだったという。[★005] 黒人ミュージシャンのロックンロールに合わせて、白人と黒人が入り交じってダンスを繰り広げる姿は前代未聞の様相だった。放送、そしてレコード。ふたつのテクノロジーが融合し、人種の壁を破壊した瞬間だった。それは、レコード産業の黄金時代が再来する先触れでもあった。

五〇年代——テレビの脅威が、ラジオDJとロックンロール全盛の時代を創った

DJがロックンロールのレコードをかけまくり、リスナーを熱狂させる。スタジオライヴやコンサート中継が人気獲得のセオリーだった時代に、フリードの開発したこの番組スタイルは革命的だった。DJ主体の番組は一気に全米

のラジオ業界へ波及していった。

　この現象には背景があった。テレビの急激な普及だ。テレビ放送は一九四一年に始まったが、本格的な商業放送は終戦後の一九四九年からとなった。そして五〇年代前半には、放送ネットワークは既にラジオからテレビへ重心を移動していた。テレビ以前、ラジオの番組編成は総合バラエティで、著名パーソナリティが番組の人気を決めていた。テレビの時代へ導くため、会社は人気のラジオ・パーソナリティをテレビ番組へ移動させた。ラジオ番組は求心力を失い、「ラジオ離れは必至」と見られていた。

　ラジオ業界は、パーソナリティに変わる新たなヒーローを求めていた。それが、レコードを次々とかけ、キッズを熱狂させるＤＪの存在だったのだ。テレビに総合メディアの王座を奪われたラジオは、セグメント・メディアへ変貌する。ＤＪのジャンル別音楽番組で、地域や年齢別の層をターゲティングすることで、収益力を回復していったのだった。

　クリーヴランドに社会現象をもたらしたフリードは、腕を買われニューヨークへ進出。番組をテープに収録し、全国のローカル局に番組を配給するネットワークを個人で創り上げた。

　フリードのロックンロール番組は、トレンドセッターとなった。彼のかける曲は次々とチャートインした。彼が歩

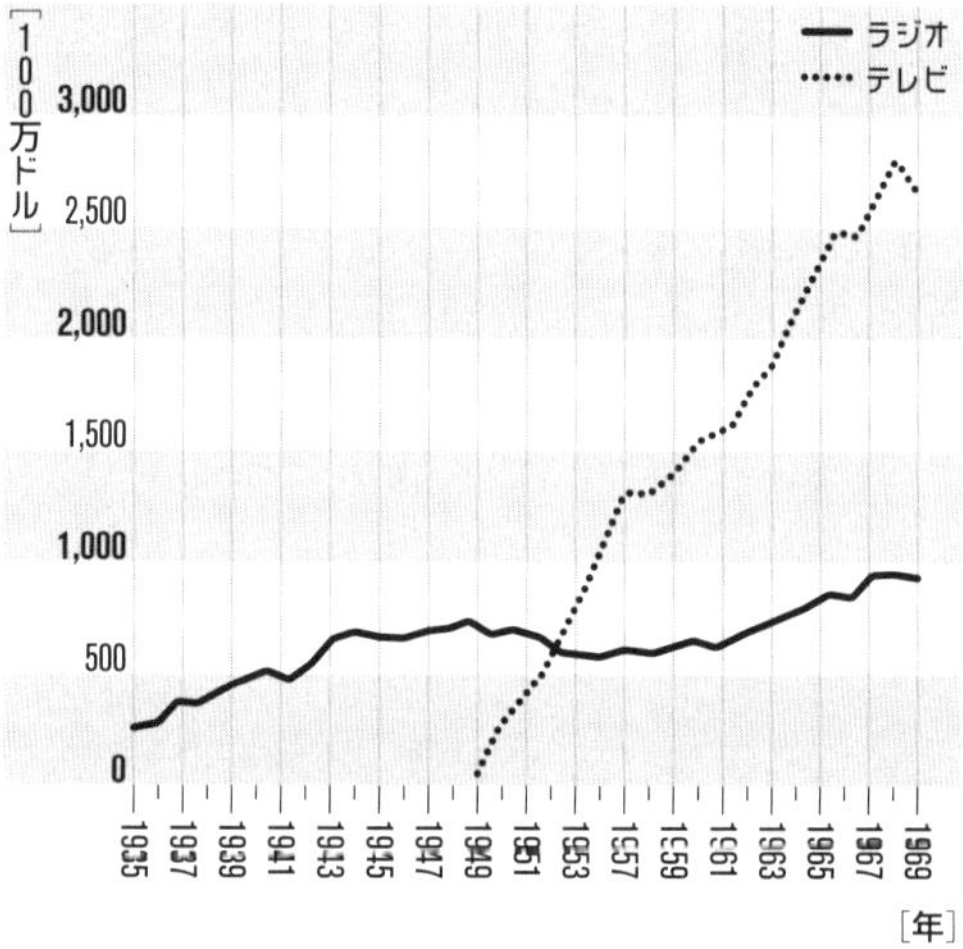

[図1－3]アメリカにおけるテレビとラジオの年間ハード売上
1949年から急上昇するテレビは、1953年にはラジオを超えていった。
資料：Radio Reader[★006]

くところ、レコードを売り込む宣伝マンが列を成して待っている状態となった。彼は音楽業界のキングとなったのだ。

テレビ・映画を活用し、反撃を試みるメジャーレーベル

五〇年代の前半、メジャーレーベルは、インディーズ主体のロックンロールを「一時的な流行」と見て受け流していた。まともなディストリビューションも宣伝費も持っていないインディーズに、彼らは高を括っていたのだろう。だが、気づいてみればインディーズは独自の販売網を構築していた。地元のレコードストアだけでなく、ディスカウントストア、スーパー、ドラッグストア、通信販売会社をゲリラ的に攻めていったのだ。

全国広告を打つ金がないかわりに、インディーズは新たな宣伝手法を編み出していた。車で地方都市をまわり、ローカル局のDJに謝礼金を払いレコードをかけてもらうやり方だ。これで街々のキッズたちにバズが作れればいい。ソーシャル・マーケティングの趨《はし》りだ。

五〇年代も半ばになって、メジャーレーベルも遅まきながら動き出した。一九五四年、新興メジャーレーベルのデッカは、前述の白人ロックンローラー、ビル・ヘイリーを獲得。デッカは、映画を活用した。累計二五〇〇万枚の

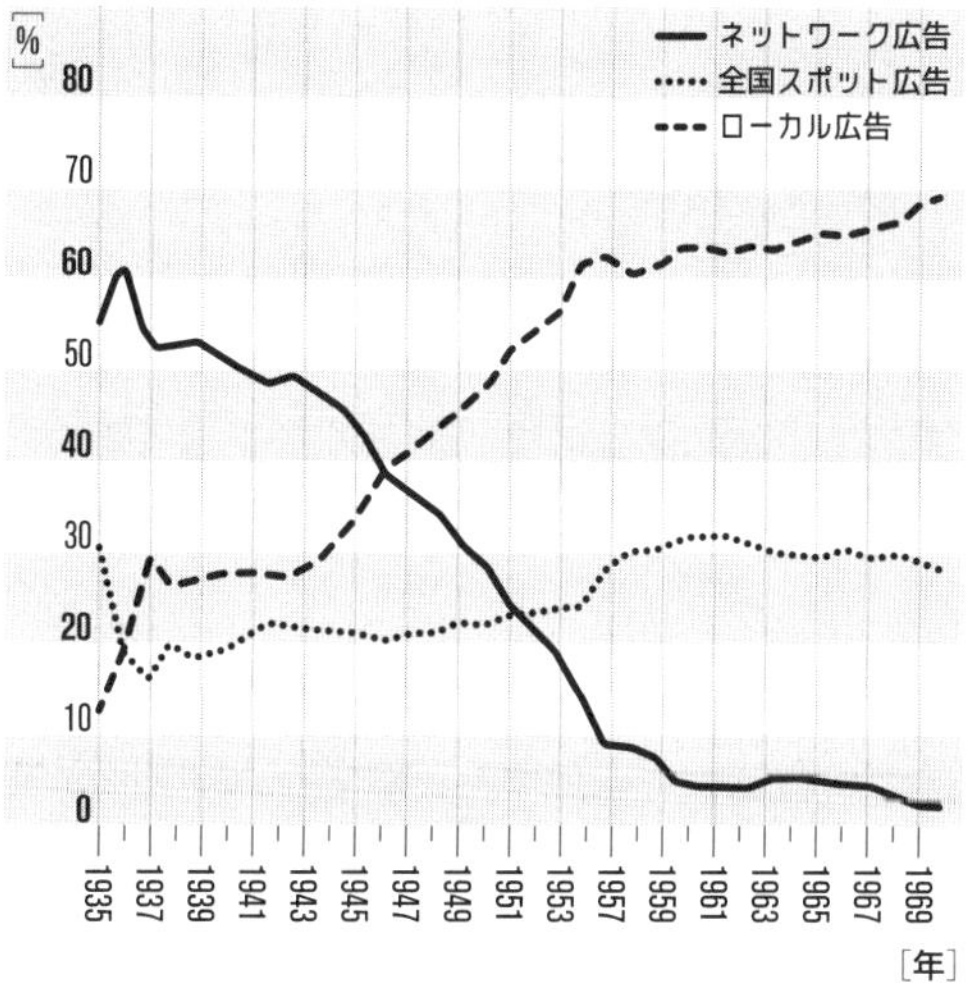

[図1－4]セグメント・メディアに変貌する米ラジオ
資料：Radio Reader★006

お化けシングルとなったビル・ヘイリーの「ロック・アラウンド・ザ・クロック」が売れたきっかけは、不良学生をテーマとした映画『暴力教室』の主題歌となったことだった。

一九五五年に、同じく白人ロックンローラー、エルヴィス・プレスリーをサン・レコードから獲得したのはRCAビクターだ。RCAビクターは、テレビを活用した。プレスリーは老舗音楽番組、『エド・サリヴァン・ショー』に繰り返し出演。映画を活用したミリオンセールスは、ジャズの時代からあったが、テレビの登場で決定的となったのは、ヴィジュアル志向だ。

『サリヴァン・ショー』はピーク時、五千万世帯が視聴する看板番組だったが、[★007]プレスリーの初回出演回は、視聴率八〇％超という化け物じみた数字を叩き出した。[★008]メインストリームの『サリヴァン・ショー』にプレスリーが出演したことは、ロックンロールが、アメリカの共通文化に変貌を遂げたことを意味していた。

RCAビクターは、映画も活用した。プレスリーは映画『監獄ロック』で世界的なスターとなった。放送ネットワークで全国区になり、映画で世界進出。メジャーレーベルが三〇年代にジャズで確立したこの大戦略は、五〇年代のロックンロールでも踏襲されることになった。

TOP40——カウントダウン番組の発明

メジャーがロックンロールに進出した一九五五年。呼応するように音楽番組の新しいフォーマットが発明された。オハマでローカルラジオ局を経営していたトッド・ストーズは、ある日、カフェでティーンエイジャーたちをぼうっと眺めていた。彼らはジュークボックスにコインを入れ、繰り返し同じ曲を聴いていた。ジュークボックスに入っているシングルなんて三十枚もないのに、よく飽きないものだ、と。そのとき、彼は閃いたのだ。

――ジュークボックスをそのままラジオにすれば、あいつらを虜にできる……。

ストーズの読みは当たった。ヒット曲を延々とかける〝TOP40〟専門ラジオは、瞬く間に全国へ広まり、地域によっては聴取率六〇％というとんでもない人気を博した[★009]。

今では音楽放送の看板番組といえばカウントダウン番組だが、当初はスポンサーの理解が得られなかった。チャートの中身がロックンロールで埋まっていたからだ。ロックンロールには黒人やティーンのイメージが張り付いていた。スポンサーはじぶんたちの商品イメージを、白人の大人と結びつけたがっていたのだ。しかし、白人のプレスリーやビル・ヘイリーの人気がピークに達する頃には、TOP40は儲かるコンテンツへと立ち位置を変えていた。トッド・ストーズは各地のローカル局を買収してTOP40専門局に変えていき、放送ネットワークのオーナーとなっていった。

TOP40専門局はターゲットの若年層をがっちり掴んで離さなかった。だが、このコンテンツをターゲット層に合わせて絞り込む「ナローキャスティング」の流行は、アラン・フリードが切り拓いたDJの全盛時代が終わりに近づいていることを告げていた。

TOP40番組には、耳の肥えたDJの選曲は要らない。かける曲が決まっているからだ。TOP40のうち、どの曲をパワープッシュするか編成が決めたら、あとは制作プロダクションが番組を作る。どのTOP40専門局でもかかる曲は変わらないのだから、他局との差別化はパワープッシュとステーションジングルしかない。TOP40ラジオでは、ラジオDJは曲繋ぎに曲名とステーション名を叫ぶこと、合間のミニトークでキャラを出すことが主な仕事となった。

究極のナローキャスティングは、DJ以前のネットワーク放送とどこか同じ匂いを放っていた。それは、よく言えば総合的な、悪く言えば画一的な番組作りの復活でもあったからだ[★010]。だが、このフォーマットが音楽のセールスに有効なことは間違いなかった。

五〇年代末、ようやく再来した音楽産業の黄金時代

五〇年代後半。アメリカのレコード産業は、ロックンロールで大好況を迎えていた。一九五四年には二億一三〇〇万ドルだった売上は、五五年には前年比二四%増、五六年には二五%増と二桁成長を続け、一九五九年には六億一三〇〇万ドルに到達。★011 わずか五年で売上は三倍となったのだ。

ラジオで曲を無料で大量に紹介し、安価なシングルを大量に売る……。アラン・フリードたちDJが確立したこの勝ちパターンで、レコード産業はついに黄金時代を再来させた。ここまで来ると、無料メディアのラジオがレコード産業を壊滅に追いやった時代があったことが、もう嘘のようだった。三〇年代にもタブーを押して、レコードを番組に使うラジオ局もなくはなかった。これを恐れて裁判を起こしていたのは、ミュージシャンたちだったのだ。「レコードをタダで流されたら生活の手段を失う」と信じていたミュージシャンは多く、彼らは圧力団体を作って裁判に挑んでいた。★012

五〇年代のこの黄金時代を享受したのは、メジャーレーベルではなかった。ビルボートチャートは、チェス・レコードやアトランティック・レコードといったインディーズレーベルが席巻していた。一九四八年から五五年まで、シングルチャートの七五%がメジャーレーベルだったが、一九五八年のチャートを見ると、メジャーのレコードはわずか三八%に半減している。★013

一方、アルバム売上はメジャーの占有率が高いままだった。LP盤は、プレスリーよりもフランク・シナトラの方が売れた時代だったからだ。シナトラのアルバム『マイ・フェア・レディ』は一三〇〇万枚、売れた。当時、メジャー

レーベルが扱うメインストリームはシナトラ、ドリス・デイ、ペリー・コモといったソフトで大人っぽいポップソングであり、ロックンロールはメインではなかったのだ。[★014]

だが、ロックンロールの時代は、シングル全盛の時代でもあった。シングル売上は総売上の半分に達していた。このシングル売上のほとんどをロックンロールに強いインディーズが持っていった。

この時代は、二〇一〇年前後とそっくりだ。音楽の宣伝は無料メディアに頼り、安価なシングルが売上の中心。ラジオを動画共有に、シングル・レコードをｉＴｕｎｅｓに変えれば同じ構造だった。安価なシングルでは音楽制作費の採算が取れないので、ライヴで黒字化したのも同じだった。だからライヴで踊れるダンサブルな曲、シンプルで短い曲をインディーズは大量に生産していったが、この傾向も音楽フェスが盛んな二〇一〇年以降と同じだ。

一九二七年に始まった凋落以来、メジャーレーベルが三十年間、切望してきた黄金時代は確かに再来した。だが、黄金時代を享受したのは、ラジオＤＪと共にロックンロールの時代を築き上げたインディーズレーベルだったのである。

反動、あるいは収賄スキャンダル

インディーズのロックンロールが築き上げた巨大なブーム。この革命を支えたのは、現代社会の強要する画一的な人生観に喘いでいたティーンエイジャーたちだ。彼らの反逆は、大人たちのメインストリームをひっくり返してしまった。反動は二種類の大人たちからやってきた。人種的保守層と、ビジネス的保守層だ。

「ロックンロールは、白人をニグロの文化レベルにまで引きずり落とす道具だ」

南部にあった白人市民会議の出した声明だ。彼らは脅えていた。音楽の世界で、ついに黒人が直接、脚光を浴びる

時代が来ていた。一九五五年から六三年のビルボードTOP10は、黒人が半数以上を埋めていた。★015

一九五七年、ラジオDJのアラン・フリードは、いよいよ地上波テレビに進出した。彼の音楽ショーが全国で始まると、狙い通り人気を博した。だが、すぐ問題が発生した。第三回に、黒人ミュージシャンのフランキー・ライモンと、白人の少女が一緒にダンスを踊るワンシーンがあった。これに「良識派」は耐えられなかったらしい。南部の白人視聴者によるヒステリックな抗議の殺到で、番組は打ち切りとなった。

次に音楽ビジネスの保守層だが、最もえげつないアクションに打って出たのは、著作権管理団体のASCAPだった。当時、ASCAPは新興の著作権管理団体BMIにシェアを削られつつあった。BMIは正式にはブロードキャスティング・ミュージック・インクという名だ。名前の通り、放送局が創立に関わっている。ASCAPが独占的な地位を活用して、著作権料の値上げを要求してきたのに対抗して、全米放送協会が立ち上げた著作権管理団体がBMIだ。

ASCAPが老舗音楽出版社に属するミュージシャンを優遇していたのに対し、BMI陣営は「平等で明快」な料率設定を武器に新しいミュージシャンを取り込んでいった。「インディーズのロックなんて」とASCAPが高を括っている間に、ロックンロールで台頭したミュージシャンはほとんど、BMIに取り込まれていた。

「ひと握りのラジオDJが、音楽業界を動かしているのはよろしくないのでは？　彼らは賄賂をもらってレコードをかけている。我が国の音楽文化の健全な発展を阻害しています」。政治にパイプを持つASCAPは議員にそう訴えかけ、下院議会でラジオ放送の調査会を開くことに成功。そしてペイオラ禁止法(一九五八年)が制定された。

ペイオラとは、レコードをかけてくれたラジオDJに払う謝礼金のことだ。当初はチップ的な位置づけもあったペイオラは、一律に収賄行為となった。五八年から五九年にかけて、ペイオラに関わったラジオDJが業界から追放される一大スキャンダルとなり、連日テレビと新聞を賑わせた。

行きすぎた謝礼は確かに収賄となり、業界の健全性を阻害するだろう。だが実は、ASCAPの本当の狙いは別のところにあった。BMIに大打撃を与えるため、ASCAPは内部で「総力を挙げてロックンロールを粉砕することに決定」していたのだ。★016 そこで目をつけられたターゲットが、ロックンロールのブームを主導してきたラジオDJだった。

DJの転落、ロックンロール・ブームの終焉

スキャンダルが、大物DJのアラン・フリードを見逃すことはなかった。フリードを雇用していたニューヨークのラジオ局は彼を守るため、ある書類への署名を求めた。「私は過去、レコード会社から金品を収受したことはございません」という宣誓書だ。会社はこの書類を形式的に発表して、あとは知らぬ存ぜぬで押し通すつもりだった。

それは明らかに嘘だった。「俺はプロだ。気に入ったレコードをかけて、対価に金をもらう。何がいけない?」。フリードは、謝礼金のために気に入らないレコードをかけたことは、一切ないつもりだった。嘘をつけば、その誇りまで嘘になってしまう。彼は署名を拒否した。会社の庇護を失った彼は罰金三百ドルの有罪判決を受ける。罰金の金額は大したことはなかったが、過去に得た謝礼金の所得を申告しなかったとして、税務署から追徴課税を喰らった。そして、財産をすべて失った。

根城のラジオ局から解雇されたアラン・フリードだが、仕事を選ばなければDJの仕事はあった。だが、もはや世間を恐れて、彼にレコードを自由にかけさせてくれるラジオ局はなくなっていた。仕事は長続きしなかった。フリードは精神を崩し、アルコールに蝕まれていった。数年後、何もかも失った彼は、肝硬変で病死した。四十三歳の若さだった。

一九五九年のペイオラ・スキャンダル以降、ロックンロールのブームは一気に収束していく。呼応するようにロックンローラーは消えていった。プレスリーは徴兵で軍隊に行った。チャック・ベリーは逮捕された。バディ・ホリーの乗った飛行機は墜落し、リトル・リチャードは突如引退して牧師になってしまった。そうして、ひとつの時代が終わった。

ＡＳＣＡＰの狙い通り、ロックンロールは鳴りを潜め、ＡＳＣＡＰが得意としていたアダルトで「良質な」ポップソングがラジオに流れるようになった。だが、アメリカの音楽売上は一九五九年の六億一三〇〇万ドルから六〇年には六億ドルに下降した。[★017] 減り幅は小さかったが、五〇年代を通じて急成長を続けてきた米レコード産業は、六〇年代初頭に停滞期を迎えた。

この停滞を打ち破ることになるのは、イギリスのビートルズやローリング・ストーンズの襲来だった。有名なブリティッシュ・インヴェイジョンだ。メジャーレーベルは、今度は新しいロックのトレンドをがっちり捉えた。そして、ようやく黄金時代の再来を享受することになる。

メジャーレーベルの長い凋落は、一九二〇年代に無料メディアのラジオが普及して以降、ずっと続いていた。メジャーレーベルは栄光の再来に、実に四十年近い歳月を使ったのである。

アラン・フリードは後年、再評価を受け、一九八六年に「ロックの殿堂」へ殿堂入りした。

日本の章

日本が世界の音楽産業にもたらしたもの

ジョブズと盛田――Sonyスピリットを受け継いだApple

一九九九年十月五日。サンフランシスコのAppleカンファレンス。前年にiMacで完全復活を遂げたスティーブ・ジョブズは、熱狂に包まれ登壇した。スクリーンに映し出された巨大な林檎のロゴを背にして、彼は語り始めた。

「盛田昭夫氏は、私とAppleのスタッフに多大なる影響を与えました。先の日曜日、彼が世を去りました」

「Think Different」のフレーズと共に、Sonyの共同創業者の写真が林檎のロゴにかわってスクリーンに映し出された。

「スティーブはＳｏｎｙになりたかったんだ」

Ａｐｐｌｅの二代目ＣＥＯ、ジョン・スカリーの言葉だ。ジョブズが初めて盛田昭夫に会ったのは、初代マッキントッシュを開発したときだった。Ｓｏｎｙの発明した3・5インチ・フロッピーを初代マックに載せるため、Ｓｏｎｙ本社へ訪れていた。そこでジョブズは、初代ウォークマンを盛田からプレゼントされた。Ｓｏｎｙのもうひとりの共同創業者、井深大のインスピレーションで誕生したウォークマンは、盛田の類い希なるマーケティングで世界の音楽生活を変えた。初代Ｍａｃ発売に五年先立つ、一九七九年のことだ。ジョブズは感激のあまり、部屋に戻るとすぐウォークマンを分解し始めたという。

工場に案内されたジョブズは、Ｓｏｎｙのエンジニアがみな同じジャンパーを着ているのを不思議に思った。「あれは何ですか?」とジョブズが尋ねると、

「絆みたいなもんだよ」と盛田は答えた。

「絆……」

そこでまた、ジョブズは感激してしまった。ジャンパーをデザインしたのは誰かと聞き出し、三宅一生にＡｐｐｌｅのユニフォームをデザインしてもらった。

帰国したジョブズが「みんなで着よう」と社員たちに見せたところ、大ブーイングを受けた。そこで仕方なしに、じぶんだけの「ユニフォーム」をデザインしてもらうことにした。彼がいつも着ていた、あの黒のタートルネックだ。

ジョブズがＳｏｎｙから受けた影響は至るところに見て取れる。「Think Different」という標語からして、井深のよく使っていた言葉だ。洗練されたＡｐｐｌｅストアは、盛田が進めたニューヨーク五番街のショールームと銀座のソニービルを踏襲している。

ブラックと削り出しシルバーの組み合わせ。最も目立つ箇所に輝く銀色のロゴ。ジョブズ時代のｉＰｈｏｎｅと

ｉＰａｄのこのデザインは、ＣＤ時代を到来させた大賀典雄（Ｓｏｎｙ五代目社長）が六〇年代に定めたＳｏｎｙのデザイン言語そのままだ。ＡｐｐｌｅはｉＰｏｄで、二十一世紀の音楽生活を変えた。人真似が大嫌いなジョブズが「これは二十一世紀のウォークマンだ」と繰り返し自慢したのは、盛田たちへのリスペクトだったのだろう。

音楽とテクノロジーの関係を、二〇世紀前半から振り返ってきた。レコード産業と放送産業の先進国、アメリカが主な舞台だった。音楽産業とテクノロジーの関係について、二十世紀後半を語るにあたり、どうしても外せない存在がある。

それが、日本のＳｏｎｙだ。

日本初のテープレコーダー

盛田の家は、庭にテニスコートがあるような、名古屋の裕福な商家だった。高級住宅地で、向かいの家は豊田一族が住んでいた。居間には、父が輸入した英ビクター製の蓄音機があった。今の自動車に匹敵する値段だった蓄音機で、音楽好きの母はエンリコ・カルーソなどをよく聴いていたという。

盛田はそれがきっかけで、小学生時代、真空管ラジオの製作に夢中となった。大学では応用物理学を専攻。研究室の助手となった。授業を受け持つようになった頃、太平洋戦争で召集され、熱線誘導兵器の開発班に配属された。

そこに井深大がいた。少年時代、無線マニアだった井深は「光電話」と「走るネオン」を発明。パリ万博で展示され、「若き天才発明家」の評判を既に得ていた。盛田はインスピレーションの溢れ出る井深に私淑。終戦後、井深がヴェンチャーを立ち上げたことを朝日新聞の記事で見つけ、事業に参加した。

東京通信工業（のちのＳｏｎｙ）は井深が勢いだけで創業したヴェンチャーだった。何を仕事にするかも決まっていなかった。そこでとりあえず、当時高価だったラジオの修理で食べていくことにした。それから四年後。ＮＨＫにあったＧＨＱの部屋で井深は、テープレコーダーを初めて見た。時期的に、旧ドイツ軍から接収した軍事技術がアメリカのテープレコーダーに反映されだした頃だ。井深はその圧倒的な高音質に驚愕した。

会社に駆け戻ると、井深は社員を集めて、日本初のテープレコーダーを創ると宣言した。何もない会社が、である。だが、盛田の資金調達で開発が始まり、わずか一年あまりで製品を完成させてしまった。まだテープがカセットですらなく、オープンリール式だった時代だ。当時、録音は専門知識を持つスタジオ・エンジニアだけのものだった。だが、のちのＳｏｎｙは改良を重ね、小型化と簡易な操作を実現した。結果、専門知識のない新聞記者でも扱える携帯型テープレコーダーの製品化に成功した。今でも記者たちはボイスレコーダーを「デンスケ」と呼んだりするが、これはＳｏｎｙのテープレコーダーの商標から来ている。

Ｓｏｎｙのテープレコーダーは、単にＧＨＱのものを上手に真似たというレベルではなく、独創の領域に入っていた。日本が、オーディオの領域で「アメリカに追いつけ追い越せ」をやってのけた瞬間だった。イノヴェーションの専門家、クレイトン・クリステンセン教授の理論で説明するなら、改良に改良を重ねる「持続的イノヴェーション」が閾《いき》値《ち》を超えて、「新市場型の破壊的イノヴェーション」に変化した瞬間、といえる。

新市場、すなわちブルー・オーシャンはどのように生まれるのか。鍵は非消費者層が握っている、と教授は言う。これまで価格や専門知識の問題で使いたくても使えなかった非消費者層を、消費者に変える。それが「新市場型の破壊的イノヴェーション」だ。テープレコーダーは序章に過ぎなかった。世界の音楽産業を変えたＳｏｎｙの数々の破壊的イノヴェーションはこの後から始まった。

音楽がラジオを導き、ラジオが半導体を導いた

一九五二年。日本初となったテープレコーダーの発売から二年後のことだ。井深はアメリカに来ていた。音楽産業の本場、アメリカでテープレコーダーがどのように使われているか、視察するためだった。だがこの視察で井深はテープレコーダーからすっかり興味が失せることになる。彼は、新しい〝おもちゃ〟を見つけた。

偶々、井深はトランジスタなる新しい電子部品の製造権を、ベル研究所の親会社ウェスタン・エレクトリック社がライセンスしているという話を聞いた。のちにトランジスタは、現代産業の根幹技術となる。インテルのCPU、i7には一枚あたり十四億個のトランジスタが搭載されている。だが当時のトランジスタは、真空管と比べると耐久電圧が極端に低く、対応できる周波数も相当低かった。そのため、産業化にはほど遠い発明だった。「今のところ、補聴器ぐらいにしか使い道はないんですけどね」ウェスタン・エレクトリック社の研究員は、井深にそう説明した。そのうえ、量産技術も確立できていないと言う。だが、この説明を聞いた井深のボルテージは上がった。

当時、真空管はラジオとテレビの根幹的な部品だった。RCAやフィリップス、日本なら松下(現パナソニック)や東芝といった既存企業の家電は真空管に依拠していた。トランジスタは真空管に比べ、遙かに小さい。じぶんたちの手でトランジスタの性能を真空管並みにできれば、超小型のラジオが創れるはずだ……。そう思った井深は、新しいチャレンジに夢中となった。それは日本のハイテク業界が得意技とした「小型化」の流れを確定させるものだった。

トランジスタの実用化は、盛田の義弟である岩間和夫(四代目社長)を担当にあてた。岩間はアメリカに三ヶ月残り、トランジスタの技術を徹底的に研究。これを基に、発明したベル研究所すら諦めていた課題を解決してしまった。

しかし、量産化の問題がまだ残っていた。当初、トランジスタは生産した百個のうち五個ぐらいしか動作してくれなかった。にもかかわらず、井深は製品化に踏み切った。「創りながらの方がいろいろわかるだろう」という、ハード

業界では今でもあまりないベータ版の発想だ。歩留まりは悪いままだったが、なんとか製品化に漕ぎ着けた。世界初のトランジスタ・ラジオ、となる予定だった。

わずか一ヶ月の差で、米リージェンシー社のトランジスタ・ラジオが世界初の称号を取ってしまった。だが井深の読み通り、着実に量産化技術は上がっていった。このとき、Ｓｏｎｙでトランジスタの量産化を担当していた社員が江崎玲於奈だ。江崎は、ある不良品のトランジスタに、量子力学で予言されていたトンネル効果が起こっていることを発見。これを基にエザキ・ダイオードを発明し、ノーベル物理学賞を受賞した。

一九五七年。井深たちはトランジスタの量産化に成功し、製品はさらに小型化した。そして、音楽文化を変える破壊的なイノヴェーションを、Ｓｏｎｙは引き起こした。

ロックンロールのブームを創出したSonyのポケットラジオ

量産化の成功で、Ｓｏｎｙのトランジスタ・ラジオは価格破壊を起こした。先のリージェンシー社製のラジオは五十ドル弱だったのに対し、五八年に出たＳｏｎｙのＴＲ－６１０は定価一万円(三十ドル弱)。三年後には八千円(二〇ドル強)へ値下げした。半額以下だ。

価格破壊だけでない。「ポケッタブル」と盛田が命名したほどに、小型化に成功していた。そんな英語はなかったが、ひとつ前のモデルから、強引にそう名付けた。実際にはＹシャツのポケットには少々大きすぎたのだが、少しポケットの大きいＹシャツを特注して、アメリカの販売スタッフに着せてポケッタブルラジオを売ったという。ポケッタブルラジオは、欧米で大ヒットした初の日本製家電となった。

さて、この日本製小型ラジオだが、よろこんで買ったのはＹシャツを着た大人たちではなかった。大人たちは、一流企業の真空管ラジオを買えたからである。図体はでかくて高いが、長年、品質向上の進んだ真空管ラジオは音がよかったし、リビングのラジオは当時、家族のための買い物だった。

Ｓｏｎｙのポケットラジオに飛びついたのはティーンたちだ。彼らはずっと、じぶんだけのラジオが欲しくてたまらなかった。ひとりで、どうしても聴きたい音楽があった。ロックンロールだ。だが、居間にどっしり構える真空管ラジオでは、ロックンロールは聴きたくても聴けなかった。親が嫌ったからである。Ｓｏｎｙのトランジスタ・ラジオは、ロックンロールを聴きたいティーンたちにとって、救世主のような製品だったのだ。

ロックンロールとラジオＤＪ。そしてティーンズがレコード産業の黄金時代を再来させた、と書いた。もう、おわかりだろう。ロックンロールのブームは真空管ラジオでは起こしえなかったものだ。真空管ラジオは、ティーンズがじぶんの部屋用に買える値段とサイズではなかった。

ラジオから流れるロックを渇望するティーンズ。ラジオを買えなかった彼ら非消費者を、消費者に変えた「新市場型の破壊的イノヴェーション」。それが井深のトランジスタ・ラジオだった。

Ｓｏｎｙのトランジスタ・ラジオはハードウェアの側面からロックンロールの時代を拓き、音楽産業の黄金時代を演出したのだった。

ロックンロールとイノヴェーション

音楽と技術革新の関係を捉えるうえでも、トランジスタ・ラジオの

Sonyポケッタブルラジオ「TR-610」。欧米で初の日本製ヒット家電。親のいる居間のラジオで聴けなかったロックンロールを、ティーンたちは部屋で聴けるようになった。

写真提供：ソニー株式会社

事例は非常に重要だ。先のクリステンセン教授も著作で取り上げているほどだ。価格破壊で起こるイノヴェーションを、クリステンセン教授は「ローエンド型の破壊的イノヴェーション」と呼んでいる。

「お客様は神様」という。一流企業は、顧客の声を聞き、製品に改良を重ねていく。特にハイエンドの顧客は、高い品質にプレミアム価格を支払ってくれる。しかしこの当然の企業努力が、裏目に出る瞬間が到来する。満足過剰。あまりにも品質がよくなってしまうのだ。品質向上を続けるうちに、ローエンドの顧客にとっては、満足過剰のプロダクトになってしまう。彼らは、「もっと低い機能で十分だから、もっと安いのが欲しい」と考えるようになる。ここに「ローエンド型の破壊的イノヴェーション」の機会が生まれる。生まれたばかりのトランジスタ・ラジオは、歴史を重ねて品質向上が進んだ真空管に比べれば、高音質ではなかった。だが安くて、「そこそこいい音」だった。

本来、ローエンド市場は血で血を洗う海、レッド・オーシャンだ。利益率が極端に低く、企業にとっては正直、お荷物の顧客である。この市場で利益を上げるには、これまでのやり方では不可能だ。「ローエンド型の破壊的イノヴェーション」の成否を握る鍵は、価格破壊を実現する新たなビジネスモデルとなる。

さて、Ｓｏｎｙのトランジスタ・ラジオだが、ふたつの側面から価格破壊を実現していた。ひとつは技術革新で、トランジスタの大量生産を実現した。さらに、米国に渡った盛田が流通チャネルに革新を起こした。

真空管はフィラメントが切れやすいため、専門の修理業者が要る。だから、ＲＣＡや松下は真空管ラジオを、修理業者の資格を持つ系列店で販売していた。一方、頑丈なトランジスタは修理業者を不要にした。奇しくも当時、アメリカにはＫマート、今の日本で言えばイオンのような大型量販店が登場し始めていた。先に「インディーズレーベルは、ディスカウントストアを活用して独自の販売網を創り上げ、ロックンロールのレコードを売っていった」と書いた。ディスカウントストアは、常駐の修理業者が不要で売れるトランジスタ・ラジオも歓迎した。ロックンロールのレコードと共に、Ｓｏｎｙのトランジスタ・ラジオが大型量販店に並んだのである。

RCAや松下、フィリップスが金払いのよいハイエンド市場向けに真空管ラジオを高音質化させていくなか、Sonyはミニラジオで欧米のローエンド市場に進入していった。当初、RCAやフィリップスは、Sonyを脅威とは感じなかった。レッド・オーシャンと化したローエンド市場などお荷物でしかなかったからだ。この大企業のモチベーションの低さを盾にして、Sonyは市場に参入することができた。

そこそこの音が安価になれば、これまでラジオを買いたくても買えなかった非消費者層がよろこんで購入するようになる。真空管時代、ラジオは家族のものだった。家庭に一台、リビングに構えていたが、小型で安価なトランジスタ・ラジオは、「ひとり一台」の時代を到来させた。

大企業から見れば、ティーンズ市場などつまらないローエンド市場に見えた。だが実際には、パーソナル・オーディオという新しいユーザー体験を創り出すことで、Sonyは新市場を切り拓いていたのだ。これまで高価な真空管ラジオを買えなかった彼らにとって、トランジスタ・ラジオの競合は真空管ラジオではなく、同じトランジスタ・ラジオになる。そしてSonyのトランジスタ・ラジオは、米国製のものよりもずっと音がよかった。こうしてSonyは新市場であるパーソナル・オーディオの世界でプレミアム価格を実現した。

売り物がポケットラジオしかない時代に、共同創業者の盛田はニューヨークの一等地、五番街にSonyのショールームを開いた。当時、〝メイド・イン・ジャパン〟は「安いだけの粗悪品・模造品」の代名詞だった。そんな時代にあって、盛田はSonyを一流ブランドにする野望に燃えていた。当時、日本製品はアメリカの卸売業者に買い叩かれて、値段だけで勝負しているのが常だった。これを覆すために盛田は店舗との直接取引を試み、Sonyブランドの確立に挑んでいたのだ。

井深の製品開発と、盛田のマーケティング。ふたつの領域でイノヴェーションを起こしたSonyは、アメリカでブランドの確立に成功した。それはジャパン・ブランドの始まりでもあったのだ。ニューヨークにあった家電製品の倉庫が破られたとき、盗賊団は他社製ラジオには目もくれず、Ｓｏｎｙのポケットラジオだけ盗んでいった、という逸話が残っているくらいだ。

まとめよう。ここからはクリステンセン教授の理論ではなく、筆者の見解になる。

一流企業がよく見落とすビジネスの盲点がある。ローエンド市場に起きたイノヴェーションは、新市場を生み出しやすい点だ。ローエンド市場から非消費者層に横滑りして新市場が誕生した場合、破壊的イノヴェーションを起こしたプロダクトは、既存企業が油断している間に新市場のハイエンドを押さえてしまう。そして、ヴェンチャーは新市場でプレミアム価格を享受する。これを「スライド・プレミアム」と呼んでおきたい。

当時の大手家電メーカーは新市場の開拓に向け、研究開発に励んでいたはずだった。テレビ時代の到来で、真空管テレビの開発に勤しんでいたのだ。真空管テレビは新たなハイエンド市場をもたらしてくれるはずだった。しかし実際には、テレビの新たなハイエンド市場もＳｏｎｙのものとなった。

まず、いつのまにか大型量販店が、大企業の運営する家電小売店を駆逐していた。そして大型量販店の棚は既に、Ｓｏｎｙ製品が大きなシェアを占めていた。さらにＳｏｎｙはトランジスタ・テレビを開発。技術的に極めて難しかったアパーチャグリル方式を独自のアイデアで実用化し、ＲＣＡなど大企業が先行していたテレビでも勝利を収めてしまった。

イノヴェーションで非消費者層を開拓し、新市場でプレミアム価格を取る。これがＳｏｎｙの勝ちパターンとなった。「ライフスタイルの提案」とは、理論的にはそういうことだ。Ｓｏｎｙの技術革新はロックンロールをハード面から支援した。そしてロックンロールを求めるティーンズのＳｏｎｙへの愛情が、スティーブ・ジョブズも憧れたＳｏｎｙブランドを創り上げたのである。

音楽が半導体の未来を導いた

「一九六二年の夏、あなたはどこにいましたか?」

ジョージ・ルーカス監督の出世作、『アメリカン・グラフィティ』に付いていたキャッチコピーだ。彼はこの作品を機に『スター・ウォーズ』を創る信用を得た。

『アメリカン・グラフィティ』に出てくる高校生は、ちょうどベビーブーマー(日本で言う団塊の世代)にあたる。西海岸のサンフランシスコ郊外で高校生たちが繰り広げる一夜のストーリーは、音楽と自動車が大切な小道具となっている。

自動車から大音量で流れるロックンロール。これもまた、日本がもたらしたものといっていいかもしれない。Sonyのトランジスタ・ラジオが欧米で成功したことで、松下や東芝など日本勢の大手も追従に出た。しかし、同じポケットラジオを創ってもそこはSonyがハイエンド市場を取っているので、あまりおいしくない。だから、一九五九年に富士通が日本初のトランジスタ・カーラジオを創ると、これにほかの日本勢も続くことになった。真空管は繊細なうえ、電気食いだ。正直、カーオーディオに向いている部品ではない。一方、硬質で低電力のトランジスタは、カーオーディオにぴったりだった。

当時、カセットテープはまだ登場していない。かわりにTOP40専門ラジオが、ロックンロールをかけまくってくれた。さらに日本のカーラジオには、自動車向けに新たな機能が備わっていた。プッシュボタン方式だ。運転中、ダイヤルを回して周波数を合わせるのは骨が折れる。だがプッシュボタンなら選局も一発で、革新的だった。そしてこれが、AMラジオで起きていた「ナローキャスティング」の流れにぴったり嵌《はま》った。ジャンルや年齢層で細かく専門化した沢山のラジオ局を、次々とザッピングして好きな音楽を探せるようになった。

そしてちょうどこの頃、中古車ブームが起こっていた。終戦後に生まれ、高校生となったベビーブーマーは、じぶんらの親が中古車屋に売った車を安価で入手。日本製の安価なトランジスタ・カーラジオをオプションで載せた。無音だった車内に、音楽の活躍する場を創り出したカーラジオも、「新市場型の破壊的イノヴェーション」にあたる。これまで車のなかに音楽は存在しなかったが、このときから人類の音楽生活にとって重要な場所となったからだ。以降、インターネットの普及した今でも、カーオーディオはアメリカにおける音楽生活の中心となっており、音楽聴取の七割を占めている。[★001]

Ｓｏｎｙのトランジスタ・ラジオはパーソナル・オーディオ市場を創出し、音楽生活の「パーソナル化」を推し進めた。その後に続いたトランジスタ・カーラジオは、音楽生活の「モバイル化」をもたらした。パーソナル化とモバイル化。ふたつの流れは共に、やがてウォークマンそしてｉＰｏｄ、ｉＰｈｏｎｅの登場によって極大化するベクトルだ。『アメリカン・グラフィティ』の舞台となった年から二年後の一九六四年。ベビーブーマー世代が二十歳にさしかかる頃だ。英国のビートルズとローリング・ストーンズが米国に上陸し、ブリティッシュ・インヴェイジョンが始まった。そして、一九二〇年代のラジオ登場で壊滅したメジャーレーベルに、ようやく黄金時代が再来した。

ブリティッシュ・インヴェイジョン自体にパワーがあったことは論を待たない。そのうえで経済的な大成功を収めた背景には、一にベビーブーマー、二に中古車ブーム、三にナローキャスティング、四にトランジスタ・カーラジオがあった。

以降、トランジスタから始まった半導体の進化は、コンピュータのみならず、音楽生活の進化に繋がってゆく。のちにＳｏｎｙとフィリップスからＣＤが誕生する際、トランジスタの集積回路ＬＳＩが大きな役割を果たす。ｉＰｏｄはパソコンをゲートウェイとした音楽生活を実現した。パソコンは、トランジスタが億単位で詰め込まれたＣＰＵが頭脳となっている。スマートフォンの登場には、ＣＰＵの低電力化が密接に関わっている。Ａｐｐｌｅミュージックやスポティファイのような定額制配信は、スマートフォンの登場でビジネスモデルを手に入れ、新しい音楽文化となった。音楽産業の歴史は、半導体の進化と密接に関わっているのだ。

七〇年代――音楽の黄金時代を導いたラジオが衰退

本章の本題、Ｓｏｎｙが一九七九年に興した巨大なイノヴェーションを描くにあたり、七〇年代の音楽産業に起こった事象を話しておきたい。音楽を壊滅させ、そして復活へ導いたラジオの衰退だ。

五〇年代は、アラン・フリードたちラジオＤＪによる自由な選曲が、音楽番組の人気フォーマットだった。ＤＪが新しい音楽を紹介する「レコメンデーション（おすすめ）」で、ロックンロールという新市場が誕生した。一方、六〇年代は、ＤＪでなく放送局の編成部に属する社員が人気曲でプレイリストを創る、ＴＯＰ40専門局が席巻した時代だった。

フリードらＤＪの選曲は幅広く、職人芸で様々な素晴らしい音楽を紹介してくれた。だが、ライトな音楽ファンはそこまで求めていなかったのかもしれない。ＴＯＰ40は画一的だったが、シンプルだった。ラジオをつければ流行りの曲がすぐに聴けたからだ。ＤＪのマニアックな選曲は排除されていた。

マニアックな曲を聴きたい根っからの音楽ファンがハイエンド層なら、みんなの聴いている曲を手軽に聴きたいライトな音楽ファンはローエンド層に相当する。企業努力で既存のプロダクトの改良が進みすぎると、そこまで高品質・高機能を求めないローエンド層はお腹いっぱいになり、「満足度過剰」が起こる。高機能・高品質の競い合いはやがてマニアックとなり、一般層はおいてけぼりとなるのだ。そうして、ローエンド層に新たな潜在需要が生まれる。

「もっと手軽に、シンプルにしてくれ」という彼らの潜在需要を、みんながあっと驚くかたちで実現するのが、クリステンセン教授の好きな「ローエンド型の破壊的イノヴェーション」だ。TOP40の誕生はまさに、それに相当した。TOP40は、人気アーティストを売り込みたいメジャーレーベルの要望とも相性がよく、六〇年代のメジャーレーベル黄金時代を助けた。どこもかしこも、メジャーレーベルの人気曲を大量に流してくれるようになったからだ。

どのマーケットもそうだが、ハイエンド層よりもローエンド層の方が人口が大きい。広告モデルが基本である放送の世界は、本質的にローエンド層を相手にしている。「マニアックな曲より、みんなが聴いている曲が好き」というしごくふつうの感性を持つセグメントに向けた、TOP40番組で音楽放送が塗り固められるのは時間の問題だった。

しかし、どこもかしこも最大公約数の取れるセグメントを狙いに行けば、多様性は失われる。最もおいしい層を狙う、というナローキャスティングの概念は崩壊する。七〇年代に、それは起こった。

FM革命——理想主義の敗北

「ジングルだらけだ。そしてヒステリックに陽気なDJ。お決まりのイケイケなテンポ。この十年、TOP40が席巻してラジオは死んだ。電波で死臭を垂れ流している」

ベテランDJのトム・ドナヒューはローリング・ストーン誌でそう言い放ち、革命運動に入った。といっても、政治運動ではなく、音楽放送の革命だ。人気曲だけをかけるTOP40の席巻は退屈をもたらした。ラジオをつけても、どこもかしこも同じで、要するにみんな飽きたのだ。

それは同時にヘヴィーな音楽ファン、つまりハイエンド層の「満足度不足」を醸成し、新たなイノヴェーションの下地が生まれた。満足度過剰は、おのずと別の領域で満足度不足を引き起こす。七〇年代、アメリカで起きた「FM革命」は、こうしたなかで進行した。

ＦＭの歴史は古い。大恐慌の最中にあった一九三四年。放送、音楽、ハードの複合企業ＲＣＡで、エドウィン・Ｈ・アームストロングが発明した。ＡＭの音質が五〇〇〇ヘルツだったのに対し、ＦＭは原理上、一万五〇〇〇ヘルツ。のちのＬＰレコード並みの高音質を実現した。

だがＲＣＡを率いる〝放送の父〟サーノフはＦＭをお蔵入りにした。ＡＭ放送の設備を総入れ替えするコストを嫌忌した、とも言われているし、開発中だったテレビ放送の周波数帯域と被るのを忌避した、とも言われている。

サーノフＣＥＯと発明家アームストロングは友人だったが、関係をこじらせ、長い法廷闘争に入った。個人で企業と闘ったアームストロングは裁判費用で財産を失い、ＲＣＡのビルから飛び降りるという、痛ましい結末となった。「俺が殺したわけじゃない」と、うろたえた放送の父は言い放ったという。だが、結果的にはサーノフの経営方針が音楽産業を救った。

ちょうどその事件の頃、音楽産業は「レコードは有料なのにラジオより音が悪い」という悪評を覆すべく、三五〇〇ヘルツから一万ヘルツへとレコードの音質向上を実現したばかりだった。とはいえ、ＡＭには勝てても、ＦＭより音質が悪かった。

もし、三〇年代に音質が一万五〇〇〇ヘルツのＦＭ放送が普及していたら、どうなっていたか。「無料のラジオより音が悪い有料のレコード」という構図が長引き、ラジオの起こしたレコード産業の壊滅状態は十年以上長引くことになっただろう。

四〇年代以降、ＦＭ局はあるにはあった。が、ＡＭラジオを高音質で同時送信する程度にしか使われていなかった。パンドラの登場以前、地上波ラジオを再送信するだけだったインターネットラジオに近いだろう。人工知能でラジオを再発明したパンドラがアメリカを席巻した事実は、日本ではほとんど知られていないが、本書の第三部で登場するのを待たれたい。

さて、世間から忘れ去られたＦＭだったが、一九六四年にようやく復活の機会を得た。アメリカの政府機関、連邦通信委員会は、ＡＭの番組をＦＭに流すだけのサイマル放送を禁止。ＦＭ独自のコンテンツ育成を促したのだ。結果、オーディオ・マニア向けのクラシック専門ＦＭなどが徐々に増えていった。だが、ＦＭはまだオーディオ・マニア向けのニッチなものだった。

一九六七年、不人気に苦しむＦＭ放送局ＫＭＰＸは、人気ＤＪだった前述のドナヒューを招聘し、番組改編を一任した。彼は、前年のビートルズ最後の公演を仕切るなど、プロデューサーとしても名が知れていた。

「ＦＭで音楽に革命を起こしてやろう」ドナヒューはそう考えていた。ＦＭ放送を改編するのでは飽き足らなかったのだ。彼はまず、放送するプレイリストを作成していた編成部を廃止。ラジオＤＪがその場で選曲する「フリーフォーム」に変えた。のみならず、ヒット曲、シングル曲もあえてかけない、と決めた。みんなが知らないアルバム曲から選曲する、「アルバム・オリエンテッド・ロック（ＡＯＲ）」を標榜したのだ。

ＤＪのトーク・スタイルも完全に変えた。他局がやるように曲の頭や終わりにトークをかぶせない。声のトーンもステレオタイプに陽気なＤＪとは逆に静かで、わずかな言葉で語る形式に変えた。音楽の流れを最優先させるため、三曲ほどをトークなしに続けて流す。音楽の雰囲気を壊すやかましいジングルは当然なし。ＴＯＰ40ラジオでは時間あたり平均十八分もあったＣＭを大幅に減らし、一時間に数回にした。音楽ファンにとっては理想的なかたちだ。ドナヒューは、理想家だったのだ。

一九六七年は、ビートルズの記念碑的アルバム『サージェント・ペパーズ・ロンリー・ハーツ・クラブ・バンド』がリリースされた年だった。それは安価なシングルの販売が中心だった市場を、高価なアルバム中心に変えてみせ、音楽産業の黄金時代を導きさえした。

この頃、ロックンロールの歴史と共に育ってきたベビーブーマーは大学生になり、耳が肥えてきた時期だった。Ｔ

OP40チャートに飽き飽きしていたベビーブーマーは、フリーフォームの、DJによる音楽の純粋なおすすめに心酔した。それは時を経て、二十一世紀にラジオを再発明したアメリカのパンドラが、人工知能で成し遂げることでもある。

複雑で、技巧的。意味深く、実験的。ドナヒューは先進的なロックを、自由に紹介していった。俄《にわか》に湧き出したFMの世界からは、プログレッシヴ・ロック専門局、ハードロック専門局、アルバム・オリエンテッド・ロック専門局などが次々と誕生。ピンク・フロイドの『原子心母』に代表される、ロックに知的創造性が溢れた七〇年代を、FM革命は演出することになった。

若者の知的創造性は、七〇年代に音楽へ集まったが、八〇年代には音楽テレビ、MTVの登場で映像制作に向かい、九〇年代にはITヴェンチャーへ向かうこととなる。様々な素晴らしい音楽を、高音質で、大量に紹介してくれるFMは人気を博した。

ドナヒューが革命宣言を発してから七年後だった。

ニッチだったFMは全ラジオの総聴取時間のうち、実に三分の一を占めるようになっていた。だが、ビジネスは上手くいっていなかった。ラジオ広告売上でFMが占める割合は七分の一を切っていた。人気と売上の乖離。それは、広告を取り除くことで人気を得た、当然の帰結だったかもしれない。折しもアメリカ経済はベトナム戦争の失敗とオイルショックで、長期不況に入りつつあった。FMは「頭でっかちな音楽マニア向けのメディア」と捉えられ、広告業界から忌避されるようになっていた。

この状況に危機感を持ったニューヨークのFM局、WNEWはマーケティング・リサーチの手法を導入した。そして、広告営業にとって重要なリスナー層は「ヒッピー」ではなく「インフルエンサーの若者」と突き止め、この重要セグメントへ向け、ナローキャスティングする方針に切り替えた。結果、WNEWはジーンズ、Tシャツ、アルコールといった大手スポンサーの獲得に成功。不況に喘ぐ他局もこの流れを追従するようになる。なかでも、三大放送ネットワークの動きはその後を決定づけた。CBSとABCは、経営不振に陥ったローカルFM局を次々と買収。そしてドナヒューの創りだした「静かで、言葉少ななトーク」でTOP40専門局を踏襲した。

このTOP40への衣替えは上手くいった。おかげで、一九七九年にはニューヨーク、ボストン、シカゴ、ロサンゼルスといった音楽が盛んな主要都市でFMがAMを逆転したのだ。それは、自由な選曲、「フリーフォーム」を標榜するFM革命の終焉を意味していた。再びヒット曲の過剰供給が始まると、ベビーブーマーに音楽離れが始まった。

FM革命が敗北した理由。それは人気と売上の乖離、すなわちビジネスモデルの欠如にあった。イノヴェーションを成功に導こうと思うなら、新しいビジネスモデルが要るはずだった。だが、ドナヒューたちFM革命の志士たちは理想しか見ずに討ち死にした。

七〇年代も後半に入ると、音楽の黄金時代を買い支えたベビーブーマーたちは結婚して子どもが出来た。そうすると、部屋に鎮座したオーディオのスピーカーで、音楽を集中して味わうことは物理的に不可能になった。それは潜在的に、新しい音楽生活が求められていることを物語っていた。七〇年代末、彼らの音楽離れは音楽不況を起こし、アメリカの音楽売上は三年で四分の三に激減した。

そこにSonyが、再び革命を起こしたのである。

別格のイノヴェーション、ウォークマン

「大賀君、ちょっと頼みたいことがあるんだ」

名誉会長室から降りてきた井深大は、CDプロジェクトに取りかかっていた副社長の大賀典雄に個人的な頼み事を

した。これからアメリカ視察に行くのだが、飛行機の音楽放送と、あのチューブ状のモノラルフォンが嫌だという。飛行機のなかでもじぶんの聴きたい音楽を、いい音で聴きたい。携帯テープレコーダーを持って行くから、ちょっと改造してほしい、と。

「録音機能を外して、かわりにそこにステレオジャックを付ければいいんですね。お安いご用です」

大賀は敬愛する創業者の願いを請け合った。帰国後、井深の感想を聞くと、電池が切れたけどニューヨークにこのタイプの電池がなくて困った、と所在なげに答えた。「そりゃいけませんでした」と大賀はその電池を使った事情を説明した。

要するに、ふたりともこの改造品が、革命的なコンセプトを宿していることに全く気づいていなかったのだ。そこへ〝おもちゃ〟の噂を聞いた盛田昭夫会長が入ってきた。

「おおっ、これだな。どうでした?」

さっそくヘッドフォンを付けた盛田の表情から、徐々に笑顔が消えていった。沈黙の後、盛田はこうつぶやいた。

「……これは売れる」

そして急展開が始まった。会議では大賀を含め、どの役員も社員も「録音できないテープレコーダーなんて絶対売れません」と反対したという。着想した井深すら、なぜ盛田がそんなに燃え上がっているのか理解できなかった。盛田は会長とはいえ、孤軍奮闘でプロジェクトを率いることとなった。

実は、盛田は以前から音楽に夢中な息子たちを見て「若者と音楽製品を完全に結びつければ、すごいことになる」と密かにアイデアを練っていた。井深と大賀の作ったおもちゃに触れた瞬間、盛田のイメージは完成した。

「ヘッドフォン文化、という新しい流行が始まります」

盛田は製品発表に集まった記者たちへそう宣言した。だが、マスコミの反応はパッとしなかったし、売れ行きも芳しくなかった。ウォークマンの提案する音楽生活は前代未聞で、音楽ファンもすぐに理解できなかったのだ。そこがiＰｏｄのときと違う事情だ。一ヶ月後、日本はようやく「いつでもどこでも音楽を楽しめる」ということの意味を理解しだした。口コミが起こり、伝説が始まった。

アメリカでも、日本とほぼ同じ流れが起こった。一号機はよほどのガジェット好きが買っただけだった。だが、二年後に発売されたＷＭ－２はアメリカの音楽ファンに熱狂を引き起こした。

新しい音楽生活を創ったＳｏｎｙは、世界の音楽ファンにとって圧倒的なブランドとなった。当時、Ｓｏｎｙの財政は厳しい状況にあった。ビデオテープの規格戦争に破れたからである★002。盛田はそれを押して、ウォークマンを創ったのだ。だが、ウォークマンは世界的な現象となり、ベータマックスの敗戦を補って余りあるほどの利益を会社にもたらした。

ヘッドフォン（イヤフォン）文化のもたらしたもの

音楽にとって、ウォークマンとはどのようなイノヴェーションだったのだろうか。

一、ユビキタス化

ウォークマンの登場で、音楽はどこにでも持ち運べるものとなった。そして、どこでも音楽を楽しめるウォークマンは人の歩く場所すべてを、音楽の新市場に変えた。イノヴェーションの理論から見ても、超弩級《ちょうどきゅう》な「新市場型の破壊的イノヴェーション」だった。誰もが、好きな音楽を、好きなときに、好きな場所で楽しめるように。クラシックの時代から音楽産業が数百年目指してきた理想だった。ウォークマンは人類の夢を実現したのである。

音楽のユビキタス化(遍在化)は、レコードの登場、ラジオの普及で進行した。しかし、「誰もが、好きな音楽を、好きなときに、好きな場所で」の四項すべてを実現したのはウォークマンが初めてだった。スマートフォンと定額制配信の組み合わせがもたらした音楽の自由もまた、ウォークマンがもたらした音楽のユビキタス化の延長にある。

二、パーソナル化

ヘッドフォン文化は盛田の予言以上のものとなった。流行の域を超え、人類の共通文化となった。その理由はウォークマンが、トランジスタ・ラジオ以来加速していた音楽生活のパーソナル化を完成させたことにある。

一九三〇年代と一九五〇年代の音楽生活を振り返った際、音楽ファンはラジオやレコードで反逆的な音楽を聴く行為に、現代社会からの自由を投影していた。彼らが何から自由になりたかったかと言えば、高度に組織化された現代社会が押しつける、規格化された価値観からだった。

ウォークマンのイヤフォンには、パブリック・ノイズを遮断する性質があった。それは一時的とはいえ、音楽の力で「公共のなかの個人的自由」を実現してくれた。現代社会の圧迫から一時的なりとも自由を与えてくれるから、ヘッドフォン文化は共通文化となりえたのだ。

現在、パーソナル化は人工知能の時代を迎え、いっそう進んでいる。何千万曲も聴き放題の定額制配信では、人工知能がリスナーそれぞれの趣味に合ったプレイリストを自動的におすすめするようになった。

三、音圧志向の音作り

ウォークマン以降、音作りも変化した。スタジオで曲の音質を整えるマスタリング作業は、イヤフォンで聴いたときの印象を最優先するようになった。それまではスピーカーで聴いた感じが大事だったが、それが変わったのだ。

スピーカーと違ってイヤフォンは、周りに気兼ねなく大音量を楽しめる。そこで、その弱点である高音・低音を強調する音作りがされるようになった。八〇年代以降のドンシャリ、音圧最重視の音作りだ。この傾向は二十一世紀の現在もほとんど変化していない。

音楽サブスクのプレイリスト文化はミックステープから生まれた

イヤフォンによる人間の孤立化は、ウォークマンの登場以来、現在まで続いている批判だ。が、見落としがある。ウォークマンの普及で、ミックステープ文化が誕生した点だ。それは孤立化とは反対のベクトルを持っていた。

様々なレコードから曲を集め、一本のカセットテープにまとめるミックステープは、かつてはラジオ局で働くプロフェッショナルがオープンリールでやっていた作業だ。

一九六五年。フィリップスのコンパクトカセット規格にＳｏｎｙが同意して以降、素人でも扱えるカセットテープが普及していった。結果、一般消費者でもハイエンド層はテープデッキを使って、様々なレコードから、好きな曲を一本のカセットへまとめられるようになった。

さらにウォークマンが登場する一年前、アメリカで松下（現パナソニック）のラジカセがヒット。ラジカセとウォークマンとがセットで売れるようになる。ウォークマンで聴くためのミックステープをラジカセで創る必要があったからだ。

このようにウォークマンの普及がきっかけとなり、かつてはプロの作業だったミックステープ制作は、一般消費者のローエンド層にまで普及するに至った。仇敵同士だったパナソニックとＳｏｎｙが共に、非消費者を消費者に変えるイノヴェーションを起こしたのだ。そうすると、パーソナル化とは別のベクトルを持つ文化が発生した。ミックステープの交換だ。

ミックステープを創ったらラジカセで複製する。学校へ行って音楽仲間とテープを交換する。当時、米レコード協会は、ミックステープの交換を「海賊行為」と批難し、巨額の損失を出していると音楽ファンに訴えた。ミックステープをもらえばタダで音楽が手に入るから、というのが彼らの言い分だった。だが現実には、じぶんではいっさい買わず、もらい続けるばかりではいたたまれなくなるのが人情だ。お返しに渡すミックステープを創るために、基となるカセット・アルバムを購入する需要が発生した。

さらにCDの登場以降、ミックステープでお気に入りが見つかれば、音のいいCDを購入して楽しむという流れも出来た。ウォークマンを軸とした私的複製の文化はアルバムの売上に対しポジティブに作用する方が大きかったのだ。

実は当初、私的複製の権利はアメリカの著作権法にはなかった。ウォークマンの前に、ベータマックス（録画機）でいち早く録画文化をアメリカに広めていたＳｏｎｙは、ハリウッドに訴えられた。そのとき、盛田が一歩も引くことなく闘ったことで、法廷で確立した権利だ。ＣＤから取り込むことを前提とするｉＰｏｄも、私的複製の正当性がなければ存在しえなかった。

盛田はこのとき、アメリカのテレビに何度も出て「タイムシフト視聴」という概念で私的複製の正当性を説明し、アメリカ国民を味方につけた。視聴者が番組をビデオに複製するのは、いつでも好きなときに番組を見るためであって、この権利を奪い、リアルタイムに番組を見るという行為に縛りつけるべきでない、いったん放送されたものは公共財なのだから、と訴えたのだ。

私的複製とは異なるが、盛田がアメリカに認めさせた「タイムシフト」の概念は、ユーチューブのようなビデオ・オンデマンド、あるいは定額制配信のようなミュージック・オンデマンドの誕生にも繋がっている。私的複製は、見たい番組にアクセスするための過程であって、目的ではない、という盛田の発想は極めて未来的だった。スタジオで出来上がったマスター音源をCDなり楽曲ファイルに複製して売る複製権ビジネスから、あらゆる音源にアクセスする権利を売るサブスクリプションの時代に、今はなっている。彼がアメリカに認めさせた考え方は、その先駆けですらあったのだ。

盛田の演出したミックステープ文化は、このストリーミング全盛の時代に、別のかたちをとってリバイバルした。音楽サブスク(定額制配信)の王者スポティファイが欧州で流行し始めた頃のことだ。「聴き放題と言っても、何千万曲もあったら何を聴いていいのか、わからない」と人びとは戸惑っていた。検索欄に好きなアーティストの名前を入れて聴くだけなら、CDを買って聴くのと体験的にはさして変わりがなかった。そこでスポティファイは、ミックステープ文化を参考にある機能を発明した。それがプレイリストの共有だ。

基本無料のスポティファイなら、じぶんの作ったお気に入りのプレイリストをツイッターやフェイスブックで友だちに公開することも容易だった。今やスポティファイにあるプレイリストは十億枚単位だ。そのうちの半数以上が、他人に聴かれているという。

「じぶんの好きな曲を聴くことよりも、じぶんのおすすめ曲を友だちが喜んでくれたときの方が、もっと楽しい」フェイスブックのザッカーバーグCEOは、プレイリスト共有の楽しみを、そう説明したことがある。それは「じぶんだけ楽しいときよりも、人を喜ばせたときの方がもっと楽しい」という人間の変わらぬ本質から来ている。

ウォークマンのミックステープ文化は、「他人を喜ばせると楽しい」という人間の本質に依って立っていた。この人間のエンタテインメント志向な性質を、フェイスブックとスポティファイは再発見したのだった。

今は人工知能がミックステープを創る時代に

ミックステープを創り、人にプレゼントするには、まずじぶんのお気に入り曲を発見しておかなくてはならなかった。それはなかなか骨の折れる作業だった。ラジオ番組を欠かさずチェックしたり、音楽雑誌を買って、気になった記事をメモしてお店に行ったり、お店のポップやらレコードの説明を読んで、買って、家に帰って聴いてみて、ようやく好きな曲を探し出すことができた。もっと簡単に、じぶんの好きな曲と出会いたい。人びとがそう考えるのも宜《むべ》なることだった。

その夢を実現したのが、昨今の音楽配信に備わった人工知能だ。

今、スポティファイやAppleミュージックのアプリを立ち上げると、トップページには、じぶんの好みに合ったプレイリストが表示される。それをクリックして、飛ばし聴きし、ピンと来た曲があったらハートのボタンやプラスのボタンを押せばいい。お気に入りが溜まったら、今度はまとめてプレイリストに移動して指先で順番を並べ替えれば、じぶんだけのプレイリストの出来上がりだ。

センス溢れる選曲を続けるのは、一定の技量と経験を要する。これを万人ができるようにしたのが、パンドラやスポティファイに備わったおすすめ機能だった。パンドラでは、ミュージシャンがまず音楽を分析し、それに基づいて人工知能が、ひとりひとりに合ったプレイリストを自動生成してくれる。

スポティファイでは、音楽をよく知るキュレーターがまずプレイリストを創り、専門家の創ったたくさんのプレイリストから、じぶんに合ったものが人工知能によって自然とおすすめされるようになっている。それは、スキルがなければ難しかったことを、イノヴェーションの力で万人が簡単に利用できるようにした「新市場型の破壊的イノヴェーション」だったのだ。

かくしてウォークマン時代に生まれたミックステープの文化は、テクノロジーの力で生まれ変わった。そして、今も人びとの音楽生活を豊かなものにしている。

ウォークマンは貧しい国のミュージシャンにとって救世主だった

ウォークマンの普及は、インドなど新興国に住む人びとの音楽生活も豊かにした。インドは発展途上国ながら、豊かな国産音楽市場を擁している。これは録音機能付きのウォークマンが早くに普及したおかげだ、という研究結果がある。かいつまんで紹介しよう。

それまでアルバムを楽しむためには、スピーカーやアンプ、レコードプレーヤーが必要だった。そんなものを買うお金は新興国の若年層にはなかった。だがウォークマンが登場し、カセットでアルバムを買えば、ウォークマンだけで音楽生活を送れるようになった。ウォークマンはラジオに続いて、音楽生活の価格破壊を起こしてくれたのだ。オーディオ製品を買えず、音楽の非消費者だった新興国を、音楽の消費市場に変える触媒をウォークマンは果たしたのであった。

ウォークマンとラジカセのコンビは、途上国に住む貧しいミュージシャンたちをも助けることになった。最初は再生専用だったウォークマンだが、テープレコーダー時代にあった録音機能を復活させるのは簡単だった。新興国のミュージシャンにとって、録音機能付きのウォークマンとラジカセは革命的だった。スタジオ機材がなくても録音機能付きウォークマンやラジカセの前で演奏して、ラジカセでダビングすれば、カセットアルバムが作れるようになったからだ。一九九五年の段階で、全世界のレコード産業売上のうち、実に三分の一がカセット形式だった。★003

ウォークマンの登場は、人類の生活スタイルを変えるほどのインパクトがあった。全社員の反対を押し切った盛田の確信は正しかったのだ。

ジョブズへ連なる盛田の言葉

井深大のトランジスタ・ラジオ。盛田昭夫のウォークマン。そして大賀典雄のCD。二十世紀後半、日本のSonyから繰り出されたイノヴェーションは、地球の音楽産業に多大なる影響を及ぼした。

「三つのクリエイティヴィティが必要だ。テクノロジー、プロダクト・プランニング、マーケティング。事業には、この三つのクリエイティヴィティが絶対必要で、いずれが欠けても自壊する」

まるでスティーブ・ジョブズのせりふだが、盛田が自伝『メイド・イン・ジャパン』で語った言葉である。★004 第二部で描くが、Sonyスピリットの正当な後継者といえるほど、ジョブズは盛田の影響を受けている。

「我々の真の資本は、知識と創造性と情熱だったと思っている」

中国の隆盛を導いた鄧小平に、かつて盛田はそうアドバイスした。三十年後の今(執筆当時)、この助言を聞くべきなのは、日本の将来にとって何が正しいのか迷いあぐねる我々かもしれない。

二十世紀後半、日本の創造性が世界の音楽産業にもたらしたもの。受け継がれるべきはかたちではなく、イノヴェーションのスピリットだ。テクノロジー側にあっても、コンテンツ側にあっても、あるいはどこの国にあっても、知識とクリエイティヴィティと情熱が、危機に至った産業を救う。

当たり前のような、類い希のような、そんな両義的な真理が、ファイナル・アンサーのような気がしている。

月面の章

メディアが音楽を救うとき──

MTVの物語

百年間に三度あった音楽不況の共通点

二十一世紀の音楽は、本当に前世紀を超える黄金時代を築けるだろうか？　これまで世界のレコード産業は、三度の黄金時代を経験している。二〇年代、六〇年代、そして九〇年代だ。

一九一〇年代、レコードプレーヤーが普及した。レコードの売れる時代が到来し、二〇年代に第一次黄金時代が到来した。だが二〇年代末、フリー・メディアのラジオが普及する過程で音楽売上は文字通り壊滅した。

放送メディアのもたらした音楽不況は長かった。だが五〇年代に入ると、放送メディアの使い方に革新が起こる。そして、ラジオＤＪのもたらしたロックンロール・ブームが音楽不況を終焉させた。続く六〇年代、第一次ブリティッシュ・インヴェイジョンは、音楽産業をロック・アルバム中心に革新。第二次黄金時代が到来した。

第三次黄金時代は九〇年代だ。図1-5はアメリカ国民ひとりあたりのレコード産業売上をチャート化したものである。インフレ調整しても、九〇年代の音楽シーンは六〇年代を超える活況であったことがわかる。そしてインターネットの普及が始まり、九八年をピークに第三次黄金時代は終焉した。

二〇〇二年にAppleからiTunesミュージックストアが登場し、ダウンロード販売が始まる。すると、「CDがレコードに取って代わったように、CDが消え、合法ダウンロードに塗り変わればすべて解決」という楽観論が世を占めた。

だが、六年後の二〇〇八年、国際レコード産業連盟(IFPI)は衝撃的な調査結果を公表した。世界の音楽ダウンロードのうち、合法なのはわずか五%しかなかった。音楽産業はその年、iTunesとは別の道を探り始め、答えを見つけることになる。

二〇〇五年、ユーチューブが誕生すると音楽産業は「ラジオやテレビに代わるプロモーション・ツールだ」と歓迎した。だが、十年経ってみれば「ユーチューブで無料で聴いて終わり」という層が八割を占めるようになっていた。★001 こちらの方は執筆現在、別の道はまだ定まっていない。それが本章を書く理由だ。

第一次黄金時代が壊滅したときの状況は、無料メディアの席巻が有料コンテンツに危機をもたらした点で、二十一世紀初頭の音楽不況とよく似ていた。第二次黄金時代後の、二回目の音楽不況はどうだろうか。

世界の音楽離れは、相当酷かった。一九七八年からたった三年で、ひとりあたりの売上は四割もアメリカで減った［図1-5］。アメリカだけでない。同時期、イギリスは二六%減、デンマークは二九%減、ブラジルも二〇%減と軒並み売上を落とした。★002

まず、世界的な不況が音楽売上を蝕んだ。一九七三年のオイルショック以来、物価高と需要不足の組み合わさったスタグフレーションが世界中で蔓延。解決策の見つからない長期不況が主因で、アメリカは六年で大統領が三人替わった。なお当時、日本だけは高度成長の活力でいち早く不況から脱した。国内レコード産業の売上も二%増となった。[★003]

もうひとつの原因はコンテンツだ。七〇年代後半、クラブカルチャーの源流となるディスコが世界を彩ったが、映画『サタデー・ナイト・フィーバー』(一九七七年)の世界的ブームをピークに、急速にダンスミュージックの活況は終焉した。

FM革命が育てたハードロック、プログレ・ロック、アルバム・オリエンテッド・ロックといった多様なトレンドも、FM放送がこぞってTOP40路線に向かったことで萎んでいった。音楽放送は過去のヒットシングル中心になり、保守化した。レコード会社が新人の新譜を送っても、「知らないものをかけると番組の人気が落ちる」という理由でオンエアされなくなった。この音楽メディアの停滞が、第二次音楽不況の三つめの原因だ。

さらに六〇～七〇年代に十～二十代だったベビーブーマーが三十代半ばにさしかかると、仕事と家庭に時間を奪わ

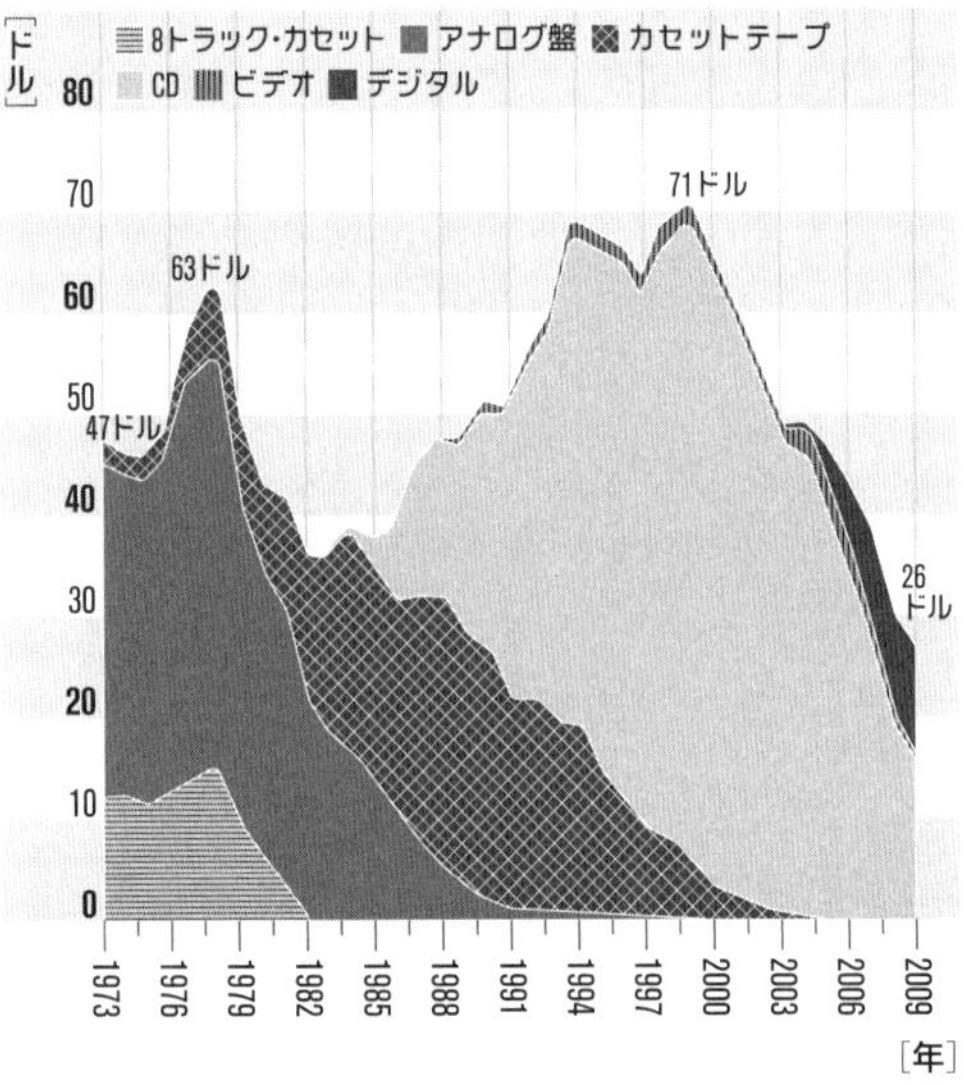

[図1－5]アメリカにおける国民ひとりあたりのレコード産業売上(インフレ調整済)

70年代末にも40%近い大幅な下落を経験している。

資料:RIAA[★004]

れ、音楽から「卒業」し始めた。新しい音楽に付き合う気力を失った彼らの無気力が、FM局を保守化させたともいえるだろう。

十代も音楽離れを起こしていた。理由は、どのラジオからも新しい音楽がかからなくなり、興味を失ったことがひとつ。アタリとタイトーが起こしたテレビゲームの初のブームが若者市場を席巻し、音楽が若者向けコンテンツの王座から滑り落ちたことが理由のふたつめだ。

並べてみよう。原油価格高騰、世界的物価高と先進国の就職難。音楽からのメガ・トレンド消滅。音楽メディアのマンネリ化、音楽ファン層の加齢と卒業。ゲームほかのエンタメ産業の躍進、若者の音楽離れ。「昨今のことを言っているのではないか」と、混乱した読者もいらっしゃるだろう。そう、七〇年代末に起きた第二次音楽不況もまた、二〇〇〇年代に起きた第三次音楽不況と共通点が多い。ｉＴｕｎｅｓやユーチューブは、音楽不況を止めるテクノロジーとはならなかった。レコード会社の方も、後手を踏んできた。

音楽とテクノロジーの関係を二十世紀初頭から振り返ってきた。一九八〇年代初頭、音楽産業は自ら先んじて答えを見出し、新たな黄金時代を切り拓いた。その答えこそ、ウォークマン、

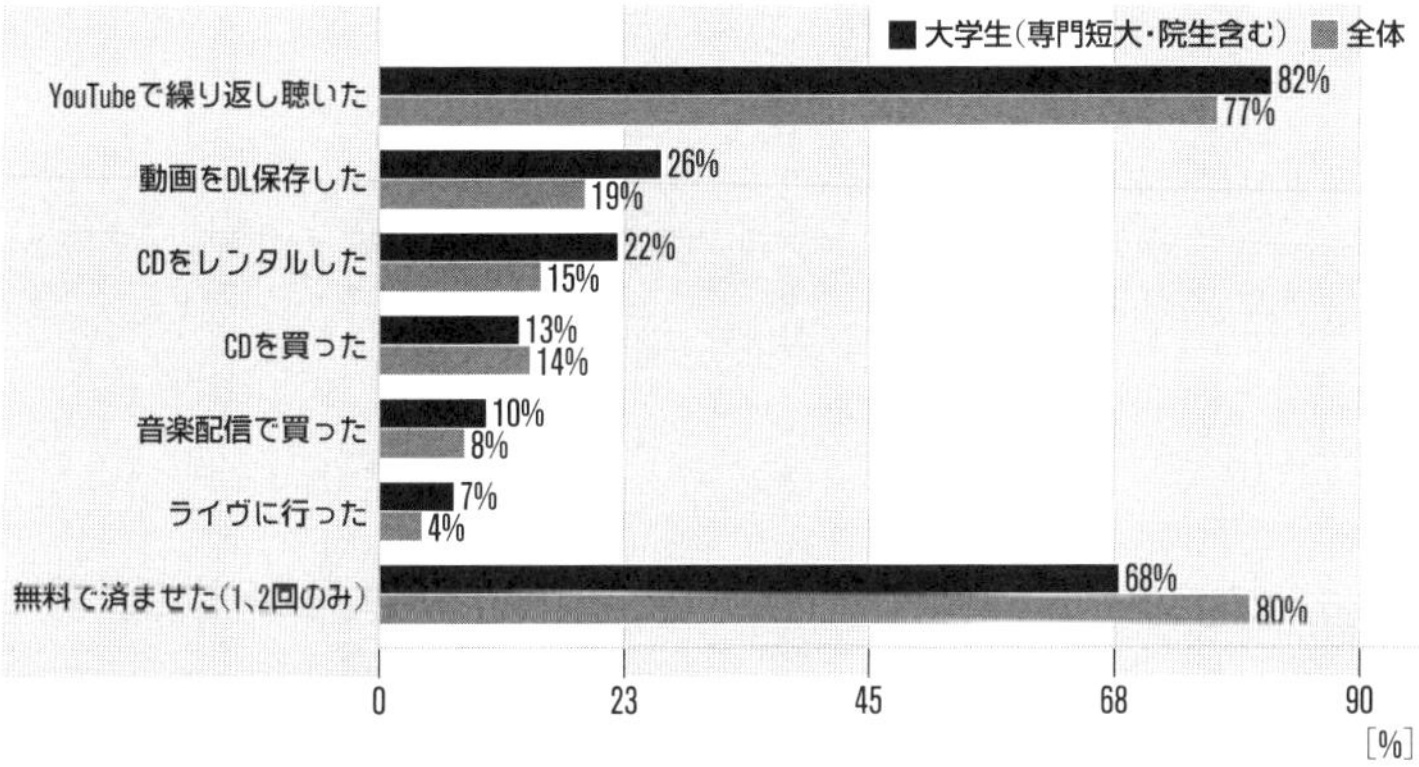

[図1－6]YouTubeでお気に入りの曲を見つけた後、あなたは……

ウェブ実施調査2015年11月。N＝728(男女比・年齢層・地域を均等にしてサンプリング)。

資料：CDVJ

CD、そして音楽テレビのMTVだったのだ。

二十億人の見る音楽テレビを創った男

かつて世界は東と西に分かれていた。情報革命は衛星から始まり、インターネットで本格化。世界をひとつにしつつあるが、世界史を変えたのは衛星の方からだった。CNNによる天安門事件のライヴ中継は、衛星の力で国境の情報封鎖を軽々超え、ベルリンの壁を崩壊させた。東西に分かれていたユーラシア大陸は、ひとつへ向かい始めた。ベルリンの壁崩壊後、東西統合の動きを助けた音楽メディアがある。世界的な音楽テレビ、MTVだ。MTVは欧州で、アメリカのいちテレビ局から脱却した。ヨーロッパ共通の音楽チャンネル、「MTVヨーロッパ」が誕生すると、九〇年代の欧州統合を文化面で支える役割を果たすことになった。

地域密着を目指したMTVは、アジア、南米、アラブ文化圏でも「ご当地MTV」を次々と誕生させていった。その結果、執筆現在、一六五ヶ国に二〇〇チャンネルを持ち、視聴可能者数は二十億人に達している。MTVは音楽と衛星の力で、地球規模のメディアとなった。

「ジョンは『いつかロックンロールでテレビを変えてやる』って考えに憑りつかれてたよ。ムービーチャンネルとニコロデオン★005(子ども向けチャンネル)を僕らは立ち上げたけど、ジョンが本当にやりたかったのは音楽テレビだったんだ」★006

元同僚の語った、ジョン・ラックの人物像だ。一九八〇年、「MTVの生みの親」とのちに呼ばれることになる彼は三十三歳だった。ロックとテクノロジーが大好物で、Sonyの初代ウォークマンをブームが起こる前から愛用し、見せびらかしていた。新しいことが大好きな彼は、大企業のCBSを辞めて、ヴェンチャー企業に転職した。

ワーナーとアメックスの創ったＷＡＳＥＣで、首尾よく映画チャンネルと子ども向けチャンネルを立ち上げたラックだが、彼はじぶんの夢を事業化する機をなかなか見出せないでいた。「二十四時間、テレビでロックンロールを流すんです」とアイデアを語っただけでは、ビジネスの世界では何も起こらない。実現するにはビジネス上の障害をいかに攻略するか、初めに事業戦略をまとめ上げ、会社を説得して資金を引き出す必要がある。だが、その障害というのが難物ばかりだった。

まず、ロックンロールを流すとなると、視聴者は十代が中心になる。彼ら自身にはケーブルテレビを契約する金も立場もない。スポンサーの広告を見て何かを買う金もない。かといって、ニコロデオンのように親を本当の顧客に据えることも無理だった。当時の親は、世代的にロックンロールの洗礼を受けずにきた層で、ロックに嫌悪感しかなかった。

さらに、昨今の日本のように「十〜二十代はテレビを見ない」というのが、当時のアメリカでは常識だった。★007 アメリカは地上波がたった三チャンネルあるのみだった。ＡＢＣ、ＮＢＣ、ＣＢＳは貯金のある中高年へ向けた番組に終始していたのだ。しかも一九七七年にアタリがテレビゲームのブームを引き起こし、若者にとってテレビはゲームをするための道具に成り下がっていた。「若者のテレビ離れ」が七〇年代に進行していた。

極めつきの障害は、音楽テレビのコンセプトに、ピタリと嵌《はま》る番組形式が思いあたらないことだった。弱小チャンネルが金のかかる音楽ショーとライヴ中継で番組枠を埋めるなど不可能な話だった。どうすればいい……。ラックはずっと悩んでいた。そんなときに一本の電話が舞い込み、彼の煩悶を吹き飛ばすことになった。

ミュージックビデオに起きた破壊的イノヴェーション

「見せたいもんがあるんだよ」

そう電話してきたのは、エレクトラ・レコードの創業者ジャック・ホルズマンだった。ホルズマンは十年以上前、マネジメントしていたドアーズの「ブレイク・オン・スルー」を売るために、ミニ・フィルムを創ったことがあった。カメラひとつで撮った簡単なもので、制作費は千ドルもかからなかった。欧州のテレビ局に送りつければ海外遠征をしなくても向こうでレコードが売れるかもしれない、というアイデアだったが意外と上手くいった。

月日は経ち、ホルズマンはあるビデオを見て衝撃を受ける。そのビデオは「生ライヴのかわり」に過ぎなかったミュージックビデオの既成概念を破壊していた。それは演奏シーンを素材に使わず、音から連想される幻想を映像化したものだった。

ホルズマンは、自曲「リオ」のためにじぶんでミュージックビデオを創ったマイケル・ネスミスにすぐ連絡を取った。ネスミスは、ブリティッシュ・インヴェイジョンに呼応した米国製バンド、モンキーズの元ヴォーカリストだが、その頃、映像制作にも才能を発揮し始めていた。

ホルズマンの感銘の受け方は独特だった。このやり方なら、リスナーを音楽に釘付けにできるかもしれないぞ……。そう思ったのだ。ラジオは基本、BGMだ。そこで新曲を流してもらっても、リスナーの耳を右から左へ抜けていく。それがホルズマンたち音楽レーベル側の不満だった。だが衝撃的なミュージックビデオを創れば、視聴者の目を釘付けにして、そのまま音楽を真剣に聴いてもらえる……。彼は、そう気づいたのだ。ホルズマンは親交のあったワーナー・コミュニケーションズのスティーヴ・ロスCEOに相談した。すると「うちの子会社に面白い奴がいるよ」と言う。

ホルズマンはネスミスを連れて、ラックのもとへやってきた。ビデオを見て興奮したラックは開口一番、ネスミスに言った。

「あんた、この作品の本当の意味がわかってるか？」

作者に尋ねる質問ではない。

「これなら音楽の専門テレビが創れる。二十四時間のだ！　すぐにたくさん創ってくれないか？」

ネスミスは請け合った。彼はミュージックビデオを並べたパイロット番組を十本、創って納品した。ニコロデオンで試験的にこの番組を流したところ、見事にティーンズの人気を博した。次に会ったとき、ラックは喜んで礼を言ったが、ネスミスは新プロジェクトへの参加を断った。

「今から走り出すんだぞ？　バスから降りるのか？」

驚くラックにネスミスは理由を切り出した。やってみてわかったことがあるという。

「レコードのＣＭを並べただけの番組だ。興味が持てない」

ネスミスはこう言って去ってしまった。★008　だが、彼の言う通りかもしれなかった。放送業界にイノヴェーションを起こすには、何か決定的なコンセプトが欠けていた。そして、その黄金の鍵を着想したのはほかでもない、ラックの部下だった。

数々のイノヴェーションがＭＴＶを生んだ

ボブ・ピットマンは、何を考えているのか見当のつかない部下で、実際、天才的なところがあった。

彼は十五歳の頃、飛行機免許を取る授業料が欲しくて地元ラジオでバイトを始め、そのまま人気ＤＪとなった。大学では科学的リサーチを専攻。就職したニューヨークのTOP40ラジオに本格的なリサーチを導入し、精度の高いパワープッシュで瞬く間に人気局へと変えた。ピットマン以前は、ラジオ局員の音楽リサーチといえば学食やレコードショップで何がおすすめか学生から聞き出す程度だったが、これを変えたのだ。

ピットマンは若いながら抜群に出来る編成マンだった。当時、ムービーチャンネルを仕切っていたラックが「ピットマンを雇う」と言い出したとき、「映画番組にラジオDJは要らないでしょう」と会社は反対し、喧嘩になったが押し切って雇用した経緯があった。

「待たせたな。音楽の時間だ。リサーチをやるぞ。三ヶ月で取締役会を制覇してやる」

ピットマンの部屋に来たラックは言い放った。ピットマン得意のリサーチで、まずウォンツ(潜在需要)の証拠を摑む。そうすればじぶんは事業立案できる、と踏んで彼はピットマンを雇っていたのだ。

ラックからすれば、需要はあるに決まっていた。FMは新曲をかけなくなった。地上波テレビは依然、大人向けだ。若者の放送離れではない。テレビに若者が見たいもの、聴きたいものがないだけだ。新市場はそこにあるに決まっていた。あとはどの若者が小遣いを持っているかだ。

そしてピットマンとラックは、突破口となるターゲットを見つけた。二十三〜四歳。高学歴。都市近郊在住。中流。このセグメントはロックが大好きで、可処分所得もあった。[★009] 流行を反映した商材に対し消費性向が高いので、音楽に加えて、最先端のライフスタイルを提案するチャンネルにすればいい。この編成方針なら広告が取れるし、ハイティーンから二十代後半まで訴求できる。「二十三〜四歳の高学歴・都市近郊在住」はずいぶん限定されたセグメントだが、全国規模でこの層を独占できればボリュームはそれなりだ。この「究極のナローキャスティング」を、大陸をカヴァーする衛星と、音楽の力で実現する。

音楽ビデオの再発明だけでない。究極のナローキャスティングが、MTVが起こしたイノヴェーションのふたつめだ。後世、パンドラが究極のパーソナライズド放送で、放送のロングテールを実現。放送業界に革命を起こす。

現在、日本をはじめ先進国は少子高齢化にある。その結果、「若者＝少ない＝儲からない＝番組の対象にしない＝若者のテレビ・ラジオ離れ」というロジックが蔓延してしまったが、三十年以上前にＭＴＶは同じ課題に挑戦し、業界人の諦めを覆してみせた。諦めとは、チャンスでもある。

「二十三〜四歳をまとめ上げて上下の年齢層にもリーチする」という戦略は、彼ら若者にＭＴＶを「じぶんたちのチャンネル」と思ってもらうための「何か」を要求していた。ミュージックビデオを並べただけでは、ネスミスの言う通り「レコード会社のチャンネル」になってしまう。「じぶんたちのチャンネル」とは思ってくれないだろう。そのためにピットマンが出した新コンセプトが「ＶＪ」だ。

ＶＪすなわちビデオジョッキーは、ラジオＤＪのテレビ版だが、これまでのテレビ司会者の逆を行っていた。ピットマンは、テレビのように偉そうな司会者は置かなかった。かわりに、そこに「じぶんと同じ」と思えるような、友だちのような人間を置いたのだ。じぶんと同一視できる若者がアーティストと親しげに話し、流行の話題を視聴者に振ってくる。こうすれば視聴者は、ＭＴＶに「じぶん」を感じてくれる。

彼は、テレビ番組の決まりごとすら破壊しようと目論んだ。偉そうな司会者が番組を仕切り、番組の始まりと終わりを締める。これをやめさせ、ラジオのように「流れるような番組進行」をテレビで実現した。「ミュージックビデオを単に並べるのではなくて、ブロックのように番組を組み立てる素材に使う。ＶＪがまとめ上げ、流れるように番組を展開していく。そうすればミュージックビデオでなくＭＴＶが主人公になる」ピットマンは、そう種明かしする。

矛盾の解決だった。ミュージックビデオが主役になると、音楽の宣伝のようになってしまい、ミュージックビデオの魅力が引き出せない。だからまず、ＶＪに親近感を持ってもらい、視聴者に「ＭＴＶはじぶんたちのもの」と感じてもらう。そしてＭＴＶが主役になれば、視聴者が主役だ。結果、「ＭＴＶの扱うミュージックビデオ」は最大限に親近感を出せる。こうした緻密なコンセプトワークを、ピットマンは「ＶＪ」というアイデアに託したのだ。

その後ＭＴＶの成功で、ＭＴＶの模倣が内外問わず林立するが、たいていのクローンはピットマンが音楽放送にもたらした破壊的イノヴェーションを理解していなかった。素人っぽさだけを真似て、友だちとしての魅力が薄いＶＪで、本来避けるべきミュージックビデオのただの羅列をやってしまったのだ。「流行だから」と先駆者の形だけ真似て、背後にあったコンセプトワークを理解しないで事業を立ち上げると、会社を大損させることになる。

ユーチューブは便利だが、ＭＴＶが克服したミュージックビデオの初歩的問題を繰り返しているところがある。インディーズの動画投稿は増えたが、生演奏のかわりでしかなかったり、自己紹介の域を超えないミュージックビデオが目立つ。一方、メジャーの公式チャンネルは、ミュージックビデオの羅列で宣伝臭がしている。それでは駄目だ。動画共有は映像メディアの最終解ではなく、この先さらなるイノヴェーションが待っているのではないか。ＭＴＶの誕生物語はそう語りかけてくる。

人工衛星――宙《そら》から音楽が降ってくる

一九八〇年十二月。ラックは勝負の舞台にいた。目の前には親会社ワーナー・コミュニケーションズとアメックスの重鎮たちが座っていた。

まず子会社のシュナイダー社長が事業企画を紹介し、副社長のラックが戦略を説明。そして部下のピットマンがパイロット番組を見せ、解説した。重鎮たちの年齢を考慮し、オリヴィア・ニュートン＝ジョンなど柔らかめの選曲にしたという。それでも「喧《やかま》しくてかなわん」とクレームが出た。

「それでシュナイダーくん。この事業に、君はじぶんの給料を突っ込めるかね？」

親会社の創業者スティーヴ・ロスが単刀直入に尋ねた。シュナイダーの顔はこわばった。ガンっと音がして、「もちろん！　もちろんです」と彼は明答した。ラックが机の下でシュナイダーのすねを蹴ったのだ。

スティーヴ・ロスがボスだった。七〇年代初頭、ケーブルビジネスはド田舎の農家と、高層ビル直下のアパートにたった三チャンネルの地上波を送信するだけの、超ニッチビジネスだった。その頃から「これからテレビにもナローキャスティングの時代が来る」と踏んで、小さなケーブル屋を次々と買収し、会社の基礎を創ったのがスティーヴ・ロスだ。

ロスの予想通り数年後、技術革新が来た。衛星放送の誕生だ。ケーブルは市町村しか相手にできない。だが衛星なら北米大陸すべてをまとめて相手にできた。

当時、パラボラアンテナは個人が買える代物ではなかったが、ケーブル会社ならなんとか買える値段だった。そこで、タイム社（現ワーナーメディア）のジェリー・レヴィンが、まず映画専門の有料チャンネル（HBO）を創って、それを衛星から各地のケーブル局に配信し、全米の家庭に映画の定額制チャンネルを売り出したのだ。キラーチャンネルを得たケーブル会社の前には、「マンネリ化した地上波に飽き飽きした視聴者層」という広大な新市場がいきなり広がった。

実は、音楽の定額制配信（サブスク）は、このとき生まれた専門チャンネルの月額制を参考にして二〇〇一年に始まったものだ。不況に苦しむ音楽業界は、有料テレビの歴史からヒントを得たのである。今では毎月三千円、五千円と高額な衛星放送だが、開始当初は毎月十ドル（約千円）のチャンネルセットが主力商品だった。スポティファイやネットフリックスが参考にしたのは、この金額である。

映画専門チャンネルは月七ドルで追加できた。ラックが創ったムービーチャンネルは、プレミアムチャンネルの主力商品だった。そして毎月十ドルの基本料で見られるベーシックチャンネルの主力商品が、子ども向けのニコロデオンだったが、それでは足りない、とラックたちはＭＴＶの立ち上げをプレゼンしたのである。

実は、プレゼンを聞くラックの親玉にとって、この流れは想定済みだった。アメリカには数千のラジオ局がある。ラジオの歴史を学び、「多チャンネル化したラジオのように、テレビでナローキャストをやる」と決め、創業したのがロスだった。彼にとって、子会社のラックたちが、音楽チャンネルを提案してくることは想定済みだったのだ。

「ひとつ気になることがあるんだが」と共同出資するアメックス側の重鎮が口を開いた。「商品の原材料はどうやって調達するのかね。つまり、ミュージックビデオをだが」

「ああそれなら」とロスが直接、答えた。「音楽会社がミュージックビデオを創ってるんですよ。新譜の宣伝にね。それを無料でもらってくればいいです」

「そういうことなら私は文句ないよ」とアメックス取締役のロビンソンは微笑んだ。ラックたちはこのやり取りに冷や冷やしていただろう。音楽会社との交渉こそが最大の難関になりそうだったからだ。ともあれ、この場のプレゼンは切り抜けられそうだった。

「私からは一千万ドル（約十一億円）出すよ。うちの娘に訊いたら『絶対やって！』と言うんでね。若者は音楽が好きだ」

結局、アメックス側の出資と合わせて二五〇〇万ドル（約二十八億円）の資金が出ることになった。ロスの嗅覚は鋭い。彼の会社はのちに誕生するメディア財閥ワーナー・メディアの母体となってゆく。

激論――音楽ビデオの是非をめぐって業界は真っ二つに

「無料では一切、ミュージックビデオは供給しないよ」とＣＢＳレコード（現Ｓｏｎｙミュージック）のボス、ウォルター・イェトニコフは譲らなかった。

「ラジオが登場したとき、僕らは大失敗をやらかしたんだよ。宣伝のためにすべて無料にしたら、ラジオから一銭も入らなくなった」★008
ラックたちは世界一の音楽会社ユニバーサルのボス、シドニー・スタインバーグをミュージックビデオの展示会に招待したが、「我が社は一本たりとも供給しません！」と壇上で直接、宣言されてしまった。★006 結局、積極的な協力を得られたメジャーレーベルは身内のワーナーと、ＲＣＡレコード(現Ｓｏｎｙミュージック)ぐらいとなった。

音源を供給する音楽会社と供給しない音楽会社。宣伝なのか、安い扱いなのか。インターネット登場時も再発する駆け引きである。音楽配信に曲を提供する会社と、提供しない会社があることで、「なんで私の好きなアーティストの曲がないの？」と消費者は混乱した。

当時の問題は、それだけでなかった。ワーナーとＲＣＡは供給すると言ってくれたが、米国アーティストのミュージックビデオ自体がそもそもなかった。その頃、ミュージックビデオを創るのはイギリスのバンドで、アメリカ遠征のかわりに地上波テレビで流してもらうためのものだった。アメリカのバンドにとっては、ツアーをやって各地のラジオに取り上げてもらうのがプロモーションの基本で、ミュージックビデオは創る必要がなかったのだ。

ＭＴＶの創設を助ける立場を選んだ音楽会社は、音楽不況の原因であるメガ・トレンド消滅と向き合う方向で決断したようだ。七〇年代をけん引したダンスミュージックと多種多様なロックのブームは終わってしまった。トレンド消滅の音楽不況にあって、新しいトレンドを生み出すためにも、新人を売り出す必要があった。だがラジオは経済不況で保守的になり、主要リスナーの三十代以上にウケない新人なぞオンエアしてくれなくなった。音楽会社側も、新人のプロモーション・ツアーを組む予算がなくなっていた。要は、協力派の方も、仕方なし的なところがあった。よくわからない「ニューテクノロジー」に新人をまかせてみるしかなかったのだ。ＭＴＶが上手く育ってくれれば、ツアー予算の節約になる。どこか、昨今を彷彿させる。

視聴可能世帯もたった二一〇万世帯。都市圏のラジオ局ひとつ分しかなかった。だが「実験的なもの」でしかないことも、決断の速度を上げた。同じ論理で音楽会社を説得したカリスマが二十年後、登場する。スティーブ・ジョブズだ。「Ｍａｃの占有率なんてたった五％じゃないか。もし失敗しても大丈夫」と説得し、ｉＴｕｎｅｓミュージックストアへの協力を音楽会社から取りまとめた後、ウィンドウズでもｉＴｕｎｅｓをリリースした。

ケーブル放送も、ＭＴＶと配信契約を結ぼうとしなかった。ロックンロール専門チャンネルと聞いて、たいていのケーブル会社の社長は顰《しか》めっ面をして断った。「セックス、ドラッグ、ロックンロールなんて流したら、クレームの嵐で契約解除が殺到する」とおじさんたちは恐怖したのである。

「でも社長の娘さんは、ロックがお好きでしょう？」と尋ねるとそれは認めたが、「でも俺が嫌いなんだよ」とオヤジの個人的趣味を持ち出す。新技術だったケーブル放送は当時、技術者が仕切る場所であり、彼らはコンテンツを水物としか思えず、ビジネスとして分析する専門知識を持っていなかった。当時最大のケーブル放送網ＴＣＩでプレゼンしたときは、「若者には絶対ロックですよ」と説明した瞬間、社長室から放り出された。

「わかりました。しばらく配信料はいただきませんのでＭＴＶを扱ってください」

ラックたちは苦肉の策で当面、ケーブル局に対しフリーモデルでＭＴＶを提供する策に出た。それでようやく集めたのが先の二一〇万世帯だ。結局、ＭＴＶの開局当初、ロサンゼルスやニューヨークといった音楽の重要都市は抜きとなった。

大混乱だったMTVの開局

一九八一年八月一日、第二次音楽不況の谷底だった。

「レディース&ジェントルメン。ロックンロール」

放送の第一声はジョン・ラックだった。声に続いてアポロ十一号が飛び立ち、宇宙飛行士が月面にMTVの旗を立てた。スタジオに住み込みで準備を進めてきた全スタッフから、悲鳴のような歓声が沸き上がった。

MTVで初めてオンエアされたミュージックビデオは、バグルスの「ラジオ・スターの悲劇」だった。トレヴァー・ホーンはMTVが登場する二年前にこの曲を書いた。「新しいテクノロジーの破壊的な性質を表現したかった」という。なんとぴったりな一曲めだろう。ラジオの時代が終わり、音楽テレビの時代になることをラックは宣言したのだった。

しかし、その後が酷かった。放送事故が連発した。ビデオをデッキに入れるタイミングが遅れ、何度も放送画面が真っ黒になった。スピードワゴンの曲の後に、VJは「スティクスでした」と紹介し、「次はザ・フーです」と言った後に38スペシャルがかかる始末だった。

実は、MTVにはテレビ業界経験者がひとりもいなかった。テレビの常識をまるっきり破壊したかったラックたちが、雇うのを拒否してきたからだ。テレビマンを入れたら旧来のテレビのやり方が入ってしまう。

理論的には、正解ではある。結果、始まりもなければ終わりもなく、素人風のVJが仕切るという斬新な番組フォーマットが発明されたからだ。だが、当の発明者であるボブ・ピットマンは開局初日、全米のケーブル会社からひっきりなしにかかってくるお叱りの電話に一晩中、付き合わされることになった。「あれは人生最悪の夜でしたね」と言って、ピットマンは笑った。

ミュージックビデオをブロックのように積み立ててMTVブランドを創る、というのがピットマンのヴィジョンだったが、実際には開局当初、そんなことは不可能だった。集まったビデオはたった一六五本しかなかったからである。執筆現在、MTVは一日に二五〇本以上のミュージックビデオを流し、週に七十本の新作がレーベルから届くことを思えば、どれだけ少ないかおわかりいただけるだろうか。[★010]

「しかもその（一六五本の）うち三十本がロッド・スチュワートのビデオでね」当時のスタッフは振り返る。おかげで五分おきにロッド・スチュワート、という時間帯がかなりあったという。[★011]

I Want My MTV

開局からまもなく、ピットマンは、のちに社長となるトム・フレストンをオクラホマのタルサにやった。MTVの契約世帯が集中していて、調査に恰好の田舎街だった。

フレストンと食事を取った地元ラジオのDJは、「急にバグルスとロッド・スチュワートのリクエストが増えたんだよ。あれは何かな」と不思議そうに尋ねてきた。早速、レコードショップに行くと店長は「ああ、バグルスね。八ヶ月前に十五枚仕入れたんだけど、全く売れなかった。それが最近、急に捌けたよ」と返事した。フレストンは興奮し、拳を握りしめた。MTVがオンエアすると、各地のラジオにリクエストが集まり、レコードが売れる。アメリカ音楽業界、必勝の方程式が小さな街に生まれた瞬間だった。

風向きは変わりつつあった。開局から一年後、ニールセンの調査結果が出た。[★012] MTV視聴可能世帯の実に八五％がMTVを視《み》ていることが判明。平均視聴時間も毎週五時間弱、一日に約四十分というラジオの半分ほどの数値が出た。ピットマンの「見えるラジオ」というコンセプト通りになったのだ。

執筆現在、ユーチューブの平均視聴時間も四十分／日に達しているが、うち音楽の割合は二二％のため、音楽メディアとしては一日あたり九分弱しかない。一方、スポティファイは二〇一八年に二時間三十分／日に達している。★013 なおアメリカ人のテレビの平均視聴時間は三時間三十五分／日、ラジオは一時間二十分／日だ（二〇一九年）。日本人はテレビが三時間三十一分／日、ラジオがわずか二十一分で、アメリカが今でもラジオ大国なのが伝わってくる。★014

それゆえ、音楽配信やポッドキャストをラジオのように楽しむ文化を先導できたのだろう。

「無料で音楽ビデオを供給するなんて」と渋っていた大手レーベルも、ようやくＭＴＶの可能性に気づきだし、協力的な態度に変わった。

あとはニューヨーク進出だ。アメリカの中心、ニューヨークさえ突破すれば、全国へ展開できる。だが、ニューヨークのケーブル会社の社長は堅物のじいさまばかりで、少しも耳を貸そうとしなかった。一方、ミック・ジャガーの態度は違っていた。

「ＯＫ、ガーランド。何が望みか言ってくれ」

パリのホテルで彼はまず話を聞いてきた。ＭＴＶの名物男レス・ガーランドはアトランティック・レコード（ワーナー傘下）出身で、ミック・ジャガーとは友人だった。

「今、ＭＴＶというのを始めたところでね。君に『I Want My MTV』と言ってほしい」とガーランドは切り出した。ミックは渋った。

「俺に宣伝をやらせようってのか？　ストーンズはＣＭに出ない」

「違うよ、ミック。これからミュージックビデオっていう新しいムーヴメントを起こすんだ。それを応援してほしいんだよ」

「やっぱり宣伝じゃねえか」

「アトランティック時代、君らのツアーにスポンサーを見つけてきたよなあ」

「たんまり金が入ったな」

「ありゃ宣伝だろ」ガーランドのツッコミに、ミックは笑った。

「もし金が欲しいっていうんなら」とガーランドは財布を取り出し、「払ってやるよ」と言って、一ドル札をテーブルに叩きつけた。

「わかったよ」ミックは降参した。「友だちだからな。やってやる」

ほどなくキャンペーンCMは完成した。ミック・ジャガーが「I Want My MTV」と言った後に、女性VJが「今すぐケーブル局に『MTVください』って電話して！」と続ける、シンプルな内容だった。このCMをあえて、MTVのないニューヨークへ集中投下した。効果は絶大だった。

「ええ!?　電話したのに、MTVを取り扱ってないなんてありえない！」

そんな苦情がケーブル局に殺到した。それが狙いだった。音《ね》を上げたニューヨークのケーブル局は、「ぜひ配信させてくれ」とMTVに言ってきた。

広告営業も目処がついた。いち早くニュース専門局で成功したCNNに、いちかばちか広告営業を共同展開することをラックは持ちかけたのだ。CNNのビルに行くと創業者、テッド・ターナーはラックを屋上に連れて行った。そしてパイプを吹かし、ラックの口にそのパイプを突っ込んだ。

「ハイになってきたろう?」

ターナーはラックの目を見据え、ニヤリと笑った。取引成立の合図だった。

メガ・トレンドを起こし、音楽不況を覆す

「MTVほどリサーチを駆使した放送局はなかったと思いますよ」

当時のMTV編成局次長はローリング・ストーン誌に語った。★015 確かにそうだった。MTVは局の顔、VJすらリサーチで決めた。「ロック好き、高学歴の都市近郊の二十三〜四歳」は白人が多い。そこで彼らに黒人音楽が好きかを事前にリサーチし、ディスコ・ブームに飽き飽きしていることを把握。黒人自体への嫌悪感はないが、アフロと髭はNGであることも調べ上げたうえで、知的で清潔感のある黒人のラジオDJ、J・J・ジャクソンを初代VJのひとりに抜擢、といった念の入れようだった。

実際には、MTVの開局が引き起こしたメガ・トレンドは、リサーチとは全く関係なく起こった。ポストパンクのU2やニューロマンティックのデュラン・デュランたちを中心とした第二次ブリティッシュ・インヴェイジョンのことだ。「ニューウェーヴのヴィジュアル重視が、映像主体のMTVとぴったり嵌った」と説明すれば「なるほどな」という気分にもなる。が、実際にはもっと偶発的だった。

音楽会社が初めに供給したミュージックビデオ全一六五本は、アメリカ本社としては優先順位の低かったイギリスの新人バンドがほとんどだった。それで成り行き上、MTVはニューウェーヴをパワープッシュする初の放送局になった。というより、それしかなかったから、かけまくったのだ。もちろん、U2やデュラン・デュランの音楽にパワーがあったことは論を待たないが……。

五〇年代に生まれたロックンロールはクォリティアップを繰り返し、七〇年代末にもなると音楽的に洗練された反面、テクニックと抽象美の極みに到達しつつあった。クリステンセン教授風に語るなら、「漸進的な持続的イノヴェーションが続いた結果、七〇年代ロックは一般人置いてけぼりのハイエンド志向に入り込みすぎてしまった」と

説明できるかもしれない。

一方、イギリス生まれのパンクは、ロックンロールが本来持っていた粗暴なほどに反逆的なエネルギーを取り戻していた。シンセサイザーを多用するニューロマンティックもまた、サウンド的に斬新だった。第二次ブリティッシュ・インヴェイジョンは、活力を失いかけたロックンロールに急進的イノヴェーションをもたらした。

七〇年末、アメリカのTOP40ラジオは硬直化し、こうした新しいバンドを取り上げる能力を失っていた。それは、音楽会社がマーケティングを追求した隘路《あいろ》でもあった。この閉塞状況を、本来リサーチが大好きなMTVが、正反対の理由でぶち破ったことは歴史の皮肉だ。

一九八二年十一月。米レコード協会の調査で「MTVの影響があったレコード・チェーンは、売上が五〜三〇%も上昇。新人が中心」と発表された。MTVは開局からわずか一年で、決定的な影響を与え始めていた。

一九八三年。念願のニューヨークとロサンゼルスにもMTVを開局。ついにアメリカ初の全国的音楽放送となった。ニッチなケーブルビジネスから始まったMTVは、わずか一年半で全世帯の二二%を押さえた。

MTVは初め、マイケル・ジャクソンを拒否していた

MTVから次々とヒットが飛び出してくる。この事実で、ビデオの無料提供に苛立っていた音楽会社も心を開き始めた。というか、前のめりになってきた。態度が豹変したのは壇上から「無料提供は一切しない」と、ラックの目の前で宣言したイェトニコフだ。CBSレコードは売上減に苦しみ、一九八二年にスタッフ三百人をレイオフしていた。背に腹はかえられない。イェトニコフは売上のため、MTVにビデオを供給する方針に切り替えた。

一九八三年の初春。CBSは起死回生の希望を得た。前年末にリリースしたマイケル・ジャクソンのアルバム『ス

リラー』が全米一位を取ったのだ。この一位がただの一位ではないと直感したイェトニコフは、「ビリー・ジーン」のミュージックビデオに当時、破格の二十五万ドルを投入。会心の出来でMTVに送付した。現在価値に直すと約七千万円の映像制作費だ。

が、MTVはマイケル・ジャクソンのオンエアを拒否した。もちろん、意趣返しというわけではなかった。ロックンロール専門チャンネルとして開局したMTVは、ブラックミュージックをかけていなかったのだ。

当然、イェトニコフは激怒した。「マイケルをオンエアしないなら、うちのビデオは全部引き上げる」と脅したらしい。当時、CBSレコードのシェアは二五%で、ビリー・ジョエルやジャーニー、ピンク・フロイドなど、MTVでも人気のミュージックビデオが早速登場していた。

「MTVは黒人差別しているのではないか」というのは全米でも話題になっていた。地上波ABCの人気ニュースショーでも、そう攻撃されている。MTVはCBSレコードの勢いに折れ、例外的に「ビリー・ジーン」をプレイリストに追加。[★016] 直後、社会現象を起こし、マイケルのミュージックビデオはMTVと共に、八〇年代の伝説となった。

マイケル・ジャクソンの「ビリー・ジーン」以降、プリンスの「パープル・レイン」など、白人音楽と黒人音楽のクロスオーバーを切り口に、MTVでブラックミュージックが放映されるようになる。数年後にはドクター・ドレーを番組パーソナリティに起用するなど、MTVはヒップホップの支援者に全面シフトしていった。ドレーはこれを機にラップの帝王となり、二十一世紀、音楽ビジネスに起きた変革にたびたび大きな影響を与えることになる。

そして一九八三年が終わった。米レコード産業の売上は久々のプラス。前年比五%増だ。ビルボードのTOP100のうち五十九曲がミュージックビデオがらみだった。わずか二年前には、アメリカの音楽会社はミュージックビデオを創っていなかったのに、だ。もはや疑いようがなかった。映像の力で、音楽メディアに歴史的イノヴェーションを起こしたMTVは、第二次音楽不況を終わらせ、レコード産業を救った。

この後、日本の家電勢もMTVブームを後押ししていく。テレビを録画するビデオデッキの普及、そしてリーズナブルなカラーテレビだ。メイド・イン・ジャパンのテレビが席巻し、テレビが「家庭に一台」から「ひとり一台」へ向かったことで、ティーンズは気兼ねなくじぶんの部屋でMTVを視ることができるようになった。日本のテレビは、ティーンズの「I Want My MTV」を実現してくれたのである。

世界へ——MTVヨーロッパ

MTVは、八〇年代のポップカルチャーに起きたミラクルだ。MTV以前・MTV以降で分けられるほど、文化的インパクトは大きかった。ファッション、デザイン、映画、CM、ゲームすべてにミュージックビデオの手法が導入された。

MTV以降、音楽の聴き方も永遠に変わった。

人びとは映像と音楽を一体で求めるようになり、ライヴにもミュージックビデオ的な表現を要求するようになった。今では、巨大スクリーン、ダンス、光のページェントがライヴイベントの日常風景だ。だが、ビジネス的な観点から見ると、MTVの本当のミラクルは九〇年代に起きている。

「MTVを売ってしまったのは本当に後悔していますよ」スティーヴ・ロスは振り返る。ワーナー・コミュニケーションズとアメックスは、一九八五年にMTVを手放した。一九八四年にMTVは上場を果たしたが、国内の成長余力は株価に織り込まれたと判断したのだろう。

だがロスの言う通り、この判断は間違っていた。全世界の人口のうち、アメリカ人はたった五%だった。残り九五%が巨大なブルー・オーシャンとして眼前に広がっていた。

地球の章

MTVのグローバル経営から学ぶ、クールジャパンの進め方

本書でMTVの世界展開を取り扱うべきか、かなり悩んだ。MTVブームのなかったこの国では、全く一般ウケしそうにないからだ。だが「クールジャパン」の今後を考えるにあたって、少なからぬ示唆を与えてくれることを鑑み、掲載することにした。その理由は読み進んでいけば、おのずと感じ取っていただけるように思う。

世界一？　押しつけの文化輸出は通用しない

ビル・ローディがロンドン支社に着任したとき、MTVの名前を知っているイギリス人は全国でたった六％しかいなかった。

一九八七年、軍人上がりのローディは、ＭＴＶを買収したサムナー・レッドストーンからヨーロッパ上陸作戦の指揮官に任命された。アメリカで起きたＭＴＶブームを広げるのが任務だった。アメリカ市場と並ぶ欧州が最初のターゲットだ。[★001] 今ではＭＴＶの名はグローバリゼーションの象徴だ。だが、ＭＴＶが海外進出を始めた頃、「アメリカ文化のゴリ押しなどもってのほか」というのが欧州の雰囲気だった。

「我が国にはＢＢＣがあります。世界最高のチャンネルですよ。ほかに三チャンネルもある。なぜアメリカのチャンネルが我々に必要なんですか?」

イギリスのメディア関係者は、ＭＴＶの需要がないことを誇らしげに告げてきた。アメリカ文化への軽蔑すら、かすかに匂わせていた。

イギリスに限らなかった。当時、欧州統合(ＥＵ)の機運が高まっていたヨーロッパ諸国は、「反アメリカ文化」が共通の感情だった。人はまとまろうとするとき、得てして共通の敵をつくりたがるものだ。とはいえ、偽りなき心情もそこには隠れていた。

音楽は文化だ。各国の住民はじぶんたちの文化に誇りを持っている。文化産業はコーラやハンバーガーのようにはいかない。だから、理想を言うならそれぞれの国の音楽で、国別にＭＴＶをやるのが望ましかった。

それが、不可能だった。コストの問題ではない。ミュージックビデオがなかったのだ。欧州ではイギリス以外、当時ミュージックビデオを創る商習慣はなかった。ＭＴＶを立ち上げたとき、アメリカの音楽業界にミュージックビデオがほとんどなかったのと同じだ。

「アメリカのＭＴＶをそのまま世界に輸出すればいい。効率的だし、何よりアメリカ音楽の人気は世界一なんだから」

ＭＴＶの親会社となったメディア財閥バイアコムには、そんな勘違いをした取締役も少なくなかったという。かすかに、日本のコンテンツ産業政策を想起させる。前線を視察したローディは、その慢心がいかに非現実的か、お偉方に伝えなければならなかった。

「ダメな理由」で溢れていた

アメリカのMTVを輸出するのではなく、ヨーロッパのためのMTVを立ち上げるべき。前線指揮官のローディは本部をそう説得し、戦略を切り替えた。「MTVヨーロッパ」だ。この態度なら反アメリカ感情もクリアできる。何よりEU実現へ向け、ローマ帝国以来となる「汎ヨーロッパ」の夢は、当時、流行になりつつあった。ローディは、このトレンドに戦略をかぶせた。だが、その汎ヨーロッパが曲者だった。

ローマ帝国の崩壊以降、欧州は千数百年かけてローカライズが進んできた。汎ヨーロッパのかけ声は少なくとも文化的には、木霊のように中身がなかった。そもそもMTVヨーロッパと言っても現実問題、ミュージックビデオはアメリカとイギリスのものしかない。

問題は、番組の中身だけではなかった。アメリカのビジネスモデルを、欧州にそのまま持ってきても通用しそうになかった。MTVの事業モデルは、広告売上と月額のサブスクリプション売上で成り立っている。その意味で、基本無料の広告モデルを組み合わせて定額制配信の王者となったスポティファイは、MTVと似たビジネスモデルだ。アクセス・モデル(ストリーミングや放送を通じて、ユーザーが音楽へアクセスする権利を買うビジネスモデル。CDやダウンロード販売のように、マスター音源の複製をユーザーが購入する従来のモデルと異なる)という点でも共通している。

二十年後、スポティファイの登場で、欧州はサブスクリプションの世界的ブームが始まった場所となった。だが八〇年代末のヨーロッパでは逆に、MTVのサブスクリプション・モデル(月額有料課金)が成り立ちそうになかった。

専門チャンネルを扱うケーブル網自体がほとんど普及していなかったからだ。インフラが普及し、商習慣が確立するまでは、広告モデルで無料放送をやるしかあるまい。

しかし、広告モデルの方も、「不可能」の壁が聳《そび》え立っていた。どの国の広告会社も、自国の放送局しか扱ったことがなく、ヨーロッパ共通のチャンネルで国際広告を売るなど前例がなかった。「インターナショナル広告なんて、聞いたこともありませんね。理想論では？」各国の広告代理店は、笑顔でそう断ってきた。MTVの海外進出は、「ダメな理由」で溢れていた。だが世の中には障害に遭遇すると、元気になっていく人種がいる。ローディがそうだった。「NO」と言われるたびに彼の顔には、不適な笑みが浮かび、静かな炎が彼を包んだ。

「掟破り」の時間差フリーミアム・モデル

既存のやり方をすべてぶち壊す。彼はそう決めた。まず売り物の核である、番組編成だ。アメリカ製番組そのままでのグローバリゼーションは通じない。各国にミュージックビデオがないからローカライゼーションも無理。ならば、どちらの常識も破ってしまえばいい。ローディの出した答えは、グローバルでもローカルでもない、「グローカル」というコンセプトだった。

ローディはスタッフからアメリカ人を排除した。完全に現地雇用にして、現地スタッフに番組編成をまかせた。アメリカから来た番組素材をどう使って、どう現地の番組に仕上げるかは彼らの自治権に委ねられた。ヨーロッパの共通語として英語を選んだが、英語が母国語のVJは避けた。視聴者は非英語圏がほとんどだ。たどたどしい英語に親近感を持ってもらう方が大事だった。こうすれば、元がアメリカの素材でも、欧州向けにローカライズされたプロダクトが出来上がる。言語の障壁を低めるため本家MTVよりもトークを減らし、ミュージックビデオの使用頻度を高めることにした。

最初はイギリスとアメリカの音楽ばかりでも、いずれMTVヨーロッパを視《み》て、欧州諸国の音楽会社もミュージックビデオに目覚める。ローカル・コンテンツの比率はいずれ上げられる、と踏んだ。アメリカの音楽会社も最初はミュージックビデオを創らなかったが、二年で考えが変わったのだから。

ビジネスモデルでも、アメリカの常識から離れることを選んだ。地上波放送と契約し、MTVを無料で流す。ローディは有料モデルにこだわらず、広告モデルを活用することにしたのだった。「インフラが整備されてないから、まともにビジネスができない」などと言っていたら、海外戦略は進まない。やれることから始めなければ、やがて内外から現れる競合に出し抜かれるに決まっているからだ。

掟破りは、地上波のことにとどまらなかった。欧州に散在する何十もの地上波放送と契約交渉をやっていたら、時間がいくらあっても足りない。ローディは奇策に打って出た。

一九八八年、欧州初の民間通信衛星アストラ1Aが打ち上げられると、彼は年間一千万ドル(約十一億円)で契約。「まだ売上も立ってないのに、そんな大金を使ってどうする」と反対を受けたが押し切った。彼の奇策とは、欧州全土へ向け、スクランブルをかけずにMTVヨーロッパを配信することだった。それは、パラボラアンテナを買えば事実上、欧州全土でMTVはタダで見放題ということを意味していた。この決断が数年後、世界の歴史をも動かすことになる。東欧の住民がツテでパラボラアンテナを取り寄せ、MTVをこっそり見始めた。そこには自由主義社会の日常風景があったのだった。

ローディには勝算があった。まず無料配信で、MTVを欧州全土に普及させてしまう。そこで多国籍企業から広告収益を上げる。そしてMTVが欧州全土の生活に根付いた時点で、地上波番組はケーブルへ移動し、衛星放送はスクランブル化する。その頃にはすべてが整っている。そうすれば欧州の日常生活に、一気にサブスクリプション・モデルを組み込むことができる、という長期戦略を立てたのだ。いわばローディは「時間差フリーミアム・モデル」をやってのけた。

この時間差フリーミアムは、MTVが本国での立ち上げ時、やむなく使った手法であったが、海外進出でここまで思い切って活用した放送ネットワークは、ローディのMTVヨーロッパが初めてだった。スポティファイも同じ発想でサブスクを音楽ファンに根付かせた。まず無料で生活から切り離せなくして、ある時点から音楽のマネタイズに入る仕組みだ。

無料放送が基本となると広告が生命線となるが、ローディはここでも掟破りを選んだ。「無理」しか言わない広告代理店を飛ばし、直で多国籍企業の広報と付き合うことにしたのだ。

まずコカコーラのCMを、広告料を取らずに全ヨーロッパへ流させてもらった。これを「前例」にしてペプシやベネトンから国際広告の契約を取ることに成功した。一九八九年にはゼロだった国際広告のクライアントは一年で四十五件に。その翌年にはナイキやビザ、リーボックなど一三〇件の国際的なブランドが顧客となった。

ローディは、国際広告という新市場を自ら創造した。国境を越えた放送が、国境を越えた視聴者を創り、多国籍企業の前に、国境を越えた広告市場が誕生した。かつてラジオが音楽の力で広大なアメリカをまとめ上げ、大量消費社会を創ったように、衛星はMTVというキラーコンテンツを得て、国境を越えたグローバル・マーケットを創造する触媒となったのだ。

広告モデルの欠点は、広告市場が限られたパイであることだ。ITヴェンチャーが「インターネットは無料が基本」と常識にこだわるあまり、次々と失敗していった原因はここにある。グーグルやフェイスブックなど大手が、限られた広告市場のパイをほとんど押さえてしまったからだ。

一方、当時のMTVはインターナショナル放送の実現で、多国籍企業が新市場を切り拓く機会を提供。企業の新市場は、広告市場の新たなパイを生みだし、MTVは高収益な広告モデルを実現した。同じように後年、「ラジオの再発明」を成し遂げたパンドラは、ネットに音声広告の市場を創造。二〇一二年にはアメリカでグーグルに次ぐモバイル広告売上を実現することになる。★002

MTVネットワークの収益構造はMTVヨーロッパ誕生から四半世紀後の二〇一三年、広告五割、サブスク四割、マーチャンダイズなどその他が一割といった感じだ。★003 初期のMTVヨーロッパは広告売上が九割を占めていたが、インターナショナル広告という新市場を創造したおかげで、MTVヨーロッパはたった三年で黒転することとなった。ローディのポリシー「掟破り」は、次々とイノヴェーションを起こしていった。

「音楽は核より強し」を実現した元軍人

「フォレスト・ガンプみたいだ」

イギリスの日経新聞にあたるフィナンシャル・タイムズ紙は、ビル・ローディをそう評したことがある。★004 ベルリンの壁崩壊、バルト三国のソ連邦脱退、ロシアの民主化と大統領選。九〇年代に欧州で起きた歴史的イベントのほとんどに彼の姿があったからだ。

一九八九年。CNNが天安門事件を世界に生中継したのを機に、ベルリンの壁が崩壊。「音楽テレビは文化の壁を破壊できるのか」というテーマで東ベルリンのセミナーに招聘されていたローディは、歴史の現場に立ち会うこととなった。

「衛星から降り注ぐ情報のシャワーが、世界中の独裁政権を崩壊させるだろう」ライバルのマードックは当時、そう講演した。既にローディの奇策で、東欧の共産圏に住む人びともMTVを家でこっそり視て、政府の嘘に気づいていた。西側の人びとは自由で豊かで、魅力に溢れていた。東欧の人びとは、自由と繁栄を選んだ。

旧共産圏の独裁政権が次々に崩壊すると、ローディの方はすぐに乗り込み、新政府をこう説得してまわった。

「MTVの放映を認可すれば、多国籍企業が進出してきますよ。『自由化が進んだ』と安心するからです。経済復興に必要な資本を誘致することができます」

その言をさっそく取り入れたのは、共産圏の旧宗主国、ロシアだった。初代大統領、エリツィンの支持でMTVが開局すると、ベネトンやコカコーラなどがさっそく広告を出し、多国籍企業がロシアに拠点を作り始めた。ロシア人にとってはCM自体が初体験であり、MTVはこれから始まる新生活を覗き見るウィンドウだった。

ロシアや東欧圏だけでない。中国の江沢民、南アフリカのマンデラ、キューバのカストロ、チベットのダライ・ラマ等々。ローディが世界中で会った国家元首級の人物は三十人以上にのぼった。[★005]

新政府が希求したのは外資マネーだけではなかった。基盤の不安定だった新政府は、若者たちの支持を維持する必要があった。東欧革命の主役は彼らだったからだ。彼らはMTV上陸を待望し、歓迎した。旧共産圏の若者たちにとって、MTVの届ける音楽は、手に入れた自由の象徴となった。

世界を駆け巡るCNNの報道が、東欧革命のきっかけをつくったとしたなら、空から音楽を降り注いだMTVは、革命後の新世界を先導した。かくして九〇年代、ユーラシア大陸で自由主義の先導役となったMTVは、アメリカの文化から世界の文化に生まれ変わった。

二〇〇九年。ベルリンの壁崩壊二十周年を記念して、MTVは大規模なミュージック・アワードをベルリンで開催した。そこには招待されたゴルバチョフの姿があった。

「音楽には世界を変える力があります。音楽には、[★006]核ミサイルよりも強い力があるのです」

特別賞を受賞したゴルバチョフのこの決めぜりふは、ローディが半生をかけて体験した真実だった。二十代の頃、ベトナム戦争に従軍し、戦後はＮＡＴＯの一員としてイタリアに着任。ローディは核ミサイル基地の指揮官を務めた。そんな異色の経歴を持つ彼は、ＭＴＶが音楽の力で、自由と資本主義をかつての敵国に広げていくのを指揮することになったのだ。

音楽が命を救うとき

トム・ハンクス演じるフォレスト・ガンプは国連の講演台に立ったが、ローディも同じだった。ＭＴＶでエイズ予防キャンペーンを先導してきた彼は、幾度も国連に招かれることとなった。

ミュージックビデオの描く奔放なセクシャリティは批判の的だったが、裏を返せば、ＭＴＶがエイズに対し、重要な働きかけができることを意味していた。現代の三大疫病のひとつ、エイズは、わずかな予防知識が人命を決する。だが性病に属するため、タブーが邪魔して予防知識が普及しない状況となっていた。羞恥心の生んだ無知が数百万の人命を奪う事態だった。

ＭＴＶがエイズ予防キャンペーンをやるということは、テレビ的にも掟破りが必要だった。予防知識の普及のためには、コンドームをお茶の間に映さなければならなかったからだ。イギリス当局からは罰金を受けたし、各国のお偉方へ謝罪する行脚の日々となった[★007]。だが、ローディは折れることなくキャンペーンを続けた。

化粧品ブランドＭ・Ａ・Ｃのジョン・デンプシーＣＥＯは、ＭＴＶが提案してきた「ＣＳＲ（企業の社会的責任）」の妙をよく理解していた。

「消費者のみなさんは、私たちの商品を気持ちよく買えるようになります。儲けの行き先に納得できるからですね」

営利企業が売上の一部をエイズ予防運動に寄付するビジネス価値を、デンプシーはこう簡潔に述べた。ＭＴＶが提案する「善意のブランディング」に彼は乗ったのだ。

疫病と企業ブランディングを結びつけたのはMTVが史上初だ。ローディの掟破りは、CSRでもイノヴェーションを起こした。ローディらが立ち上げたエイズ世界ビジネス評議会には、M・A・Cのほか、ナイキ、ボディ・ショップ、GAPなど名だたる国際ブランドが参加。音楽のブランド力を借りて、多国籍企業のCSRを世界的な善意のうねりに仕立て上げていった。

グローバル資本主義は、ともすれば影の側面ばかり語られる。ローディたちの運動はU2、シャギー、ビヨンセたちミュージシャンと共に、多国籍企業の光の側面を引き出してみせた。★008 それは執筆現在、コロナ禍の闇に疲れてしまった我々に、世界を明るくするヒントを示していないだろうか。

九〇年代——英米中心から、各地の国産音楽が花開く時代に

九〇年代、転機がやってきた。ドイツと日本が、そのきっかけをつくった。

ローディたちの成功に呼応して、世界各地にMTVクローンが林立したが、所詮は物真似だ。本家の敵ではなかった。しかし、例外的にMTVを打ち破る国が出てきた。それが、ドイツと日本だ。

MTVヨーロッパの成功には、欧州の音楽会社は喜びつつも憂慮していた。彼らの表情が曇る理由はふたつあった。ひとつは、ミュージックビデオの使用料の問題だ。アメリカでMTVが誕生した際、「宣伝になるから」という理由でミュージックビデオをMTVにほとんど無料で貸与した。問題は、ミュージックビデオの制作費だった。

確かにミュージックビデオが宣伝となって、レコードやCDは売れるようになった。だが、ミュージックビデオの制作費は一本あたり数百万円から数千万円かかる。アルバム本体の制作費を超える勢いだった。ミュージックビデオ

自体がCDのように売れてくれれば回収できるが、セルビデオの売上は驚くほど伸びなかった。MTVを録画すれば無料で見られたからだ。

動画共有の時代に入っても、この問題は継続中だ。ユーチューブから入る広告料は微々たるもので、制作費を賄うにはほど遠い。無料で繰り返し見られるものをDVDで買う層はニッチだ。それどころか、ユーチューブを見て音楽に金を払わない層が八割になってしまい、二〇一六年には、欧米で数百人もの大物ミュージシャンが立ち上がって、抗議を始めた。その結果、欧米の議会が動き出した。いつものことだが、日本は蚊帳の外のままだ。

九〇年代に戻ろう。アメリカの状況を観察していた欧州の音楽会社は、結託する道を選んだ。五大メジャーと、インディーズ連合のマーリンはミュージックビデオの配給会社、VPLを創設。ビデオの使用料として売上の二割をMTVヨーロッパに要求した。断ればたちどころにミュージックビデオを使えなくなる。MTVはしぶしぶ要求を飲んだが、EUの国際司法裁判所に「レコード会社のカルテルだ」と告訴した。

二十一世紀、メジャーレーベルは再

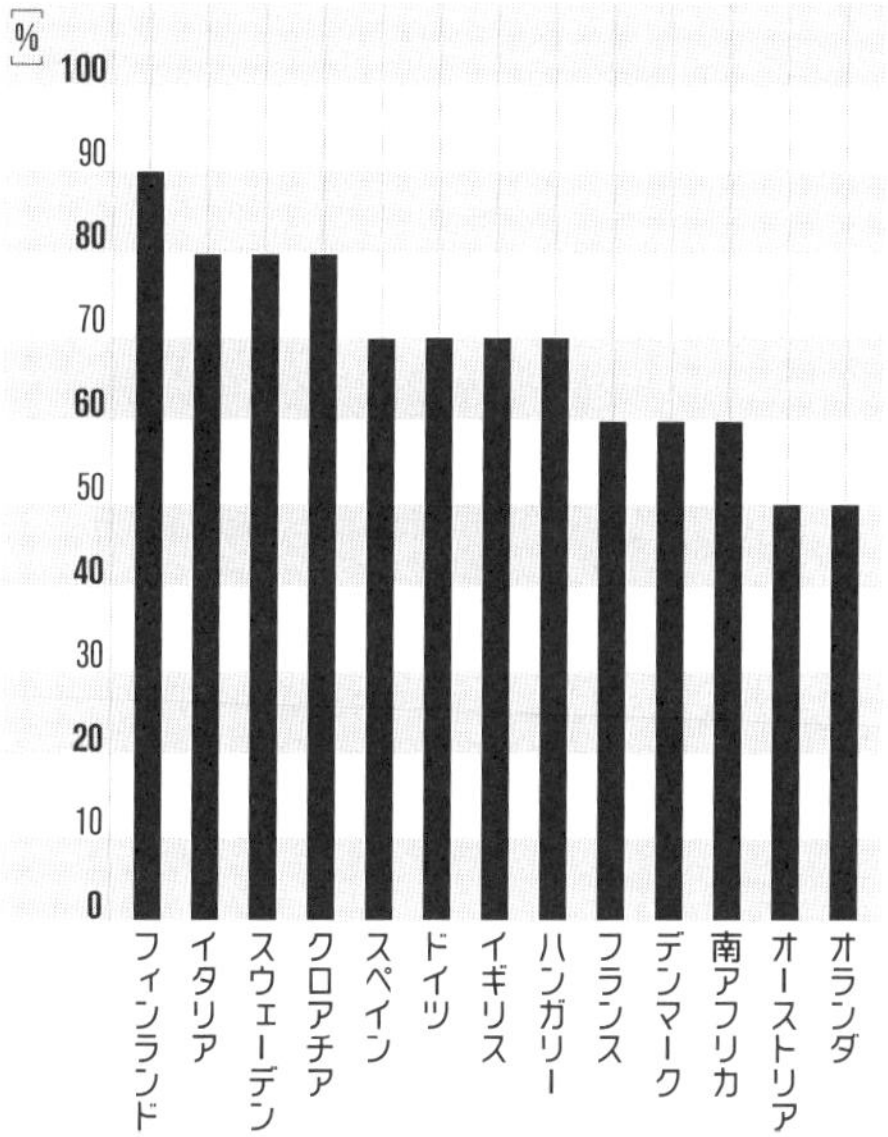

[図1－7] ヨーロッパ諸国のTOP10アルバムにおける、国産音楽の割合(2012年)

かつてアメリカ、イギリスの音楽が主流だったヨーロッパの音楽市場は、90年代にMTVがローカル路線へ戦略を転換したあたりから、国産音楽が花形となっていった。

資料：IFPI

び配給会社を作り、動画共有サイトへ一括してミュージックビデオを卸すようになる。洋楽の音楽ビデオを見ていて、画面の端によく見かける「VEVO」のことだ。ユーチューブを擁するグーグルなどIT産業の巨人に対し、音楽使用料の価格決定力を保持したい、というのがVEVO設立の意図だった。だがワーナー・ミュージックとインディーズ連合のマーリンが参加を見送ったことで、かつてのように独占禁止法違反を問うことはできない。メジャーレーベルが当時の経験から学んだ知恵だったのかもしれない。九〇年代、音楽ビデオの配給を独占したVPLは、Sonyミュージックがエムティーヴィーとの個別交渉に応じたことで解体された。

音楽ビデオの使用料のほかに、メジャーレーベルにはもうひとつ不満があった。MTVヨーロッパが、ローカル音楽(日本で言えば邦楽)をかけなかったのだ。

一九九二年に欧州連合条約が無事成立したのち、欧州諸国では「汎ヨーロッパ」から「ローカル」の機運が高まりつつあった。それに呼応するかのように、各国でローカル音楽の売上が伸び始めていた。メジャーレーベルの現地法人はローカル音楽を宣伝することを望んでいた。特にドイツは状況が際立っていた。ドイツは国産音楽が育たず、TOP100のうち国産音楽が二十曲以下という状況に陥っていた。★009 アメリカに占領されていた期間が長かったこと。英語がドイツ語の姉妹言語であったこと。このふたつが起こした文化現象だった。

そんな最中だった。一九九三年、ドイツ国産の音楽チャンネルVIVA(ヴィヴァ)は、現地の音楽業界に待望されて誕生した。時代の最先端を取り込もうとするSony本社、MTVを売ってしまったタイム・ワーナー、そしてメジャーレーベルのポリグラムとEMIが集って立ち上げたこの音楽テレビは、ローディの目から見て、決して十分な品質のものではなかった。

MTVが「品質が水準に達してない」としてオンエアしなかった国産音楽のビデオを、積極的に取り上げる。そんな音楽テレビをドイツのVIVAは目指していた。しかも案の定、ドイツ語のミュージックビデオは根本的に不足していた。開局当初、ＶＩＶＡのパワープッシュ十四本のうち、ドイツ語のビデオは二本だったという。[009]だが英語を共通語にするＭＴＶヨーロッパと違い、何はともあれドイツ語放送だった。ローディたちの予想を破り、ＶＩＶＡは高校生を中心に瞬く間に人気を博し、ドイツでＭＴＶヨーロッパの視聴率を超えた。

これからの音楽産業は英米主流から、各国の国産音楽が成長セクターになる。その兆しと言えた。そしてそれは現実となったうえ、ローディのＭＴＶもまた、推し進めることになった。

奇しくもＭＴＶヨーロッパも、新たな成長セクターを求めていた。一九九四年にＭＴＶインターナショナルは、グループ売上の四分の一を占めるまでになっていたが、多国籍企業の広告売上が収益源のほとんどだった。[010]

「インターナショナル広告の次は、ローカル広告だ」ふつうと順序が逆だが、ローディはそう発想した。今まで無視してきた国内企業のローカル広告も、ＭＴＶが取る。そうすればＭＴＶヨーロッパの売上成長率を維持できる。ローカル広告にはローカル番組が要るが、各国で国産ミュージックビデオが足りなくても、なんとかなるとＶＩＶＡが証明してくれた。

ＭＴＶはヨーロッパ共通のチャンネルから脱却し、ＭＴＶフランス、ＭＴＶスペイン、ＭＴＶイタリアへと姿を変えていった。この方向は正しかった。今では、欧州諸国のレコード産業はローカル音楽が主流となった。チャートの八割が英米の音楽で埋まっていたドイツも、二〇一二年には七割が国産音楽となっている［**図1-7**］。

日本で負けた教訓が、ＭＴＶの世界制覇に繋がった

アジアでも、ＭＴＶのグローカル戦略が覆るきっかけが生じた。日本のスペースシャワーＴＶだ。

もともとＭＴＶヨーロッパと違い、ＭＴＶアジアは成功していなかった。アジアは、ヨーロッパ以上にバラバラだ

からだ。共通の宗教もなければ、言語系統も、政治システムもバラバラ。産業の発展具合も開きがあった。アジア共通のチャンネルは本来、成り立ちようがなかったのだ。その意味で、日本だけは例外的だった。

一九九〇年当時、日本のレコード産業売上は、欧州全体の四割に迫る規模だった。[★011] 黄金時代の日本は、島国ながらたった一国でひとつのリージョンとなりうる経済規模を、音楽のジャンルでも誇っていたのだ。

ＭＴＶジャパンは一九九二年に開局した。ドイツと違い日本は国産音楽が発達しており、邦楽は八割のシェアを持っていた。だが、ＭＴＶジャパンは邦楽の比率が不十分だった。理由はドイツと同じだ。邦楽ビデオの数が足りなかったし、品質がＭＴＶの求める水準に達していなかった。その裏で、石油に続き衛星ビジネスに注力した商社、伊藤忠が創ったスペースシャワーＴＶは邦楽路線を爆走した。

「邦楽ビデオがなければ創ればいい」というのが、スペースシャワーの発想だった。音楽ビデオ専門の制作会社ＳＥＰを立ち上げ、一本百万円からという格安の制作費で次々とビデオ制作を国内の音楽会社から受注。[★012] それを放送に使うことで、邦楽中心の編成を実現した。

さらに番組の質を上げるため、大阪の人気局ＦＭ８０２と協業。開局まもない８０２は「ＭＴＶを邦楽中心にして、ラジオでやったらこうなるのでは」と思うほど、ＤＪの使い方、イベントの組み方、パワープッシュのセンス、広告のブランディングなど、すべてが瑞々しく革新的だった。[★013] トレンドセッターと称賛された８０２と切磋琢磨したスペースシャワーは、「ビデオの羅列」と揶揄されていたＭＴＶクローンの平均レベルを軽々と超越していった。

ＭＴＶは世界中の国で音楽放送の王座に君臨した。だが世界の音楽売上、第二位の日本、四位のドイツを失地。どちらも競合局が、ローカル音楽を最重視してきた結果だった。ドイツと日本での敗北がきっかけで、ＭＴＶは欧州とアジアでローカル志向に転換した。グローカルからローカルへ、流れは変わりつつあった。

MTVの文化輸出、成功の秘密はアメリカ陸軍式の現地主義

一九九二年。ローディは、劣勢だったアジアを担当することになった。そして現地主義を、アジアの各国で徹底。現地スタッフへ完全に委ねることで、MTVアジアの機動力は飛躍的に上がった。

「現地部隊を編成し、命令を与えた後は分権する。だがコミュニケーション・ラインは常に開いておく。そうすれば各地で即断即決できるから、世界中でライバルの動きに対し、瞬時に反撃できるようになる。本部の仕事は、コミュニケーション・ラインから得た各地の支援要請を実現することだ」

MTVの世界展開を指揮する秘訣を、ローディはそう語った。★014

MTVに就職した当初、ローディは軍隊経験を語るのをやめた。ロックと軍隊がどう結びつくか見当もつかなかったからだ。だが、MTVのローカライゼーションでは、士官学校で学んだ戦略マネジメントをフル活用することになった。

MTVインドは、現地スタッフの自治権が奏功した好例だ。フィリピンでMTVヨーロッパ流の英語放送が上手くいったこともあり、インドでも初期、アメリカの番組を基礎にローカライズを進めようとした。だが、インドの若者は、アメリカのハードロックやヒップホップに全くついて来なかった。英語の歌詞がわかれば伝わる、というものではなかったのだ。

MTVインドの現地スタッフは危機に即応し、MTVを完全にインド仕様にした。『ムトゥ　踊るマハラジャ』のような、インド独特の歌って踊るボリウッド映画ものを中心にするように変えたのだ。VJもヒンディー語を話すようにしてもらった。ボリウッド・スターのミュージックビデオが満載になると、一転して大人気のテレビ局になった。

現地雇用の徹底はローディのポリシーだが、MTVアラビアほどこれが役に立ったことはなかった。中東は若い。

人口の三分の二が三十歳以下で、今で言うならスマートフォンの浸透率も非常に高い。アラブ社会は、MTVの重要な新市場になっている。だが、アラブと米国では若者が考えていることが全く違った。

MTVアラビアの『ヒップホップナー』は、中東のラッパーを発掘する番組だが、人気を博したジッダ・レジェンズは、母親への感謝、結婚生活に待ち受ける不安、人生の先輩たちへの敬意といった伝統的な道徳をラップにしていた。アメリカで受けるような反逆的な歌詞は、中東の若者からは反感しか買わなかった。

宗教もある。ラダマン（断食月）の間は、ミュージックビデオを使用できない。かわりに、宗教行事の意味をいかにクールに表現し、若者に共感してもらうかが視聴率を決するようになる。イスラム文化のなかでクリエイティヴな番組を制作していくことは、イスラム教徒のクリエイターにしかできない仕事だった。

もちろん、完全に現地スタッフにまかせてしまうことは、リスクも発生する。ある朝、ローディが台北のホテルでMTVをつけると、ヌードの男たちがレスリングを繰り広げていた。こればかりは業務命令ですぐに打ちきりにしたという★004。だがローディはそれでも現地主義を最優先した。

クリエイティヴな社内文化は、音楽メディアの生命線だ。官僚主義はがんになる。制作現場での即断即決は、クリエイティヴな制作現場に不可欠だからだ。幾重にも重なる上層部へいちいちお伺いを立てなければならないなら、現場の創造性は消滅し、MTVブランドは毀損することになる。ローディは組織から官僚主義を排除していったが、それは彼がアメリカの陸軍士官学校で叩き込まれた戦略マネジメントの応用だった。

かつて日本軍は、官僚主義が蔓延したことで戦略の硬直化を招き、合理的な米軍に敗北した。クールジャパンで同じ轍《てつ》を踏まないためにも、MTVがいかにしてアメリカ文化を各国で現地化していったか、学んでおくのがよいのではなかろうか。

MTVはアメリカ文化の押しつけではなかった。各国で「My MTV」となるために、現地の音楽文化をも育成した。

だが、その戦略が結局、アメリカ音楽の輸出を助けることになったのだ。アメリカの輸出品目で、最も貿易黒字を出しているのはどこか、ご存知だろうか？　それは武器や飛行機ではなく、知財ビジネスだ。実に貿易黒字の二割を占めている。[★015] MTVをフラッグシップに擁するメディア財閥バイアコムの二〇一八年の売上は一三〇億ドル(約一兆四千億円)だ。[★016]

アメリカ陸軍で学んだ現地主義を貫いたローディは、MTVをアメリカの代表的な文化輸出品目に育て上げたのである。

夢が実現――MTVを通じ、各地の音楽が世界デビュー

ローディは、アメリカ中心のグローバル・コンテンツと現地のローカル・コンテンツの比率が半々になることを目標にした。特にアジアではローカル・コンテンツの比率は高くなった。二〇一一年には、MTVチャイナのローカル・コンテンツは八〇%、MTV台湾の現地制作は七五%、フィリピンは六〇%となっている。[★017]

九〇年代も後半に入ると、MTVのローカライゼーションは世界各国で軌道に乗り始めた。そしてローディがロンドンに着任したとき密かに期した目標が、ついに現実化することとなった。MTVを通じて、各国の音楽が世界デビューを果たすようになったのだ。

九〇年代、MTVヨーロッパから世界デビューしたアーティストは、世界の音楽産業に新しいトレンドを次々ともたらした。スウェーデンからはロクセット、エイス・オブ・ベイスが登場し、MTVで世界に流されると、スウェディッシュ・ポップが各国で流行した。国産音楽の市場がようやく出来たドイツからは、ジャーマン・トランスが生まれ、イタリアからはユーロビートがMTVの紹介で世界へ発信され、そのブームが日本に伝わり、Sonyに次ぐ

音楽会社となるエイベックスが誕生した。

　もともとアメリカではアンダーグラウンドに甘んじていたハウスやテクノも、欧州でメジャー化。ロンドンのあちこちでレイヴ・パーティが開かれ、MTVが世界中に伝えたことで、クラブミュージックは九〇年代を象徴する世界的な文化現象になっていった。MTVヨーロッパが介在しなければ、近年のEDMへ続く流れはなかったかもしれないのだ。

　ルーマニアからはエニグマがMTVヨーロッパを経由し、世界デビュー。フランスからはディープ・フォレストが続き、ワールドミュージックが九〇年代のクラブカルチャーの懐をさらに広げた。

　MTVロシアからは女子高生の二人組タトゥーが発掘され、日本の女子高生の制服を真似た彼女らのファッションは世界的な現象を起こした。二〇〇三年にMTVが開催した音楽ビデオ・アワード（MVA）ではイギリスやアメリカのミュージシャンを押しのけて、ロシアの彼女たちが栄冠を手にしている。

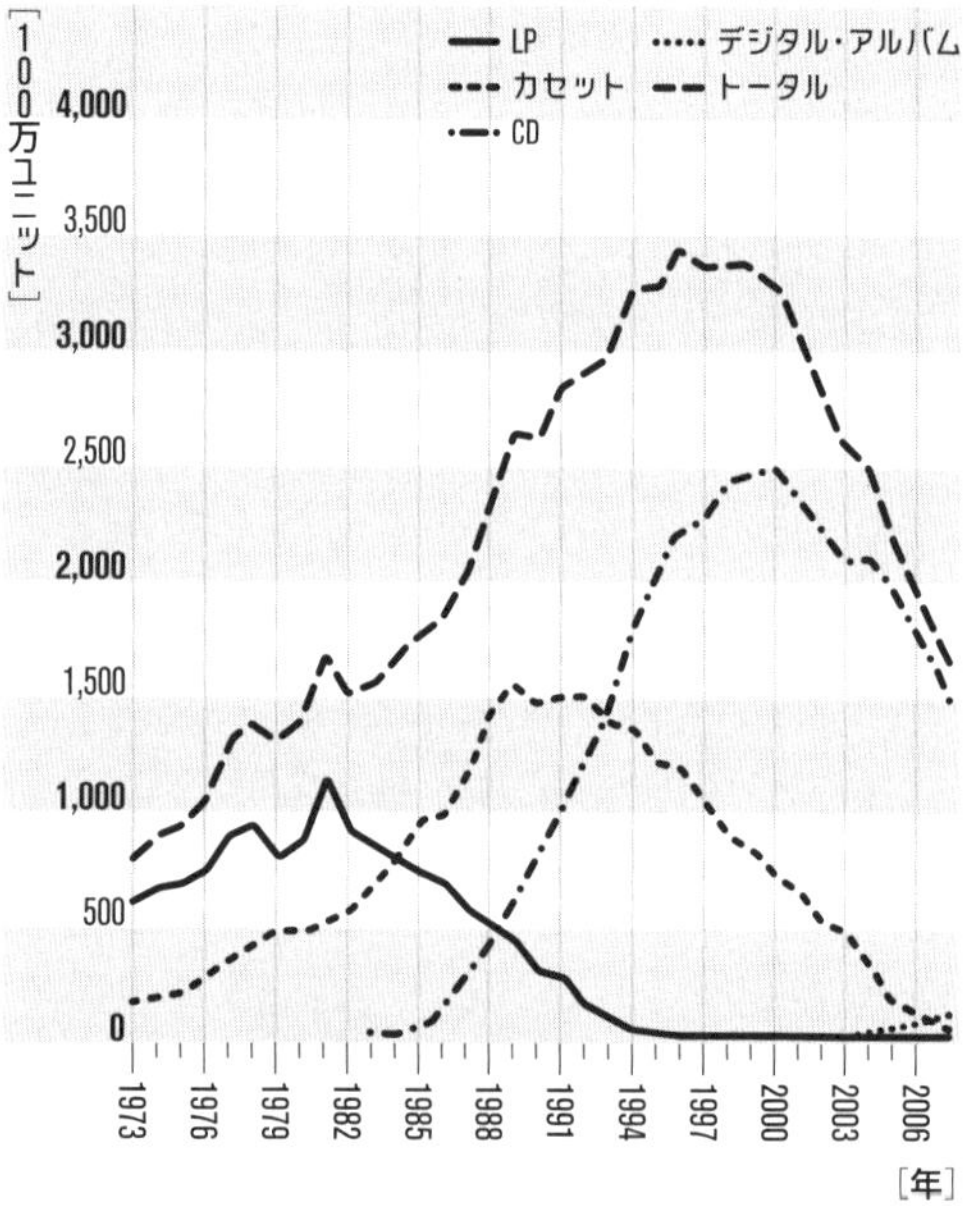

［図1－8］世界の音楽ソフト売上およびアルバムのユニットセールス

ウォークマンの創ったカセットのピークはLPを超え、CDのピークはカセットのそれを超えていった。結果、世界のレコード産業に黄金時代が到来した。

資料：Music Business Research

ヨーロッパにとどまらなかった。ＭＴＶラテン・アメリカは、ラテンポップに世界的な市場を用意することとなった。コロンビア国出身のシャキーラは、アメリカで火がつく以前に、アジアの『ＭＴＶアンプラグド』で主演するなど、ＭＴＶのおかげでアメリカを一足超えて世界進出を果たした稀なケースとなった。

「グローバリゼーションは文化の画一化を推し進める」と言うが、グローバル・ローカライゼーションは違う。ＭＴＶのグローバル・ローカライゼーション戦略は、世界各地のローカル音楽から新たなトレンドを発掘。それが、グローバルな音楽トレンドに多様性を与えた。ＭＴＶの開局が、不況のアメリカ音楽業界を救ったように、国別に開局したＭＴＶは、各国の音楽産業を活性化させていったのだ。

かくしてＣＤとＭＴＶの黄金の組み合わせは、九〇年代、音楽産業に史上空前の売上をもたらした。二〇年代、六〇年代に続く第三次黄金時代の到来である。

ＭＴＶが世界のテレビを変えた

一九八七年にローディがロンドンに着任したとき、ＭＴＶヨーロッパの契約数はたった百万人だった。それから二十五年。彼がＭＴＶを去った頃には、全世界で五億七千万人、米国外の契約者数は四億七千万人になっていた。[★018] 音楽の力を最大限に引き出した成果だった。

二〇〇六年のローマ。コロッセウムで開かれるＭＴＶヨーロッパ・ミュージック・アワードを目当てに、実に四十万人の観客が世界中から集まった。世界規模で展開するＭＴＶのイベント特番は、各国のＭＴＶクローンや地上波の音楽番組には決して真似できない規模に到達していた。

「ＭＴＶはユーチューブに負けた」と言う。そうだと筆者も思う。だがユーチューブに、四十万人の音楽フェスを開く力があるだろうか。時代が進むとき、何かが進化し、何かが退化するのだ。とはいえ、退化がネガティブとは限らない。そこに次の潜在需要が生まれ、未来が芽生える土壌となるからだ。

近年、世界ではテレビの番組制作にイノヴェーションが進行した。地球規模で番組をやることで、映画並みの制作費をかけた豪華な番組作りが可能になったのは、MTVに限った話ではなかった。ドラマは一話あたり、映画一本分の制作費をかけるようになった。その嚆矢《こうし》となったFOXの『24』の最終シーズンでは一話あたり五百万ドル(約六億円弱)の制作費が使用された。★019

FOXは代表的な有料チャンネルのひとつだが、アメリカではこの流れに背中を押されて、無料の地上波番組も劇的に変わった。ABCは、ドラマ『LOST』のファーストシーズンに総計四五〇〇万ドル(約五十億円)というハリウッドの大作映画並みの制作費をつっこみ、傑作に仕上げた。★020 その軍資金は、ローディが切り拓いた国際広告市場だ。ABCは『LOST』の制作費を賄うため、世界中の放送ネットワークと協業。自国の市場しかわからなかった地上波は、有料チャンネルの世界戦略を学び取り、コンテンツの輸出ビジネスを習得していった。

かくしてMTVは音楽のみならず、世界のテレビ産業をも変えた。二〇一九年、テレビの広告市場は二一二〇億ドル(二十三兆三千億円)、音楽ソフトの十倍以上だ。★021 すべてはビル・ローディが独り、ロンドンに上陸したときから始まったのだ。

MTVのグローバル経営から学ぶ、クールジャパンの進め方

現在、日本ではクールジャパンの名で、コンテンツ産業の輸出促進が折衝されている。既に国内コンテンツの主要顧客だった若年層(十五〜三十四歳)は、往時の四分の三に減っており、活路は輸出しかない。国外に旅して驚くこと

は、日本のアニメ主題歌を、日本語のまま歌える人が少なくないことだ。子ども時代に『ナルト』や『ドラゴンボール』を見て育っているからだろう。

アニメ、マンガ、ゲーム。世界の「トゥイーン(八〜十二歳)」が喜ぶコンテンツ市場にあって、日本は強力なブランド力を誇っている。

かつてはファミコンやプレステなど家庭用ゲームが我が国のコンテンツ輸出を先導していたが、近年、最も輸出額が大きいのはアニメ、次いでスマホゲームとなり、三位の家庭用ゲームをマンガが猛追している。総輸出額は二〇一一年の八六五三億円から二〇一七年には一兆七一九六億円と倍増した。★022

一方で日本勢がプラットフォームを握っているのは家庭用ゲームのままだ。コンテンツビジネスの妙味は、プラットフォームにある。音楽ソフト産業は、CDを基軸とした流通プラットフォームで黄金時代を築いたが、ITの登場で自前プラットフォームが崩れたことで、弱い立場に転落した。

本章で、MTVの世界進出を振り返ったのには理由があった。日本のコンテンツは世界で既に一定の存在感を実現している。ゆえに今、大切なのは宣伝やブランディングよりも、プラットフォームの構築ではないか。そう思ったからだ。MTVはアメリカ文化を地球に広めた放送プラットフォームとなった。だが、MTVの世界戦略はアメリカの音楽を輸出することが第一義だったのではない。それは結果としてそうなったことだ。

人に影響を与えたければ、育てることがいちばんだ。MTVは世界各国で「My MTV」となることを目指し、各地でローカル音楽の育成を助けた。そして、音楽番組の配信プラットフォームを世界中に張り巡らせることで、国の柱にすらなっていった。

人間は、じぶんの文化にプライドを持つ生き物だ。日本人の手で、日本のコンテンツだけを載せたプラットフォームを世界に押しつけても、決して受け入れられないだろう。プラットフォームというものは、みんなのためのものだからだ。もしアニメ、コミックの配信プラットフォームを日本が構想するのなら、世界各地のアニメやコミックに対しても胸襟を開かなければ、プラットフォームたりえない。そのためには、現地スタッフを重用し、現地のコンテンツを適切に拾うと同時に、現地の感性で日本のアニメ、コミックをマーケティングしてもらう必要がある。そこまでやって初めて、日本のプラットフォームは世界各地で「じぶんたちのプラットフォーム」と受け入れてもらえる。結果として、日本のコンテンツはグローバリゼーションを起こすこともありうるだろう。

プラットフォームは配信のみに限らない。配信と表裏を成す権利処理のプラットフォームはいっそう重要だ。日本のアニメや主題歌が好きでも、世界のサービス運営者は、日本のどの会社とどのように交渉すればいいかわからず、諦めてしまうのが現状ではなかろうか。実際、そんな相談が筆者のもとに英語で来る。人は忘れがちだが、法律は知財産業のインフラだ。通信インフラが時代と共に進化したように、知財関連の法律も進化しなければ、配信の時代にコンテンツの輸出は難しい。

「オープン・イノヴェーション」という経営思想がある。チェスブロウ教授の同名の著作は、世界の知財コンテンツ関係者の間で必読書となった。知的財産権を社内に抱え込むのではなくて、相互に活用し合うことで、スピード感を持って知財のエコシステムの中枢に近づこう、という考え方だ。旧来の知財マネジメントは、権利の保護ばかりに目が行くが、エコシステムが勝敗を決める時代にそれは、エコシステムの片田舎に自ら向かう愚を犯すと、教授の本を読んだ人びとは気づいた。

コンテンツの法的プラットフォームを整備し、国外での二次利用を促す。それは日本が、オープン・イノヴェーション戦略を採用することを意味する。日本のコンテンツ産業政策が、世界有数の先進性を目指す道でもある。「アニメや音楽は権利処理が面倒くさい。だけど日本のコンテンツなら、権利処理が簡単だからどんどん使おう」。そうなってくれれば、よいのではないか。

配信プラットフォームは国が主導すべき性質のものではない。逆に、法律の整備は民間主導では話がまとまるのに時間がかかる。配信プラットフォームは民間がやる。権利処理のプラットフォームは国がイニシアチブを取る。官民が効率よく力を合わせることができれば、我が国のコンテンツ産業が、グローバル・ビジネスに育つ将来も切り拓きうるだろう。

栄光の章

続・日本が世界の音楽産業にもたらしたもの

「騙されるな！」

一九八二年、アテネのリゾートホテル。ビルボード誌が主催する国際レコード産業会議でのことだ。Ｓｏｎｙの大賀典雄が発議したＣＤの導入に、メジャーレーベルの重鎮たちは轟々《ごうごう》たる批難を浴びせかけた。

「我々から特許料をせしめたいんだろう」「レコード工場に投資した金をどぶに捨てろと言うのか」「レコードで十分やってけてるんだ。余計なことはするな」「音がいいのはわかった。だがそれがリスナーの需要に結びつくことはない」「ハード屋が勝手なことをするな。ソフトビジネスのことを何もわかっちゃいないんだ」

世界の音楽産業はＣＤに大反対だった。当時の五大メジャーレーベルのうち、ポリグラム（現ユニバーサル）だけが唯一、推進派にいた。出資会社のフィリップスが、ＳｏｎｙとＣＤの共同開発を進めていたからだ。ＣＢＳレコードのCEOは、CBSソニー・レコードでパートナー関係にあるにもかかわらず「それ見たことか」という顔で、大賀に助けの船も出さなかった。★001

八〇年代初頭、世界の音楽産業は不況に喘いでいた。エジソンのレコード発明から百余年。ウォークマンの席巻をきっかけに、Ｓｏｎｙとフィリップス規格のコンパクトカセットが爆発的に普及し、アメリカではカセットアルバムの売上がレコードの三倍を超えた。★002 アナログレコードの寿命がいずれ尽きることは目に見えていた［**図1－8**］。

誕生から百年を過ぎ、経年劣化したレコードを刷新し、音楽産業の向こう百年の繁栄を切り拓く。CDプロジェクトには、音楽と共に次の世紀を歩むＳｏｎｙの決意が込められていた。この百年革命を指揮する大賀典雄はこの年、Ｓｏｎｙ本社の社長となる。「音楽家からビジネスへ転身した異色の経営者」とマスコミは書き立てた。

プロのバリトン歌手だった大賀は朗々たる美声で怒号を発する、押し出しの強い人物で知られていた。しかし、さすがにレコード産業のほぼすべてから怒号を浴びせられたのはこたえたらしい。会議後のレストランで、呆然とエーゲ海を眺めていたという。

レコード産業だけでなかった。日本ではハード業界もこぞってＳｏｎｙのCDを批難していた。七年前から国内の家電業界は協議会を開き、デジタル・オーディオの規格をまとめようとしていた。だが話はいつまで経ってもまとまらない。少し、音楽配信の初期を彷彿させる。

当時、業務用の世界でデジタル技術が急速に進行していた。デジタルの流れは、コンシューマー層へ確実に広がるはずだった。それを裏付けるような動きもあった。その頃、Ｓｏｎｙは発明したばかりの3・5インチ・フロッピードライブを若きスティーブ・ジョブズに供給。初代マッキントッシュの開発が進み、パーソナル・コンピュータの時代を到来させせようとしていた。

業界のコンセンサスを待っていたら、家電はデジタルの世界で後れを取りかねない。そう判断した大賀は、フィリップスと組んで先を行く道を選択した。「抜け駆けだ」「今後、ＣＤの普及には一切協力できない」と蜂の巣をつついたような騒ぎになった。

大賀のフォークがかちゃりと動いた。

「駄目だと思う、そのこと自体が駄目なんだ。デジタルの音が素晴らしい、みなそれを認めた。事業にする方策を徹底的に考えていくんだ★003」

部下の鈴木にそう語り、魚料理を頑健に咀嚼し始めた。鈴木は隣で、大賀の目に不屈の意志が戻ってくるのを見ていた。

地球上のすべてが敵に回ったわけではない。一年前の一九八一年、ザルツブルク音楽祭の合間に開かれた初のＣＤのデモンストレーションは好評だった。一九七六年にベータマックスで地球に、番組を録画する文化を提案し、一九七九年にウォークマンでヘッドフォン文化を創ったＳｏｎｙがまた何かをやってくれる……。発表後、世界の消費者たちのそんな期待感が伝わってきた。音楽業界をすべて敵に回しても、音楽ファンはきっと味方になってくれるはずだ。

音楽ファンだけでない。クラシック界の帝王、カラヤンがＣＤのプロモーターを買って出てくれたのは本当に心強かった。

自宅の編集スタジオをＳｏｎｙ製品で満たすほどのＳｏｎｙ党だったカラヤンは、東京公演の際、盛田の邸宅に何度か招待されている。そこでカラヤンはＣＤの音を初めて聴いた。ＣＤプロジェクトのリーダーとして内々の試聴会を仕切った大賀は、カラヤンと話し込み、気に入られた。若き日に、ドイツの音大に留学してドイツ語が話せた、というのもあるが、その頃カラヤンはジェット機の操縦が趣味で、大賀はその趣味ではカラヤンの先輩だった。のちのプレステ・コントローラーの操縦桿を模したデザインは、ジェット機乗りだった大賀の指示だ。ふたりはやがて友人になった。ザルツブルクのデモンストレーションはカラヤンが企画し、マスコミを集めてくれた。

「アナログでは望みえなかった原音に忠実な音が、デジタルは再現できる。これこそが私の長年の夢を叶えてくれるメディアだ[★003]」

銀色に輝く円盤を片手でかざしながら、カラヤンは世界中から集ったカメラに向かって語った。

ハイ・フィデリティ。「原音に忠実」を指す言葉だ。特にオーケストラでは、複雑な音響の再現において、デジタルとアナログの差は歴然としていた。レコードの発明以来、原音に忠実なハイファイの追求が音楽産業の進歩を影で支えてきた。今では当たり前となり、死語にすらなったハイファイだが、音質がレコード産業の壊滅と復活を決めた事態すらあったのは、神話の章に描いた。

「私は今、至福に満ちている。音楽家の仕事が忠実に、永遠に受け継がれ、人類の遺産となることが可能になったからです[★004]」

無劣化コピー。録音芸術の追い求めてきた理想を、デジタル・コンテンツは史上初めて実現した。その誕生をカラヤンは、モーツァルトの活躍した音楽の古都から祝福した。

オペラ歌手からSonyの社長になった男の物語

実は、大賀典雄が初めてカラヤンに会ったのは盛田邸ではない。一九五六年、ミュンヘンに留学していたときだった。

フルトヴェングラーの後任に収まった若き帝王の前で、日本人離れした威風を纏《まと》う大賀も当時、緊張するばかりだった。四半世紀後、じぶんがカラヤンの友人になるとは想像もつかなかったろう。カラヤンも、この駆け出しのオペラ歌手が国際企業の経営者となって、共に世界のレコード産業にCD革命をもたらすことになるとは、露ほども予感していなかった。

「じぶんの運命は、井深さんと盛田さんに出会って変わってしまった」大賀はたびたびそう語っている。フィッシャー＝ディースカウに似た声質を持つ大賀は、東京芸術大学を主席で卒業。NHK交響楽団のソリストとなり、リサイタルも開いていた。それをドイツの名バリトン、ヒュッシュに才能を認められ、ドイツ留学の座を射止めた。ベルリン国立芸術大学を主席で卒業後、ピアニストの松原緑と結婚。音楽家として順風満帆であり、それ以外の生き方は考えていなかった。

しかし井深と盛田の方は、初めて会った日からずっと大賀を追っていた。創業したばかりの東京通信工業(のちのSony)は初の国産テープレコーダーを自力で開発。だが値段が公務員の初任給で三十二ヶ月分もしたため、売り込みに苦戦していた。そんな折、芸大の教授会へ乗り込んで、国家予算でSonyの機材を購入するよう説得した学生がいると耳にする。よろこんで機材を芸大に貸し出したところ、その音大生が御殿山へ怒鳴り込んできた。

「問題が十項目あります。解決してもらわなければ買うことはできません」

そして大賀は、井深を圧倒するほどの技術的知識を駆使して課題をまくしたてた。次に来たときにはじぶんで書いた配線図や、精緻な設計デザインまで携えていた。聞けばオーディオ趣味が高じて、学生の身でスタジオの設計までやっているという。

学生はそのうち「大変優秀な技術者がいらっしゃいます」と言って、他社から人材まで引き抜いてきた。実際、大賀の目利きは当たっていた。このとき入社した吉田進と森園正彦は、のちにトリニトロンテレビとハンディカムの開発を主導することになった。井深はこの偉そうで風変わりな音大生がすっかり気に入ってしまい、社用車で大賀の住まいへ乗り付け、たびたび夕食に誘うようになった。

大賀の音楽への意志は固く、ドイツへ留学したが、盛田は大賀に毎週手紙を書いてきた。カラヤンと会った二年後。「二足のわらじでいいじゃないか。音楽のことはわからんが、君に経営の才能があることは僕が保証する。二十九歳の今から経営を学べば、四十歳になる前に経営のことがわかってくる」。盛田のその言葉に、大賀はついに折れた。プロの歌手を続けながら、テープレコーダー部門の部長を務めることになった。★005

Sonyで働き出すと、芸術家の大賀にはどうにも気に入らない点が出てきた。一九六〇年当時、日本製品のデザインとブランドイメージはお世辞にも美的感覚に優れているとは言えず、当時のSony製品も例に漏れなかった。

「Sonyは欧米の企業に比べ、デザインが未熟だと思いますよ」

これからは日本製品も、デザインと広告でしっかりブランディングしていかなければ、欧米の一流企業と互して戦えない。そう盛田に進言すると「それは気がついた人がやらなきゃ」と返された。デザイン室と広報室が新設され、三つの部長を兼任するはめになった。

ブラックと削り出しシルバーの組み合わせ。シンプルに洗練された形状。最も目立つ箇所に輝く銀色のロゴ。のちにスティーブ・ジョブズも、iPhoneやiPadで踏襲するSonyのデザイン言語は、当時三十一歳だった大賀の仕事だ。「クールなSony」のイメージはこのとき、誕生した。Sonyにインダストリアル・デザイン、ブランド戦略、プロダクト・プランニングを導入したのは若き大賀であり、ジョブズが影響を受けたのは、実際には盛田よりも大賀だったかもしれない。

井深の言う「バリトン技師」は、このとき既に盛田の手中に落ちつつあった。三つの部を監督する激務で疲れていた大賀は、東京フィルハーモニー交響楽団での公演時、本番中に居眠りしてしまう。大賀扮するアルマヴィーヴァ伯爵は、何事もなかったように舞台に出てきて途中から歌った。観衆に気づかれることはなかったし、共演者も裏でクスクス笑う程度だった。だが大賀はこれで、ミュージシャン人生の継続を断念した。

大賀典雄の強心臓が生んだコンパクトカセット

市場の未来をデザインする企画のセンス。新たなパラダイムを組み上げる交渉のアート。盛田が音大生の大賀に見出したのは、じぶんと同じイノヴェーターの才能だったのだろう。歌手をやめた大賀はまず、盛田の向こうを張る交渉力を見せ始めた。

一九六五年。三十五歳のときだ。オランダのフィリップス社は、テープのフォーマット(規格)に革新を起こそうとしていた。プロやマニアしか扱えないオープンリールを捨て、万人が扱えるカセットに一新する。そうすれば、録音というものが一般層へ一気に拡大すると企てたのだ。

欧州家電の盟主は、規格競争に勝つためパートナーを切望していた。Ｓｏｎｙのテープレコーダーは日本と米国市場に強かったが、当時、売上・ブランド力ともにフィリップスの遥か格下だった。フィリップスは、カセットテープの特許料支払いを条件に、格下のＳｏｎｙへ同盟参加を打診してきた。

だが大賀は「Ｓｏｎｙがライバル陣営につけば、日米の規格はそっちで決まる」と言って、特許料支払いを突っぱねた。せっかくの誘いに冷や水だ。しかも、逆に向こうへ「お持ちの技術特許をすべてクロスライセンスするのが条件です」と投げ返した。盛田を含めた経営陣は、大賀の強心臓に胆を冷やしっぱなしだった。

だが、フィリップスは大賀の条件を飲んだ。そして当時、家電最大手のフィリップスと新興企業のＳｏｎｙとの間に、対等な同盟が成立した。これには交渉の名手、盛田も舌を巻いたという。こうして誕生したコンパクトカセットテープは、のちにウォークマンの発明に繋がっていく。いつでもどこでも好きな音楽が聴ける世界の誕生だ。それだけでなかった。大賀の描いた交渉のアートは十四年後、Ｓｏｎｙとフィリップスのコンパクトディスク同盟に繋がっていったからだ。

「ソフトとハードの両輪」CBSソニー

「ハードとソフトは両輪」という。九〇年代初頭には映画事業の不作、二〇〇〇年代半ばにはプレステ3の失策と、ソフトビジネスの不調がハードの足を引っ張ることもあった。現在は逆にハードビジネスの不調に苦しむSonyを、Sonyミュージックほかソフトビジネスが支えている。「ソフトを持たないと将来、Sonyは戦えない」と盛田に常々語っていたのが、入社まもない頃の大賀だった。ハードとソフトが支え合うSonyの姿は三十歳当時の大賀が描いたものだ。

「ハードとソフトの両輪」は、蓄音機を発明したエジソン自身が始めたビジネスモデルだ。同じく蓄音機メーカーのビクター(RCAを経て現在Sony)やコロムビア(CBSレコードを経て現在Sony)もまた、初期のメジャーレーベルとなった。アメリカではラジオの登場で、オーディオメーカーが壊滅状態に陥った。かわって、RCAやCBSのような放送事業の先駆者が音楽レーベルを所有した。日本では音響機器を手がける東芝や松下(現パナソニック)傘下の日本ビクターがレコード事業の参入で先行していた。

一九六七年。佐藤政権はジョンソン政権の要請を受け入れ、貿易摩擦解消のため第一次資本自由化に踏み切った。レコード事業は規制緩和の品目に入っており、外資五〇%で合弁会社を創ることが許可された。これを受け、メジャーレーベルの一角を占めるCBSレコードは、飛ぶ鳥を落とす勢いだった日本市場進出を狙っていた。まず契約関係のあった日本コロムビアへ「一緒に会社を作らないか」と打診した。しかし日本企業との交渉にありがちな話なのだが、社内での承認に手間取るのか、とにかく反応が遅い。痺れを切らせてほかの会社も回ったが、アメリカ人のハーベイ・シャインは「のれんに腕押し」を実体験することとなった。

憂鬱な気分で日本の朝を迎えたシャインは、ダメもとでSonyに電話をかけた。するとSonyは、社長室へ電話を繋いでくれる。しかも電話に出た盛田は「時間がない。この後、一緒にランチを取ろう」と言ってきた。急いでレストランに行き、盛田へ合弁事業のあらましを説明したところ、「よしやろう」と盛田は即決した。「すごい人だ。ミスター盛田、あなたは本当に日本人か」★006
世界と比べても盛田のスタイルは非凡だったろう。三十分のランチでこんな大きな決断を下すとは、桁外れだ。CBSレコードのハーベイ・シャインは盛田に私淑してしまった。彼はのちにSonyに入社。SonyアメリカのS社長になった。

実際にこれは大きな決断だった。音楽から映画へ。映画からゲームへ。ゲームからアニメへ。今ではハード事業と並び、世界有数のエンタメ・コングロマリットとなったSonyのソフト事業は、このランチでの盛田の即断即決から始まったからだ。

三十分の即決には、種明かしがあった。「これからはソフト事業が必須です」という大賀の持論を常々聞いていた盛田は、レコード事業への参入を狙っていた。既にレコード事業を持つ松下や東芝に対抗するために、佐藤政権の第一次資本自由化を好機と見ていたのだ。

今も昔も、アメリカのメジャーレーベルはタフな交渉相手だ。iTunesミュージックストアを立ち上げたジョブズも、定額制配信スポティファイのエクも、「ラジオの再発明」パンドラのウェスターグレンも手こずっている。

盛田は交渉担当に若き取締役、大賀を指名した。二年前、フィリップスを相手に繰り広げたタフ・ネゴシエイターぶりを考えれば、妥当だったろう。まず大賀は相手の主張する社名CBSソニーに難色を示し、しぶしぶ折れた。ただしそれは伏線で「さっきはこっちが折れたのだから」と、実益を左右するロイヤリティー(洋楽の原盤権使用料)の取り決めで勝利を収めた。

さらに大賀はただちに日本でレコード工場を持てるよう、大きな資本金を双方から出すことに合意させた。両社から百万ドルずつ(当時の固定レートで七億二千万円、現在価値に直すとその額なんと五十七億円)だ。★007 音楽会社としては前代未聞の巨大資本金で、音楽ヴェンチャーが誕生した。この資本金で建築された大井川のプレス工場が、のちにCDの世界的普及に大きな役割を果たすことになる。

一九六八年。CBSソニーは最後発のレコード会社として始まった。CBSとの取り決めで盛田が社長、大賀が専務となった。だが仕事始めの初日、盛田は「この会社、君に任せるから」と命じて、本社へ去ってしまった。三十八歳の大賀はうろたえたという。★008

日本のアイドル・ブームがCDの誕生に繋がった

ロンドン郊外にあるCBSのプレス工場へ向かう車中でのことだった。

「会社ってのは冷たいものだよなあ」

人前では弱気を見せない大賀だが、めずらしく部下にこぼしたという。★009 確かにレコード事業進出はじぶんが言い出したことだったし、契約交渉もじぶんがまとめた。とはいえ本社の取締役陣からも外れ、「ひとりで会社を創れ」と取り残されたら、大賀のような自信家でも心細くなるのは不思議でない。

帰国した頃には、腹が据わっていた。「四十歳前には経営ができるようにする」という盛田の言葉を思い出したのかもしれない。いっそじぶんの描く理想の会社を作ってやろうと決めた。目標は十年で日本一。Sonyよりも給料の出る会社を目指す。SonyでもないCBSでもない新天地だ。SonyかSonyから連れてくるスタッフは十数名にとどめ、ほかは社外から集めることにした。

求人広告といえば新聞の片隅に小さく載っていた時代に、大賀は朝日新聞に全段ブチ抜きで出した。

「世界の音楽を日本に日本の音楽を世界に」「CBSソニーで音楽の夢を実現したい人」「CBSソニーで思い切り実力を発揮したい人」「CBSソニーにとにかく入りたい人」「年齢・性別・学歴・身体障害の一切を問いません」
職種も給料の額も書いていない。かわりに大賀渾身のコピーが募集資格に並んだ斬新な求人だった。だが応募書類は一日に数通あるばかりだった。大賀は頭を抱えたが、応募の締切日を迎えると、いきなり段ボール箱単位でどっさり届いた。ほぼ全員が締切まで粘って論文を練り上げていたわけである。

いつの時代も、破壊的なイノヴェーションは慣習に囚われない集団が引き起こす。MTVも創設時、テレビ経験者を入れなかった。パンドラやラストFMもミュージシャンが創り、今まであった放送の概念を破壊した。

広告代理店、証券会社、出版、化粧品……。大賀はあらゆる業界から集まった七千人から、八十人の「偉大なる素人集団」を組織した。そのうち、業界経験者はわずか三名だったという。政府の意向もあり、外資の入った会社が国内の音楽会社から人材を引き抜くのは御法度だった。[★010] 音楽家上がりでありハイテク業界出身者でもある大賀は、インサイダーとアウトサイダーの感覚を併せ持っていた。ハイテク業界を経験した今の大賀の目から見ると、音楽業界の慣習は古色蒼然《こしょくそうぜん》としていた。

当時、レコードは返品し放題、支払いは半年後の手形払いと、レコード会社とお店の関係は封建時代のそれだった。大賀は、サイモン&ガーファンクルの大ヒットシングル「サウンド・オブ・サイレンス」を武器にして、「返品枠一〇%、銀行振込」という近代的な契約に改めていった。業界の慣習を無視するCBSソニーは嫌われ、日本ビクター（現ビクターエンタテインメント）を除いて、日本レコード協会傘下のレコード会社すべてがCBSソニーの入会を拒んだという。[★011] 隔世の感がある。

洋楽を使って国内の商習慣を刷新した次は、本命の邦楽にイノヴェーションの照準を合わせた。当時、邦楽は演歌の全盛時代だったが、大賀たちはこれをひっくり返してやろうと考え、日夜議論を重ねた。ポピュラーシーンは、演歌の次に何が来るのか。

「これからはアイドルです」と熱く主張した若手ディレクターがいた。当時三十歳だった酒井政利は数少ない業界経験者だった。面接時、大賀に「どんな歌を作っていきたいですか」と質問され、「対話のある歌詞を創りたいです」と答えたのが大賀の心に響き、入社した。★012
小説に小説家それぞれの世界観があるならば、歌詞もまた世界観を構築して、歌手の人間像を描き上げることができるはずだった。酒井政利が新天地のCBSソニーでやりたかったのは、たぶんそれだったのだろう。

CBSソニーは次々とアイドルを世に送り出した。ジャニーズのフォーリーブス、カルメン・マキ、南沙織、天地真理、郷ひろみ、キャンディーズ、山口百恵。このすべてを酒井が手がけているのだが、どのアイドルも世界観が被っていない。特に歌詞の力で独自の世界を築いているのにお気づきいただけるだろうか。おかげで、デビューするたびに音楽市場が拡大することになったと思う。

なかでも山口百恵は、Sonyのディレクター陣にとって会心の仕事だっただろう。歌を女の子の私小説にしたて上げ、十代の成長記録を描く。山口百恵の神秘的な憂いは、国民的な物語となった。その結果、引退までの七年で二千万枚、総売上五二五億円(映画含む)、現在価値に直すと二八〇〇億円強★013という歴史的な大スターとなった。★014
そしてCBSソニーは、大賀が創業時に立てた目標を達成した。四年でレコード事業を軌道に乗せた大賀はCBSソニーの社長のまま、Sonyの取締役に復帰した。一九七九年には大賀の目標通り、売上日本一に。ボーナスは本社のそれを超えたという。

CDの誕生がテーマのこの章で、CBSソニーの歴史を描いたのには理由がある。

世界にCDを普及させるためには、CD工場を建築しなければならなかった。日本一達成から二年後の一九八一年、Sonyは大井川のレコード工場を改築し、世界で初めてのCD工場に。百億円かかった。レコード産業のほとんどがCDに反対だった経緯もあり、世界のCDの半分は当初、大井川から供給された。当時、Sony本体はベータマックスの敗戦や世界同時不況の煽りで、非常に厳しい状態にあった。翌年には創業以来の減益を見ている。CD革命の軍資金はどこから出ていたのか。

「かわいこちゃんブームは私が創った」と大賀は豪語する。実際に創ったのは酒井政利や稲垣博司といった敏腕ディレクターたちだったかもわからないが、大賀は、アイドル・ブームで稼いだ剰余金をCBSソニーに貯めておくよう指示していた。[★015] 剰余金は三百億円を軽く超えていた。これを、念願であったCD革命の軍資金にしたのだ。日本のアイドル・ブームが巡り巡って、CDを世界に普及させた。そう言っていいのかもしれない。

CDプレーヤーの開発――アインシュタインの光は音楽へ

一九八〇年。Sonyとフィリップスのエンジニアたちは統一規格の策定へ向けて追い込みに入っていた。双方ともエンジニア魂を燃やし、相手の方式に勝つために研究所に泊まり込みで開発を進めていた。規格会議は連日連夜、激論が続き全くまとまらない。結局、共同実験のうえ話し合うことで片を付けることになった。結果はほとんどSonyサイドの圧勝だった。

まず音質面だ。「十四ビットならすぐ開発できる。レコード並みの音が出れば十分だ」と妥協論を語るフィリップスに対し、Sony側は、「技術的に難しくとも十六ビットに挑戦すべきだ。レコード並みの音なら百年もたない」と訴え、主張を通した。サンプリング周波数も、フィリップスは開発しやすい低めの数字を提案したが、Sonyは高音質にこだわり、四四・一キロヘルツで決まった。

次に再生時間だが、「六十分ならディスクの直径がちょうどカセットと同じ十一・五センチになる」と語るフィリップス側に対し、大賀は、「それは音楽的な根拠ではない。ほとんどの交響曲が一枚に入る七十四分にすべきだ」と譲らず、それで決まった。

ちなみに共同プロジェクトが始まる前の一九七五年に、Ｓｏｎｙの開発陣が創った史上初のデジタル・オーディオ・ディスクは、レコードと同じ三十センチだった。

「大賀さん、これなら音楽が十三時間二十分も入ります」そう自慢する開発陣を、「アルバム二十七枚分も音楽を入れたら、一枚いくらになるかわかっているのか。技術者もソフトビジネスのことを考えなさい」と大賀は叱った。適正な時間の基準となった「ベートーベンの第九」は、ＣＢＳソニーを経営していた大賀の実務経験から出た発想だった。

そして技術上、最も難しかった誤り訂正符号の技術も、実験でＳｏｎｙのアルゴリズムが圧勝した。フィリップスのアルゴリズムは、ディスクの傷汚れをほとんど訂正できなかった。誤り訂正符号は当時、世界のエンジニアでトピックスだったが、実用レベルに到達していたのはＳｏｎｙだけだったことになる。ＣＤ規格はＳｏｎｙとフィリップスの共同開発になっているが、結局Ｓｏｎｙの提案した規格で、ほとんどが決まることになった。

レコード産業百周年プロジェクトがＳｏｎｙで始動したとき、社内にはアンチ・デジタル派も多く、その筆頭が共同創業者の井深名誉会長だった。だがこの頃になると、フィリップスとの実験勝負が面白くなってしまったのだろう。井深はエンジニアたちにハッパをかけ、デジタル競争をけしかけていたという。

メディアが決まれば、残りはハードだ。ＣＤプレーヤーの主な技術的要素は、音をデジタルで記録するＰＣＭ、ＤＡコンバーターなどを司るＬＳＩ、半導体レーザー、そして光学ピックアップだ。

ＰＣＭの歴史は古い。一九二六年、ウェスタン・エレクトリック社のＰ・Ｍ・レイニーが発明した。ＰＣＭはまず電話に応用された。デジタルで通話内容を送れば、一本の電話回線で複数の通話を届けることができるようになる。一九六八年、ＡＴ＆ＴがＰＣＭで通話を届けるデジタル・ネットワーク（ＩＳＤＮ）の開発に着手した。[★016] 初期のインターネット通信に使われる技術でもある。

アメリカがデジタル音声を通信に使った一方、日本のＳｏｎｙは音楽へ向かった。業務用デジタル録音機を開発したのはＳｏｎｙだ。ＮＨＫ技術研究所でＰＣＭを研究してきた中島平太郎がＳｏｎｙに転職して、一九七四年に完成させた。[★017]ＡＴ＆ＴはＰＣＭを電話回線に使い、デジタル・ネットワークが誕生した。ＳｏｎｙはＰＣＭを音楽に使い、デジタル・コンテンツが誕生した。

ｗｗｗの登場で、このふたつの技術コンセプトが出会ったとき、音楽配信の夜明けが始まるのだが、それはＣＤ誕生から十年ほど先の話である。

デジタルを音声に変換するＤＡコンバーター。それを司る半導体集積回路ＬＳＩは、Ｓｏｎｙの得意とするところだった。ＬＳＩはコンピュータのＣＰＵと同じく、無数のトランジスタを積載した家電の頭脳だ。世界初のトランジスタの量産に成功し、トランジスタ・ラジオで五〇年代のロックンロール・ブームをけん引して以来、Ｓｏｎｙは半導体業界の先端にあり続けてきた。ＣＰＵの世界には当時、踏み込まなかったが、この時期、デジカメの基礎となる半導体回路、ＣＣＤの量産にも成功していた。レーザー、すなわちＣＤとインターネットの通信網を生んだ光だ。

レーザーの理論的基礎は、アインシュタインの論文『放射の量子論について』(一九一七年)に遡る。[★018]ヴァイオリンに秀で、モーツァルトをこよなく愛したアインシュタインも、この論文が音楽を奏でることに連なるとは思わなかったろう。

一九六二年に、かつてエジソンが社長を務めていたＧＥ社が半導体レーザーを発明。ＣＤプレーヤーにはこの半導体レーザーを載せる必要があったが、これがボトルネックとなった。一九八二年にＣＤの発売は決まっていたものの、直前になっても量産化技術の目処が立っていなかった。だが、思わぬ援軍が現れた。第三陣営のシャープが半導体レーザーの量産に成功したのだ。Ｓｏｎｙとフィリップスはシャープから部品の供給を受けることになった。

光学ピックアップは顕微鏡並みのレンズと高精度なモーターが必要で、これも苦労したのだが、最後まで手こずったのがコンパクトディスクそのものの量産だった。ポリカーボネートの湯流れが悪く発売二ヶ月前のギリギリで、ようやくきれいなディスクを量産できるようになった。

一九八二年十月一日。かくしてCDプレーヤーの初号機CDP101は発売された。大井川のCD工場でプレスされた初のCDは、ビリー・ジョエルの『ニューヨーク52番街』だった。大賀がマンハッタンに住むビリーの家に行ったとき、ビリーはベートーベンのソナタをずっと弾いていた。クラシック出身の大賀が「ベートーベンですね」と尋ねると、練習曲はいつもベートーベンだという。東京公演の際はいつも、大賀は楽屋でビリーと会うようになった。[★019]

フィリップスのあるヨーロッパでは、西ドイツ・ハノーファにあるポリグラムのCD工場でプレスされたABBAの『ザ・ビジターズ』が初のCDとなった。アメリカでのCDの発売は、翌年一九八三年三月。CBSからマイケル・ジャクソンの『スリラー』、TOTOの『IV』など十二タイトルが発売された。

CDウォークマンが革命の勝利を導いた

デジタル・オーディオ時代の幕開け。CDの登場は、世界中のニュースでヘッドラインとなり歓迎された。だが、一年と経たずCDの売れ行きは失速した。初号機の値段は十七万円弱もしたため、オーディオ・マニアしか買ってくれなかったのだ。結果、CDの長所は高音質だけに見えかねない状態に陥った。

勝利のきっかけをもたらしたのは、初のCDウォークマン、D－50だった。[★020] 勝機はウォークマンとCDの融合にある。そう見た盛田が、D－50の開発を命じたのだった。そして、製造原価の半額である五万円という極めて戦略的な値段で世に送り出した。CD発売の年、Sonyは初の減益を見ており厳しい状況にあった。が、大賀のデジタル革命を助けるため、盛田は賭けに出たのだ。

　デッキ型の初号機が「高音質」でオーディオ愛好家だけを引き寄せたのに対し、CDウォークマンの初号機は、CDの持つ性質を引き出して、音楽ファンのライト層を引き寄せた。「手軽に外へ持ち運べる。頭出しで好きな曲をすぐ聴ける」。音楽ファンがCDを評価したのは、高音質よりもモビリティとアクセシビリティの方だった。

　レコード・アルバムを聴く場所は自宅の大型オーディオが中心のため、ライト層をすべて音楽に連れてくることはできなかった。対してCDウォークマンの登場でアルバムの市場は、自宅、室外、車中とあらゆる場所が対象になった。おかげでCDは、レコード・アルバムがやや苦手としていたライト層を、購入層に変えてくれた。

　さらにレコード・アルバムにはできなかった「頭出し」が備わっていた。加えて、収納ケースを使えば十枚のアルバムをカバンに入れて出かけることができる。ふたつの意味するところは、「ミックステープを創らなくても、いつでも好きな音楽が聴ける」ということだった。ハイテクに興味のない音楽ファンも、いちど頭出しを経験したら、途端にレコードやテープがまだるっこしく感じ始めた。

　ポップスのファンにとってCDの高音質は、「CDウォークマンだとミックステープに比べて高音と低音のパンチが効いている」という風に、イヤフォン文化に合ったかたちで体験することができるようになった。「何度聴いても音

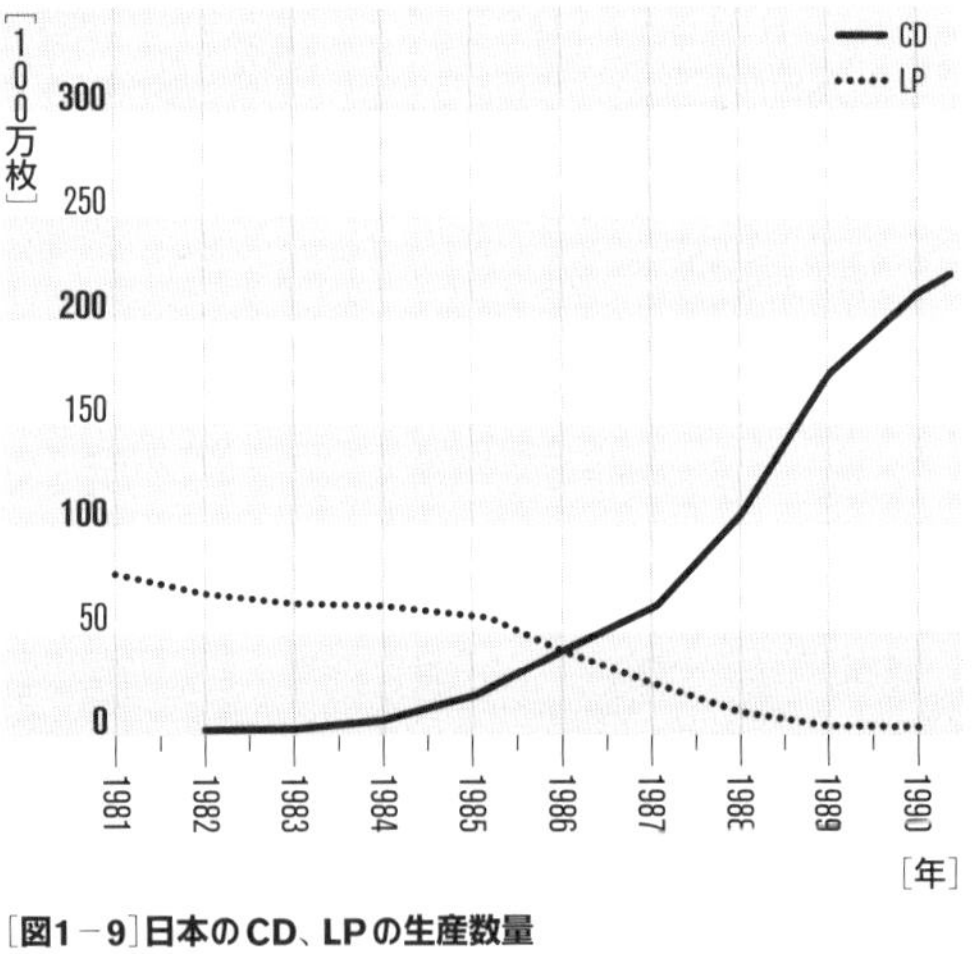

[図1－9]日本のCD、LPの生産数量
D-50の発売からわずか2年でCDはLPを追い越した。そして音楽産業に史上空前の黄金時代が訪れた。
資料：日本レコード協会

の劣化が起こらない」という性質も、レコードに対する優位点ではなく、ミックステープに対する優位点になったとき、いっそう活きることになった。

盛田の勘は見事に的中した。世界中でD－50は品切れ続出となり、再生環境を得たCDの売上は鰻登りとなった。D－50の発売からわずか二年で、日本国内ではCDがレコードの売上を逆転。翌年の一九八七年にはアメリカでもCDがレコードを超えた。世界第一位、第二位の音楽市場でCDが成功したことで、デジタル対アナログの勝敗は決した。購入層の拡大。利用シーンの拡大。縦軸と横軸の拡大を同時に起こしたCDは、音楽市場のポテンシャルを倍化した。

ウォークマン。MTV。そしてCD。三つのイノヴェーションは、停滞した音楽産業に再び高度成長をもたらした。結果、一九七九年に十四億枚だった世界のアルバム売上は、一九八九年には二十六億枚に。一九九九年には三十四億枚に至った。

エジソンのレコード発明から一一〇年。パッケージメディア・ビジネスは、大賀のコンパクトディスクで完成した。音楽産業は九〇年代に、史上最高の黄金時代を迎えることとなった。音楽配信の現在にまで連なるデジタル・オーディオ革命は、ここに成ったのである。

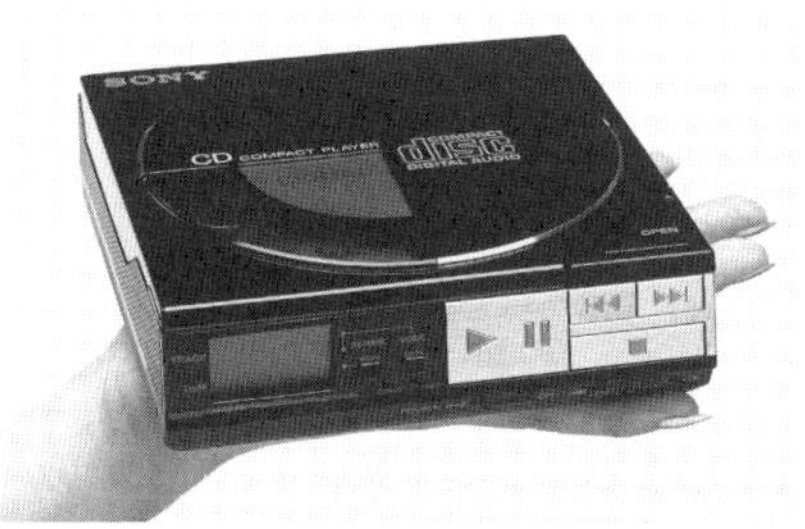

Sony CDコンパクトプレーヤー「D-50」。初のCDウォークマン。CDはオーディオ・マニア向けのニッチな市場になりかねなかったが、CDウォークマンの登場をきっかけに音楽ファンへ爆発的に普及。D-50の発売からわずか2年で、CDはLPを追い越すことになった。
写真提供：ソニー株式会社

井深、盛田、大賀——三者三様のイノヴェーション

井深大のトランジスタ・ラジオ。盛田昭夫のウォークマン。大賀典雄のCD。それぞれが、世界の音楽生活に革新をもたらした。だがイノヴェーションの理論で眺めると、三人の革新はそれぞれ別のタイプだということに気づく。

井深大はテクノロジー主導のイノヴェーターだった。半導体技術でパーソナル・オーディオの新市場を切り拓き、真空管の市場を破壊した。テクノロジー主導の「新市場型・破壊的イノヴェーション」だ。

盛田昭夫のウォークマンはテクノロジー的には目新しいものはなかったが、人間のいるところすべてを音楽の新市場に変え、一方でレコード主体のホームオーディオ市場を破壊していった。プロダクト・プランニング主導の「新市場型・破壊的イノヴェーション」である。

大賀典雄のCDはふたりのものとは少し違う。既存産業にとって「破壊的」というものではないからだ。確かにCDは、レコードを過去のものにした。だがビジネスモデルの観点から見ると、音楽産業は特に変更を迫られることはなかった。工場でプレスし、ショップに卸し、音楽ファンがパッケージメディアを買っていく。この大枠自体は変わっていない。

もともとイノヴェーションはヴェンチャー企業だけの特権ではない。むしろ普段は大企業が推し進めている。マーケティングで顧客の声に耳を傾け、研究開発費をかけ、プロダクトを改善し新しくしていく。クリステンセン教授は、この種の革新を「漸進的な持続的イノヴェーション」と呼んでいる。

しかしCDの誕生は「顧客の声を聞いてより良い製品を創る」「研究を重ね、技術改良を進めていく」という次元を超えている。CDは顧客や業界の声を聞いていたら誕生しなかっただろう。冒頭に書いたように、音楽産業はこぞってCDに反対していたし、音楽ファンはD－50が出るまでCDに興味を持たなかった。「持続的イノヴェーション」では

あるが、「漸進的な持続的イノヴェーション」ではない。

一方で、音楽産業は既存のレコード生産施設を一新する必要に迫られた。極めてラディカルなもので、レコード産業を若返りさせて、黄金時代を再来させた。

CDは、「ラディカルな持続的イノヴェーション」に分類される革新である。この種のイノヴェーションは非常に大がかりであるがゆえに、ヴェンチャーやふつうの企業には不可能だと、クリステンセン教授は語る。

「ラディカルな持続的イノヴェーション」は、産業の共通基盤を一気に刷新する。そのため、既存のインフラ（プレス工場やスタジオ機材、消費者のレコード再生機など）を捨てる必要が生じる。産業のメンバー企業は反対するのが通常である。

高い技術力で新しい基盤を開発するだけでは足りない。巨額の資金力を投入し、自らがロールモデルとなって実際にビジネスを動かしてみせる必要が生じる。そのためには、音楽ビジネスなら一社でソフトとハードのすべてを持った「総合企業」であることが求められる。さらに反対者を潰すのではなく、ライバルを説得し、巻き込んでいくリーダーシップも求められる。

限られた超一流の企業にしかできないのが、「ラディカルな持続的イノヴェーション」なのだ。ヴェンチャーが破壊的イノヴェーションで大きくなり、大企業となった後に繰り出すイノヴェーションの完成形。それが「ラディカルな持続的イノヴェーション」であり、音楽産業にとっても、ＳｏｎｙにとってもCDはそれに相当した。

八〇年代も後半になると、CDはハードだけでなく特許料、プレス生産などあらゆる側面で大きな稼ぎをＳｏｎｙにもたらすことになった。そして一九八八年にＳｏｎｙは、ブラックマンデーで弱ったCBSレコードを買収。のちにＳｏｎｙミュージックエンタテインメント（ＳＭＥ）と名前を変え、グローバルメジャーの一角を担うことになった。CBSレコードの買収額は二十億ドル（約二二〇〇億円）という巨額のもので、「CBSに騙されている」と批判を受けたが、大賀はそうは思っていなかった。ＣＢＳレコードを買えば、日本のＣＢＳソニーを一〇〇%手中に収めることができるからだったという。

大賀が創業したＣＢＳソニーは、利益ベースで世界一となっていた。これを株式会社ソニー・ミュージックエンタテインメントに改名して東証に上場し、株式の二二%を市場に放出。そのキャッシュでＣＢＳレコードの買収資金を回収した。★021 こうして音楽家出身の大賀が指揮するＳｏｎｙは、音楽の分野において、ソフトとハードの両面で世界一流の存在となった。

カラヤンを失う

一九八九年。ＣＢＳレコードの買収から一年が経っていた。ザルツブルク空港に大賀の操縦するファルコンが着陸すると、カラヤンの使いが待っていた。「すぐに来てくれ」という。大賀は送迎車に乗り、空港の南にあるカラヤン邸へ向かった。

「私の副操縦士《My Co-pilot》。よく来た。今日のフライトはどうだったかね?」

カラヤンは『仮面舞踏会』のスコアを傍らに置き、ベッド上から友人を歓迎した。サイドテーブルには航空マガジンの上に、プロ用ウォークマンが重なっていた。フライト談義を楽しんだ後、巨匠は、撮り溜めてきた映像作品の出版をＳｏｎｙミュージックに頼みたい、と語り始めた。カラヤンは音楽の映像化に並々ならぬ情熱を持っていた。自宅スタジオにＳｏｎｙ製の映像機材を揃えていたことが、盛田邸でカラヤンと大賀、そしてＣＤを結びつけるきっかけにもなった。

玄関の呼び鈴が鳴った。エリエッテ夫人の言付けでは、かかりつけの医者が心電図を取りに来たという。カラヤンはいつもと違う返事をした。

「中国の皇帝といえども——」カラヤンの眼差しが強くなった。「私と大賀さんの話を邪魔することはできない」★022

医者は、寝室に入れず去っていった。身を起こしたカラヤンは、ひとしきり音楽出版の話を続けると、「水を取ってくれ」とＳｏｎｙアメリカの社長マイケル・シュルホフに言った。うまそうに水を飲み干した瞬間だった。手からグラスが滑り落ち、大賀の目の前で、カラヤンの頭ががっくり項垂れた。

「ハート・アタック！」異変に気づいたシュルホフは叫んだ。大賀は、夫人のいるシャワー室のドアをガンガンと叩いた。バスローブを羽織り、飛び出したエリエッテ夫人は、すぐさま医者を呼び戻そうとした。しかし、もう手遅れだった。

眼前で偉大な友人を失った大賀は、ショックで一睡もできなかった。翌朝、目眩を押さえながらケルンのＳｏｎｙヨーロッパに入った。会議中でのことだった。大賀の心臓も発作を起こし、人事不省となってしまったのである。

「私の副操縦士《My Co-pilot》。一緒に行こう」集中治療室の前で待つ緑夫人には、カラヤンが夫にそう言っているような気がした。行かないで、と夫人は祈った……。

奇跡的に一命をとりとめた大賀は、病床で思い詰めていた。

「盛田会長。ハリウッドの映画会社を買いましょう」見舞いに来た盛田の前には、決意に満ちた大賀の顔があった。盛田は「何も今、そんな話をしなくても」と気づかう様子だったが、大賀はこんなときだからこそ盛田に伝えたかった。じぶんが死んだら、こんな大それた進言をする人間はＳｏｎｙにいなくなるかもしれない……。

かつてＳｏｎｙはベータマックスでビデオ文化の先駆けとなり、アメリカのビデオ市場を押さえていたが、ハリウッドの映画メジャーがＶＨＳ陣営に流れたことで完敗した。一方、ＣＤは業界が猛反発するなか、規格競争を先導することができた。ＣＢＳソニーを世界有数の音楽レーベルに育てたおかげだった。

二十一世紀もＳｏｎｙが超一流であり続けるためには、映像の分野でもソフトとハードの両輪を用意する必要がある。それが次の世代へＳｏｎｙを渡すじぶんの責務だ。病床の大賀は、そう思い至ったのである。盛田は一晩考えあぐね、翌日来て「大賀さんの言う通りだ、やろうじゃないか」と言った。

一九八九年。Ｓｏｎｙは五大映画メジャーのひとつ、コロンビア・ピクチャーズを買収した。買収費用は四十八億ドル(約六六〇〇億円)。現在価値に直すと一兆円を超える史上最大規模の買収劇の末、現Ｓｏｎｙピクチャーズは誕生した。

大賀の予測は当たっていた。音楽が切り拓いたデジタル・コンテンツの時代は、映像の世界にも訪れることになるからだ。二十一世紀になるとＣＤに続き、ＤＶＤの時代が到来した。

音楽が連れてきたデジタル・コンテンツの黄金時代

「もう止めましょう。いい加減にして欲しいと言いたい！」★023

一九九二年。大賀自ら着想したＭＤのデビューが迫っていた頃だ。役員会議室の空気は、張りつめていた。こぞって反対意見を述べる役員たちの怒りは、経営会議に同席するたったひとりのエンジニアに向けられていた。エンジニアの名は、久夛良木《くたらぎ》健《けん》。スーパーファミコンにＳｏｎｙのＣＤ－ＲＯＭを載せようとした張本人だ。

Ｓｏｎｙは、任天堂と共同開発の契約を結んだはずだった。しかし、一年前のＣＥＳ(米国家電見本市)でとんでもないことが起こった。新型スーパーファミコンにはフィリップス製のＣＤ－ＲＯＭが載る、と任天堂が発表したのだ(結局、実現しなかったが)。驚いて問い合わせると、「契約した規格でＳｏｎｙさんはご自由にお作り下さい。うちは別のを作りますが……」

完全にコケにされたかたちだった。一年に渡って説得を続けたが結局、任天堂が翻ることはなかった。会議室では、撤退派にまとまった役員たちの厳しい言葉が飛び交っていた。社長の大賀は黙っていた。ゴーサインを出したのはじぶんだった。だが役員たちは全員反対している……。

ＣＢＳソニーを経営していた大賀は、ファミコンのブームを見て「ゲームは音楽と同じビジネスモデルだ」と気づいた。どちらもソフトの「出版ビジネス」であり、ハードと比べて極めて利益率が高い。久夛良木の持ってきた話を聞いて、「ＣＤ－ＲＯＭでゲームをやれば、音楽ＣＤに続くソフトとハードの両輪ができる」と大賀は踏んだ。そして任天堂の山内社長と会い、調印したのだった。

情報収集したところ、任天堂は「母屋を奪われかねない」と恐れだして、急遽、共同開発を反故にしたらしい。[★024]だがこの恐怖が、虎の尾を踏む結果になった。役員たちの目線をはねのけ、久夛良木は大賀に喰ってかかった。

「このまま引き下がったら、世界の笑いものですよ。Ｓｏｎｙのブランドがコケにされていいんですか」

久夛良木は大賀のスイッチを押しに行った。音楽家の道を捨て、Ｓｏｎｙブランドの確立に人生を賭した大賀の自負心をくすぐったのだ。

「できるのか？」と大賀が聞くと、実は青山で内密に開発を進めてある、と久夛良木が答え、役員たちはどよめいた。大賀はもうひとりの男に目をやった。

丸山茂雄。ＣＢＳソニーの新規事業、ＥＰＩＣソニーを成功に導いた異色のイノヴェーターだった。佐野元春、大澤誉志幸、ＴＭネットワーク、渡辺美里などヒットメーカーを次々と輩出し、八〇年代に「和製ロック（Ｊロック）」の新市場を創り上げた。[★025]

大賀の視線に丸山は頷いた。大賀と丸山は相談して、社内で居場所を失った久夛良木を青山のＥＰＩＣソニーに匿っておいたのだ。所属タレントのファミコンゲームを作った経緯で、丸山は久夛良木の唯一の理解者となっていた。

久夛良木の熱弁は続いた。もう少しでスーパーファミコンなど目じゃない3D映像が動かせるんです、絶対に勝てます……。

「もういい分かった」疑念を払い、大賀は決断した。

「やってみろ！」机をガンと叩いて叫んだ。「Do it!」

ソニー・コンピュータエンタテインメント（現SIE）は、Sonyミュージックの子会社として始まった。★026 Sony本体の反対派から守るためでもあったが、大賀にはもうひとつの意図があった。SonyミュージックがCDビジネスで培ったノウハウを、久夛良木たちへ存分に提供することを狙ったのだ。社長には、CBSソニーを大賀から引き継いで日本一にした小澤敏夫を据え、副社長に丸山茂雄を置いた。そしてSony本社の金庫番、伊庭保に資金計画と事業計画をまかせ、ゲーム事業のインキュベーションに万全の体制を敷いた。

CD－ROMはROMカートリッジに比べ安価だ。さらにSonyミュージックの流通ネットワークを駆使して、任天堂の作ったゲーム問屋の中抜きをすっとばすことに成功。ゲームソフトの平均価格を劇的に下げて、「ユーザー・フレンドリー」を実現した。

安価なCD－ROMのおかげで、小さなソフト開発会社もゲーム市場に参入できるようになった。いわば新人クリエイターがデビューしやすくなったわけだが、Sonyミュージックで培った育成のノウハウを使い、「ディベロッパー・フレンドリー」な環境を整えていった。作り手を大切にする姿勢は、クリエイターをさらに引き寄せる。たくさんのクリエイターが任天堂陣営からプレイステーション陣営に移ってきた。プレイステーションのエコシステムは、二十一世紀に入った頃には二兆円規模に到達。Sonyコンピュータの年間売上は一兆円となり、Sonyのヴェンチャービジネスは大成功を収めた。

本書は、インターネットの登場で音楽産業が陥った危機を題材に、「イノヴェーションのジレンマは果たして克服できるのか。時代遅れとなった企業は復活できるのか」をテーマにしている。

大企業が、破壊的イノヴェーションを継続的に起こすのは困難を極める。社内ヴェンチャーが既存事業の顧客層を破壊しかねない場合、潰す力学が働くからだ。クリステンセン教授はジレンマを克服する方法として、本社本流の影響が及ばないよう、ヴェンチャーを隔離することで、破壊的イノヴェーションを孵化することを推薦している。

電卓事業の失敗、英文ワープロ事業の失敗、ワークステーション事業の失敗、ＭＳＸ事業の失敗。当時、Ｓｏｎｙのエレクトロニクス部門にとってコンピュータ技術を核にした事業は鬼門となっていた。ゲーム事業参入にあたり、大賀はこれを本社から分離。上場して独立性の高かった子会社Ｓｏｎｙミュージックに預けて、丁寧に孵化させた。プレイステーション事業の立ち上げで見せた大賀の采配は、イノヴェーションのジレンマ克服においてベスト・プラクティスといえるだろう。

プレイステーションは大成功を収めた。ＤＶＤ再生機能を持つ二代目のＰＳ２は、スーパーファミコンの四九〇〇万台[★027]を遥かに超える一億二千万台を実現。ＤＶＤ普及のブレイクスルーとなった。同時期、Ｓｏｎｙピクチャーズからは『スパイダーマン』などの大ヒットが誕生し、ＤＶＤ販売も絶好調に。ＰＳ２のおかげで音楽、ゲームに続き、映画でもソフトとハードの両輪を完成させたのだった。

コーダ――パッケージメディアの終わりの始まり

音楽ビジネスの観点から見ると、ＣＤはレコードから連なる「持続的イノヴェーション」だった。音楽産業のビジネスモデルに変更はなかったからだ。

しかしより大きくコンテンツ産業の観点から見ると、様相が異なってくる。フロッピー、ＲＯＭカートリッジはすべてのコンテンツをデジタル化することは不可能だった。だが光学メディアの時代が始まると、コンテンツのデジタル化は現在に至るまで避けられない流れとなった。そして音楽が、デジタル・コンテンツの黄金時代を連れてきた。

大賀のCDから始まったデジタル革命は、ゲーム（CD-ROM）、映画（DVD）へ波及。デジタルは、コンテンツ産業全体の成長を加速させていった。光学メディアの登場は、コンテンツ産業すべてをデジタルに塗り替えていく「破壊的イノヴェーション」だったのだ。八〇年代に日本が世界の音楽産業にもたらしたものは、九〇年代、半導体技術の進化と符合して、世界のコンテンツ産業をも変えたのである。

電話会社のデジタル・ネットワークも同じだ。一九六八年から開発の始まった通信回線のデジタル化は当初、一本の電話回線で複数の長距離通話を処理することが主な目的だった。電話の「持続的イノヴェーション」だ。だが、wwwの登場を経てデジタル・ネットワークはインターネットとなり、既存の通話ビジネスを破壊するイノヴェーションに変わった。

デジタル・ネットワークとデジタル・コンテンツ。どちらも音のデジタル技術、PCMを同じ親に持つ。ふたつがインターネットの世界で再会したとき、状況は一変した。ポリカーボネートは砕け散り、エジソン以来のパッケージビジネスに、終わりの始まりが訪れた。

実際には破壊は、パッケージよりも、もっと深いところで起こっていた。CDの次にやってきたiTunesの熱狂が過ぎた頃に、「砕け散ったのはパッケージだけでなかった」と音楽産業は気づき、スポティファイやAppleミュージックのようなアクセス・モデルのビジネスが始まることになった。

「引き継ぐべきものは引き継ぎ、超えるべきものは超えていって欲しい。ただ、今の時代は、音楽がもう少し大事にされてもいいと思っている。音楽が文化として栄えていくためには、きちっと印税を払う仕組みを確保しなければならない」

大賀典雄の自伝『Ｓｏｎｙの旋律 私の履歴書』に記された言葉だ。★028

音楽家と企業家。大賀典雄はふたつの人生を生きた。相反するように語られるふたつを、ひとつに結んだ主旋律は、感動を創り上げることだった。CDはイノヴェーションの精神のもとに生まれた。

イノヴェーションの精神はアクセス・モデルの時代を到来させつつある。「ＣＤ、ウォークマンの後継者」とされたｉＴｕｎｅｓ、ｉＰｏｄも時代遅れの立場に追われた。ｉＰｈｏｎｅ、ユーチューブ、パンドラやスポティファイさえも、我々は乗り越えねばならない日が来るだろう。生きている我々は、イノヴェーションを推し進めるほかない。

それはひとえに感動を、ひとりでも多くの人に届けるためと信じたい。

二〇一一年四月。大賀典雄の命は静かにコーダを迎えた。カラヤンと同じ、八十一年と三ヶ月の人生だった。

［第一部］

破壊

破壊の章

音楽が未来を連れてくる——
疾風怒濤、ナップスターの物語

ショーン・パーカーとメタリカの歴史的和解

パロアルトからシリコンバレーを抜け、太平洋沿いのハイウェイを南下すると、その森は現れる。二〇一二年の初夏。レッドウッドの生い茂る森林、ビッグサーで開かれた結婚式は、中世のファンタジーが現出したようだった。新郎のショーン・パーカーと新婦のアレックスは、『指輪物語』のアラゴルンとアルウェンを彷彿させた。三六四人の招待客もまた、特別なドレスとスーツを纏《まと》っていた。式の総費用は十億円。『ロード・オブ・ザ・リング』のナイラ・ディクソンがひとりひとりに合わせてデザインした衣装だった。

ＩＴ業界の大物たちがそこにいた。ツイッターの創業者、ジャック・ドーシーもパーカーの友人だった。残念ながらマーク・ザッカーバーグは参加できなかったが、フェイスブックの創業チームが久々に初代社長パーカーのもとへ集結していた。

音楽バカのパーカーには、ミュージシャンの友人も少なくない。ショーン・レノンがいた。スティングがいた。だがそこにメタリカのラーズ・ウルリッヒがいたことは、ナップスター時代を経験した世代に特別な感慨を与えた。

「パーカーと俺は、対決の象徴を演じる羽目になった」

式の半年前、ラーズは定額制配信で音楽産業を復活させたスポティファイとのパートナーシップを発表した。その記者会見で、ラーズはかつて連邦議会まで巻き込み、連日テレビで報道されたナップスター裁判について語り始めた。隣にはスポティファイの創業者ダニエル・エクと、ファイル共有で音楽産業を破壊したナップスターの共同創業者パーカーが座っていた。パーカーはスポティファイのエンジェル投資家であり、スポティファイのアメリカ進出を実現した担当役員であるからだ。

二〇〇〇年当時。ITと音楽産業は全面戦争を繰り広げていた。音楽産業はパーカーを「犯罪集団の扇動者」と非難し、一方で三千万人のナップスター・ユーザーがメタリカの人気曲をもじり、「メジャーレーベルの操り人形《パペット》」とラーズを罵った。

「でも、わかったんだ。あの頃だって、俺たちふたりは共通項が多かったってことが。お互い無知で若すぎたよ。ようやく一緒に座って、心から話し合えるようになったんだ[★001]」ラーズは述懐した。

パーカーが共通項について触れた。

ショーン・パーカー。ナップスター、フェイスブック、スポティファイに次々と関わり、音楽産業の破壊と再生を象徴するカリスマとなった。

JD Lasica "Sean Parker", Wikimedia, https://commons.wikimedia.org/wiki/File:Sean_Parker_(6256555219).jpg

「僕らは音楽に自由《フリーダム》を与えたかった。無料《フリー》が目標ではなかった」★002

音楽を合法でシェアすること。親友ショーン・ファニングの開発したナップスターにパーカーが見た未来図は十年後、スポティファイで実現することになった。

高校時代、ナップスターに衝撃を受けたダニエル・エクは、ファイル共有の定番アプリ、ミュー・トレントの会社オーナーになった。彼の狙いは、ファイル共有を生み、のちにブロックチェーンを生んだナップスターのピア・ツー・ピア技術(P2P)を、ストリーミングに応用することだった。そうして生まれたのが、楽曲ダウンロードが不要の音楽サブスク、スポティファイだ。

これを「違法ダウンロード対策の決定版」と喜んだ欧州のメジャーレーベルは、スポティファイに最新曲から名作までほぼ全曲を提供。スポティファイは名実ともに音楽が聴き放題となり、やがてファイル共有で壊滅した音楽産業を救った。音楽の救い主スポティファイは、生まれ変わったナップスターだったのだ。

パーカー、ラーズ、エクは肩を組んで、カメラに笑顔を向けた。それはインターネットと音楽産業の和解を象徴していた。半年後、パーカーの結婚式に現れたラーズの姿を見て、ふたりの和解が表面上のものでないことを人びとは理解した。

ナップスターの登場した一九九九年を境に、世界の音楽産業売上は文字通り半減した。そして二〇一二年、スポティファイがけん引するサブスクリプション売上の成長で、音楽産業はようやくプラス成長を取り戻した。悪魔のように忌み嫌われたナップスター。救世主のように扱われることもあるスポティファイ。どちらもショーン・パーカーが深く関わっている。

革命家。あるいは預言者《オラクル》。ナップスターから追放され一文無しとなったパーカーが、十年後に得た称号だ。★003 ミュージック・シェア、フリーミアム、レコメンデーション、インタレストグラフ、ソーシャル・マーケティング、ダウンロード販売、サブスクリプション等々。二十一世紀の音楽ビジネスを語るうえで必須となったコンセプトのすべてが、一九九九年、ナップスターをめぐる当時の議論で出尽くしている。そのコンセプトワークの中心にいたのが二十歳のパーカーだった。

「あんなに頭が切れる人物には、めったに会ったことがない」

フェイスブックの創業者、ザッカーバーグCEOはパーカーをそう評したことがある。彼は今でも頻繁にパーカーに会って、フェイスブックについて相談しているという。★003 だが、ジョブズやザッカーバーグと違い、パーカーが「天才」と評されることはない。ナップスター旋風が吹き荒れた頃、その称号を得たのはショーン・ファニングだった。

WWWへ挑戦した学生、ショーン・ファニング

ショーン・ファニングの家は貧しかった。義父はトラック運転手で弟は四人いた。実父はアメリカ有数の名家の出だったが音楽にのめりこみ、ショーンを妊娠した母を捨てた。だが、ショーン・ファニングは「天使ちゃん」とのちにパーカーから揶揄されるほど穏やかな性格に育った。勉強、スポーツともにできたので、誰からも愛される生徒だったという。それでもファニング自身はどこかで孤独の感覚を拭いきれなかった。家に帰ると部屋でいつもギターを弾いていた。

十五歳の頃だった。叔父のジョンがオンラインゲーム会社でひと儲けして、当時高価だったＭａｃをプレゼントしてくれた。そしてショーンはネットの世界に入り、生まれて初めてしっくりくる居場所を見つけた。「ネットでは、同じ知的関心のある奴らに会えた。家族のステータスも、身なりも、近所の評判も関係ない。僕にとってネットは、デトックスみたいなものだった」★004

オンラインで出来た顔も知らない友だちのなかに、ひとつ年上のショーン・パーカーがいた。ハッカーご用達のコミュニケーション・アプリ、IRCに集まった仲間のひとりだった。初めて交わした話題は確か理論物理学だったという。似た者同士の匂いがした。

アメリカでは、大学一年生は寮に入る慣習がある。叔父の援助でノーザンイースタン大学のコンピュータ科学科に入学したファニングには、ルームメイトがいた。じぶんとは趣味の合わない音楽をパソコンでかけながら、マウスをクリックするたびに舌打ちしている。うっとおしいので話を聞いてやると、mp3.comがリンク切れだらけで、上手くリンク先のファイル・サーバー(FTP)に飛んでもmp3ファイルが削除されていることがしょっちゅうらしい。ファニングは初めてmp3という言葉を聞いた。

一九八七年。ドイツでCD-ROMなどマルチメディアのために設計され、一九九五年に音声圧縮ファイルの業界標準規格となったmp3は、当時マイナーな技術だった。だが、その十年後の一九九七年、ファニングが高校三年生だったときにmp3の総合サイト、mp3.comが登場。あらゆる音楽のmp3ファイルが紹介され、一躍音楽マニアにとってのヤフーとなった。使いやすいmp3アプリ、ウィンアンプも登場し、密かなブームが起きつつあった。正直、ルームメイトのことはどうでもよかった。だが彼の不満にファニングは、ウェブの本質的な欠陥を感じ取った。

わずか五年前、一九九二年に〝インターネットの父〟ティム・バーナード=リーが無料で技術公開したwwwの技術は、IT時代の始まりとなった。wwwが基礎に置くハイパーテキストのURLは、リンクが一方通行だ。必ずリンク切れが起こる。初期のヤフーやmp3.comのように、リンクのインデックス(一覧)を手動で作っても次々とリンク切れが発生した。この問題を乗り越えるべく、アルタビスタやグーグルのような検索エンジンの開発が当時進行していた。

しかし検索エンジンも、検索結果にページの更新情報が反映されるまでにリンク切れが生じる。クローラーの巡回は、小さいサイトなら一ヶ月に一度のことだってある。ヤフーの手動更新をクローラーで自動更新にしただけで、検索エンジンはwwwの持つ欠陥を本質的に克服したわけではなかった。

リアルタイムのインデックスなら絶対にリンク切れは起こらない。実現して、インターネットの父を越えてやる……。ファニングの頭脳に、壮大な野望が憑りついた瞬間だった。プログラミングを始めるともう止まらなくなった。部屋に籠る日が二日となり、三日となり、もはや大学の幼稚な授業に戻ることは考えられなくなった。

ファニングのたどり着いたアイデアは、のちにピア・ツー・ピア技術と呼ばれる、ファイル・サーバーを不要とする分散システムだった。それぞれのパソコンに収まっているファイルの情報をリアルタイムで中央サーバーに集約し、パソコン同士をIPアドレスで結びつける。そうすればリアルタイムのファイル・インデックスが実現できる。リンク切れの起こらない、究極のファイル検索エンジンを作ることができるはずだった。

「大事なアイデアがあるんだ。どうしても今やり遂げなきゃならない」

口籠りながら退学を切り出したファニングは、驚く母に理由を語った。学費を出した叔父は、「二学期が始まるまでにモノにできるなら、許してやる」と言った。彼は、叔父の会社のクローゼットに住み込み、眠るほかはひたすらプログラミングに打ち込む日々が始まった。

ナップスターはファニングが、ウィンドウズで初めてまともに書いたプログラムだった。プログラマーなら誰もが経験するように、処女作はまともに動作しなかった。ファニングは、IRCでいつも出入りしていたコミュニティ、w00w00のメンバーたちに助けを求めた。当時、ギークしか使わなかったグーグルで検索ワードTOP20にランクインするような、ハッカーのエリート集団がw00w00だった。大手企業のネットワーク・エンジニアたちもそこにいたが、「分散ファイル管理システムの実現は前代未聞であり、かなり困難だ」と返事した。それがメンバーたちのハッカー魂に火をつけた。ファニングが次々と持ってくる難題にみんなで取りかかるようになった。

「分散ファイル管理システム」の対象をmp3に特化したのは、音楽が好きだからというのもあったが、テキストで成り立っていたウェブのコミュニケーションをひっくり返してやりかったからだ。テキストが情報なら、mp3は感情の塊だ。感情の塊をやり取りするようにすれば、ネットは全く新しいコミュニティに生まれ変わる。チャットや画像投稿なんか目じゃない。音楽が人を結びつけるんだ……。★005

レッド・ツェッペリンを口ずさみ、一日に二十時間、キーボードを打ち続けた。半年ほど過ぎた頃だろうか。箱買いしたレッドブルで睡眠時間を毎日二時間にまで削っていたせいか、パトカーの幻覚すら見えるようになったとき、ナップスターは完成した。一九九八年の八月、ファニングが十八歳の夏だった。

パーカー少年がファイル共有に出会うまで

「歩くアレクサンドリア図書館」とショーン・パーカーを評したのは、彼にピアノを教えているショーン・レノンだ。ジョン・レノンの息子である。哲学、歴史、経済、物理学。病弱だった子どもの頃からあらゆる本を読んできたパーカーは、思春期にインターネット・ブームに遭遇するまで小説家になりたかったという。★003

典型的なセルフ・エデュケーターに生まれついた彼は、大学へ行くなんてまっぴらだと思うようになった。大学で体制に認証してもらい、卒業後、体制に組み込まれる。生まれついての反逆児には、考えるだけでゾッとする生き方だった。だから、高校を卒業すると「大学の学費はじぶんで稼ぐ」と親に嘘をついた。大手プロバイダのＵＵＮｅｔで働き始め、そのままどこかで起業するつもりだった。

七歳の頃から海洋学者の父に、プログラミングを教わってきた。高校時代、その知識を使って世界中の企業をハッキングしていたら、ＦＢＩに捕まったが腕を買われ、ＣＩＡのインターンシップに通ううちに、大学へ行かず働こうと思うようになった。[★006]が、二十歳になった彼は、プログラミングよりも起業が目標になっていた。だから、ファニングからナップスターを発明した話をチャットで聞いたとき、起業を強く勧めたのはパーカーだった。

ファニングは、じぶんの作品でネットに革命が起こせれば十分だった。一方、パーカーはファニングの開発したテクノロジーを使えば、音楽産業に革命を起こせると直感した。まるでパーソナル・コンピュータを発明したスティーブ・ウォズニアックに、起業を説得した若きジョブズのようだ。

一九九九年五月。ナップスターが完成して八ヶ月が経とうとしていた。「会社を作るんだろう？　手伝ってやるよ」ファニングの叔父ジョンはそういってふたりに契約書を持ってきた。そこには叔父がＣＥＯとなり、株の七〇％を持つこと、ならびにファニングの株は三〇％と書いてあった。ファニングは抗議したが「十九歳がトップの会社なんて誰が信用するんだ？　俺をトップにした方が資金が集まるんだよ」と説得され、しぶしぶサインした。[★007]もちろん、パーカーの所有株はゼロだ。この契約書がのちに、ファニングやパーカーだけでなく、メジャーレーベルを含めたあらゆる人間を苦しめる元凶になる。とまれ、ナップスターは立ち上がった。

それから間もない日のことだ。空港そばの喫茶店で、パーカーは初デートの待ち合わせのようにソワソワしていた。ネットで友だちになって四年。パーカーはファニングの顔をまだ知らなかった。ドアが開き、大柄の少年が入ってくるとすぐそれがファニングとわかった。向こうも笑顔で向かってきた。想像していた通りの顔をしている、とお互いに言った。そしてふたりは、パーカーの父が運転するバンに乗って、仕事で知り合った投資家へプレゼンしに向かった。[★008]

叔父のジョンは、ファニングの創ったナップスターの仕組みを理解できなかった。だから、出資依頼に行くのは結局ファニングとパーカーで、口達者な十九歳のパーカーが投資家と話し合った。

破壊神ナップスターが頼ったSonyの画期的判決

パーカーは、仕事で知り合いになったウェブメールの先駆者、ベン・リリエントールに投資とCEOを依頼するつもりだった。パーカーたちのプレゼンを聞いて、リリエントールはナップスターが、ウェブメールを超える利用者数になると即座に理解した。同時に、著作権が最大の懸念材料であることも把握した。違法と認定されたらビジネスにならない。出資金が水泡に帰してしまう。

もともとファニングはナップスターを着想した際、著作権侵害があったとしてもユーザーに責任がある、と単純に考えていたようだ。ナップスターが提供するのはリアルタイムのインデックスであって、mp3ファイル自体にサーバーは関与しないからだ。叔父のジョンも「だから裁判になっても勝てる」と信じた。

パーカーとリリエントールはそこまで楽観的ではなかった。リリエントールは、ヴェンチャーファンドで働く友人に著作権法の攻略をリサーチしてもらった。二ヶ月に渡る念入りな調査の結果、いくつか有利な法例が見つかった。が、どれも勝利を確実にしてくれるものとは言えなかった。

まずSonyのビデオデッキ判例[★009]が利用できそうだった。カセット、ウォークマン、そしてビデオ。Sonyはアメリカで私的複製の文化を切り拓いてきた。当初映画界の王、ユニバーサル社はテレビ放映された映画・ドラマを録画する行為を許せなかった。最高裁まで拗《こじ》れた結果、「商業利用でない限り、私的複製は合法」という判例を盛田昭夫はかろうじて勝ち取った。ハリウッドは敗れたが、損はしなかった。ビデオデッキが合法化すると、映画のビデオを販売したり、レンタルして稼げるようになったからだ。

Sonyの判例に照らし合わせた場合、ナップスターは私的複製の範囲を守れば合法、というロジックが成り立ちうる。ユーザーに課金しない限り、複製の「商業利用」で違法にならない寸法だ。だが、コピー元が違法コンテンツでも「合法的な私的複製」と判断してもらえるだろうか？　その保証はどこにもなかった。何よりもナップスターで商売ができないなら、ビジネスモデルを作りようがない。「音楽産業のビジネスモデルに革命を起こす」というパーカーの野望からは遠ざかることになる。

Ｓｏｎｙの判例のほか、もうひとつ見つけた武器が、施行されたばかりのデジタルミレニアム著作権法（ＤＭＣＡ１９９８）にある「セーフハーバー条項」だった。特にその（Ｄ）項目は、インデックス・サービスの合法性を保証するものだった。インデックスとは、簡単に言うとリンク集だ。生成したインデックスのリンク先に違法コンテンツがあった場合、責任を取らなければならないなら、ヤフーもグーグルも成り立たない。

ナップスター社の所有するサーバーの役割は、リアルタイムのインデックスだ。インデックス先のｍｐ３が違法コピーであっても、セーフハーバー条項が適用されればナップスター社は合法になる。後年、ユーチューブに大量の音楽ビデオやＴＶ番組が違法にアップロードされたが、このセーフハーバー条項の適用を受けてユーチューブ自体は合法性を維持できた。だがセーフハーバーの適用外にされる事態もある。サービス側がユーザーの違法的利用を認知しうる状況にあったと立証された場合だ。そうなるとナップスターには著作権侵害の賠償責任が発生する。十分考えられるシナリオだった。

不利な判例も見つかった。フリーマーケットで海賊版が物々交換されていて、フリマの主催者も責任を取らされた判例だ。[★010]「問題のあるものを売っていた人が悪いのはわかる。それでフリマ自体に責任が出たらフリマなんてできないだろう」と常識的には思える。が、開催中、「違法コピーを物々交換している出品者がいる」と警察から主催者に連絡が入っていたことで、フリマの責任者は有罪となった。「ユーザー間で違法コピーがトレードされている報告」はナップスターへ確実に入るだろう。そのうえで、「ナップスターのファイル交換はフリーマーケットと同じ」と判断された場合、「フリマ」の主催者にされたナップスターも違法になる。

この報告に、ナップスターのオーナーとなった叔父のジョンは喜ばなかった。別途、弁護士に調査を依頼し、楽観的な報告書を得ていたからだ。[★011] ジョンは、ナップスターの売却で大儲けを夢見ていた。合法でなければ売却は不可能だ。したがって裁判は勝つに決まっている。余計な悲観論は目標の邪魔だ。そういう思考をする男だった。

ナップスターがサービスインした一九九九年六月。当時、ネット上で最大のコミュニティを築いていたＡＯＬが、ｍｐ３関連で巨額の投資をした。当時ＡＯＬの社長を務めていたのは、ＭＴＶを創ったボブ・ピットマンだが、彼は、「ｍｐ３の利用者が次世代の音楽コミュニティを作る」と予測。当時ｍｐ３再生アプリで世界一の人気を取ったウィンアンプと、ネットラジオのスピナーを合計四億ドル（約四四〇億円）で買収した。

翌月の一九九九年七月にはｍｐ３の総合サイト、mp3.comが上場。ネットバブルの上昇気流に乗り、時価総額は六十九億ドル（七千億円）超に。当時メジャーレーベルの一角を占めていたＥＭＩの時価総額を超えてしまった。続けざまに、ｉＴｕｎｅｓよりも遥か先に楽曲ダウンロード販売を始めたリキッド・オーディオも上場。ｍｐ３への対応を発表し、六億六千万ドル（七百億円超）の初値を付けた。

市場は既に音楽配信ビジネスの将来に、賭け金を山のように積み上げつつあった。その月、ワイアード誌の表紙には「I Want My mp3」のキャッチが踊っていた。

音楽業界を掻き乱す、ナップスターの困ったオーナー

ジョンのオンラインゲーム会社は当時、従業員や下請け会社への未払い等々、様々な問題を抱えていた。少なからぬ告訴を受けており、たちが悪いことにジョンは敗訴しても金を支払わず、報復的に裁判をやり返すようなことをやっていた。

著作権の裁判がナップスターの将来を決めることは必定なのに、こんな問題のある男がオーナーでは、裁判官の心証は最悪だ。しかも「俺の口座にいつ百万ドル入れてくれるんだい？」と出資金の値上げをしつこくやってくる。★011

「あの男は、君らのナップスターをいずれ殺すぞ」リリエントールはそう言って、ふたりの若者を引き抜いて「一緒にやり直そう」と誘った。だが、ショーン・ファニングは断った。貧しい家族を支えてくれた叔父を裏切れなかったからだ。リリエントールは投資を諦めた。パーカーは、その後も何人もの投資家へプレゼンしたが、いつもジョンの人格が問題で破談になった。結局、ジョンの知り合いだったヨシ・アムラムにパーカーとファニングは相談に行った。

アムラムはペイパルやグーグルへの投資家でもあった。このとき出来たパーカーとの縁で、のちにフェイスブックにも投資している。爆発的な利用者数を生み出すスタートアップを嗅ぎ付けるセンスが彼には備わっていた。アムラムは、ナップスターにもその匂いを感じ取った。ジョンの人となりを知っているアムラムは、次の条件を飲めば二十五万ドル出すと言ってきた。

一、ジョンがCEOから降りること
二、ボストンからアムラムの目が届く西海岸に会社を引っ越すこと
三、アムラムがCEOを決めること

要するにジョンが後ろに下がるなら金を出す、とアムラムは言ったのだ。すぐ金の欲しいジョンは飲んだ。筆頭株主の拒否権があればどうにでもなると思ったのだろう。

アムラムは、ヴェンチャー投資の世界では定評のあったエイリーン・リチャードソンにCEOを依頼した。リチャードソンはちょうど音楽レコメンデーション・サービスのファイアフライを手がけているところだった。世話になっているアムラムの電話を受けて、リチャードソンは自宅でナップスターを試してみた。

「Oh My God!」

ナップスターを初めて触ったとき、何百万人もの人間が言ったであろうフレーズを、リチャードソンも叫んだという。人が新しい音楽を発見する速度において、ファイアフライのレコメンデーション・エンジン(自動おすすめ機能)が普通道路の速さなら、ナップスターの仕組みはアウトバーンだ。彼女はそう思った。年収六万ドルと約一万ドルの株式購入権、という薄給の依頼だった。だが、音楽産業も納得するような最高のサービスに育てたい、と音楽好きのリチャードソンは思ってしまった。彼女に少しでも音楽産業とのコネクションがあれば、夢は安易に持たなかったかもしれない。その後、茨の道となるナップスターのCEOをリチャードソンは「半年限定なら」と言って引き受けた。こうして、音楽業界との対話を突っぱねるオーナーのジョンに翻弄される毎日が始まった。

少し話は逸れるが、ファイアフライは「ビッグデータ」の概念に、その言葉がまだなかった当時にたどり着いた企業のひとつだ。レコメンデーションの追及から、ユーザーの嗜好を把握する必要があったからだ。集めたユーザーデータを保護するために、個人情報管理システムを開発。これに価値を見出したマイクロソフトがファイアフライを買収。ウィンドウズ8以降、お馴染みになったマイクロソフト・アカウントは、リチャードソンが育てたファイアフライから始まっている。

サンフランシスコはパロアルトの隣、レッドウッドシティにナップスターは引っ越した。ジョブズがネクスト社を構えていた港町だ。ナップスターのサービスインにあたり、ファニングを助けるエンジニアを急遽、集める必要があった。パーカーたちはIRCのハッカー仲間たちに声をかけ、アパートでの共同生活が始まった。まだキッズと呼んでいいような二十歳前後のエンジニアたち。彼らをお守りする暫定女性CEO。大音響のロックが鳴り響くオフィス。ナップスター社は会社というより、学生寮に近かった。

ナップスターを音楽産業に譲り渡すのがパーカー少年の目標だった

戦略を早急に打ち立てる必要があったが、この種の会社にはセオリーが通じない。リチャードソンは優秀なインキュベータだったし、副社長のビル・ベイルズもハーヴァード大学でMBAを取ったエリートだ。だがふたりとも、無から有を生み出すコンセプトワークができるタイプではなかった。それで、ブレーンストーミングの中心は常に十九歳のパーカーとなった。

パーカーがアイデアをホワイトボードに埋めていく。

「なんてこと！　やることが多すぎるわ！」

CEOのリチャードソンが部屋を歩き始める。

「こりゃすごい！　百億ドルの会社になるぞ！」

副社長のベイルズが叫び出す。

「ちょっと待って。話の途中だから」

パーカーが釘を指す。戦略会議はいつもそんな感じだったという。★012

まず、ビジネスモデルが検討された。メンバー制の定額制配信にするか、ダウンロードごとに課金するか。ケーブルテレビのように、サブスクリプションとアラカルトを組み合わせるモデルも検討したし、広告モデルを併用して無料会員を維持する道も検討した。後年、iTunesやスポティファイで脚光を浴びるビジネスモデルはほぼすべて、ナップスターを起業した段階で十九歳のショーン・パーカーの頭脳に浮かんでいた。

だが、Sonyビデオデッキ判例のことを考えると、こうした真っ当なビジネスモデルを起動した瞬間、違法が確定してしまう。お金が発生すれば、私的複製でなくなるからだ。流出したメモを整理すると、パーカーの立てた戦略はこうだった。
一、ビジネスモデルをあえて持たない。「私的複製」を維持して合法の可能性を保つ
二、訴えられるのは間違いない。だが裁判の間に、ユーザー数一千万人を達成する
三、国民的人気を背景にして和解し、メジャーレーベルにナップスターを譲渡・売却する
四、メジャーレーベルが自ら、ナップスターでサブスクリプションなどのビジネスモデルを起動する
この手順を踏めばナップスターは、音楽産業に革命的なビジネスモデルをもたらす、と二十歳のパーカーは考えたようだ。ビデオも、盛田昭夫がアメリカ国民を味方に引き込むことで合法化され、ハリウッドのビジネスモデルに組み込まれた。このSonyの判例を研究した経緯で、影響を受けたのだろう。だが、あやうさに満ちた戦略だ。ナップスターに集まった誰ひとりもメジャーレーベルとコネクションを持っていなかった。

堅実なプランもあった。いったんサービスを停止して、分散ファイルシステムや、グーグルよりも速い検索エンジンをヤフーなどに提供する道。ダウンロード機能を切って、コミュニティをベースとした音楽レコメンデーション・サービスを目指す道。どれも確実に金持ちになれる道だった。若きパーカーが堅実な戦略を推さなかったのは、「それでは革命は起きない」と考えたからだろう。パーカーはナップスター誕生に立ち会った十九歳の頃から、音楽業界に革命を起こす情熱に憑りつかれていたように思う。

「Sonyとまず交渉する」と、流出したメモには書いてある。Sony本体のエレクトロニクス事業にとって、mp3ブームはプラスになる。だから傘下のSonyミュージックを説得できるだろう、と考えたとパーカーはのちに語っている。実際には、ウォークマンはmp3を拒んだ。そしてmp3を千曲持ち運べるiPodが、ナップスターの閉鎖直後に大ヒットする。ジョブズがiTunesで音楽のダウンロード販売を始めるのはそれから随分後である。

一九九九年当時、Ｓｏｎｙは「デジタルドリームキッズ」戦略でＩＴ業界に対してオーラを放っていた。ＣＤの父、大賀典雄からＳｏｎｙを引き継いだ出井伸之は、「インターネットとエレクトロニクスの融合」にＳｏｎｙを導くと、この年のコムデックス（世界最大のコンピュータ見本市）で宣言。アメリカで喝采を浴びていた。若いパーカーがＳｏｎｙに頼ろうとしたのも無理はなかった気がする。実際一年後に、出井はナップスターの経営陣と会い、買収を検討することになる。

前世紀末、サブスクを提唱した音楽産業の思想的リーダー

変革の時期には、思想的リーダーが登場する。ＩＴ革命のさなか、五大メジャーレーベルのデジタル戦略を業界内で先導していた人物がふたりいる。ひとりめがジム・グリフィン。ベック、ニルヴァーナを擁するゲフィン・レコードのＣＴＯで、定額制ストリーミング、すなわち音楽サブスクの時代を予言。メジャーレーベルの経営陣にファンが多かった。

もうひとりのテッド・コーエンは、楽曲ダウンロード販売の推進を業界に説いた。のちに、ｉＴｕｎｅｓミュージックストアにメジャーレーベルを結集する働きをした人物だ。コーエンはもともとワーナー・ミュージックのディレクターだ。その後ＣＤ－ＲＯＭ事業を経て、オンラインビジネスの専門家になった。そのバランス感覚から、人気コンサルタントになっていた。当時、アマゾンが本からＣＤに事業拡大するのを取りまとめたのもコーエンだ。

このコーエンに、「ナップスター社のＣＥＯにならないか」と話が来た。リチャードソンは半年限定の暫定ＣＥＯで、後任を探す必要があったからだ。サービスイン直後から、コーエンのもとにも複数の顧客からナップスターの問い合わせが来ていた。彼の感想は、レーベルのデジタル担当者たちと同じだった。著作権上、問題が大ありだが、と

んでもなくクールだ、と。コーエンは「複数の顧客がいるのでフルタイムは無理」と断った。だが、ナップスターを正しく導ける可能性は魅力的だった。それで、コンサルティングを引き受けた。

合法化への王道はメジャーレーベルとのライセンス交渉だ。コーエンはＥＭＩとの会談をセットした。ＥＭＩ取締役のジェイ・サミットはナップスターの仕組みに興味津々だった。システムはどうなっているのか。ユーザーの伸びはどれくらいか。ところがビジネスモデルに話が及ぶと、会話が澱《よど》んだ。

「ビジネスモデルはまだありません」とベイルズ副社長は答えた。「無料です」

課金すればＳｏｎｙの判例が使えなくなる。

「無料だと違法になりますよ」とサミットは教えた。

コンテンツを権利者の許可なく公衆に頒布すれば、著作権侵害だ。サミットはビジネスモデルを構築することを勧めた。きちっと楽曲使用契約を結び、ユーザーからお金を集め、楽曲使用料を支払う。そういう話ならＥＭＩも交渉に応じられる。

「ビジネスモデルができたらまたお伺いします★013」とベイルズは答え、

「お待ちしています」とサミットは応じた。

ベイルズがＥＭＩを再訪することはなかった。「裁判になっても勝てるから強気でいけ。ライセンス交渉には応じるな」。それがナップスターのオーナー、ジョン叔父の方針だったからだ。

メジャーレーベルの一角ＢＭＧを擁するベルテルスマンも、ナップスターに素早くコンタクトを取ってきた。それも著作権侵害の話ではなく、投資の検討だった。報告を受けたジョンは有頂天になった。

「ナップスターにはとてつもない可能性を感じます」ベルテルスマンで投資を担当するギーゼルマンは副社長のベイルズにそう切り出した。しばらく会話して、「ＣＥＯのミデルホフと会談をセットする用意があるので、数字を教えてください」とベイルズに言った。

とまどいつつベイルズはダウンロード数を示唆した。サービスインして半年経った頃の数字だ。封筒に筆算式を書き並べるうちに、ギーゼルマンの顔は青ざめていった。

「音楽産業が誕生して以降の、すべての流通量より多いじゃないですか……。あなた方はこの産業を破壊しつつある」★014

買収して、この流通量で問題を起こしたら、賠償責任を取りきれない。初めに感じた「とてつもない可能性」は、産業を破壊する方にも向かいうるものだった。ベイルズから会議の結果を聞いたジョンは不快になり、ベルテルスマンとの交渉継続を禁じた。

コンサルタントを引き受けて三ヶ月めだろうか。コーエンがナップスターのオフィスにやってくるとホワイトボードには、著作権侵害への反論方法が書き連ねてあった。彼はナップスターを合法へ導く自信を失った。そしてコンサルティング契約を切り、ＥＭＩへ入社して合法ダウンロードを推進する道を選んだ。

米レコ協はナップスターの可能性を評価していた

オーナーのジョンが強気になったきっかけは、米レコード協会（ＲＩＡＡ）の好意的なファースト・コンタクトだった。一九九九年九月、ＲＩＡＡの担当役員Ｆ・クレイトンから来たメールはナップスターを称賛していた。

「音楽購入層にとっても、音楽プロデューサーにとっても非常にエキサイティングなアプリだと思います」

お世辞ではなかった。ＲＩＡＡのクレイトンはナップスターに触ったとき、衝撃を受けた。検索欄にアーティスト名を入力して、曲名をダブルクリックするだけ。グーグルよりも速い検索。検索結果にリンク切れは一切なし。ＦＴ

Pより遥かに直感的なインターフェース。IRCよりもずっと使いやすい友だちリスト。「デジタル配信はこれくらいスマートであるべきだ。正しく使えば、大きな可能性がある」と彼は興奮した。

「残念ながら協会メンバーの録音物が、権利許諾を得ぬまま投稿されているケースが多いようです。こうしたファイルの数を減らせるよい方法を一緒に考えていきませんか？」★015
ジョンはこのメールを見て有頂天になったのだった。RIAAが、ナップスター自体は合法と判断していると勘違いしたのだ。実際には、RIAAの最初の提案は、一年前に施行されたデジタルミレニアム著作権法（DMCA）に基づいた要請だった。

DMCAのセーフハーバー条項のおかげで、サービス運営者は権利者の削除申請に対応する限り、違法コンテンツの責任を問われなくなった。これはRIAA側としても大きなメリットがあった。これまでは違法アップロード者ひとりひとりを当たらなければならなかったが、セーフハーバーのおかげで、サービスプロバイダにリストを出せばまとめて削除してもらえるようになったからだ。

ジョンは社内で話がまとまり次第、連絡する旨をRIAAに返信した。その後、連絡が入っても「対応できる担当がはずしている」などと言ってはぐらかした。著作権法では、一定期間を超えて削除要請を無視するサービス運営者は違法となる。

一ヶ月後、「今すぐ御社の責任者とお話する必要があります」とRIAAのクレイトンはメールした。既にセーフハーバー条項が定める期限、十四営業日を超えていた。電話に出たCEOのリチャードソンは、Sonyの判例やセーフハーバー条項で理論武装していた。そしてライセンス交渉にも、コンテンツのフィルタリング要請にも応じるつもりはないことをRIAAに話した。

一九九九年十二月。RIAAはナップスターの告訴に踏み切った。

「交渉に応じない既得権益団体だ」ＲＩＡＡはその後、数千万人のナップスター・ファンからそう罵られることになる。だが、交渉を拒んでいたのはナップスターのオーナーだった、というのが現実だ。

高速通信、ブロードバンドの時代が始まろうとしていた。一九九〇年、ＮＴＴが日本中を光ファイバーで結ぶＶ＆ＩＰ構想を発表。自動車・家電で日本に追い抜かれたアメリカは、来たるべき情報産業も日本に抜かれる事態を恐れた。

初のインターネット・ブラウザ、モザイクが登場した一九九三年。クリントン政権は、情報スーパーハイウェイ構想を発表。政府機関、教育機関からブロードバンド環境が導入された。そして一九九九年後半、ナップスターはブロードバンド環境の整った大学キャンパスで人気が爆発。わずか半年で三万人から二千万人にユーザーが急拡大した。当時、ネット上で最大のコミュニティだったＡＯＬが十年かけて創った数字を、あっさりと超えようとしていた。

インターネット登場以前、ＲＩＡＡの見積りでは、違法コピーの被害額は一年に二億五千万ドル（二八〇億円弱程度）だった。[★016] 告訴の時点でナップスターに流通していた曲数は二千万曲。著作権侵害の法定賠償責任は最高十万ドル／曲。想定される賠償金額は、最大で二兆ドル（二二〇兆円）という天文学的な数字に膨れ上がった。

二千万人を犯罪者と呼ぶのは、何かがおかしい。ＲＩＡＡのヒラリー・ローゼンＣＥＯは、音楽産業に本質的な変化が起きたことを理解した。一方この頃、メジャーレーベルの経営陣は状況を把握していなかった。

「デジタルは儲からない」本当の理由

二〇〇〇年二月、ロサンゼルス。グラミー賞の授賞式が終わった後も、レーベルの重鎮たちはフォーシーズンズ・ホテルのホールに残ったままだった。ＲＩＡＡのローゼンＣＥＯはスクリーンにナップスターを映し出し、新しい現実を見せようとしていた。

「何か新譜の名前を言ってくれますか?」

答えを聞いて、ローゼンがナップスターの検索欄に曲名を入れる。スクリーンに一瞬で曲がリストされる。ダブルクリックでダウンロードがするする進む。どの新譜も一〇〇%快適にダウンロードできた。会場全体が溜息をついた。

インターネットは、軍事的な情報ネットワーク、アーパネットから発展した。ポール・バラン博士の提唱のもと、一部の軍事拠点が破壊されても情報ネットワークが機能して、軍全体で情報を交換・共有できるように設計されているという。すなわち分散型システムと、データの共有がインターネットの前身たるアーパネットの基本思想だった。拠点間で会話できるよう、音声データの共有も想定されていた。

RIAAのケリー・シャーマンも、インターネットそれ自体にファイル共有と同じ性質があることはもともと認識していたという[★017]。全く予想外だったのは、ナップスターが無数のパソコン上のすべての音楽データを、ひとつのウィンドウにまとめ上げたことだった。最新ヒットソングだけでない。どの時代の、どのジャンルの音楽もすべて揃っており、ナップスターのなかで、数千万人のコミュニティがすべてのカタログを活性化させていた。聴き放題、それは史上かつてない音楽生活の実現であり、抗いがたい未来がそこにあった。

「こりゃ商売替えじゃないの?」

会場にいたマーヴェリック・レコードのR・ダッシャーは冗談とも本気とも取れないことを言った。

著作権は英語で「コピーライト」という。複製する権利だ。エジソン以来、レコード会社はスタジオで創った音源のコピーを音楽ファンに売ってきた。このビジネスモデルが毀損したことをダッシャーは理解したのだ。

かつて音楽ビジネスには、ライヴ売上しか存在しなかった。潮目が変わったのは、十五世紀にグーテンベルクが印刷技術を発明し、十八世紀に著作権法が整備され始めてからだ。出版産業が成立するようになると、作詞・作曲家が書いた楽譜のコピーを独占的に売る音楽出版ビジネスが始まった。そして十九世紀末に、エジソンが楽譜をレコードに変えたことで、音楽産業へ発展した。

その後CDの登場が、音楽をデジタルデータに変えた。インターネットの登場で、データのコピー、流通は万人のものとなった。デジタル化とネットワーク化。このふたつが合わさったとき、コピーの流通量は、音楽産業が管理不能な状態になった。デジタル・ネットワークの世界では、デジタルデータは無限に増殖するからだ。

供給量が無限になれば、価格は流通コストまで下がるのが経済学の基本だ。そしてインターネットにおいて、データの流通コストはほぼゼロ。コピーの価値は時間が経つほどゼロに近づいていく、ということになる。

コピーを売るビジネスは成り立たなくなる。音楽産業で思想的リーダーを務めていたジム・グリフィンは、そう警告していた。[★018]パンドラの箱は開かれた。音楽産業を生んだコピー・テクノロジーが今、音楽産業を破壊しようとしていた。

Ｓｏｎｙミュージックの CEOドン・アイナーが、「バイ・バイ・バイ」を試してくれますか、と壇上のローゼンに頼んだ。イン・シンクのリリース前の新譜だ。検索はあっさりヒットした。

「裁判をやれば片付く問題ですかね?」

スクリーンを見ながらアイナーはマイクで会場に問いかけた。答えは閉会後に帰っ

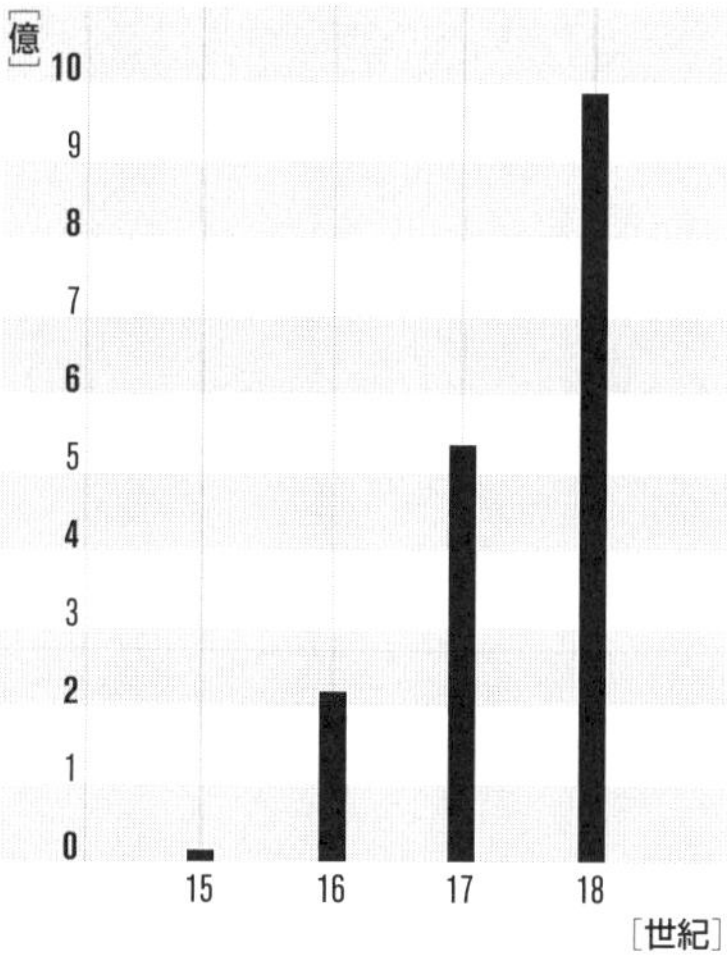

[図2－1]ヨーロッパにおける本の印刷部数(1450～1800年)

英語では印刷部数を「コピー数」と呼ぶ。グーテンベルクが印刷技術を発明した15世紀から「コピー」は爆発的に増え、出版産業が誕生した。19世紀後半、エジソンがレコードを発明すると、音源の「コピー」を売る音楽産業が誕生した。

資料：Charting the "Rise of the West"[★019]

てきた。ＲＩＡＡのローゼンは全レーベルのトップ陣にメールした。

「合法の音楽配信を育てない限り、ユーザーが行動を変えるとは思えません。しかし、まずは全国でキャンペーンを張るのが不可欠です」

合法の音楽配信と言うが簡単ではなかった。ジム・グリフィンの言うように「デジタルコピーに価値はほとんどない」のなら、音楽配信を育て、合法のデジタルコピーを配信したところで全面解決はないだろう。キャンペーンを張るぐらいしか、道は残っていないように見えた。

ふたりのショーン――若き預言者たち

アメリカのキャンパス・ライフは大学寮が主な舞台だ。ナップスター・ブームの到来で、アメリカ全土の大学で音楽が溢れかえっていた。

大学のブロードバンド回線はナップスターに占領されつつあった。インディアナ大学では、回線の八五％をナップスターが占めた。大学のシステム管理者たちは悲鳴を上げ、全米の三四％の大学がナップスターをネットワークから遮断。これが学生運動の引き金となる。

「インターネット検閲は、学問の基礎となる『言論の自由』に反している」

インディアナ大学コンピュータ科学科の二年生、チャド・ポールソンは、大学のナップスター検閲をそう批判。署名運動を始めると、これが全国の大学に飛び火して、署名数は五万人に。ナップスター・ファンたちの抗議活動は、学生運動の様相を帯び始めたのだった。ＣＮＮ、ＭＴＶは署名運動をたびたび取材し、チャド・ポールソンはアメリカで最も有名な大学生になっていく。彼は、ナップスター革命のアクティビストと目されるようになった。

二〇〇〇年春。ナップスターのオフィスにＭＴＶのカメラが入った。

「僕らはＩＲＣのチャット・コミュニティで会い、友だちになった。ナップスターを創った動機もこれなんだ。音楽を通じて、みんなが出会う仕組みだ。パーソナルな素材をシェアして、同じ興味を持った人と出会い、コミュニケーションを楽しむ。そんなツールを世界に提供しようと思った」

二十歳のショーン・ファニングはＭＴＶにそう答えた。ＳＮＳの登場以降、「インタレストグラフ」として理論化されるコンセプトは、既にナップスターから始まっていた。

ショーン・パーカーがＭＴＶに説明した。

「人はどうやって音楽を発見するか、というのを突き詰めたんだ。僕らは友だちからのおすすめで、音楽に出会うよね。趣味の合う友だちが増えると、また新しい音楽の発見に繋がる。このプロセスは音楽体験の大部分を占めているんだ」

定額制配信で定着したミュージック・ディスカバリーの概念。ユーチューブやツイッターの組み合わせで浸透したソーシャル・マーケティングの概念。これらもまた、ナップスターから始まったのだ。パーカーがのちにフェイスブックの初代社長となるのは、偶然ではない。

二十歳のパーカーは音楽産業に訪れるであろう、未来のビジネスモデルについても語った。

「音楽はユビキタス化して、どこでも聴ける方向で進化する。携帯電話で音楽を楽しむようになるだろうし、全く新しいデバイスも出てくるだろう。人びとは、利便性にお金を払うようになると僕は思う★020」

まさに八年後、音楽業界がスポティファイとｉＰｈｏｎｅで入手したビジネスモデルだ。彼がのちに預言者《オラクル》と呼ばれる由縁である。無料から始まったナップスターの聴き放題で、課金モデルが十分に稼働するとしたら、携帯電話などのモバイルデバイスを課金のゲートウェイにしたときだろう、と予測していたのだ。

ナップスターの実現したミュージック・シェアを正しいかたちで合法化する。それこそがインターネット時代の解決策だというパーカーの信念は、間違っていなかった。二〇一三年、スポティファイの売上がCD売上を超えたノルウェイでは、前年比一七%増の売上を実現。違法ダウンロードは八二%も減少した。[★021]

デジタル・ネットワークは、コンテンツの複製を限りなく無料に近づけた。だが同時に、音楽生活にかつてない利便性を実現した。コンテンツの複製で稼げなくなったかわりに、コンテンツのサービスで稼ぐ。ナップスターのパーカーが到達した結論は、音楽産業側で思想的リーダーを務めるジム・グリフィンが到達した結論と一致していた。[★018]

抜身のテクノロジーが諸刃の剣であるように、ナップスターは正しくて、間違っていた。

チャド・ポールソンがオルグした全国的な学生運動と相まって、ナップスター・ブームはアメリカ全土に議論を巻き起こした。そして米国議会をも巻き込んでいくことになる。MTVでの特集をきっかけに、ふたりのショーンは時代のアイコンとなった。

RIAAの要請を受けて、アメリカの大学でナップスターが禁止されたのと同時期。パソコンと共に、家庭で高速通信を実現するADSLの売れ行きが絶好調になっていった。ブロードバンド環境が整った大学寮から始まったナップスター・ブームは家庭に広がり始め、ユーザー数は寮生たちの数を遥かに超える二千万人に達していた。ナップスターの届ける無料音楽がキラーコンテンツとなって、パソコンとインターネットが、大学や会社のみならずアメリカの家庭に普及し始めたのだ。

一九三〇年代。無料音楽がキラーコンテンツとなって、家電産業が勃興した。無料で音楽が聴き放題という人類初の全国的なフリー・メディアを実現したラジオは、インターネットを超える速度で普及。空から降り注ぐ音楽、そのバリューを身に纏ったハードウェアは光り輝いた。その陰で、ソフトウェアの音楽産業は壊滅状態に陥った。

それから七十年後。ファイル共有がもたらした聴き放題は、かつてなく音楽生活を活性化した一方で、音楽産業は危機に陥った。

「インターネットの登場で、音楽産業のビジネスモデルは時代遅れになるでしょう」

RIAAのローゼンCEOは取材にそう答えた。パソコンには三千ドル(三十万円)も払う。プロバイダにも毎月四十五ドル(五千円)払う。だが音楽にはお金を払わない。ラジオの登場時と同じ状況だった。歴史が、繰り返されようとしていた。

メタリカとゴルゴタの丘

ともあれRIAAは、早急にキャンペーンを張る必要があった。

問題はパブリック・リレーションだった。音楽ファンを訴える音楽産業。新勢力対旧勢力。若者の新しい音楽生活を潰す、金儲けの大人たち。メディアがそんな構図で報道をつくって煽るのは間違いない。メジャーレーベルへの反感が高まればいっそう、ファイル共有が広がるだけだ。

アーティストに表に立ってもらう必要がある。そうすればブームの中心にいる大学生たちも耳を傾けるだろう。だが矢面に立ったアーティストには何のメリットもない。「RIAAの操り人形。金の亡者」と罵られ、多くのファンを失うだけだ。

二〇〇〇年四月。初めてナップスターを訴えたアーティストの名が報道されたとき、アメリカ中が驚いた。八〇年代から九〇年代にかけて最もCDを売ったバンド、メタリカはもともと海賊版コピーを活用してファンベースを築き上げたことで有名だったからだ。

グレイトフル・デッドに倣い、メタリカはファンたちにライヴの録音、テープのフリートレードを積極的に推奨してきた。だからナップスターでライヴのブートレグが流通するのはOKだった。だが、マスター音源がナップスターで流通しているのは、一線を超えているというのがラーズ・ウルリッヒたちの考えだった。

報道はメタリカ・ファンの学生たちを落胆させた。学生ならナップスターを使うのが当たり前だったし、海賊版を推奨するラーズたちなら、きっとじぶんたちの側に立ってくれると信じていたからだ。

メタリカはナップスターだけでなく、ナップスターを禁止しない大学も告訴した。イェール大学、南カリフォルニア大学に加え、ナップスターをめぐる学生運動の中心だったインディアナ大学も含まれていた。

Killmetallica.com（メタリカ死ね.com）、Metallicasucks.com（メタリカむかつく.com）、Screwlars.com（ラーズはクソ.com）、Paylarstoshutup.com（ラーズは金の亡者.com）……。メタリカ・ファンを辞め、ナップスター側についた学生たちは、メタリカを非難するサイトを次々と建てていった。

「メタリカは十字架にかかったんだ」EMI取締役のサミットは、そう評した。

二〇〇〇年五月三日。過熱したナップスター報道は最高温度に達した。学生とマスコミの集団が、ナップスター社のあるビルを取り囲んで、騒然としていた。リムジンがビル前に止まり、メタリカのリーダー、ラーズ・ウルリッヒが車から姿を現した。

続いてリムジンからは段ボール箱が次々と下ろされ、ラーズの隣に積み上げられた。二十五本のマイクがラーズを囲んだ。

「この段ボールには、ナップスターでメタリカの楽曲をトレードしている三十三万五四三五人のユーザーネームをプリントした六万枚が入っている」

ラーズはそう語った。CD－Rで持ってくれれば一枚で済んだのだが、カメラ狙いで、彼は全部プリントアウトして持ってきたのだ。

「ナップスター社は、メタリカの曲をトレードしているユーザーネームはわからないという。だからこっちで調べて持ってきたんだ。彼らはライヴのブートレグをトレードしてるんじゃない。メタリカのマスター音源をダウンロードしている！」

ラーズを囲む報道陣。その報道陣を囲むように学生たちが集まっていた。メタリカのTシャツを着た集団と、ナップスターのTシャツを着た集団が言い争っていた。

「失望したよ！」「金の亡者が！」

ラーズの耳をナップスター派の怒号が次々と襲った。批判サイトを立ち上げた元メタリカ・ファンたちがハンマーを振り下ろし、メタリカのCDが砕け散った。

段ボールを運ぶスタッフとラーズは、集団をかき分けてビルに入って行った。エレベーターのドアが閉まると、革命運動のような喧騒が遠ざかった。ラーズが溜息をつき、ぐったりした表情になったのを、乗り合わせたスタッフが見ていた。[★022]

「お情けは一切なしだぞ」ラーズはスタッフに釘を刺した。

四階でエレベーターが止まった。背筋を伸ばし、満面の笑顔を作ったラーズは両手を広げ、オフィスに勇み立って入った。

「さあ！　話し合おうじゃないか！」

ラーズの大声が、雑多で貧相なフロアに響き渡り、シンとなった。[★023]スタッフ全員がドタバタと集まってきた。

「うあ、本物のラーズだ」「すげえ」「中学の頃から大ファンなんです」

ラーズは拍子抜けした。みな二十歳かそこらだ。「君らを訴えたくないよ」と彼は力なく心情を吐露した。「アーティストにはちゃんと払わなきゃ。それだけなんだ」

ラーズが段ボールで持ってきたユーザーアカウントは、すべて削除された。

アメリカ初の世界的ヒットメーカーは、なぜ安宿で死んだのか

スティーブン・フォスターが二十二歳のときにリリースしたデビュー曲はアメリカ史上空前のヒットとなった。ドットコムバブルから遡ること一五〇年。同じ西海岸に起きたゴールドラッシュは、東部のアメリカ人だけでなく、ヨーロッパからも人びとを引き寄せた。フォスターの曲はフォーティーナイナーズ世代のアンセムとなり、アメリカ中で彼の曲が演奏されるようになった。

アメリカだけでなかった。欧州、北アフリカ、インドでもフォスターのデビュー曲はヒットした。[★024]「おおスザンナ(Oh! Susanna)」は、アメリカの音楽産業が初めて経験した国際的なメガヒットだった。

五千部も捌ければトップソングだった時代に「おおスザンナ」の楽譜は十万部のセールスを米国内で記録した。[★025]現代のアメリカの売上規模に直せば二千万枚クラスだろうか。[★026]だが、フォスターが受け取った著作権収入は、百ドルだけだった。[★027]印税ではなく買取だったからだ。著作権料を集める団体がなかったので、個人の作曲家はパブリッシャーの言いなりだった。

金を払ってくれるだけ、まだましだったかもしれない。当時、海賊版の出版は日常茶飯事だったからだ。一八三一年の著作権法改正で、アメリカでもようやく作曲の著作権が認められた。だが法律はまだ穴だらけで、編曲すればじぶんの曲にすることができた。[★028]

ニューヨークの人気バンドを率いるE・P・クリスティーは、フォスターの曲をじぶん名義に変えてリリースした。[★029]実際には編曲すら不要だった様子だ。それはそうだ。著作権管理団体がなければ、違法コピーの取り締まりも存

在しない。作曲家たちが自己防衛のために、ASCAP(JASRACに相当)を設立するのは六十六年後の一九一四年だ。「おおスザンナ」は十六の出版社からリリースされたが、フォスターに金が入ることはなかった。[★024]

海賊版コピーとライヴ。このセットによって、街々でフォスターの曲はシェアされ、「おおスザンナ」は国民的な人気を博した。大きなプロモーション効果だった。だが当然ながら、作曲家のフォスターに還元されることはなかった。それはプロモーションなのだろうか？

音楽リスナーも、フォスターに金を払うことはなかった。いや、彼らは払っているつもりだったのかもしれない。レストランやバーに行き、音楽を楽しむ。バンドにチップを渡す。食事代を払う。金は払っているじゃないか。全国の街でそれは起こった。

だから、フォスターの収入は一曲書き上げるたびに出版社一社からもらう数十ドルがすべてだった。そんな時代に彼はフルタイムの作曲家で家族を養っていくと決めた。アメリカ音楽の父は、アメリカ史上初の職業作曲家でもあった。

その後も、国際的なヒットをいくつも飛ばした。「故郷の人々」「懐かしきケンタッキーの我が家」「老犬トレイ」はどれもデビュー作並みに売れ、イギリスではアメリカ以上によく売れたが、もちろん、彼に富が還元されることはなかった。[★030]

フォスターの音楽には黒人奴隷へのシンパシーが溢れていた。彼の曲が全国で大流行したので、リンカーン大統領が黒人奴隷解放運動を進める下地が出来た。当時の作家・社会活動家フレデリック・ダグラスの言だ。[★024]

フォスターの生活はセレブからほど遠いものだった。結局、作曲で稼いだ生涯収入は一万五千ドル。[★031] このアメリカ最初のヒットメーカーの月収は、現在価値に直すと平均で三十六万円ほどだった。[★032] 上流中産階級出身の夫婦の借金は徐々に嵩《かさ》み、妻子とは別居することになった。

一八六四年。新選組が池田屋を襲撃した頃、アメリカでは奴隷解放をめぐる南北戦争も、終盤に差し掛かっていた。ニューヨークの安宿に籠り、エアピアノで作曲を続けるフォスターの体を、貧しい生活が蝕んでいた。食事といえば林檎をかじり、酒をあおるだけ。ほどなく体調を崩し、高熱で朦朧《もうろう》としたフォスターは、転倒のはずみにガラス鉢でひたいを割った。そして、大量出血で死んだ。傍らには、書き終えたばかりの「夢路より」があった。

小銭入れにあった三十八セント。それが彼の全財産だった。

ナップスターの困った株主たち

二〇〇〇年五月十一日。「ゴールドラッシュの再来」、ネットバブルがもたらした最後の光彩が、サンフランシスコのメイソニックセンターを包んでいた。ウェブ業界のオスカー、ウェビー賞の授賞式に集った三千人は、その名が会場に響くのを待ち構えていた。

「音楽部門の受賞者は、ナップスターです！」

スタンディング・オベーションが起こり、ナップスター開発者のショーン・ファニングがはにかみながら花束を受け取った。音楽産業が苦虫を噛む一方、二千万人の音楽ファンがナップスターに熱狂していた。

十九歳のショーン・ファニングと二十歳のショーン・パーカー。受賞パーティでは、共同創業者ふたりの知己を誰もが得ようと集まってきた。ふたりの少年はドットコム世代の偶像になったのだ。

談笑していたパーカーの肩をいきなり誰かが摑んだ。振り返るとナップスターに投資したロン・コンウェイがいた[★033]。パーティの場に似つかわしくない深刻な顔でコンウェイは、「ナップスターが倒産しそうだ」と耳打ちした。

大袈裟すぎる、と思ったが、静かな場所で話を聞くうちに事態がわかってきた。ファニングの叔父ジョンが出資話を次々とぶち壊していたのだ。

ナップスターにはビジネスモデルがなかった。金を稼いだ瞬間、「私的複製」に基づく合法性が失われる。そう考えていたからだ。投資家たちから運転資金を集め続けなければ倒産する。社会現象を起こすほどの人気を博しながら、投資家のナップスターへの評価は下がり始めていた。理由は訴訟リスクだ。裁判で違法と認定された場合、出資金は水泡に帰する。

それだけでない。潜在的には史上最高額とも噂される天文学的な賠償金が待っている。ナップスターが潰れても、株主となったヴェンチャーキャピタルには支払いの義務が残るかもしれなかった。

あるいは二十歳のパーカーの構想通り、上手くいくかもしれない。メジャーレーベルがナップスターを定額制配信に変えて、合法化する。それは確率の低い、ハイリスク・ハイリターンのシナリオだった。ハイリスクの博打で生き残る鉄則は、賭け金を少なめに積むことだ。ナップスターの評価額を一気に下げれば、投資は考えられなくもない。そう考えてくれるヴェンチャーキャピタルもあった。

だが、筆頭株主のジョン叔父は「うちの会社は既に十億ドル(一一〇〇億円)の価値がある」「レコード会社なんて全部買収してやる」と交渉相手の前で宣《のたま》う男だった。★034 ヴェンチャーキャピタルは辟易して次々と逃げていった。

最後まで残ったのがハマー・ウィンブラッドというヴェンチャーキャピタルだ。創立者のハマーは焦っていた。彼はドットコムバブルに乗り遅れ、ほとんど儲けていなかった。そこでドットコム企業に集中投資したのだが、この月、ついにバブルの崩壊が始まり、大損を被りつつあった。冷や汗が背中をたどる日々を送っていたハマーには、一発大逆転しか道が残されていなかった。

ショーン・ファニングたちはジョンのところへ直行した。そして、おだて上げた。叔父さん、あなたは最高の起業家だ。誰もが尊敬している。今こそスタッフたちの嘆願を聞くべきだ……。いい気分になったジョンはしぶしぶ六五〇〇万ドル(約七十億円)の評価額を受け入れた。

倒産すれすれのナップスターにハマーのつけた評価額は破格だった。ドットコムバブルが破裂した二日後の五月二十二日。ハマーはナップスターという名の大博打に一三〇〇万ドル(十四億円)を投入し、二〇%の株式を獲得。ナップスターの筆頭株主となった。

「私は音楽産業の悪夢である」とハマーは宣言した。「音楽業界の言う通りにナップスターを矯正するくらいなら、一三〇〇万ドルを失ってもいい……。そう考えた瞬間、私の心に得も言われぬ平安が訪れた」

そうハマーはフォーチュン誌に語っている。★035 彼はナップスター革命に、じぶんの存在意義を見出そうとしていた。ヴェンチャーキャピタルに出資したパートナーの平安はどうなるのだろうか。ハマーは、バブル崩壊で平常心を失っていたように見える。

ともあれ倒産の危機は去った。五月二十二日、契約が成立した晩、ファニングとパーカーのふたりは、先のコンウェイが開いたチャリティーパーティに招待されていた。投資の神様ウォーレン・バフェットがそこにいた。モザイクを創り、ネットスケープを上場させたマーク・アンドリーセンがいた。サン・マイクロシステムズを創ったビル・ジョイがいた。タイガー・ウッズとラウンドする権利を誰かが六十五万ドルで競り落とし、歓声が上がっていた。カクテルグラスの鳴る音がさざめくなか、ふたりの若者は目も眩むような思いで立ち尽くしていた。俺たちも、こういう人たちの仲間になったんだ……。

IT産業の先輩たちは、ショーン・ファニングの生んだピア・ツー・ピア技術を絶賛していた。

「一世代に一度しか登場しないレベルのアイデアだ」〝ブラウザの父〟マーク・アンドリーセンはそう評した。

「インターネットはすべて、ナップスターのような技術で再構築されることになる」インテルの会長アンディ・グローブはそう話した。

「君たちの創ったナップスターは本当にクールだ」グーグルを創ったラリー・ペイジとセルゲイ・ブリンは、ファニングに滔々《とうとう》と語り、羨ましがった。★036

だがファニングには、偉大な先輩たちの称賛よりも嬉しいことがあった。ジョン叔父が会社からついにいなくなるのだ。叔父に取ってかわり、ハマー・ウィンブラッドが筆頭株主となった。そしてナップスターのCEOは、弁護士のハンク・バリーに変わることになっていた。

弁護士が社長になれば、裁判の悩みからも解放される。またプログラミングに専念できるようになるはずだ。法律や戦略のことはわからない。でも、最高のプロダクトを創り続けていれば、いつかきっと道が拓ける――。それが、十九歳のファニングが信じていたことだった。★037

新CEOのハンク・バリーは、元プロドラマーの弁護士という異色の経歴を持っていた。バンド活動に熱中して大学を中退。バンに乗って全国を巡り、ライヴ活動を中心に七年間やっていた。二十九歳のある朝、安宿で目が覚めると服がひどく臭った。限界を感じたバリーは復学し、著作権が専門の弁護士となった。彼はナップスターが創業した直後に、ちょうどハマー・ウィンブラッドのパートナーとなっていた。

ハマー・ウィンブラッドにナップスターの話を持ってきたのはバリーだという。ミュージシャン出身の彼は、ナップスターの起こした流通破壊に惚れ込んでいた。ナップスターは、メジャーが支配する音楽業界に革命をもたらす、と考えた無数の人間のひとりだった。

少数派のひとりでもあった。業界の下馬評では、ナップスターの勝訴は見込み薄で固まっていた。一方、ハンク・バリーは「ナップスターは勝訴できる」と確信していた。それで、ナップスターの暫定CEOを引き受けた。★038だが、ハンク・バリーの勝算はCEOに就いてわずか1週間あまりで崩れ始めることになった。

音楽産業の運命を決めた一通のメール

五月末日。

「これはあなたが書いたものですね？」

「そう……だと思います」

米レコード協会（ＲＩＡＡ）サイドの弁護士の質問に、パーカーは答えるのがやっとだった。脈打つ鼓動が法廷に鳴り響くようだ。相手弁護士の口元には笑みが浮かんでいた。

音楽趣味などの情報をナップスターに提供すれば、ユーザー・エクスペリエンスが向上していく。ユーザーはこれを理解してくれるでしょう。ただし名前や住所などセンシティヴな個人情報と、使用履歴は切り離しておく必要があります（音楽の違法コピーを交換している場合は特に重要です）。

僕が先に記した戦略（ＣＤの紹介やレコメンデーション・エンジンなど）は、ＲＩＡＡとの交渉を有利にするはずです。僕らは音楽の違法コピーを入手可能にしているだけではない。需要も創り出しているんだと向こうは見るからです。

まずかった。その二枚のプリントは、確かにパーカーがしたためたメールだった。設立からしばらくは、当時十九歳のパーカーが戦略立案の中心だった。裁判から離れた視点で読むと、少年が一九九九年秋に書いたこの文章は随分、時代を先取りしている。

パーカーたちは、デジタル著作権法(DMCA)に定められた免責条項(セーフハーバー)の適用に、ナップスターの命運を預けていた。ファイルの交換はユーザー同士が直接行う。ナップスター社が提供しているのはリアルタイム検索だけだ。検索結果の先に違法ファイルがあったとしてもヤフーやグーグルが責任を問われないように、ナップスターもセーフハーバーの適用で合法性を維持しようとしていた。

だが、セーフハーバーが適用外になるケースもある。サービス運営者が、事前に違法性を認識していた場合だ。

「音楽の違法コピーを入手可能にしている」という箇所が読み上げられたとき、顎に手を当てていた白髪のマリリン・パテル裁判官の目が眼鏡の後ろから光った。宣誓証言に提出されたこの書類が、決定的な意味を持ちうることを示していた。

その後、繰り返しこのメールは裁判所のスクリーンに表示されることになる。そのたびに雰囲気はナップスターに不利な方へ向かった。

「あれはブレーンストーミングの過程で書いた文章だった」と、後年のパーカーは語る。★039

彼は初期、セーフハーバーD項に基づき、ナップスター社自体は合法だと信じていた。もちろん、ユーザーが違法コピーをトレードしていることも認識していた。ユーザーの個人情報を守り、ユーザーが訴えられないよう配慮する必要がある。だから、会社内でタブー用語だった「違法コピー」に言及したという。

宣誓証言の翌日。会社に致命傷を与えたパーカーの名は、ナップスターの公式ホームページから削除された。★040 オフィスにいると、針の筵《むしろ》に座らされているようだった。

六月十二日。宣誓証言から二週間後。決定的な証拠を得たRIAAは、ナップスターの停止を求める仮処分申請を裁判所に提出した。だが皮肉な話だ。この大失策がきっかけとなって、パーカーの立てた戦略は最終段階へ向かうことになったからだ。

音楽産業の頂点はナップスターの合法化に動いていた

Ｓｏｎｙのビデオデッキ判例と、セーフハーバー条項。ふたつの法例がナップスター社の勝算だった。その一角が早くも崩れ去った。ＣＥＯに就任早々、弁護士のハンク・バリーは方針を転換せざるをえなくなった。

ジョン叔父の意向で、ナップスターは音楽会社との交渉を拒絶してきたが、ミュージシャン上がりのバリーはこれを一転。メジャーレーベルで売上首位に立つユニバーサル・ミュージックの親会社ヴィヴェンディ・ユニバーサルの会長、エドガー・ブロンフマン・ジュニアとコンタクトを取ることに成功した。

シーグラム財閥の御曹司に生まれ、映画プロデューサーを経たのち、ユニバーサルを買収してレコードビジネスに参入したブロンフマンは、作曲家の顔も持つ異色のオーナーだった。日本のテレビドラマで使用され、ミリオンセールスを記録したセリーヌ・ディオンの「トゥ・ラヴ・ユー・モア」は、彼とデヴィッド・フォスターの共作だ。ブロンフマンも大多数の業界人と同じように、ナップスターの敗訴を確信していた。「放っておけばナップスターは消え去る」という読みだ。それでもナップスターとの交渉に応じた理由はふたつあった。

「ナップスターは始まりに過ぎない。かわりがすぐ登場するだろう」

それが理由のひとつめだ。ブロンフマンは「裁判に勝って戦に負ける」将来を予測していた。既にオープンソースで、サーバー不要のナップスター・クローン、グヌーテラが登場していた。

ふたつめの理由はひとつめと重なる。

「ナップスターの巨大なユーザー数を、持続可能なビジネスモデルに組み込む」

具体的にはナップスターをサブスクリプション・モデル（定額制配信）に変えることである。ピンチをチャンスに変えようと、彼は考えたのだ。★041 ＲＩＡＡは裁判に勝てば役割を果たせるが、ブロンフマンの立場は違う。音楽産業の売上自体を導く責務があった。

七月五日。カリフォルニア空港で、ブロンフマンとバリーは密かに会った。

「メジャーレーベルから楽曲使用許諾をいただけた場合、ナップスターは売上の一〇%を渡す用意があります」とバリーCEOは述べた。

「この男は状況を把握してない」ユニバーサルのブロンフマンCEOはそう感じたらしい。

「株の六〇%を譲渡して、メジャーレーベルにナップスターを明け渡すというのはどうですか」

ブロンフマンはそう返した。それくらい柔軟でクリエイティヴな発想がないと切り抜けられない局面だ、とバリーに忠告した。メジャーレーベルがナップスターを接収するストーリーを本気で実現したいのなら、パテル裁判官が判決を下した後では話が難しくなる。急いでことを運ばなければならなかった。

「今から八日後、ちょうどサンバレーで『メディア・カンファレンス』がある。メディア産業のトップたちが世界中から集う毎年恒例の国際会議だ。そこに来るメジャーレーベルのオーナーたちでサミットをやってみよう」とブロンフマンは告げた。

議題は、ナップスターをメジャーレーベルが合同で接収し、合法化することだ。音楽産業の頂点にいたブロンフマンの提案は、少年パーカーがナップスターの合法化へ向けて描いた戦略のゴールそのものだった。しかしパーカー自身がこの局面に関わることはなかった。会社で居場所を失った彼は、長期休暇を命じられていたからだ。

アメリカ議会もナップスターに救いの手を差し伸べていた

救いの手は、連邦議会からもナップスターに差し伸べられた。しかもそれは、強腕の差し伸べた手だった。

アメリカ上院司法委員会はパワフルな委員会だ。大統領の指名した連邦裁判官・最高裁長官の否認権、ＦＢＩの活動の監視権、そして知財や著作権運用の管轄権などを有している。その上院司法委員会の委員長が、ナップスターに調停を打診してきた。

委員長の名はオリン・ハッチ議員（共和党・ユタ州出身）。ハッチ議員には自負があった。あのＤＭＣＡの起草者だったからだ。ハッチ議員の手がけた著作権法の改正は二年前に施行されたばかりだったが、ＩＴ産業とコンテンツ産業の調停に大きな役割を果たしつつあった。

ハッチ議員は「ダウンロードミュージックに関する公聴会」の開催に賛同するよう、ナップスターとＲＩＡＡに呼びかけた。議員がイメージしていたゴールは、法定楽曲使用料の制定だろう。ＤＭＣＡの段階で、インターネットラジオには法定楽曲使用料を導入できた。このおかげで、インターネットラジオ局は使用料さえ後納すれば、メジャーレーベルから使用許諾を得ずとも完全に合法となった。レーベルの許諾を不要にした恩恵で、アメリカではインターネットラジオ局が大量に開局。自由競争のなかからパンドラのような人工知能を使った「ラジオの再発明」も誕生することになった。

音楽ダウンロードにも法定楽曲使用料を導入すればいい。そうすればナップスターは合法化され、二千万人のユーザーは犯罪者にならない。音楽産業には楽曲使用料が入るようになる。調停は成立し、ショーン・ファニング少年のもたらした技術革新をアメリカ経済に組み込むことができる。議員はそう考えた。

しかしナップスター社は、法定楽曲使用料のアイデアに難色を示した。ハッチ議員には意外だったろう。だがブロンフマンと交渉中のバリーは、法定楽曲使用料に賛同するわけにはいかなかった。議会の政治介入にナップスターが賛同したら、メジャーレーベルとの極秘交渉はぶち壊しになるからだ。結局、議員の根回しで、メタリカのラーズ・ウルリッヒが申請することで、公聴会は開催されることになった。

連邦議会で四面楚歌となった米レコード協会

七月十一日。ユニバーサル・ミュージックとナップスターの極秘会談から六日後。

「じぶんの創った音楽をどうするのか。それは、創った私たちが決めるべきことです。著作権を所有しない会社に決定権はありません。彼らは音楽制作に一セントたりとも投資してないのです[★042]」

ラーズは、上院議員たちへ語りかけた。キャピトル・ヒルでは、「デジタルミュージックの将来」を議題に公聴会が開催されていた。

世間にはあまり知られていない音楽業界の常識がある。メジャーアーティストがアルバムをリリースするとき、ヴェンチャー投資に近い金額が動いていることだ。国際音楽産業連盟（ＩＦＰＩ）が、アメリカでメジャーデビューするのにかかる費用の「典型例」として出した数字を挙げてみよう。

アルバムの制作費に二十万ドル（二二〇〇万円）、アーティストへの前払金に二十万ドル（二二〇〇万円）、音楽ビデオ三本の制作費に二十万ドル（二二〇〇万円）、全米ツアー支援に十万ドル（一一〇〇万円）、宣伝費に三十万ドル（三千万円）。締めて合計で百万ドル（一億円超）だ[★043]。出資者がビジネスの主導権を握る。それが資本主義の鉄則だったはずだ。

「我々は選択権を奪われてしまったのです」

ラーズは訴えたが、議員たちの反応は弱かった。次にファイル共有を支持する側のアーティスト、ロジャー・マッギンが証言した。

「私の所属していたザ・バーズは、コロムビア・レコードと契約して十五枚のアルバムをレコーディングしました。しかし一度たりともアーティスト印税はもらえませんでした。一位を取った曲もいくつかありました。『ミスター・タンブリンマン』や『ターン・ターン・ターン』です。しかし、もらえたのは前払金だけでした。五人で分けるとひとり数千ドル(数十万円)でした」

わずかな前払金だけで、印税はなし。アメリカ最初の職業作曲家スティーブン・フォスターの時代に逆戻りだ。録音ビジネスの産業化はトップミュージシャンに巨富をもたらした一方、深い影を生み出していた。

レコーディング費と宣伝費は拡大を続け、アルバムの損益分岐点は上がる一方だった。結果、損益分岐点を超えるまでアーティストは前払金しか受け取れない状態が日常化。不公平感が中堅アーティストの間でずっと燻《くすぶ》っていた。

CDとMTVの登場は音楽産業の規模をさらに拡大してくれたが、損益分岐点は鰻登りとなり、中堅アーティストの不満はさらに強まっていた。そこにインターネットの流通と、mp3が登場した。まるで救世主のように見えた。

「mp3.comの登場以降、じぶんでCDを出せば売値の五〇%を得られるようになりました。これは素晴らしいことです」

mp3ブームの嚆矢《こうし》を放った合法サイト、mp3.comの名を、議会の証言台に立ったロジャーは挙げた。メジャーレーベルの力の源泉である流通網は必要不可欠なものではなくなった。レコード協会側につかず、反旗を翻してナップスターを称賛するアーティストが続出しつつあった。

「ありがとうございました。たくさんの方から同様の陳情を受けております」

司会役のオリン・ハッチ議員が神妙に言った。それは、彼自身の不満でもあった。議員はソングライターでもあったからだ。

敬虔なモルモン教徒の彼は、クリスチャンミュージックを三百曲以上、書いてきた。だがCDをリリースできたのはわずかだった。いつもレーベルが「モルモン教では、クリスチャンミュージックの棚に置けない」と断ってきたからだという。ハッチ議員は、元ミュージシャンのハンク・バリーCEOと同じく、ナップスターのもたらした流通破壊に希望を抱いていた。

ナップスターのバリーCEOは、テクノロジー論から入った。

「ナップスターは、音楽ファンのコミュニケーションを促進しています。インターネットの基礎コンセプトである『情報共有』をより深く、より広くしたのです。それがナップスター革命です」

本質的には、ナップスターは何か特殊なアプリではない。分散システム、データ共有、ファイル・インデックス。ショーン・ファニングの発明したピア・ツー・ピア技術が持つこれらの特徴は、どれもインターネットの概念そのものだからだ。

「ナップスターは、音楽産業とアーティストを傷つけていません。ナップスターを使うようになってCDをいっそう買うようになった、というたくさんの声があります。購入前の試聴が、ナップスターを使う大きな理由になっています」

プロモーション論だ。ナップスター擁護派がいちばん頼っていたロジックである。

「ナップスターは、新しいラジオだ」パブリック・エナミーのチャック・Dは言った。

「ナップスターの登場で、ラジオにかからない曲でもみんなに聴いてもらえるようになった」とマドンナはローリング・ストーン誌に語った。[★044]

当時は音楽会社のなかのディレクターも「ナップスターはプロモーションになる」と信じていたようだ。ジャイブやインタースコープに所属するアーティストのマスター音源が発売前にたびたび、流出していた。[★045]

未来にいる我々は、これが間違いだったことを知っている。複製権モデルに代わってアクセス・モデルが登場した今なら、理由は明快に説明できる。

無料プロモーション。それはインターネット以前の「放送の時代」に出来上がった常識だった。オンエアや試聴の後に、CDを買う理由は何だろうか？　気に入った曲を、好きなときに好きな場所で好きなだけ聴きたいからだ。

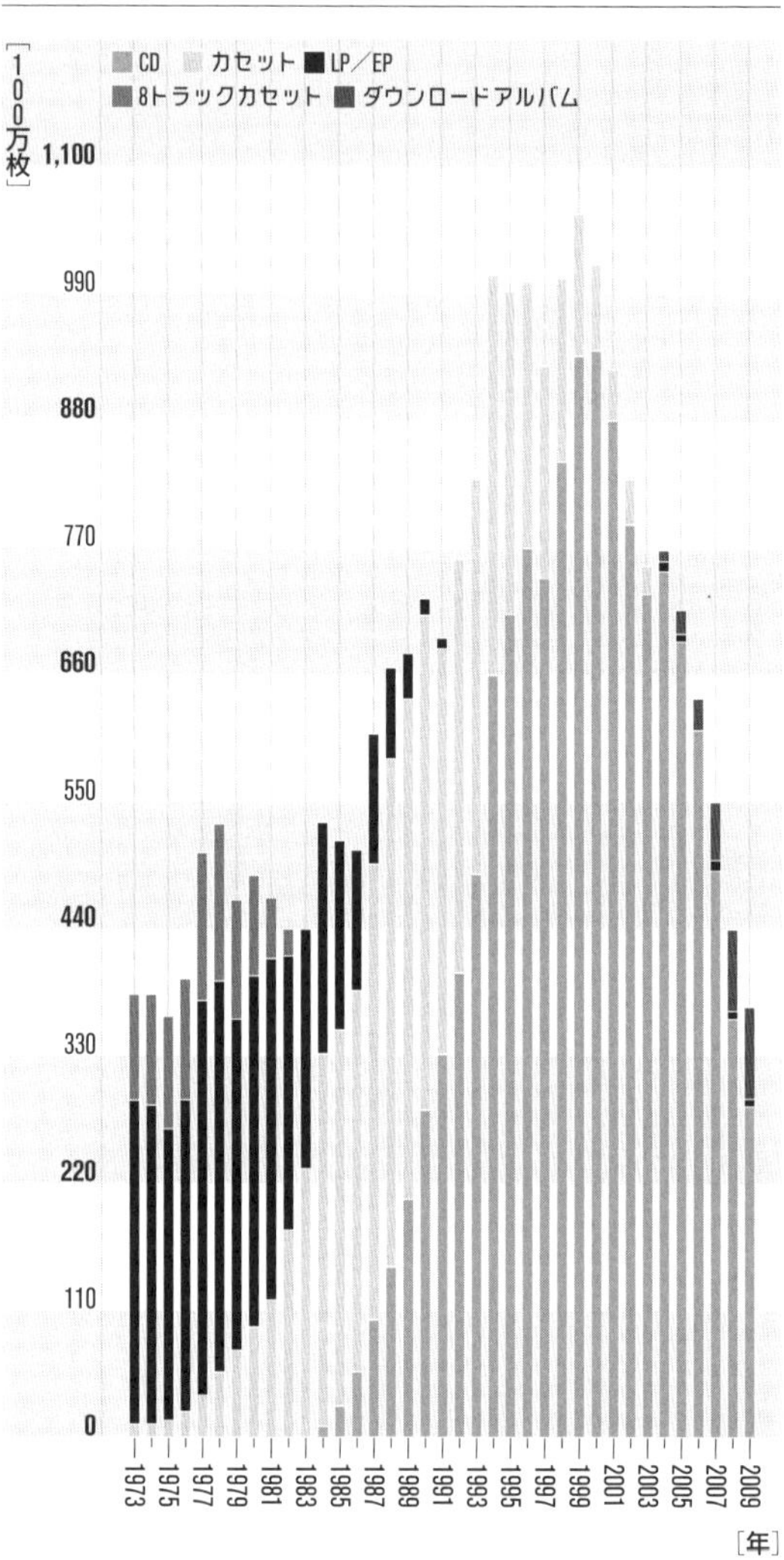

［図2－2］アメリカのアルバム売上枚数（1973〜2009年）

ナップスターの登場した1999年から売上が急降下している。フリーのmp3を聞けば、CDやiTunesの曲を買う機会が増える、という「プロモーション論」は社会実験の結果、否定された。

資料：RIAA

ＣＤにしろ、ｉＴｕｎｅｓにしろマスター音源のコピーを所有する理由は、音源へのフリーアクセスにある。たとえばコレクションのためとか、アーティストの応援といったそのほかの理由は、残念ながら切り捨て可能だ。音楽のデータ化はマスター音源と、そのコピーであるＣＤや音楽ファイルを同等にした。ｍｐ３の所有は、音源へのフリーアクセスを実現している。だから、試聴にはならない。後年、人類は動画共有でも同様の問題を経験することになる。

インターネットが生活の隅々にまで行き渡る時代。それは、データへのフリーアクセスが遍在化する時代だ。ネットの世界のなかでは、音楽データへアクセスした段階でマネタイズを起こさなければ、その後はない。それが現実だ。海賊版の楽譜でいくら有名になってもフォスターには一銭も入らなかったように、違法コピーをばらまいてもプロモーションにはならない。マネタイズがないからだ。プロモーションになるのは、フォスターの時代と同じくライヴで食べているミュージシャンだけだ。アメリカの音楽産業売上は三分の一に激減した。

ナップスターのバリーと、メタリカのウルリッヒ。ドラマー同士の闘いだった。演奏の勝負だったら、ハンク・バリーはラーズ・ウルリッヒに太刀打ちできないだろう。だがこの公聴会の場では、バリーがラーズを圧倒した。

「議員たちはナップスターに非常に好意的な態度を示していた」

公聴会に参加したショーン・ファニングは言う。[★046] ナップスターの愛用者二千万人は、票田を求める議員たちの心を動かすのに十分な数だった。大学生の七三％がナップスターを愛用。一九％が毎日利用しているという調査結果をロサンゼルス・タイムズ紙が報道していた。[★047]

ナップスターの存在を肯定するメジャーアーティストが続出していた。マドンナ、プリンス、U2のジ・エッジ、グリーン・デイのビリー・ジョー・アームストロング、フー・ファイターズのデイヴ・グロール、デイヴ・マシューズ、コートニー・ラヴ、チャック・D、リンプ・ビズキットのフレッド・ダースト、モービー、ベン・フォールズ等々、切りがない。[★048]

レコーディング・アーティスト同盟（RAC）は、RIAAに反旗を翻し、ナップスターを支持する意見書を裁判所に提出した。RACは、ドン・ヘンリー、ビリー・ジョエル、シェリル・クロウなどを会員に擁していた。

国民、議員、マスコミ、アーティスト。アメリカでは、すべてが「違法ダウンロード」のナップスター寄りだったのだ。四面楚歌と言っていい状態にRIAAは陥っていた。だが冷静沈着な女傑、ローゼンは事態を楽観していた。裁判は勝てるのだ。ナップスターが違法認定されれば、議員たちは去っていく。

裏ではアーティストから感謝の電話が、ＲＩＡＡに次々とかかっていた。彼らはメタリカのように反ナップスターを表明してファンを失うことを恐れていた。それで、表側でナップスターに賛同したアーティストが、裏ではＲＩＡＡに応援メッセージをこっそり送っていたのだ。

「予想通りの展開でしたし、そうせざるをえない事情はよくわかっていました。だから、彼らの行動を尊重しました」★033

ＲＩＡＡを率いたローゼンはのちにそう語った。ＲＩＡＡの役割はアーティストの味方であって、責める役割を持たない。だから彼女は、二枚舌を咎《とが》めるような無粋な真似はしなかった。

ナップスターの合法化はもう少しのところまで来ていた

七月十三日。議会での公聴会から二日後。サンバレー・カンファレンスには、世界中からコンテンツ産業のトップが集っていた。この千載一遇の好機を活かし、音楽業界トップ３企業のオーナーと、ナップスターの頂上会議が極秘裏に開かれた。

参加者はユニバーサル・ミュージックを擁するヴィヴェンディ・ユニバーサルのブロンフマン、ＢＭＧを擁するベルテルスマンのミデルホフ、Ｓｏｎｙミュージックを擁するＳｏｎｙからは出井伸之とハワード・ストリンガー。そしてナップスターのハンク・バリーＣＥＯがそこにいた。

会談は、あっけないほどにすんなり進んだという。ナップスターは株式の半数以上をメジャーレーベルに譲渡する。オーナーとなったメジャーレーベルは楽曲使用許諾を卸し、ナップスターを合法化する。ビジネスセデルとしては定額制（サブスクリプション・モデル）を目指す。

以上で、あっさりとコンセンサスが取れた。Appleミュージックが誕生する十五年前のことである。Sonyの出井とストリンガーは「ブロンフマンと交渉を進めておくように」とナップスター側に指示した。

最後はSonyに頼ってミラクルを起こす――。パーカー少年の描いた大戦略が、現実になろうとしていた。

「あともう少しだ」とブロンフマンはバリーに囁いた。★049

「あともう少しでした」と十三年後、ローゼンは振り返った。★033

頂上会談から一週間後。

「AOLが、二十億ドル（二二〇〇億円）でナップスターを買収したいと打診してきている」

バリーがそんなことを言い出した。だから、メジャーレーベルは二十億ドル以上でナップスターを買収してほしい、と。二重の意味でありえない話だった。

「巨大なユーザーベースを譲り受けるかわりに、ナップスターが払うべき天文学的な賠償金を加減してやろう」という交渉なのだ。それに対して、「メジャーレーベルがナップスターに大金を払うべきだ」では話があべこべだ。

AOLがナップスターをそんな大金で買おうとすることも、ありえないことだった。AOLはちょうどその頃、メジャーレーベルの一角を擁するワーナー・グループの買収交渉が大詰めに入っていた。その情報はブロンフマンの耳に逐一入っていた。このタイミングでAOLがワーナー以外に大金を積むことはありえないのだ。

ブロンフマンの読み通りだった。RIAAのローゼンに、AOLから問い合わせが入っていた。

「ナップスターが身売りを打診してきたのだが、買収したら、賠償責任もAOLが引き継がなければならないでしょうか」と。ローゼンは、強気を演じるナップスターが裏で窮地に立っていることを察した。

それは事実だった。ドットコムバブルの崩壊が進み、ナップスターの筆頭株主だったハマー・ウィンブラッド・

ヴェンチャー・パートナーズの含み損は巨大化しつつあった。ナップスターのバリー新CEOはハマー・ウィンブラッドから来た男だ。

「サービスを即座に停止してくれれば配慮しますが、旧株主に対して賠償責任を曖昧にするつもりはありません」

ローゼンはそうAOLに返事した。その程度の配慮だと、裁判中に少しでも道筋が逸れれば、新株主も賠償責任を追うリスクが発生しうる。AOLはリスクを鑑み、ナップスターから来た打診を蹴った。

そうこうするうちに、仮処分の審査がやってきた。仮処分をパテル裁判官が認めてしまったら、どうなるか。ナップスターは停止・閉鎖され、魅力のユーザーベースは霧散する。メジャーレーベルがナップスターを接収して合法化する道は険しくなる。ナップスター社がこのタイミングで強気に出て、交渉を引っ張るのはブロンフマンには理解しがたかった。

だが弁護士上がりのバリーCEOには奥の手があった。秘策で裁判の審議を紛糾できるから、交渉の時間はまだ十分にある。そう見ていたのだ。

秘策炸裂――アメリカ最強の弁護士がナップスターにつく

デヴィッド・ボイズ弁護士は当時、法曹界のスーパースターだった。ちょうど三ヶ月前、マイクロソフトを裁判で降《くだ》したばかりだった。[★050] IEとウィンドウズの抱き合わせ販売を独禁法違反で訴えた米司法省サイドの先頭に立ち、IT産業の巨人を破ったのだ。マイクロソフトは以降、調子を崩し時代の中心から外れていく。

そのボイズにナップスター社から依頼が来ていた。日本円で億単位のオファーだったが、マイクロソフトの大仕事の後で、小さなヴェンチャーを弁護するというのは、いかにも気が乗らなかった。だが息子たちは、ぜひこの仕事を受けるべきだと父を説得した。世間は今ナップスターの報道で大騒ぎになっている、と音楽に疎い父に教えたのだ。ボイズはナップスター社の弁護を引き受けることにした。

ボイズの起用こそが、ハンク・バリーの秘策だった。パーカーのメールでセーフハーバーの適用が怪しくなったので、ナップスターの法的な防衛力を補強する必要があった。そこでボイズはふたつの武器を新たに用意した。

ひとつめがオーディオ家庭録音法(Audio Home Recording Act 1992)だ。ビデオデッキ判例と同じく、Ｓｏｎｙの影響で成った著作権法改正である。事の経緯はＣＤの誕生にまで遡る。

一九八二年。アテネの国際音楽産業連盟会議でのことだ。大賀典雄がＣＤの導入を発議したとき、世界のメジャーレーベルはＣＤに猛反対した。

「ＣＤがやがて音楽産業を殺すだろう」Ａ＆Ｍレコードの社長ジュリー・モスはそう予言した。デジタル・オーディオは、無劣化の海賊版コピーを実現可能にするからだ。★051

一九八七年にＳｏｎｙが、デジタル・オーディオテープ(ＤＡＴ)の民生機ＤＴＣ-１０００ＥＳを発売したとき、メジャーレーベルは「いよいよその時が来た」と警戒した。ＲＩＡＡのロビー活動の結果、誕生したのがこのオーディオ家庭録音法だ。ＣＤからＤＡＴ、ＭＤ(デジタル・ミニディスク)へのデジタルコピーは一世代まで。それ以上のコピーは違法となった。

実際には、デジタルコピーの氾濫は想定外の場所からやってきた。オーディオ家庭録音法が施行された一九九二年は、ｗｗｗが公開された年でもある。パソコンとインターネットが普及しだしたとき、国家や企業がコピー・テクノロジーの不拡散を維持する道は事実上、閉ざされた。

――オーディオ家庭録音法を使えば、二千万人のナップスター利用者を無罪にできる。

ボイズ弁護士は、そう考えた。オーディオ家庭録音法で、一世代限りの私的複製を配布するのは、完全に合法となった。たとえば、CDをミックスして創ったMDを、複数の友だちに配っても合法だ。

同じようにmp3を人に配っても、一世代の私的複製を配布しているのだから合法。ナップスターの利用は違法コピーに当たらない、というう大胆なロジックをボイズは考案した。このロジックが通らない場合もあるだろう（というか通るはずがないのだが……）。二段構えの戦術が必要だ。

そこでボイズは、Sonyのビデオデッキ判例を見直した。「私的複製」が合法になった判例だ。原告のユニバーサルは「海賊版コピーを可能にするビデオデッキの販売自体がそもそも違法」と訴えたが、最高裁は「ビデオデッキは、著作権侵害を起こさない利用が可能」として原告の訴えを退けた。ナップスターも、「著作権侵害を起こさない利用」は可能だ。著作権切れの音楽や、アマチュアの曲、プロモーション利用等々、いくらでも考えられうる。これがボイズの用意したふたつめの武器だった。

予言を的中させた賢者ローレンス・レッシグの慧眼《けいがん》

ビデオデッキを判例に取って新たなコピー・テクノロジーを論じる――。これは、テクノロジー論だ。ボイズはこのテクノロジー論を、知識人の意見書で補強することにし、メディア論の大家ジョン・ペリー・バーローと、法学の大家ローレンス・レッシグの意見書を添えることに成功した。

バーローはグレイトフル・デッドの作詞家を三十年以上、務めてきた。サイバースペースの自由を守る団体EFFの創立者でもある。「ナップスター裁判がネット上の自由を損なう判例をつくりかねない」と懸念して、ナップスターを擁護する意見書を書いてくれた。

レッシグは、ウィキペディアで有名になったクリエイティブ・コモンズの創立者として知られている。著作権者の権利を拡大することに一貫して反対してきた。行きすぎた排他権の付与は、イノヴェーションの阻害になるからだ。じぶんの許可なく著作物を使用されたら、著作権侵害にできる排他権の拡大は、オープン・イノヴェーションの流れとも逆行している。

先のオリン・ハッチ議員も、様々な音楽配信サービスから同様の陳情を受けてきた。たとえばmp3.comだ。二〇〇〇年一月、mp3.comは、のちのｉＴｕｎｅｓマッチと同じロッカー・サービスを開始した。レーベルが求めていたＣＤの購入促進と、インターネットの利便性の両立を図ったサービスだった。

音楽ファイルをクラウドに保存して、いつでもどこでも自由に楽しむことのできるｉＴｕｎｅｓマッチは、スポティファイ登場の後では遅きに失した感じがあったが、このタイミングでのロッカー・サービスは、絶好だったろう。だが、mp3.comはユニバーサル・ミュージックから告訴された。許可なくＣＤ四万枚分の音楽をサーバーに置いたからだ。著作権侵害の賠償金は五三〇〇万ドル(約五十八億円)になった。

ｉＴｕｎｅｓに先立ってダウンロード販売の先陣を切ったリキッド・オーディオやＥミュージックも、メジャーレーベルからほとんど楽曲を卸してもらえなかった。

そうこうするうちにナップスター・ブームが到来。貧弱なカタログしか持たせてもらえなかった合法音楽配信はナップスターに太刀打ちできず、壊滅状態に陥ってしまった。レッシグの言うように、著作権者の排他権が強すぎる弊害が起こした部分もあったように思う。

レッシグが出した意見書は、慧眼に貫かれていた。「あるテクノロジーの初期利用に問題があったとして、そこでテクノロジーの発展を止める判決を出すのは誤りだ」と彼は断じた。これは正しかった。ピア・ツー・ピア技術は、その後ストリーミングに応用され、ＩＰ電話のスカイプや定額制ストリーミングのスポティファイのようなイノヴェーションが興った。特にスポティファイは違法ダウンロード対策の決定版に成長していくことになる。

ピア・ツー・ピア技術自体を違法と決めつけていたら、昨今の定額制配信の普及も、あるいはブロックチェーンによるフィンテックの隆盛もなかっただろう。

さらにレッシグは「いたずらに現状に反応して、著作権者にこれまで以上の保護を与えるべきでない」と忠告した。このままテクノロジーを発展させれば、いずれ匿名性に隠れるユーザーのダウンロード履歴を追跡できるようになるからだ。これも、その通りになった。いわゆるスリーストライク法のことだ。欧州では、インターネット・プロバイダに、ファイル共有利用者を追跡させて罰則を与える方へ向かっていった。

アメリカ最強の弁護士、一日で敗れる

七月二十六日。頂上会談から十三日後。ナップスター社の弁護団は、報道陣をかき分けて意気揚々と連邦裁判所に入っていった。アメリカ最強の弁護士が、これから数ヶ月かけて反撃していくのだ。既に裁判所には、仮処分申請への反対意見書を提出済みだった。

異変に気づいたのは、法廷に入ってからだ。パテル裁判官はナップスター側に十五分、RIAA側に同じ十五分を与えて弁論を聞くと、すぐ部屋から出て行ってしまった。休憩を挟んで現れたパテル裁判官は、おもむろに判決を述べ始めた。★052

「セーフハーバーの適用は却下する。パーカーのメールが示す通り、ナップスター社は事前にユーザーの違法性を認識していたためである。オーディオ家庭録音法の適用も却下。数人にコピーを配るのと、数千万人にコピーを配るのでは話が違う」

Sonyのビデオデッキ判例にちなんだ「著作権侵害を起こさない利用も可能な装置」の適用も却下。ビデオデッキ

と違って、ナップスターはユーザーの利用形態をコントロール可能だからだ。メタリカの要請に応じて違法利用したユーザー・アカウントを削除したことからも、それは明らかだった。

ＲＩＡＡサイドが揃えた豊富な補足資料も効いていた。スタンフォード大学の統計学者イングラム・オルキンの調査結果では、無作為抽出した千人強のナップスター利用者のうち、音楽の違法コピーをトレードしていたのは一〇〇％だった。★053

これではセーフハーバーも、ビデオデッキ判例も成り立ちようがない。大学近郊でＣＤショップの売上がいちじるしく落ち込んでいる調査結果も提出された。「ｍｐ３はＣＤのプロモーションになる」というロジックが詭弁であることを示していた。

両サイドとも全く予想してなかった展開だった。たった一日で……いや、たった三十分でナップスターは司法に全否定されたのだ。ＲＩＡＡ側のラッセル・フラックマン弁護士はあまりの出来事に、あっけに取られたという。★033 ナップスター側のボイズ弁護士は、ボールペンを無意識に握りつぶしてしまい、赤インクが飛び散った。★054

パテル裁判官の判決は、すべての違法コピーを除外するまでサービス停止を命じるというものだった。★055 完璧なフィルタリング技術を開発するまでサービスを再開させない、ということだ。

「それは技術的に不可能です」とボイズは反論した。事実だった。だが、「怪物を創ったのは御社なのだから御社の問題です」とパテル裁判官は突っぱねた。

命令の執行は二日後の午前零時と決まった。ナップスターの死刑が二日後に執り行われるのだ。法廷を出ると報道陣が取り囲んだ。

「現実世界と同じように、オンラインの世界でも法が適用されることがはっきりしました。今日、音楽配信の未来へ向けて道が切り拓かれたのです」

RIAAの広報担当は報道陣にそう答えた。ボイズ弁護士は「即刻、控訴する」と話すのが精一杯だった。

「ボイズ弁護士はビッグネームだった。けれど、進行していたことの技術的な本質を、深いところで理解できていなかったと思う。だから彼の用意した弁論は現実とズレていたんだ。それで最悪の結果となった」

ナップスターのシニア・テクノロジー・ディレクターだったアリ・アイダーは後年、そう振り返った。★056

対して、RIAAサイドのフラックマン弁護士は「テクノロジー論になるのを避けて、著作権のフィールドで闘えば余裕で勝てる」と戦略を立てていた。フラックマン自身はメールのタイピングすら苦手な男だったが、結果はフラックマンの圧勝だった。

その夜、メジャーレーベルの弁護団は合同で祝杯をあげた。ナップスターのバリーと同じく、ミュージシャン出身の弁護士ばかりだった。ジュリー・グレア弁護士はリクエストを受けて、ビリー・ホリデイの「ゴッド・ブレス・ザ・チャイルド」をピアノで弾いた。元シンガーの見習い弁護士が歌った。フォーマルなレストランであることを忘れて、総立ちで歓声を上げ、レストランの店長にみんなで叱られた。彼らは幸福に満たされていた。じぶんたちの手で、愛する音楽を守ったのだ。

ネットでは、ナップスター利用者、数千万人の怒りが渦巻いていた。報道後、ナップスターの使用量は七一％も激増した。閉鎖前にできるだけ音楽を集めようとするユーザーたちの駆け込み需要が起こっていた。

死刑宣告を言い渡されたナップスター社内は暗澹《あんたん》としていた。完璧なフィルタリングなど技術的に不可能だ。執筆現在のユーチューブですら実現できていない（相当、精度は高まったが）。もはや絶望しかなかった。

七月二十八日。死刑執行の当日。またも予想外の出来事が起こった。異例だった。「極めて重要な案件」であることが認められ、ナップスターの控訴がスピード受理されたのだ。大作家ドストエフスキーのように、銃殺の直前で執行猶予が出たようなものだった。ナップスターのスタッフ、四十六人は知らせを受けるやジャンプして、歓喜のあまり抱き合った。ナップスターの死刑中止に、数千万人のナップスター利用者たちもネット上で喜びを爆発させていた。

一方、会議中に携帯電話で知らせを聞いたＲＩＡＡのフラックマン弁護士は、椅子から腰を浮かしてそのまま固まったという。

ナップスターの夏の終わり――スポティファイへ託された夢

「夏休み」を命じられていたパーカーが判決内容を電話で聞いたのは、ノースカロライナへの旅路で鬱々としていたときだった。

「あなたのメールが法廷のスクリーンに映し出されたのよ」

バリーＣＥＯの秘書は電話越しに溜息をついた。判決文にもパーカーの名はたびたび登場していた。あのメールが致命傷になったのだ。

八月。ナップスターの夏は終わりへ向かおうとしていた。パーカーは、バリーと話すために出社した。オフィスでバリーを見つけ、声をかけた。だが、バリーは無言でパーカーの横を歩き去った。彼はナップスターに惚れ込み、音楽産業に革命を起こそうと思ってＣＥＯを引き受けた。それをパーカーが壊した。会社の命は首の皮一枚で繋がったが、自信家のバリーにも裁判の勝算は見えなくなっていた。無言で過ぎ去るバリーの後ろ姿を見て、パーカーは立場を理解した。じぶんはナップスター裁判の戦犯になったのだ。

本当はバリーだって、パーカーの夢を壊していた。バリーはスター弁護士のボイズを雇ったことで裁判の勝利を過信していた。それで、ユニバーサル・ミュージックを擁するブロンフマン会長に対し、立場をわきまえない高飛車な交渉をやって場を壊してしまった。メジャーレーベルにナップスターを渡して合法の定額制配信にする、というパーカーの夢はこの夏、潰え去ろうとしていた。

消沈したショーン・パーカーはショーン・ファニングのブースへ向かった。ふたりのショーンは親友で、一年前にナップスターを一緒に創業した。

「あの日の会話はよく覚えている」

ファニングはインタビューにそう答えている。ふたりは外に出て道を歩きながら、いろいろ話し合った。

「もうナップスター社にはいられないかな?」

パーカーがそう尋ねたとき、ファニングは少し考えてから友人に答えた。「君はラッキーかもしれない」

もう会社が始まった頃とは、すべてが変わってしまっていた。裁判が始まり、弁護士がCEOになってからナップスターの開発はすべて中断され、サーバーの維持だけがエンジニアの仕事になっていた。

ふたりには、たくさんのアイデアがあった。MTVに語った「音楽で人を結びつける」構想の具体化だ。お気に入り曲、プレイリスト、繰り返し聴いている曲、いま聴いている曲。こうした情報をホットリストの友だちとシェアすれば、新しいお気に入り曲が発見できる。今までにない革新的なレコメンデーション・システムだ。ナップスターⅡで実現して世間をあっと言わせてやろう。革命を二度起こすんだ……。そう、思っていた。★057 だが、会社の雰囲気は、イノヴェーションとは正反対のものに変わっていた。みな裁判に怯え、恐怖心で働いていた。ナップスターⅡのソーシャル機能(当時その言葉はまだなかったが……)はもはや望みえない。

お気づきの方もいると思うが、これらの「ソーシャル・ミュージック・ディスカバリー」機能は後年、スポティファイとフェイスブックが実現した。両方にパーカーが深く関わっている。フェイスブックの初代社長となり、スポティファイの取締役となり、両者の特別パートナーシップを実現した。パーカーは会社を去っても、ナップスターで見た夢を捨てきれなかったのだ。

パーカーはナップスター社を辞めた。無職になっただけでなかった。じぶんを守るため弁護士を雇わざるをえなかったことで、借金まで背負っていた。私大の学費並みの金額だったという。★058 恥ずかしくて親元には帰れなかった。生活費が払えず、居候先を転々とする毎日が始まった。

ショックで何もできない毎日が続いた。何か新しいことをやろうとしても、ナップスターの、あの熱を超えることができないと思うと、どうしても続けられなかった。悔しくて眠れない。人生最悪の日々が続いた。

コートニー・ラヴ——革命なのか反乱なのか

もしナップスターが、日本のWinnyのようにすべてのファイル形式を扱っていたら、アメリカ中を騒がせたあの社会現象は起きなかったろう。ポルノやマイクロソフト・オフィスの無料ダウンロードで民衆が熱狂することはない。

「音楽への熱狂を創り出す方法を、遥か昔に音楽産業は見失った。想定しえないやり方で、ナップスターは音楽への熱狂を復活させた。それだけは間違いない」

レディオヘッドのトム・ヨークはそう語った。★059

秋。ナップスターのユーザー数は三千万人の大台に乗ろうとしていた。ナップスターの社内はガタガタだったが、社会現象は拡大するばかりだった。報道は加熱し、それがさらにナップスター・ユーザーを増加させていった。潰れるかもしれない、というギリギリの状態がいっそう、人びとを惹きつけた。早くしなければ、フリーランチが終わってしまう……。

未来が明るいとは限らない。過去の方が素晴らしいことだってある。もしかしたらCD時代の方が、ネット時代より音楽(音楽産業ではない)によかったかもしれない。だが望むと望まざるとにかかわらず、音楽の魔力だけが起こしうる熱狂が、未来を連れてこようとしていた。

「過去の方がどんなに偉大だったとしても、過去の物語は去っていくほかない。去れと命じているのは民衆だからだ」

ナップスター現象を追ったドキュメンタリー映画『ダウンローデッド』(日本未公開)で、ノエル・ギャラガーはそう評した。

ナップスターを開発したショーン・ファニングは、内気でシャイな性格だ。大衆の目にさらされるのがストレスで、雑誌に載った写真のほとんどは笑っていない。だが民衆の熱狂が彼を逃すことはなかった。

九月七日。MTV最大の祭典、ビデオ・ミュージック・アワード(VMA)の舞台にショーン・ファニングは登壇した。この年のオープニング・アクトはブリトニー・スピアーズ。彼女を舞台に呼び込むポジションだった。

会場には、メタリカのラーズ・ウルリッヒもいた。ファニングは会社の指示で、メタリカのTシャツを着ていた。

「僕はメタリカのファンなんだ」

ファニングは会場にそう語りかけた。嘘ではなかったけど、本当はそんな芝居じみたことは嫌いだった。カメラは、ラーズが顔をしかめるのを見逃さなかった。

十月に入ると巡回控訴裁判所でナップスターとRIAAの対決が再び始まり、彼は権威あるタイム誌の表紙となった。人前にさらされるのが大嫌いなファニングは、ついに世界が知る男となった。

十月十二日。サンフランシスコではワイアード誌が主催するレイヴ・アワードが開かれていた。「ベストミュージックサイト賞」の受賞式には、ナップスターのチームが招かれていた。賞を渡す役には、ユニバーサル・レコード、ゲフィン・レコードと係争中のミュージシャン、コートニー・ラヴがキャストされていた。

ファニングは、ラヴに呼ばれて舞台に立った。すると、

「私の未来の夫よ」とラヴが抱きついて、オーディエンスに紹介した。

会場はどよめいた。言うまでもないがラヴの夫だったのは、自殺したニルヴァーナのカート・コバーンだ。破滅的なふたりの結婚生活は終始メディアに素材を提供してきた。

カメラの前で笑うのが苦手なファニングの写真には、「内気なセクシーガイ」といった感じのキャプションがよく付けられていた。だから奔放なラヴが彼の膝の上に乗るのも不思議ではなかったが、ファニングの方は焦りまくっていた。苦手な人前というのもあったが、秘密で付き合っていたナップスター担当の女性弁護士が、テーブル席にいたからだ。

ファニングの内心に構うことなく、ラヴはナップスターを賞賛し、メジャーレーベルを攻撃する演説を打ち始めた。ラヴのバンド、ホールはそれなりに売れていた。だがこの七年間でレーベルから受け取った印税は、メンバーひとりあたり年間わずか一万四千ドル(一五〇万円強)だった。この搾取に怒ったラヴは音楽会社と法廷でバトルを繰り広げていた。

「作品を盗み、アーティストにお金を払うつもりは一切ない。これを海賊行為と言います。私はナップスターのことを言っているのではありません。メジャーレーベルのレコーディング契約のことを話しているのです」

コートニー・ラヴの演説は、ネットを通じて燎原《りょうげん》の火のように広がっていった。

「音楽を盗むなとメジャーレーベルは言うが、アーティストから音楽を盗んでいるのはメジャーレーベルじゃないか」

それが、アーティストと音楽ファンの間で強い意見となっていった。ショーン・ファニングは、彼の人格とはかけ離れたロビン・フッドのポジションに祭り上げられた。

CDなんか買ってもアーティストに金が行かないのはわかってる。メジャーレーベルに金なんか払ってやるか。だからナップスターで音楽を手に入れるんだ……。それがアメリカの音楽ファンの気持ちだった。論理的にはいろいろおかしい。自己正当化も入っている。だが、そこにある「もう騙されないぞ」という音楽ファンの暗い感情は、産業化を進めすぎた長年のツケと言わざるをえない部分もあったように思う。

このラヴの演説は、複数のアーティストを顧客に持つケン・ハーツ弁護士が書いた。メジャーレーベルを批判するキーノートを作成して、彼は顧客アーティストに渡してきた。アラニス・モリセットも、彼の創った草稿を持って議会の公聴会で証言した。ナップスターをきっかけにメジャーレーベル批判が世界中で爆発したが、元をたどるとハーツ弁護士が書いたロジックでだいたい網羅できる。ハーツは、革命運動の隠れたプロデューサーだった。

革命には付き物かもしれないが、転向者も出てきた。全米の大学で起きたナップスター運動をオルグしたチャド・ポールソンが、反ナップスターに転向したのだ。ポールソンは、多くのナップスター支持者と話し合ううちに、強い違和感を持ち始めた。彼らは音楽は無料であるべきだと言う。それじゃ共産主義じゃないか……。

ナップスターの中心ユーザーは学生だ。学生のリーダーであるポールソンはナップスター社にとって大切な味方だった。そのポールソンが組織のウェブサイトで、ナップスターに公開質問状を叩きつけて反旗を翻したのだ。ナップスターのスタッフたちは彼の裏切りに絶叫した。なお、彼は大学を辞めて音楽レビュー投稿サイト(Listen.com)に就職。その後、メジャーレーベルのEMIに転職した。

司法の場では圧倒的に不利なナップスター社が一発逆転を期すには、早期に連邦議会の場で勝負することが必要だっただろう。議員にとって、数千万人のプレッシャーは強烈だ。しかし、もうロビー活動は遅きに失していた。

ローゼンの読み通り、裁判でナップスターが一度敗訴すると、議員たちの心はナップスターから離れ始めた。巡回控訴裁判所でナップスターの敗訴が確定すれば、閉鎖も時間の問題だ。RIAAに怒る民衆も、サービスが消滅すれば求心力を失うだろう。

ナップスター革命に参加した学生たちは、反乱軍として処理される未来を引き寄せつつあった。のちに、RIAAから訴えられた個人は合計で一万八千人にのぼった。★060

救世主？　ベルテルスマンの登場

歯医者で手術を受けてきたゼルニックは、今日ばかりは五大メジャーの一角BMGを率いる責務から開放されて、休むつもりだった。

彼は、フィットネスで鍛え上げた体躯《たいく》を自宅のソファに横たえ、眠ろうとした。だが、そうもいかないようだった。しつこく携帯電話が振動した。残った麻酔で朦朧とするなか電話に出ると、相手はドイツにある親会社ベルテルスマンの幹部だった。

「BMGには、ナップスターの著作権侵害訴訟を取り下げてもらいます」

「……えっ？」

「ベルテルスマンはナップスターとパートナーシップを結ぶことになりました。発表は明日です★061」

一瞬、現実を疑った。ありえない。そもそも何の相談も受けてない。電話の終わりしな、とにかくベルテルスマンのミデルホフCEOと会って話すことを認めてもらった。

「危険だ。考え直してください。ベルテルスマン・グループのすべての知的財産を失うリスクすらあります。それでも、どうしてもナップスターが欲しかったら、奴らが倒産してから手に入れれば安いじゃないですか。年明けに控訴審の判決です。終わればナップスターはすぐ潰れます」

「ナップスターが敗訴するのは確実だろうな。だが、君は大事な点を見落としている」

「と言いますと?」

「ナップスターが消えたら、三千万人の会員も離散する。私は彼らをベルテルスマンの顧客にしたい。ファイル共有の利用者数は億単位で増えることになるだろう」

ゼルニックのボス、ミデルホフの言葉は確信に満ちていた。彼は一九九四年に入社してマルチメディア部門の長に就くと、まだ小さな会社だったAOLに目をつけ、五千万ドルを投資。AOLは世界一のコミュニティメディアとなり、ミデルホフはわずか数年で十億ドル(一一〇〇億円)の上場益を会社にもたらした。そしてインターネット時代の到来に揺れるメディア財閥の頂点へ一気に駆け上がった。

「ナップスター・ユーザーは顧客ではありません」ゼルニックは喰い下がった。

「と言うと?」

「ほとんどが学生ですよ。金なんて持ってません。仮にクレジットカードの保有者を五分の一としましょう。六百万人です。そのうち有料会員になるのが二%としたら、たった十二万人じゃないですか。おっしゃるような定額制配信を始めても、売上は年間七二〇〇万ドル程度。この投資は割に合わない」

「逆に言えば、大した投資ではないということだ」

ベルテルスマン・グループは利益ベースで十六億ドル(一七〇〇億円)を一年に稼いでいる。ナップスターへの投資額は、まず一五〇〇万ドル(十七億円)を予定していた。大した額ではない。

「ナップスターのオーナーになれば、著作権侵害の莫大な賠償金をすべて引き受けることになりかねません」

「そこは抜かりないよ」

ミデルホフは、コンサルティング会社に作らせた「サンダーボール作戦」をかいつまんで説明した。映画『007』シリーズにそんなタイトルがある。

出資するのではなく、条件付きの融資にすればいい。ナップスターの株券に転換できる転換社債にしておくのだ。そうすればオーナーの責任は避けられる。何らかの理由で株に転換できずとも、ナップスターを所有するべき時期がきたら倒産させればいい。そうすればベルテルスマンは最大の債権者として、ナップスターの技術や商標権を差し押さえることができる。結果、株主にならずともナップスターはベルテルスマンのものだ。それが、ミデルホフＣＥＯの採用したサンダーボール作戦だった。

融資で資金を得た二十歳のショーン・ファニングが合法版ナップスターを開発する間に、ほかのメジャーレーベルと話をつける。一時はヴィヴェンディ・ユニバーサルのブロンフマン、Ｓｏｎｙの出井伸之、そしてミデルホフの三人で、音楽産業がナップスターを接収する話がまとまったのだ。あのときはナップスターのバリーＣＥＯが、ＡＯＬを引き合いに出して話を壊した。だがじぶんがイニシアチブを取れば問題ない、とミデルホフは思っていた。

ＡＯＬの創業者スティーヴ・ケイスとミデルホフは親友だった。いつもＡＯＬメッセンジャーで情報交換している。ヴィヴェンディのブロンフマンは退任が決まっている。次のトップは同じチャット仲間のジャン＝マリー・メシエだ。ＢＭＧを擁するベルテルスマン、ワーナー・ミュージックを擁するＡＯＬ、ユニバーサル・ミュージックを擁するヴィヴェンディ。三社のトップは仲がよかった。[★061]

「少なくともユニバーサル・ミュージック、ワーナー・ミュージックのＣＥＯからも了承を得なくては。断られて楽曲が揃わなかったら、有料会員など夢物語になります。じぶんがかけあってみます。とにかく二週間ください」

ゼルニックは、なんとかベルテルスマンとナップスターの提携を引き延ばそうとした。親会社がどうであれ、メジャーレーベルのＣＥＯたちがこの提携を受け入れるはずがない。全レーベルの新譜・旧譜が揃わなければサブスクリプション・モデルなど、机上の空論だ。それがわかれば諦めてくれるかもしれない……。

二〇〇〇年十月三十一日。ハロウィーンで彩られたマンハッタン。アールデコ調のエセックスハウス・ホテルでは、珍しくスーツを纏ったショーン・ファニングと、ミデルホフとがフラッシュライトを浴びていた。ナップスターとベルテルスマンの電撃的なパートナーシップが発表され、このニュースは世界中を駆け巡った。

「我々は有料会員制のサブスクリプション・モデルを推進します。そのために、ナップスターに開発費を融資しました」★062

テレビカメラを前にベルテルスマンの担当役員は、違法ダウンロードからサブスクリプションへ向かう未来を宣言した。傍らにいたショーン・ファニングは「これでナップスターⅡを開発できる」と安堵に包まれていた。去年のハロウィーンには四十万人だったナップスターの利用者数はこの日、百倍の四千万人に達していた。

だがナップスター社の内情はガタガタだった。違法ダウンロードの上にビジネスモデルを築くことを避けていたため、売上は一切なく、運転資金が出て行くばかりだった。再び資金ショートまでわずかとなっていた。ナップスターは連邦議会を巻き込む社会現象になっていたが、訴訟リスクを恐れてどこも出資しようとしなかった。ＲＩＡＡとの裁判も辛うじて控訴に持ち込んだが、劣勢は明らかだった。

ナップスターのバリーＣＥＯは楽曲ダウンロード販売の先駆者、リキッド・オーディオのところにも頭を下げに行った。かつて顧問弁護士を務めていた縁だった。もちろん出資は断られた。ナップスターのせいで壊滅し、「楽曲ダウンロード販売は時代遅れ」とレッテルを貼られてしまったからだ。

絶体絶命となったナップスターを、ミデルホフが鶴の一声で救った。ファニングにとっても、アメリカの学生たちにとってもベルテルスマンは、ナップスター革命の救世主に見えていた。提携発表から一週間後。ベルテルスマンはＢＭＧのゼルニックＣＥＯを解雇した。業績不振の責任を取って、と説明があったが、ＢＭＧはゼルニック時代にアメリカでのシェアを一三％から一九％に上げていた。

「ＩＴ企業とコンテンツ産業が繰り広げる全面戦争の犠牲者」ニューヨーク誌は解任されたゼルニックをそう評し

た。★063

コンテンツのタレント、サービスのタレント

「提携の二週間前、業界の仲間と議論しました」

ミデルホフはインタビューに答えた。例の三人組でチャットしたのかもしれない。

「この勢いでファイル共有が普及すれば近い将来、コンテンツは価値を失う。みな、そう言っていました」★064

音楽産業だけでない。本、雑誌、映画、番組、ゲーム……。コンテンツ産業は、作品のコピーを売るビジネスモデルに依拠していた。クリエイターがマスターを作る。マスターを大量にコピーして、プロダクトを生産する。消費者に売る。三つのコントロールが、コンテンツ産業の依って立つ土台だった。作品をコピーする権利を管理すること。コピーを生産する技術を管理すること。コピーの流通を管理することだ。

そしてインターネットの時代が到来した。パソコンがデジタルコピーの技術を万人のものとし、インターネットがデジタル・ディストリビューションを万人のものとした。コンテンツ産業は三つのコントロールのうち、ふたつの手綱を失った。

イノヴェーションは破壊的創造をもたらす――。

経営学者シュンペーターはそう語った。十九歳のショーン・ファニングが発明したピアー・ツー・ピア技術は、まず破壊をもたらしつつあった。

あとは何を創造するかだ。

「プロダクトベースの商取引(楽曲販売)に代わって、サブスクリプション・モデルが優位に立つことになるでしょ

う」

音楽産業の背後で思想的リーダーを務めていたジム・グリフィンは、九〇年代半ばから、そう指針を出していた。スタジオで制作した音源のコピーが、音楽産業のプロダクトだ。デジタルコピーをポリカーボネートに閉じ込めたCDが主力商品だった。ネットが普及すればデジタルコピーが氾濫する。ネットにはその仕組みが内在しているからだ。いずれ音楽産業の依って立つプロダクト・ベースのビジネスは通用しなくなる、というのがグリフィンの予測だった。ナップスターが登場し、Eミュージックやリキッド・オーディオのようなプロダクト・ベースの楽曲ダウンロード販売が総崩れになったことで、業界での彼の信望はいっそう高まっていった。

「いずれサービスが、プロダクトを凌駕《りょうが》する時代になります」

サービスとは音楽配信を指す。プロダクトとは楽曲を指す。グリフィンのこの言葉は象徴的だった。★065 破壊のその先にある創造について洞察した言葉だったからだ。

音楽コンテンツを創る才能を専属契約と印税で取り込むこと。それがメジャーレーベルの本領だった。だが、今後は音楽サービスの出来が音楽コンテンツの売上を決める時代になるとグリフィンは言う。サービスを創る才能が、コンテンツ産業を救うことになる。ポスト・ファイル共有の時代はそうなる——。

だからベルテルスマンの長は、ショーン・ファニングというサービスのタレントに投資した。一五〇〇万ドルからスタートしたベルテルスマンの融資は、すぐに八五〇〇万ドル(九十四億円)に達した。投資額が五千万ドルだったAOLよりも多い。

最高のタレントを使って、最高の音楽サービスを開発する。それがミデルホフの出した現実的な解だった。同時にその解は、世界の音楽を支配する五大メジャーレーベル(現在は三つに再統合)のトップたちのおおまかなコンセンサスでもあった。だからミデルホフは「ほかのメジャーレーベルが協力することは間違いない」と踏んでいた。だが、それは大きな誤算だった。

誤算――音楽サブスクをめぐり、アメリカ音楽産業は大分裂

どのメジャーレーベルも、ナップスターとベルテルスマンの提携を歓迎しなかった。

「じぶんだけナップスターを所有し、我々にはナップスターに金を払えという。ミデルホフは産業全体のことを考えていなかった」

ユニバーサルのブロンフマンは、当時をこう評した。★066 三ヶ月前とは様相が違っていた。あのときは全メジャーレーベルでナップスター社を共同統治しよう、という話だった。いっぽう今回、ベルテルスマンは各レーベルに分配すべき株を取得していなかった。サンダーボール作戦が裏目に出たのだ。

「ミデルホフはナップスターを合法の世界に導こうとしていました」

提携の前日に説明を受けたRIAAのローゼンCEO(当時)はこう振り返る。彼女は、ミデルホフの志を理解していた。「同時に彼は、ナップスターで大金を稼ごうとしていたと思います。だから、私にはすぐわかりました。どのレーベルもナップスターに楽曲の使用許諾を卸さないだろうとね★033」

ミデルホフからすれば、わかっていないのはブロンフマンやローゼンたちだった。

「裁判に勝っても何も解決しない。そんなことを、彼らは理解してなかったのだ」とミデルホフはのちに語った。

実際にはローゼンは理解していた。合法音楽配信の普及にこそ、真の解決策がある。彼女がそう見ていたことは既に触れた。そのためには、ナップスターとRIAAの和解さえ諦めていなかった。和解が成り立てば、メジャーレーベル陣営がナップスターを合法の音楽配信へ導けるからだ。仲を違えたふたりは、根本的には一致していたのだ。

ベルテルスマンからの融資が決まったのを機に、ローゼンはナップスターのバリーＣＥＯへ手紙を書いた。「資金の入った今、まずメタリカと和解すべきです」と。バリーは助言通りにした。ラーズも和解を受け入れた。

ミデルホフのインタビューには続きがある。

「他社は事態を把握してなかった。グヌーテラ、カザー、ミュージックシティが驚異的な速度で成長していた。もうこの流れは止まらないのだ」

いや、把握はしていた。五大メジャーのトップたちの間では「ＣＤの次の時代はサブスクリプション（定額制配信）だ」という意見でコンセンサスが出来つつあった。提唱者のグリフィンは、「フィール・フリーが音楽サービス成功の鍵だ」と語っていた。聴き放題の自由《フリー》こそ、無料《フリー》に唯一対抗できるサービス、という意味だ。ベルテルスマンの動きに違和感を持ったブロンフマンが本当に恐れていたのは、メジャーレーベル間の競争意識を刺激することだったのだ。

さらに、頼みのＡＯＬワーナーもミデルホフに味方しなくなった。

「ＡＯＬは自前で二五〇〇万人の有料会員を既に持っていた」とＡＯＬの役員だったロブ・ロードは説明した。ワーナー・ミュージックを擁するＡＯＬの会員は、ナップスターのユーザーベースより遥かに優良だった。ロードは続けた。「Ｓｏｎｙは独自の構想に着手していた。ユニバーサルは血を求めていた」★065

ベルテルスマン、ＡＯＬワーナー、Ｓｏｎｙ、ユニバーサルそれぞれが自前のプラットフォームを作ろうとしつつあった。そうなれば定額制配信の音楽カタログは分裂し、聴きたい曲が欠けた合法配信は違法配信に対し競争力を失うだろう。ＥＭＩも独自路線に向かいつつあった。かつてナップスターのコンサルタントを引き受けたコーエンの指導のもと、楽曲のダウンロード販売にもう一度、活路を見出そうとしていた。

迫り来る外敵に対し、人間の集団は二種類の反応に走る。諍いをやめて団結するか、互いの愚を非難し合って内輪争いを繰り広げるかだ。ナップスターの猛威に直面したアメリカの音楽産業は、まずナップスターの合法化を中心にまとまろうとした。だが結局ライバル意識に囚われて、プラットフォームの分裂、カタログの分裂のもたらす混沌へ向かいつつあった。恐怖と怒りは裏合わせだが、どちらも人をまとめ切ることはないのだろう。同じ力が内を破壊するからだ。

ナップスター閉鎖で止まらぬファイル共有

二〇〇一年二月十二日、冬のサンフランシスコ。巡回控訴裁の裁判官たちは、全員一致で地裁を支持。ナップスターは再び敗訴した。新たな争点も何も生まれなかった。このまま最高裁に行っても状況は変わらない。いよいよ退路を絶たれたナップスターとベルテルスマンは、いちかばちかの賭けに出た。

再審から一週間後。ミデルホフとバリーは、電撃発表に打って出た。五年間で十億ドル（約一一〇〇億円）という米音楽産業の全売上の三割に相当する金額を、ナップスターは音楽会社に支払うと発表したのだ。大きな金額だ。ただ、ダウンロード数で割れば、一曲あたりわずか数セントに過ぎない金額だった。

何よりもまずかったのは、レーベルの裏をかくかたちでマスコミに訴えかけたことだった。敵対者との交渉であっても、信頼関係の構築がネゴシエイターの基本だ。

「三年間、ナップスターに関わりましたが、私がキレたのは後にも先にもこのときだけでした」

ＲＩＡＡのローゼンは振り返る。電撃発表の前日、情報を掴んだ彼女はバリーに電話で怒鳴り込んだ。こんな素人じみた交渉でまとまるわけがない。すべてがぶち壊しだと。バリーは「間違っているのはあなただ」と反論してきた。

ローゼンが匙を投げたのは、この瞬間だった。もはや和解はない……。ナップスターの運命は定まった。

ナップスターは違法ファイルのフィルタリングを稼働させたが、アーティスト名・曲名に基づく簡素なフィルタリングはユーザーにあっさりクラックされた。フー・ファイターズはフルー・ファイターズに、といった感じで綴りをわざと間違えてシェアすれば十分だったからだ。地裁のパテル裁判長は「恥ずべき出来」と切って捨てた。

パテルは一〇〇%を求めた。「技術的に無理です」とナップスター側は改めて反論したが、「みなさんは技術革新の重要性をずっと訴えてきたじゃないですか。シリコンバレーの技術力なら可能でしょう」とパテルは皮肉たっぷりに退けた。ナップスターのエンジニアたちは死に物狂いで不可能に挑戦することになった。

六月二十七日。音紋認識テクノロジーの導入。グレースノート（のちにＳｏｎｙが買収）の技術協力。三十人のアルバイトを使った人海戦術。あらゆる手段を使ってリアルタイム・フィルタリングをなんとか稼働させた。

これで、ナップスターの首は繋がる……。連日の徹夜で疲労困憊したエンジニア陣は、胸を撫で下ろした。しかし、ユーザーは曲名を暗号化するサイトまで立ち上げていた。リアルタイム・フィルタリングをもってしても、一%の違法コピーがフィルターをすり抜けた。パテル裁判長はこれを許さないはずだった。

七月一日。再び夏。パテルの再審理が迫っていた。心証を慮ったバリーＣＥＯは、ナップスターを停止することを決断。ついにナップスターは稼働を停止した――はずだった。

「確かにサーバーを止めました。けど、ナップスターは止まらないようですね」

サーバールームから出てきたシニア・テクニカル・ディレクターのアイダーは、無表情でＣＥＯに報告した。★062 閉鎖を恐れたあるユーザーが「オープン・ナップ」を開発。あちこちで野良サーバーが立ち上がっていたのだ。ナップスターは、もはやナップスター社のコントロールから外れていた。加えてナップスターの利用者はグヌーテラやカザーなどへ引っ越しつつあった。

ナップスター・クローンの利用者数は既に本家を超え始めていた。裁判に勝って戦に負ける。ＳｏｎｙミュージックのアイナーＣＥＯたちが予想した通りの現実が到来した。

「僕のこめかみに銃を突きつけたって、もう止まらないよ」

ウィンアンプを開発した後、ナップスター・クローンのグヌーテラを開発したジャスティン・フランケルは言った。オープンソースで公開されたグヌーテラは、どの会社の管理下にもなかったうえ、メジャーレーベルがやっきになって停止させようとしているファイル検索のサーバーすら不要にしていた。

「ナップスターの子孫たちが繁栄するでしょう。そして新たな種は、祖先よりも進化しています」

議会の証言台にも立ったグヌーテラのもうひとりの開発者ジーン・カンは、そう予言した。テクノロジーが進化する限り、違法ダウンロードを潰そうとしてもすり抜けていく。

ショーン・パーカーが好きな作家、ロバート・A・ハインラインの作品『生命線』にこんな一節がある。

「歴史を進める時計の針を、裁判で止める権利は誰にもない」と。

音楽とテクノロジーの関係をエジソンの時代から追ってきた。そろそろ浮き彫りになってきただろう。歴史は繰り返す。人間の自意識に進化はないからだ。同時に、歴史は一方通行でもある。テクノロジーは進化するからだ。

二〇〇一年、誕生したばかりの定額制配信が犯した失敗

当時、アメリカではナップスターのブランド認知は九七%だった。★067 ヤフーやアマゾン、グーグルの名を知らないネット音痴でもナップスターの名は知っていたことになる。だがサーバーが停止すると、この世界一有名な猫のロゴもまた、歴史の舞台袖へ走り始めた。

二〇〇一年十二月、ナップスター閉鎖から五ヶ月後。九・一一事件を経たアメリカは重苦しい空気に包まれていた。そのなか、ポスト・ファイル共有の時代へ向けて、メジャーレーベルは聴き放題の定額制音楽配信へ邁進してい

た。フリー《無料》に対抗するにはフリー《自由》しかない。

Ｓｏｎｙ、ユニバーサル陣営はプレスプレイ。ワーナー、ＢＭＧ、ＥＭＩ陣営はミュージックネットを立ち上げた。両陣営は、互いに楽曲を融通し合うことはなかった。だから定額制配信は、すべての楽曲が揃っているファイル共有に初めから負けていた。十四年後、日本でも定額制配信が次々と立ち上がったが、同じ過ちを別の理由で犯すことになる。

使い勝手も最悪だった。パソコンワールド誌は、両サービスを「史上最悪のテクノロジー製品ランキング」の九位にランクインさせた。

「レコード会社は何もわかってないことがよくわかる出来だ」

記事は酷評していた。ナップスター利用者が、プレスプレイとミュージックネットを触ればそういう評価になる。初代ｉＴｕｎｅｓすら踏襲した優れたインターフェース。ウェブブラウザよりも軽快なレスポンス。人びとはナップスターで最高レベルの品質を経験済みだった。

ストレス・フリーの操作感もまた、グリフィンの言う「フリーな感覚」に必須の要素だったが、メジャーレーベルに勤める技術責任者たちにはそれがわからなかった。

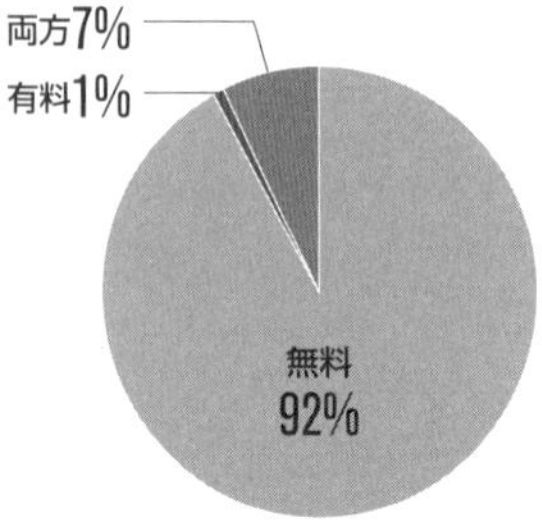

［図2－3－1］アメリカにおける音楽配信のシェア（2002年）

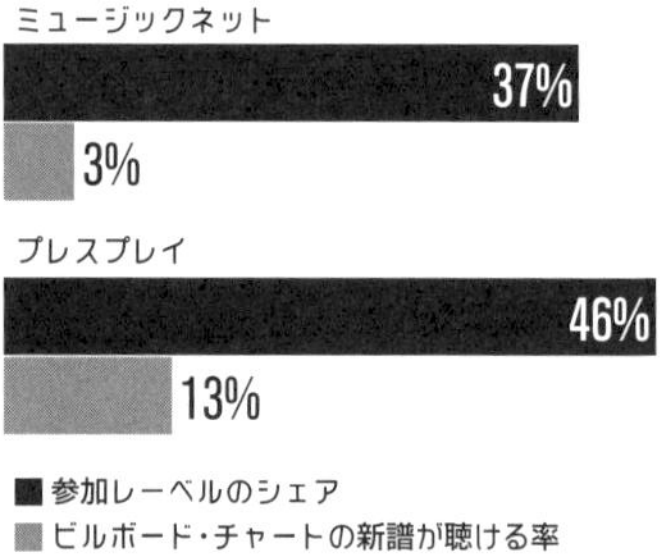

［図2－3－2］2002年にメジャーレーベルが始めた定額制ストリーミングの楽曲の取り揃え

ファイル共有に対抗するため、2002年に登場した定額制ストリーミングだったが、新譜もカタログも限られていた。一方、違法・無料のナップスターとそのクローンは新譜・カタログを100%揃えていたため、初めから勝ち目がなかった。

資料：The Wall Street Journal★068

「音楽業界はテクノロジーについてまるでわかってない。とりあえず、そこらへんの開発者を雇ってくればいいと思ってるんだ」スティーブ・ジョブズは音楽配信について、のちにこう語った。「テクノロジーのプロデュースには直感とクリエイティヴィティが要る。アーティストの創作に厳しい鍛錬が必要なようにね。両方の心を理解しているのは、俺のほかはあまりいないと思うよ」[★069]

音楽コンテンツは、才能あるアーティストが創って初めて売り物になる。同じように音楽サービスも、才能あるテクノロジストが仕切らなければ、マスに受けるサービスは出来上がらない。このシンプルな原則を学ぶのに、メジャーレーベルは高いレッスン代を支払うことになった。そのレッスン代が初期の定額制配信の失敗だ。

二〇〇二年一月。プレスプレイ、ミュージックネットから一ヶ月遅れて、ナップスターⅡも登場した。こちらはショーン・ファニングが開発しただけあって、操作性は抜群によかった。だが、肝心の楽曲がインディーズしかなかった。それでもベータテスターを三百万人集め、アプリの出来は称賛された。これで初代ナップスターのようにすべての楽曲が載ればあるいは……。そう思う業界人も少なくなかった。

実際、ベルテルスマンからやってきたナップスターの新ＣＥＯは、ＡＯＬワーナー、ＥＭＩとの和解にほとんど漕ぎ着けようとしていた。残りはユニバーサルとＳｏｎｙになる。こちらも、裁判所が今度はナップスターの味方につき、門戸を抉《こ》じ開けるチャンスが到来していた。

「原告(メジャーレーベル)のみなさんがどのような経緯でジョイント・ヴェンチャーを着想したのか。興味がありますね」

パテル裁判官は、プレスプレイとミュージックネットを通じたメジャーレーベルの楽曲囲い込みに不適切な可能性があることを指摘した。反トラスト法違反にまで踏み込まれたら、マイクロソフトのようにまずいことになる。メジャーレーベル陣営は、捨て去ったはずの、ナップスターとの和解を再検討することになった。だが、ＩＴバブル崩壊と九・一一事件の暗雲が、この光明をかき消してしまった。

ベルテルスマンのミデルホフCEOは、取締役会にナップスターⅡの本格的なビジネス化を提案した。まずナップスターへの貸付金を株式に転換して、子会社化する。そしてメジャーレーベル各社に和解金を払う。そして全レーベルの楽曲を取り揃える。そうすれば数千万人いた旧ナップスター利用者をサブスクリプションの世界へ案内することができる。しかし九・一一以降、ベルテルスマンの取締役会は、もはやミデルホフのアグレッシヴな投資方針を承認することはなかった。

ナップスターⅡが三百万人のベータテスターを集めた一方、プレスプレイとミュージックネットは散々だった。サービス開始から三ヶ月後。ミュージックネットが集めたユーザー数はたった四万人。★068 合法配信の出来に失望した音楽ファンは、再び違法ダウンロードの地下世界へ帰っていくことになった。

ナップスター閉鎖後、ナップスター・クローンはナップスターのピーク時と同数の四千万人を確保し、いっそう成長しつつあった。違法から合法へではなく、違法から違法へ移動しただけだった。かくてジム・グリフィンが提唱し、メジャーレーベルが違法ダウンロード対策の切り札として用意した定額制配信は、現実の前にあっけなく敗れ去った。

「ナップスターの終わりは、世界の終わりだ……」

二〇〇二年六月三日。ナップスター社は二年と十一ヶ月で倒産した。

裁判所から出ると、アメリカ中のマスコミが殺到していた。記者会見を終えたRIAAのローゼンCEOは会場の端に去り、今でも解散しない記者たちのひとだかりを見つめていた。幾重にも差し出されたマイクの中心には、ナップスターを開発したショーン・ファニングがいた。

たとえ違法であろうとも、ナップスターのファンは音楽ファンでもあった。ファニングが音楽ファンのヒーローで、ローゼンは悪役を演じ通した。内心、憎んでもおかしくないライバルだった。だが、ローゼンはこれまでの闘いを通じ、ファニングのことがいやまして気に入っていた。

少年はヒーローに祭り上げられても、調子に乗って音楽産業に怪気炎を吐くことはなかった。音楽産業の仕組みを理解していなかったが、ナップスター社の経営陣たちと違って、いつも誠実に対話しようとしていた。ローゼンは知らなかったが、この大騒動を通じてファニングのおだやかな人格は深みを増した。母とじぶんを捨てた実父と自ら再会し、良好な関係を築きつつあった。★070
会場の外れにいたローゼンのそばに、著名司会者のチャーリー・ローズが歩いてきた。インタビューではなかった。騒動の前は自身も人気コメンテーターだったローゼンは、チャーリーと友人だった。ふたりがシェアしたのは、勝利や安堵の感覚ではなく、抑えきれぬ悲嘆だった。

稀《け》有《う》の才能を持った少年に、大人たちが集まってきた。そして事を無茶苦茶にして、傑作完成の可能性をぶち壊してしまった。ヒラリー・ローゼンはそう友人に心を明かした。★033 彼女も大人のひとりだった。音楽業界で時折みかける事象が起きたのだ。

「どこで間違えたのかしら……。きっと上手くいく方法があったはず」

ナップスター社側の大人だったリチャードソン元CEOはファニングに漏らした。ファニングはこう語ったという。

「エイリーン、初めからチャンスはなかったんだよ。ローゼンたちRIAAは、こうするほかなかったんだ」

RIAA側の筆頭弁護士を務めたフラックマンが自宅に帰ると、高校生の息子が待っていた。「話があるんだ」と息子は言った。「学校のみんなが父さんの話を聞きたがっている」

学生の七割がナップスターを使っていた。彼らは、ナップスターがもたらした音楽天国に熱狂した。少年少女たちにとって、フラックマンは天国からじぶんたちを追い出す大人のひとりだった。「わかった。行って話すよ」とフラックマンは言った。

学生たちに吊るし上げられるかもしれない。だがじぶんには、彼らの怒りを受け止める義務があると彼は思った。

フラックマンは生徒たちに淡々と、じぶんの経験したことの推移、無料が宣伝になるどころか、音楽家を傷つける事実を語った。生徒たちは予想に反して、反逆的な様子を見せることもなく静かに、真剣に聞き続けた。話が終わると、息子の友人が沈痛な面持ちでこう言った。

「ナップスターの終わりは、世界の終わりだ……」

フェスの終わり——大金はいずこへ

「どれだけナップスターで稼いだかってよく聞かれるんだ。でもアーティストにちゃんと支払わなければ、お金は稼げないんだよ」

倒産から十年後。三十二歳になったショーン・ファニングは語った。

楽曲使用ライセンスをきっちりメジャーレーベルと結ばない限り、音楽配信はアーティストへ支払うことができない。ライセンスがなければ違法配信で、会社の価値はいずれゼロになる。

ナップスターの集めた資金は、ベルテルスマンの八五〇〇万ドル、ハマー・ウィンブラッドの一五〇〇万ドル、そのほか五百万ドル。合わせて一億五百万ドル(一二〇億円弱)だ。筆頭株主のジョン叔父が得たのは百万ドル(約一億円)だった。訴訟だらけだったジョンは、この金を裁判費用ですべて擦ってしまったという。ヴェンチャーキャピタルの得たナップスター株は紙切れになった。

ナップスターのなかの人間も、ナップスターの出資者も儲けていないとしたら、一二〇億円の金はどこへ消えたのか？

まず三千万ドルが融資元のベルテルスマンへ戻った。メタリカの和解金はわずか百万ドルだ。ボイズ弁護士のギャラは二百万ドル。そこから予測するに、弁護団の費用がその数倍。あとはフィルタリング技術やナップスターⅡの開発費、社員七十人の人件費と、二百万人の同時アクセスを捌くサーバ代で消えた。

「ナップスター裁判は文化的なベトナム戦争でした。数万人の民衆を犯罪者にして、稼いだのは弁護士だけです。アーティストに支払うべきお金は裁判費用に消えていきました」

クリエイティブ・コモンズの創立者レッシグはそう評した。数万人の民衆とは、RIAAに告訴されたファイル共有のユーザーなど一万八千人のことだ。

ミデルホフのサンダーボール作戦によれば、最大の債権者であるベルテルスマンは、この倒産でナップスターの技術と商標権を入手できるはずだった。だが、融資が転換社債であったことと、ベルテルスマンから送り込んだ新CEOにミデルホフが指示を送っていたメールが表面に出たことで、事態は一転した。ベルテルスマンは実質株主と裁判所に判定されたのだ。結果、ナップスターの膨大な著作権侵害賠償金をベルテルスマンは引き受けることになった。ハマー・ウィンブラッドとベルテルスマンがその後、メジャーレーベルに支払った賠償金は五億ドル（五五〇億円）を超えることになる。サンダーボール作戦はすべてが裏目に出た。ナップスターの倒産から一ヶ月後、ベルテルスマンの取締役会はミデルホフを罷免した。

時代が変わろうとしていた。ヴィヴェンディのジャン＝マリー・メシエCEO。Sonyの出井伸之CEO。ベルテルスマンのミデルホフCEO。AOLのボブ・ピットマン共同CEO。ナップスターが登場した二〇〇〇年前後に、メジャーレーベルの親会社でトップを務めていた彼らは、みな過激なまでにインターネット志向だった。それは、子会社のメジャーレーベルから反逆を招くほどだった。ITバブル崩壊が不況をもたらすと、彼らは謀ったように一緒に表舞台から降りていった。次にメジャーレーベルの親会社のトップとなったのは、コンテンツ産業の出身者たちばかりだった。

倒産したナップスターの商標権は結局、ロクシオ社が落札した。ファイル共有の席巻はCD－Rのブームを引き起こし、CD－Rの出荷枚数は瞬く間にCDの枚数を超えた。この時期、CD－Rのライティング・ソフトで荒稼ぎしたのがロクシオだが、iPodが登場したことでトレンドが変わり、業態転換を迫られていた。

ナップスターの看板を手に入れたロクシオ社は、システムをSonyとユニバーサルから買った。プレスプレイを買収したのだ。これにナップスターの名を付け、定額制ダウンロード配信を開始した。これが日本にも上陸した定額制配信のナップスターだ。

AppleのiTunesミュージックストアが成功した影で、定額制配信はニッチなポジションにとどまり続けた。錆びついたサブスクリプション・モデルに再び脚光が当たったのは、二〇〇九年にスポティファイがイギリスで本格始動してからだ。スポティファイは、フリーと定額制を合わせたフリーミアム・モデルを採用。爆発的な成長を見せ、欧米でiTunesの衰退をもたらすほどになった。一方、iTunesよりも歴史の古い旧来型の定額制配信は細々と営業を続けていたが、いよいよ時代遅れの匂いを纏い始めた。

二〇一一年。もうひとつの老舗定額制配信、ラプソディがナップスターを買収合併。スポティファイが千万人単位で利用者数を拡大するなか、この合併で辛うじて百万人を確保した。

ナップスターの発明者、ショーン・ファニングは初期の段階でヴェンチャーキャピタルから十万ドル（一一〇〇万円）だけ株を買い取ってもらっていた。ナップスター社の倒産後、彼はすぐ起業し、今度はオプトアウト方式の著作権管理データベースを立ち上げた。スノーキャップだ。概念的には、のちにグーグル・ブックスがファニングを踏襲したように思う。音楽産業からの評判は上々だったが、時代は既にジョブズのものになりつつあった。メジャーレーベルはジョブズに音楽の一元管理をまかせたのだ。

ナップスターの倒産でファニングもまた、パーカーと同じくトラウマを負った。回復するまでテレビゲームばかりやっていたという。だがやはり才能は隠しきれないのか。ゲーム熱が高じてゲーム会社を立ち上げ、じぶんでゲームを創り出した。「三度めの正直」というが、三回めのこの起業は成功した。スポティファイがサービスインした二〇〇八年、大手ゲームメーカーのEA社がファニングのゲーム会社を一五〇〇万ドル(約十七億円)で買収。「ナップスターのショーン・ファニングにようやく給料日」とテッククランチが報道した。

彼はその資金で「脱ソーシャル疲れ」を狙った新感覚のSNS、パス(Path.com)を立ち上げる。二年で五百万人を確保し、一時、フェイスブックと比べ十倍の投稿頻度を誇るサービスとなった。

親友のパーカーはフェイスブックの初代社長を務めたのち、スポティファイで音楽産業の革命に再挑戦している。あるいはファニングも、パスの次に音楽サービスの開発に取りかかる日が来るのかもしれない。

歴史に学ばなかった日本の音楽サブスク

筆者の手元には、スポティファイのダニエル・エクへショーン・パーカーが初めて送ったメールがある。二〇〇九年の八月二十五日十三時四十九分に送信されたこのメールは、エクをして「じぶんよりスポティファイのことを考えている男がいる」と思わせただけのものがある。★057 長く、濃密で、熱い文章だ。

なぜ初期の音楽サブスクが失敗したのか。なぜiTunesが次に来たのか。そしてなぜ今後、スポティファイの時代になるのか。

びっしりと分析されており、最後は熱烈なラブレターのようにして文章は閉じられている。読んでいると、なぜザッカーバーグやエクのような天才級の人間が、パーカーの頭脳を頼るのか得心が行く。

「フェイスブック・ミュージックは既にある。スポティファイだ」

巷間で「フェイスブックが音楽配信を開始か?」と噂が立ったとき、フェイスブック社の役員イーサン・ビアードがメディアにそう応じたのは、パーカーのメールから二年後の二〇一一年、ジョブズの死去した年だった。

パーカーの〝ラブレター〟は、フェイスブックがAppleからのラブコールを蹴って、スポティファイと特別パートナーシップを結ぶ未来に繋がった。全文を載せたいところだが、要点をかいつまんでおこう。

「良きにつけ悪しきにつけ、音楽配信の成功に必要なスタンダードを、ナップスターが設定した」とパーカーは言う。
一、圧倒的な「利便性」
二、圧倒的な「スピード・レスポンス」
三、無限の「ディスカバリー」
この三つのスタンダードが音楽配信、いや映像やマンガ、ゲームを含め、すべての有料配信における成功の必要条件となった。今をときめく音楽サブスクの歴史はiTunesミュージックストアより古いことを、本章で紹介した。音楽サブスクの大失敗から学んだジョブズがiTunesミュージックストアを立ち上げた話を次章で書く。

そしてスポティファイが、初期の音楽サブスクとiTunesの欠点を乗り越えて、歴史は現在にたどり着く。パーカーの三つのスタンダードは、このすべての流れを説明できる秀逸なツールになっている。

一、圧倒的な「利便性」

ナップスター以降、合法の音楽配信は、何らかのかたちで違法ものを超える利便性を提供しなければ成功しなくなった。利便性には様々なかたちがあるが、決して外せない要素がある。「モビリティ」だ。音楽を自由に持ち運べないと「利便性」を著しく毀損することになる。

ウォークマンの登場以降、音楽生活はユビキタス化した。いつでも、どこでも、好きな音楽を好きなときに楽しめなければ、音楽ファンはもはや満足しない。だが、初期の音楽サブスクはコピー対策にこだわるあまり、パソコンから離れて自由に音楽を楽しめない仕組みになっていた。音楽のユビキタス化に逆行していたのだ。

ジム・グリフィンは「音楽のユビキタス化」を標語に定額制ストリーミングを推進したはずだった。ダウンロードの待ち時間を不要にし、パソコンとの同期を不要にする点で、ストリーミングはユビキタス化にいっそう適していたはずだった。なぜ提唱者グリフィンの意に反するかたちで、初期の音楽サブスクが出来上がったのか。それは、彼が技術的なロードマップを敷き忘れていたからだ。

ストリーミングをどこでも楽しむためには前提が要る。モバイルデバイスがパソコン並みの処理能力を入手すること、および野外でもブロードバンド並みの通信速度を確保することだ。ふたつを可能にしたデバイス、ｉＰｈｏｎｅ３Ｇは、音楽サブスクが生まれてから七年後にようやくやってきた。ムーアの法則を使えば、必要なインフラが実現する年数を見積れるはずだった。だが彼は、「未来はそうなる」だけで進んでしまった。結果、ビジネス上の予言にクリティカルな「実現の時期」を外した。前世紀末にストリーミングの先駆者となったリアルネットワークスのグレイザーＣＥＯもそうだが、グリフィンも、インターネット環境の変化の速さに目が眩んだのだろう。

一方、ジョブズは、グリフィンやグレイザーより現実的だった。彼は技術ロードマップに沿った感覚を持っていた。当時の段階でストリーミングを音楽生活の中心にするのは技術的に無理だと理解していたのだ。そこで彼はダウンロードで「モビリティ」を実現した。ｉＴｕｎｅｓとｉＰｏｄだ。しかし、ｉＴｕｎｅｓとｉＰｏｄには決定的な弱点があった。お金を払うか決め、購入ボタンを押し、ダウンロードして、パソコンと同期する。「スピード・レスポンス」に問題があったのだ。

二、圧倒的な「スピード・レスポンス」

アプリとしてのナップスターの品質の高さはこの「スピード・レスポンス」にあった。ブラウザよりも軽快で、グーグルよりも速い検索レスポンス。リストされた曲をダブルクリックすればすぐにダウンロードが始まった。

圧倒的なスピード・レスポンスが、ストレス・フリーの世界を実現する。逆もまたしかりだ。プレスプレイやミュージックネットは、まず検索結果が返ってこなかった。新譜や競合他社の楽曲を取り扱っていなかったからだ。「カタログ」が欠けていると、インターネット文化の基本を成す検索のレスポンスを毀損することになる。ビルボードチャートにあった新譜の網羅率は、プレスプレイで一三%、ミュージックネットに至っては三%しかなかった。ナップスターは一〇〇%だ。これでは一度ナップスターを体験した数千万のユーザーが違法の世界に帰ってしまうのも当然だった。

日本の音楽産業は二〇一五年、欧州に六年、アメリカに四年遅れて音楽サブスクへこぞって参入していくが、初期の定額制配信で失敗したアメリカの経験から学んでいなかった。日本の音楽サブスクには、最新ヒット曲が半分も揃っていなかったのだ。[★071] 一方で、音楽会社はユーチューブには無料で最新のヒット曲を公開していた。結果、「ユーチューブがあるからＣＤも音楽配信も要らない」という人が八割に達してしまった。ユーチューブで好きなアーティストを見つけて、ライヴに行く人も五%を切っていた。[★072] 宣伝とは無料から有料へ誘導することだが、有料から無料へ向かう動線を日本は敷いてしまったのだ。

網羅性に加えて「スピード・レスポンス」の優劣を決めたのが、楽曲再生の遅延速度だ。確かにメジャーレーベルの創った音楽ストリーミングは、ダウンロードの待ち時間が不要だった。しかし、曲名をダブルクリックしてから再生されるまで数秒かかった。これを数分ごとに経験するのだ。

人間の脳は〇・二秒以上レスポンスがないとストレスを感じ始める。そして〇・四秒を超えると、利用者数が五%ずつ減り始める。[★073] グーグルが発見したこの法則は、ストリーミングで音楽を再生するのが嫌がられた理由を明らかにしている。

音楽ファイルは一度ダウンロードしてしまえば、〇・二秒以下のレスポンスで再生できた。さらにｉＴｕｎｅｓミュージックストアは、検索のレスポンスに関してはナップスターに等しい反応速度と網羅性を実現していた。アメリカのすべてのメジャーレーベルから協力を漕ぎ着け、新譜の提供も実現したからだ。だがファイル共有もｉＴｕｎｅｓも、ダウンロードの待ち時間は当然ながら解決しなかった。

ｉＴｕｎｅｓの次に来たスポティファイは、ストリーミングの欠点だった再生遅延を克服した。ファイル共有のピア・ツー・ピア技術をストリーミングに応用することで、ストリーミングから再生遅延をなくしたのだ。「ダウンロード不要」「同期不要」「再生遅延なし」、三つのストレス・フリーを実現したスポティファイは、一度死んだ音楽サブスクを、ｉＴｕｎｅｓキラーに変えていった。

三、無限の「ディスカバリー」

これこそがナップスターの創った熱狂の本質だ。人はなぜ、音楽ファイルを無料で集めて熱狂したのだろうか。毎月数千円、小遣いを節約できたからといって熱狂するだろうか？

ナップスターはすべての曲が、無料で聴き放題だった。フリーをきっかけに様々な音楽を気軽に聴いてみることで、好きな音楽を次々に発見できる。新しい出会いが生み出す感動の最大化、すなわちセレンディピティを起こしていたのだ。ナップスターはこの点でラジオやテレビを遥かに凌駕していた。トム・ヨークが言うように、失われた音楽の熱狂を、ナップスターが一時でも復活させた理由はここにあった。

当時、高校生だったダニエル・エクはナップスターに触って、人生が変わるほどの衝撃を受けたという。彼は試しに今まで名前は知っていても聴いたことのないバンドの曲をダウンロードしてみた。ビートルズやレッド・ツェッペリンだ。彼はたちまち、これら伝説のバンドの大ファンとなった。

「ナップスターが無ければ高校生の自分がクラシックロックの大ファンになることはなかった」とエクは語る。★074

ナップスターのくれたあの発見の感動を、合法の世界でも起こしたい。じぶんなりの合法ナップスターを創ってみたい——。そう考えた高校生のエクの頭脳に、スポティファイの原型が閃いたのは、ナップスターの閉鎖された二〇〇二年のことだった。パーカーの志は、こうして受け継がれたのだ。

初期の定額制ストリーミングの楽曲カタログは限定されていたゆえに、ナップスターが実現した無限のディスカバリーに到達できなかった。一方、楽曲カタログを十分に揃えたｉＴｕｎｅｓも「ディスカバリー」に問題を抱えていた。一曲毎に支払わなければ聴けなかったからだ。自由に音楽を聴いてみる段階があって、初めて無限のディスカバリーが始まる。ｉＴｕｎｅｓのソーシャルネットワーク、Ｐｉｎｇが企画倒れに終わったのはこの原則に反しているからだ。

ディスカバリー機能において、ナップスターも完璧だったわけでない。友だちリストから、友だちの音楽ライブラリを覗いて、新しい音楽を発見する機能はあったが、ナップスター・ユーザーはとにかくダウンロードしまくることで無限のディスカバリーを体験しようとしていた。

スポティファイはここでも革新を起こした。ストリーミングの特性を活かしたスポティファイは、音楽をシェアするにあたり、ファイルの共有を不要にした。お気に入り曲を並べたプレイリストをみんなで共有すればよい。プレイリストの共有《シェア》だ。

あとはプレイリストを共有する場所だ。それさえ確保すれば、スポティファイのディスカバリー機能はナップスターが到達しえなかった完成度で機能するはずだった。

そして、パーカーのメールがエクに届いた。パーカーは二十一歳の頃、ナップスターⅡで「ソーシャル・ミュージック・ディスカバリー機能」を実現しようとしていたが、会社から追放されてしまった。しかし巡り巡ってフェイスブックの初代CEOを務めるに至った。

音楽とソーシャルネットワークはとても相性がよい。それはフェイスブックの創業者、ザッカーバーグもわかっていた。フェイスブックの次に、ファイル共有アプリ(ワイヤーホッグ)を開発したぐらいだからだ。

エクと同じく、ザッカーバーグもナップスターに影響を受けた人物のひとりである。iTunesとiPodのもたらした音楽生活は、CDとウォークマンの時代と本質的に変わっていない。ナップスターがもたらした新しい音楽生活、「聴き放題」をフォローしたものではなかった。ザッカーバーグは「音楽で業務提携しよう」というAppleからのラブコールにしっくりこなかった。

だからパーカーにスポティファイを紹介されたとき、ザッカーバーグはフェイスブックに「スポティファイは良すぎる」と投稿した。スポティファイはロンチの際、わずか五千ユーロ(六十万円)しか広告費を使わなかったが、フェイスブックの口コミを通じ爆発的に広がっていった。

二〇一一年、ナップスターの後継者であるスポティファイは、フェイスブックと特別パートナーシップを結んだ。そして、ナップスターを超える「ソーシャル・ミュージック・ディスカバリー機能」の実現へ邁進してゆくことになる。

フリーを征する者がマネーを征する

けるだろう」

「RIAAが個人ユーザーを裁判で訴える是非を私は問うまい。だが、民衆はこれからも無料でダウンロードし続けるだろう」

ナップスターのドキュメンタリー映画『ダウンローデッド』で、二〇〇一年当時Sonyミュージックを率いていたドン・アイナー元CEOは語った。「二度と過去には戻れない。音楽産業は、『無料』と共生していかなければならない。間違っている、と思ってもだ」

執筆現在、ネットフリックスやスポティファイの成功で、世界は既に無料から有料へ潮流が逆転しつつある。だが、無料化の圧力はネットがある限り、存在し続ける。

ファイル共有は下火となったが、世界の音楽産業は今も無料と闘っている。「ユーチューブは宣伝になる」と思っていたら、気づけば「ユーチューブなら無料だから、定額制配信は要らない」と答える市民が八割になったからだ。

「無料は宣伝になる」は古い。放送の時代に出来た常識だ。既にナップスターがその常識を破壊した。「無料は無限の発見を生む」が新たな常識となるだろう。人びとの求める無限の「ディスカバリー」を実現するには、何らかのかたちで「無料」を取り込む必要がある。有料モデルは閉じられている一方、無料モデルは開かれているからだ。だが無料モデルの広告売上は、メジャーアーティストの活動費を支えきれない。有料モデルと無料モデル、双方の欠点をいかに克服するか。これがナップスターが残した本当の課題だった。

かつて無料メディアのラジオが席巻したとき、アメリカの音楽産業は、売上が二十五分の一に激減した。そこから三十年かけて、音楽産業はフリーの音楽放送と協調関係を築き上げた。フリーを征するものがマネーを征する。だが、ラジオを聴いてレコードを買う文化を浸透させるのにすら、三十年もかかったのだ。ナップスター以降の音楽配信に課されたスタンダードには、四つめがあるのではないか。

四、「無料」と「有料」の共生

「デジタルの世界ではコンテンツの価値が限りなくフリーに近づく」と音楽サブスクリプションの提唱者、ジム・グリフィンは予言した。「だから、コンテンツではなくサービスで稼ぐしかない」と。

コンサルティングで禄《ろく》を喰《は》む筆者は、顧客にいつも説明してきたことがある。

「人は、コンテンツにお金を払わなくなったが、体験と利便性には払う」

昨今、音楽会社は「体験」を強化した。ライヴ・コンサート事業の重視だ。あとは「無料」にはできない圧倒的に便利な音楽配信を見つけ出さなければならなかった。

これに対し、スポティファイの出した答えは「フリーミアム・モデル」だった。ただのフリーミアム・モデルでは駄目だった。無料の毒性を薄めつつ、いかに有料モデルへ取り込むか。有料へのコンバージョン(ユーザーの移行)が抜群に優れたフリーミアム・モデルでなければ意味がない。そこでエクは「利便性」を、有料モデルの売りに活用した。

パソコンでは毎月十時間無料。家の外で、スマホでも聴きたいなら有料。iPhoneの誕生がこのシンプルな方程式を機能させてくれた。執筆現在、スポティファイでは、三人に一人が有料会員になっている。生まれ故郷のスウェーデンに至っては、国民の半分がスポティファイの有料会員になった。これは「お金を払う層は、五%も出れば優秀」というIT業界の常識をすら、覆していた。音楽の魔力が起こした奇跡だった。

「人は利便性にお金を払うようになる」

二十歳だったショーン・パーカーは、MTVにそう語った。コンテンツをコンビニエンスで包み込めば、人はお金を払ってくれるのだ。

利便性。スピード。無限のディスカバリー。無料との共生。この四つのスタンダードを丁寧に攻略できれば、音楽に限らず、マンガやアニメといった日本産のサブスクリプションが成功を収める日も来るだろう。今世紀初頭にアメリカの音楽会社が犯した失敗を、繰り返す必要はないはずだ。

失敗から学ぶということ

「じぶんはナップスター大学に行ったんだ」

大学に行かず、ナップスターをファニングと創業したショーン・パーカーは、時々この冗談を言う。★075 確かにナップスターから追放されたときに負った借金は、私大の学費並みだった。

「ナップスターで過酷な日々を送らなかったら、ビジネスの初期に注意すべきたくさんのことは学べなかったと思う」

フェイスブックの初代ＣＥＯになったとき、パーカーのナップスターでの体験はフル活用された。正しい幹部を雇い、正しい投資家を選び、適切な関係を築く。フェイスブックを開発したザッカーバーグの株主比率を守り、彼の創造性を周囲から守る。すべて、ナップスターで窮状に陥った親友ファニングと共に学んで得た知恵だった。

「人は失敗からたくさんのことを学ぶという。ナップスターの物語は、ありとあらゆる失敗で溢れていたよ」

数えきれぬ失敗を経験してパーカーは学んだ。そして、業界から「賢人《オラクル》」と称されるようになった。★003

数多くの失敗を繰り返したのはメジャーレーベルも同じだったことは、読んでいただいた通りだ。ナップスターへの対応を誤り、定額制ストリーミングで失敗し、ｉＴｕｎｅｓミュージックストアに合意したが、ｉＴｕｎｅｓは期待ほどの売上を出さなかった。

その後は、ライヴやグッズのビジネスを強化。だがそれは、レコード会社の本分たる録音物の販売には繋がらなかった。この状況を打開すべく、再び業界を挙げてマイスペース・ミュージックを創り、のちのスポティファイに先立って、無料と有料を組み合わせた音楽配信にも挑戦したが、散々の結果だった。

「転職した方がいいわよ」心配する老母からそう言われたユニバーサル・ミュージック・スウェーデン支社の長ペル・スンディンは、できる限りの手は尽くしたつもりだった。裁判を起こし、違法ダウンロードを刑罰化する法を通したが、二〇〇六年、スウェーデンの違法ダウンロードの伸び率は、世界最悪の日本に次ぐワースト2のままだった。

「それでも、音楽ファンはいつかまたCDを必要としてくれるようになる。そう考えていました」[★076]スンディンは言う。

それから二年間、売上は毎年一〇%ずつ落ちていった。仲間の首を切るのが彼の仕事になった。スウェーデンの音楽産業売上は、ナップスターが登場した一九九九年を機にピーク時の半分になった。

危機のなか、スウェーデンのメジャーレーベルとインディーズ連合はついにある実験に合意した。二十五歳のダニエル・エクの創った「定額制配信の再発明」に楽曲使用許諾を卸したのだ。それがスポティファイだ。そしてメジャーレーベルはスポティファイの株主となった。それから四年後。スポティファイは違法ダウンロードの特効薬となり、二〇一二年、スウェーデンの音楽売上を前年比一九%増にする快挙を成し遂げた。それが、次の時代の希望となった。世界を巻き込んだあの裁判から、執筆現在、二十一年が経った。

今、筆者は、ある写真を見ながら書いている。ナップスターにいたショーン・パーカーとメタリカのラーズ・ウルリッヒが、スポティファイのダニエル・エクを挟んで肩を組み、カメラに向かって微笑みかけている。そんな写真だ。[★077]写真を眺めていると、二十一世紀初頭に始まったIT産業と音楽産業の全面戦争が終わったのを感じる。

アメリカの音楽産業は、大人になったショーン・パーカーと腹を割って話し合った。そしてナップスターの後継者、スポティファイのアメリカ上陸が実現した。執筆現在、アメリカの音楽産業は、四年連続で前年比一〇%超という目覚ましい成長を続けている。

あの時代、あらゆる失敗を経験して、音楽産業は学んだ。ナップスターの席巻がもたらした無料の人波に対抗すべく、音楽産業が見出したサブスクリプション・モデルは今や音楽を超えて、映像や書籍のみならず、自動車やプライベート・ジェット、アパレルやコンタクトレンズなどあらゆる業界に拡がりつつある。

音楽は、炭鉱のカナリアのようなところがある。新しい技術革新の荒波に、ほかの産業に先立ってさらされる歴史を繰り返してきた。放送の登場も、ネットの登場も、まず音楽産業に破壊をもたらした。「頭の古い連中だ」とたびたび、ほかの業界から嘲笑された。だが、最初に荒波に揉まれるからこそ、いつも新しい常識を音楽が連れてきた。

人は必ず間違える。それも間違い続ける。我々の知性には、本質的に欠陥があるからだ。それはサブスクリプション・モデルの子孫たちも変わらないだろう。もし人が愚かさを裁き合うなら、失敗の歴史が繰り返される。手を携えて失敗から学ぶなら、許しと和解が訪れる。技術が進化しても人は進化しない。だが人は成長できる。この選択肢は常に用意されている。古の時代も、遥か未来も、それは永遠に変わらないのかもしれない。

再生の章

スティーブ・ジョブズが世界の音楽産業にもたらしたもの

受け継がれる革新の炎

ある炎があって、それが燃え移るとすべてが変わってしまう。薙《な》ぎ払い、輝き、感動が広がっていく。ひとたび炎の勢いが失せると、世界は停滞の闇に包まれる。しかし、その炎が失われることはない。人類共通ともいえる精神の燭台に燃え続けていて、松明をかざして聖火を取り、世界に再び光を与える者が現れる。

若き日のスティーブ・ジョブズにとっても、そうした存在はあった。シリコンバレーの礎を築いたヒューレット・パッカードの創業者や、エレクトロニクス業界を先導したＳｏｎｙの共同創業者、盛田昭夫だ。

九〇年代後半。Ａｐｐｌｅに帰ってきた理由をジョブズは語ったことがある。

「業界が混迷しているからだ。まるでボートにタイヤをつけたような車を作っていた七〇年代のデトロイトみたいだ」[★001]

マッキントッシュが切り拓いたパーソナル・コンピュータ業界は、スペックと価格破壊のほかに面白みのない「終わった業界」になろうとしていた。いつの時代も、あらゆる業界で起こりうるサイクルだ。ウィンドウズ95の登場で、時代の中心はハードウェア業界からソフトウェア業界へ。そして休む間もなくインターネット業界へ革新のメッカは移動していった。

「ハードとソフトの融合はもう古い。マイクロソフトと同じオープン路線を取らなければ、Ａｐｐｌｅの崩壊は防げない」と世界中が言っていた。そして世間の言う通り、Ｍａｃ互換機を許可した結果、ハイエンド市場の優良顧客がＡｐｐｌｅから互換機メーカーに流出。状況はさらに悪化した。Ａｐｐｌｅは、イノヴェーションのジレンマに喘いでいた。

毎年十億ドル（一一〇〇億円）の赤字を出し、「倒産の九十日前」という惨状にあったＡｐｐｌｅに復帰すべきか、最後まで迷った。ＣＧアニメ映画の時代を切り拓いたピクサーの上場で、ジョブズの名誉は十分に復活していた。四十歳にして挫折を乗り越え、過去の人ではなくなったのだ。

スティーブ・ジョブズ。Appleの創業者。パーソナル・コンピュータ、スマートフォンの時代を切り拓いたのみならず音楽産業にエジソン級の影響をもたらした。

Matthew Yohe "Steve Jobs Headsho 2010t-CROP", Wikimedia, https://commons.wikimedia.org/wiki/File:Steve_Jobs_Headshot_2010-CROP.jpg

結局、じぶんを追放したとはいえ、Ａｐｐｌｅはじぶんの子どもだった。父として成長した彼は、独り苦悶に喘ぐ息子を見捨てることができなかった。あるいはコンピュータ産業そのものに対しても、父親のような感覚を持っていたのかもしれない。

「あなたはかつて『コンピュータ界のＳｏｎｙになる』とおっしゃったことがある」

一九九九年二月。幕張メッセで赤、青、黄、橙、緑と色とりどりのｉＭａｃを発表したジョブズに、筑紫哲也が尋ねると「その通り」と答えた。[★002]「私たちはＳｏｎｙを尊敬している。彼らは何度もイノヴェーションを起こしてきた歴史がある。そして、素晴らしいデザインを繰り出してきた。現在のコンピュータ業界はイノヴェーションも消え失せ、美しいデザインもない。革新と美をコンピュータ業界に取り戻したいんだ」

同年十月五日。サンフランシスコのＡｐｐｌｅイベントで、ジョブズは二日前に逝去した盛田昭夫を讃えた。

「Ｓｏｎｙは消費者家電の市場を創造した。トランジスタ・ラジオから始まり、トリニトロンテレビ、ビデオ、ウォークマン、そしてＣＤ……」

イノヴェーションを次々と巻き起こした会社を創った盛田昭夫の人生に、ジョブズはじぶんの使命を重ね合わせようとしていた。現役時代の盛田が親しくした海外の若者は、マイケル・ジャクソンとスティーブ・ジョブズのふたりぐらいだったという。[★003]

「天国の盛田さんが、きょう発表することに微笑んでくれればいいと思う[★004]」

そう言って、ジョブズはFirewire端子（ＤＶ端子）を搭載したｉＭａｃ ＤＶと、映像編集ソフトのｉＭｏｖｉｅを発表した。今、振り返るとわかる。音楽産業をも覆す「ポストＰＣ革命」はこの日、始まったのだ。

ＳｏｎｙとＡｐｐｌｅ——時代の交差点

前ＣＥＯのギル・アメリオは在庫削減とプロダクト・ラインの絞り込みを進めていたが、Ａｐｐｌｅに帰ってきたジョブズはこれをいっそう厳しく断行。伸び切った戦線を収束し、防御力を強化。赤字出血を止めた。そこからジョブズ色を出し、「Think Different」キャンペーンで大胆に攻勢へ。ブランドを再構築し、かつてのＭａｃファンに再び火をつけた。その結果、ｉＭａｃを発表する以前に、既に黒字化を実現していた。

「Think Different」の炎は、社内へも燃え広がっていた。業界は斜陽化、会社は倒産すれすれ。それでも「Ａｐｐｌｅを復活させるんだ」と信じて残っていた優秀な社員たちを燃え上がらせた。そのなかにはジョナサン・アイブがいた。

かつて、初代マッキントッシュの愛らしいデザインは、パソコンが消費者家電になる近未来を顕示していた。しかしその後、パソコンはビジネス市場に主戦場を移し、コモディティ化の果てにデザインが崩壊。リビング、子ども部屋にまともに置ける代物ではなくなっていた。アイブのデザインしたスケルトンカラーのｉＭａｃは、初代マッキントッシュの理想を復活させた。

「消費者家電としてのパソコン」には日本勢も挑戦していたが、Ａｐｐｌｅほど上手くいっていなかった。鍵はデザインの英知にあったのだ。それはスウォッチが、技術革新の終わっていた腕時計で起こした革新、セカンドウォッチ市場の創出を彷彿させた。★005

デザインの卓越は、技術的な差異化にも繋がる。社内のエンジニアは当初、ｉＭａｃの製造が不可能な理由を三十八個、並べ立てたという。ジョブズは「俺ができるといったらできるんだ」と押し切り、実際できてしまったわけだが、無数の技術的解決を要したデザインを他社はすぐに真似できない。

インターネットが家庭に普及しようとしていた時代だ。ケーブル一本でネットに繋がる、シンプルで美しい家具のような家電パソコン、ｉＭａｃは大ヒットとなった。百年前、エジソンの発明を、ビクターが美しいインテリアにした蓄音機の成功を思い起こさせる。ビクトローラのヒット商品化を機にレコードが普及し、音楽産業が誕生した。だがｉＭａｃは、ＡｐｐｌｅⅡや初代Ｍａｃの起こした破壊的イノヴェーションに並ぶものとは呼べなかった。会社は再建されたが、ジョブズがＡｐｐｌｅに帰ってきた本当の理由は満たせていなかった。「全く新しいもの」に繋がる何かが要る……。ジョブズが目をつけたのは、日本のデジタル家電だった。

話は遡る。トランジスタを発明したベル研究所は、一九六九年に「トランジスタの目」と呼ばれるＣＣＤも発明した。Ｓｏｎｙはトランジスタの量産化に成功し、トランジスタ・ラジオでパーソナル・オーディオの時代を切り拓いたが、ＣＣＤの量産化技術もＳｏｎｙが実現。「トランジスタの目」はデジタルカメラに結実した。今もＳｏｎｙは、スマートフォンのカメラ部品で世界一を誇っている。

一九九五年以降、ネットとパソコンが普及するとデジカメは、その相性のよさから爆発的に売れ始めた。日本のもたらしたデジタル・ガジェット時代の到来だ。余談だが、ベル研のＣＣＤ開発チームには若き日のギル・アメリオもいたそうだ。★006

盛田に気に入られたジョブズだが、復帰後も「今から行く」と電話をかけて、気軽にＳｏｎｙ本社へ遊びに来ていたとい

ニューヨークのAppleストア。ジョブズは復帰後もよくSony本社に遊びに来たが、しきりにSonyの直営店について尋ねてくる時期があった。そしてSonyを超える店舗を世界に提示してみせた。一号店のアートディレクションは日本人の八木保、植木莞爾が手がけている。
Ed Uthman, MD "Apple store fifth avenue.jpg", Wikimedia, https://commons.wikimedia.org/wiki/File:Apple_store_fifth_avenue.jpg

う。★007 おもに応対したのは当時、VAIOを指揮していた安藤国威社長(当時)のようだ。

「我々のやったことを超えて形にしてくるあたりは本当に感心する」

ジョブズが始めたAppleストアについて、安藤が評した言葉だ。ジョブズが安藤に、しきりにSonyの直営店について尋ねてくる時期があった後、二〇〇一年にAppleストアが誕生した。

iMac DVとiMovieの組み合わせもまた、iMacに先行していたVAIOを超えるために見出したように思う。一九九六年末に登場したVAIOは、パソコンをデジタル家電の中心に置く生活をコンセプトにしていた。そう、ジョブズが二〇〇一年から語り出す「デジタルハブ構想」の原型だ。

デビューしたVAIOデスクトップは、ビデオをパソコンに取り込み、ソフトで編集するデスクトップビデオ(DTV)を目玉にしていた。Appleにはデジタル・ビデオカメラを創るノウハウはなかったが、ソフトウェアなら一日の長があった。Macとアドビの生んだDTPで、本作りをデジタル化した自負もあった。

説明書も要らないくらいシンプルなビデオ編集ソフトを創り、iMacの目玉にする。そうすればデジタル・ビデオカメラで勢いづくホームビデオの世界に進出できる、とジョブズは踏んだ。それがiMac DVとiMovieだ。MacとデジタルT・ガジェットを結ぶFirewire端子はAppleの発明だったが、一九九七年からSonyが積極的に採用。ほかの家電メーカーも追従していた。

Appleを創業したジョブズとウォズニアックは、電子工作とボブ・ディランが共通の趣味で出会った。エレクトロニクスおたくだったふたりのスティーブは、トランジスタを集積した革新的なパーツ、マイクロプロセッサに出会った。そしてパーソナル・コンピューティングの世界を創った。それから二十年あまりが過ぎていた。四十歳を過ぎたジョブズは、エレクトロニクス産業とコンピュータ産業の交差点に立とうとしていた。それは時代が交差する瞬間でもあった。

mp3ブームに乗り遅れ、急いでiTunesを創る

iMac DVとiMovieは、ジョブズの狙い通りには火がつかなかった。この頃、ジョブズは子どもが小さかった。息子を溺愛する彼は、お気に入りのSonyのビデオカメラで撮り溜めた息子の映像を、Macで気軽に編集してみたかった。きっとみんなもそうだと思ったのだ。だが、正解はビデオではなく音楽だった。

「ナップスターの爆発的流行を見て、革命が起きているのを悟った」★008 ジョブズは言う。

その頃、インターネットは音楽生活を変えようとしていた。アメリカではナップスターが社会現象を起こし、連日テレビで報道されていた。音楽ファンたちの熱狂はとどまるところを知らなかった。

未だかつてない「音楽の聴き放題」。それはSonyのウォークマンやCDの登場以来となる、音楽生活の劇的変化でもあったのだ。ネットでmp3をダウンロードして、パソコンで音楽を楽しみ、そのままCD-Rに焼いて、CDウォークマンで音楽を外に持ち運ぶ。新しい音楽生活が、大学生を中心としたパソコン・ユーザーの間で爆発的に広がりだした。

「じぶんがアホに思えたよ」★009

彼が悔やんだのは、盛田へ捧げたiMac DVに、CD-Rドライブを載せない指示を出していたからだ。

オーディオマニアのジョブズは、CDプレーヤーにSonyの最高グレードのものを使っていた★010。そこに搭載されたスロット式ドライヴの美しさに惚れ込んでしまい、社内の反対を押し切ってiMac DVにスロット式のドライヴを搭載させたのだ。当時、CD-Rドライヴはトレイ式しかなかった。ヒューレット・パッカード社をはじめ、CD-Rを搭載したパソコンが飛ぶように売れていた一方で、Appleはスロット式のCD-Rドライヴが開発されるまで、史上初となったパソコン中心の音楽ブームを、指をくわえて眺めるはめになってしまった。

「ドジを踏んだ。必死で追いつかなきゃいけなかった」

そこで彼はまず、Appleの元社員が作ったmp3再生ソフトのサウンドジャムを買収。「Mac版のウィンアンプ」と人気を博していたこのアプリに、ジョブズ流のリニューアルを施した。サウンドジャムから機能をごっそりそぎ落とし、iMovieのシンプルなデザイン思想を導入したのだ。誰にでも使える、シンプルで美しいアプリに生まれ変わった。iTunesの誕生である。

「iTunesの最初のバージョンが出たとき、びっくりした。ナップスターの操作画面とそっくりだったからだ。あれは偶然ではないと思う[★011]」

ナップスターにいたブランドン・バーバーは振り返る。曲名、アーティスト名、アルバム名をずらりと並べたうえで、カラムで画面を分けて見やすくした操作画面のレイアウトは、確かにナップスターを踏襲していた。

二〇〇一年二月。再び幕張メッセ。

「SonyのVAIOを超えるノートパソコンを創りたかった」

ジョブズはそう述べて、美しいチタニウム製のパワーブックG4を発表した。Macファンたちはどよめいた。初代パワーブックは現在のノートパソコンの形を決定づけた傑作だったが、それは〝CDの父〟大賀典雄が率いた時代のSonyが設計・製造したことを、Appleマニアは知っていたのである。

次にジョブズはiTunesと、CD-Rドライヴを搭載した、斬新な花柄のiMacを発表。結局、新しい流れに気づいてから、追いつくのに一年かかってしまった。その間に世界はITバブル崩壊を経験。音楽ブームに遅れを取ったiMacの売上は世間の印象と違い、冴えなかった。

OSXの開発遅延や、モトローラ製CPUの開発遅延もあった。二〇〇〇年の十〜十二月期にはAppleの売上は五七%も下がり、再び赤字に転落[★012]。一年遅れの代償は大きかった。

「iTunesで音楽革命に参加すれば、音楽プレーヤーを十倍楽しめるようになる」

日本人の詰め寄った基調講演でジョブズはそう語ったが、一年でそれだけのビハインドが出来てしまった。ビジネスの世界では、追いつくだけでは差は埋まらないのだ。

幕張メッセの基調講演を締めくくるにあたり、ジョブズはコンピュータ産業の新時代を提言した。デジタル・ガジェットの中心にMacを置く「デジタルハブ構想」だ。

「パーソナル・コンピューティングの進化が終わったとは思わない。一九七五、六年に起きた革命が再び起ころうとしているんだ★013」

その言葉は予言というよりも、未来を自ら連れてくる決意のような響きがあった。

Sonyがくれたチャンスを掴んだジョブズ

ジョブズがmp3プレーヤーの製造を社内で主張し始めたのは、iMacの失速で赤字転落が明らかになった二〇〇〇年の秋頃だったという★014。

本来、得意なことに集中し、苦手なことはパートナーを探すのがApple復帰後の彼のポリシーだ。パソコンの会社であるAppleコンピュータが、デジタル・ガジェットの自社開発に乗り込むのは信念に反していた。

「誰も助けてくれないなら、じぶんたちで創るまでだ」

かつてジョブズはそう言って、iMovieを自社開発した。動画編集ソフトのトップ、アドビに開発を断られたからだった。同じような経緯がmp3プレーヤーの開発でもどこかとあったことは想像に難くない。

一九九八年、韓国でMPManという、ウォークマンの名をもじったmp3プレーヤーが登場。ドイツからはRio

も登場し、一九九九年にはコンパックからもmp3プレーヤー(PJB-100)が出ていた。コンパックはiPodより二年早く、初代iPodと同じ5GBのハードディスクを搭載していた。しかし、どのメーカーの製品もブレイクしなかった。Rioは十曲しか取り込めないし、コンパックのはバカでかいうえに、転送時間が死ぬほどかかった。どちらも、曲名の入力からプレイリストの作成まで小さな液晶でやらせようとするので、とんでもなくボタンを連射する必要があった。mp3プレーヤーは新しもの好きのギークが試し買いする、ニッチな周辺機器に過ぎなかった。

Sonyでも様々な試作機が製作されていたようだ。当時、Sony本社によく遊びに来ていたジョブズは、様々な提案を持ちかけていた。VAIOにMacのOSを載せる提案もあった。★015 紙文書をデジタル化する技術提携は実現し、二〇〇五年にはAppleイベントに当時、Sonyの社長だった安藤国威が登壇した。だから音楽プレーヤーの分野で何らかの提携をジョブズがSonyに持ちかけていたとしても不思議ではない。

ジョブズはSonyに、「二十一世紀のウォークマン」を一緒に創ろうと持ちかけた。ウォークマン、デジカメ、電子手帳に携帯ゲーム機のPSP等々、Sonyにはデジタル・ガジェットを製造するノウハウがあり、Appleにはソフトウェア開発のノウハウがあった。二社が手をあわせれば世界を変えられる。そう持ちかけたのだ。

だが、交渉は決裂した。音楽を録音するカセットテープやMDを販売していたSonyは、録音メディアの要らなくなるmp3プレーヤーを心配した。CDの販売を崩壊させたmp3文化に寄与するのもためらわれた。

結局、Sonyは便利なハードディスクではなく買い増しの要るメモリースティックを、人気のmp3ではなく、MDで使っていたコピー防止に強い独自規格を選択。一九九九年十二月に、わずか六十四メガバイトのメモリースティックを付けてメモリースティック・ウォークマン(NW-MS7)を発売したが、成功しなかった。MDと同じくアルバム一枚分しか曲が入らないのに、高価なメモリースティックを追加で何枚も買わなければならなかったからだった。顧客に会社の都合を押し付けた典型的なイノヴェーションのジレンマだった。

Appleへの復帰以来、全く新しいものへの起爆剤をジョブズは探し続けていた。「チャンスがあるなら、必ず見つけ出してやる」と希求していた。

「Sonyにはmp3プレーヤーがありませんでした。ジョブズは、これなら市場を独占できると考えたのです」★016 ジョブズの伝記『iCon』の著者はインタビューでそう答えている。発想の転換だった。Sonyがmp3プレーヤーをやらないなら、じぶんがやればいい。ジョブズはクリステンセン教授の愛読者だったが、目の前にあるのは「新市場型破壊的イノヴェーション」のチャンスだった。★017

mp3プレーヤーがニッチなのは、ごちゃごちゃして誰も満足に操作できないからだ。シンプルで使いやすい操作画面にすれば、ふつうの音楽ファンがmp3プレーヤーを買うようになる。非消費者が転じて、巨大な新市場になる。マッキントッシュにGUI(PCをマウスで直感的に操作できるようにしたインターフェース)を採用し、パーソナル・コンピュータをオタクの手から大衆に解放したときと同じ構図だった。

Appleに復帰した本当の理由である、再び宇宙に衝撃を起こすチャンスが訪れようとしていた。

〝iPodの父〟ファデル登場

二〇〇一年二月。幕張でiTunesと共にデジタルハブ構想が発表されて間もない頃だ。一匹狼の技術コンサルタント、トニー・ファデルは冬の休暇をスキー場で楽しんでいた。リフトに乗って心地よい冷風が頬を撫でると、携帯が鳴った。見知らぬ番号だった。相手は、Appleのハード部門を統括するジョン・ルビンシュタインだと名乗った。折り入って急ぎの相談があるという。★018

学生時代、Ａｐｐｌｅでインターンをしていたほどだ。林檎のロゴを敬愛していたファデルは、休暇を早めに切り上げ、カリフォルニア州はクパチーノのＡｐｐｌｅ本社に赴いた。彼はフィリップス社でウィンドウズ・ベースのハンドヘルド（持ち運べる携帯情報端末）をプロデュースし、五十万台を売り上げた実績があった。当時、パームを皮切りに電子手帳のブームが起こっていたので、大方、Ａｐｐｌｅはハンドヘルドでもやりたいのだろう、とファデルは想像していた。

だが、ルビンシュタインが持ち出した話は、ｍｐ３プレーヤーについてだった。ファデルは驚いた。彼には当時、アイデアがあった。音楽配信とｍｐ３プレーヤーを一体にしたサービスで、音楽業界に革命を起こしてやろうと動いていたのだ。十二人の仲間を集め、Ｓｏｎｙやフィリップスに話を持ち込んでいた。だがＳｏｎｙに断られ、ちょうどサムスンにアイデアを打診中だった。

ｉＰｏｄ誕生のきっかけとなった東芝製ハードディスク

ルビンシュタインがファデルに頼んだのは、市場調査と戦略策定支援だった。

「僕らが作ろうとしているものに本当に意味があるのか、事前に評価できる人物が必要だった」[★019]とルビンシュタインは語る。

ｍｐ３プレーヤー市場で本当に勝ち目があるのか、外部の冷静な目も交えてリスク評価する必要があったのだ。彼はジョブズから開発のＧＯサインをもらったばかりだった。

先のＭａｃワールド幕張イベントのため、ジョブズと共に日本へ出張した際のことだ。ルビンシュタインは東京で、待望していたパーツがついに登場したことを知った。ノートパソコン用よりもさらに小さい、一・八インチの超小型ハードディスクだ。
ハードディスクの小型化は、コンピュータ業界にイノヴェーションを次々と促してきた歴史がある。八インチのハードディスクが登場すると、時代はメインフレーム（大型コンピュータ）からワークステーション（ＰＣ程度のサイズの業務用コンピュータ）へ。五インチが登場するとデスクトップ・コンピュータの時代へ。二・五インチの小さなハードディスクが登場すると、ノートパソコンが主流の時代となった。

そのたびにハードディスク業界の主役が変わり、既存顧客に縛られた会社が倒産の憂き目に遭った。顧客の喜ぶように技術改良を進めていくと、いずれ会社は倒産の危機に瀕する。この不可思議な現象は何なのか。これを研究したのが、ジョブズの愛読していた『イノベーションのジレンマ』だ。クリステンセン教授の理論は、ネットの登場後、音楽産業が陥ったジレンマを正確無比に説明している。

ＣＤが売れなくなった。だが、単価の高いＣＤの優良顧客を守るために、単価の安い音楽配信にアクセルを踏み切れない。そんなジレンマだった。そこを音楽の既存顧客を持たないＡｐｐｌｅに持っていかれたわけである。

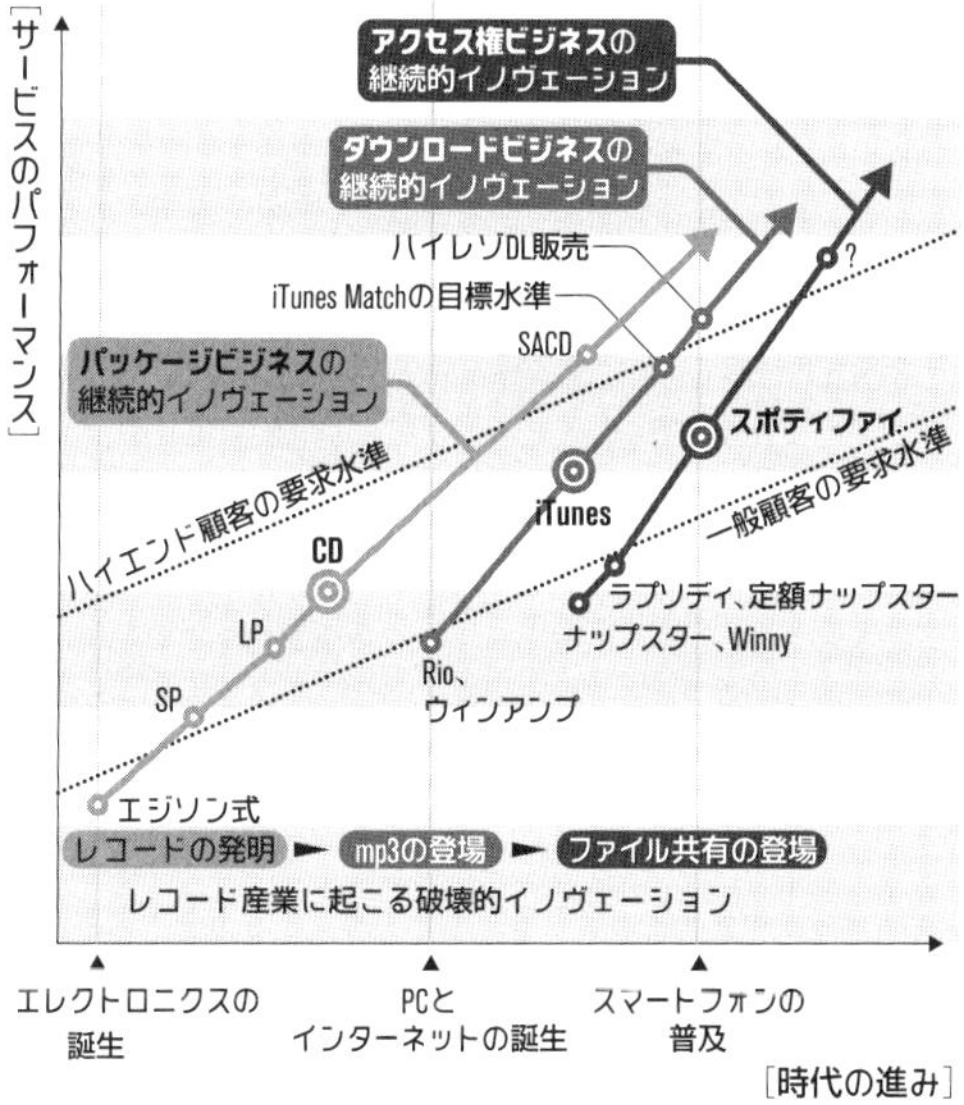

［図2－4］音楽産業に起こる破壊的イノヴェーション
イノヴェーションのジレンマに陥った音楽産業にとって、Appleを復活させたジョブズの経営手法は、ジレンマ克服のロールモデルにもなりうるものだ。図は著者作成。

さて、ノートパソコンを生んだ二・五インチの次に登場したのが、一・八インチのハードディスクだった。開発した当の東芝は、これを何に使えばいいのか見当もついていなかったという。ノートパソコンより小さいコンピュータ？　よくわからない。だが、ジョブズは違った。

「ようやく作れるようになりました」[★020]

東芝から帰ってきたルビンシュタインは、ジョブズにそう報告した。超小型のハードディスクがあれば、音楽産業に革命を起こせる――。ジョブズはそう踏んで、登場を待ち望んでいたのだ。

ほかにもルビンシュタインはＳｏｎｙの福島工場へ行き、プロダクトの薄型化に最適なポリマー電池を見つけ出していた。

「よし。要素技術は出揃ったな」

ジョブズはｍｐ３プレーヤーの開発に、ＧＯサインを出した。

かつてジョブズは、必要なパーツを待ちきれないせいで、会社から追放された苦い経験があった。一年後に実現できるかもしれないスペックのＣＰＵを前提に、二代目Ｍａｃの開発スタートをごり押ししたのが、スカリーたちからすれば致命的だった。[★021]不可能を可能にする彼得意の「現実歪曲フィールド」も、技術ロードマップまでは捻じ曲げられないことを、身を切るような失敗から学んでいた。

一方その頃、音楽産業はナップスターのもたらした違法ダウンロードに勝つため、定額制ストリーミングを進めようとしていた。技術ロードマップから見ると、ストリーミングをベースにした音楽サービスは時期尚早だったが、音楽産業は気づいておらず、一足跳びで未来へ行こうと焦っていた。彼らは、技術ロードマップについて学んだことがなかったからだ。

ウォークマンを超える、世界最高の音楽プレーヤーを創るため、ジョブズは彼の真骨頂ともいえるプロダクト・プランニングに入った。

尊敬するSonyを超えろ

ジョブズは、リサーチをあまり信じない。消費者が気づきもしなかった何かを実現するのが、革命的なモノづくりだと信じていた。

「T型フォードが登場するまでは、自動車が欲しいか消費者に尋ねても『いや、もっと速い馬が欲しい』としか言わなかっただろう」

ヘンリー・フォードの、その言葉をよく引用していた。だが、iPodの開発リーダーとなった若きトニー・ファデルのリサーチを止めることはなかった。かつて、それでも大失敗をやらかしたことがあるからだ。

Appleを追放されたのち、大学でワークステーション(業務用コンピュータ)が普及すると決めつけ、ネクスト社を創業。だがそんな市場は存在せず、苦難のなかもがき苦しんで過ごすことになった。彼は少しずつ、じぶんのやり方を変え、若きロックスターのような経営スタイルから、史上最強の経営者に自らを変えていったのだ。潜在市場は本当にあるのか。あっという間にこちらを蹴散らす競合は本当にいないのか。リサーチでリスクを計ることは受け入れていた。だが、ファデルがパワーポイントを駆使して、市場分析をジョブズの前に繰り広げていたときだった。

ジョブズは明らかに退屈そうにいらいらしていた。そして話題がSonyの調査結果に入るとすぐさま遮った。

「Sonyは気にしなくていい。俺たちはやるべきことがわかっているが、連中はわかってない」★022

メモリースティック・ウォークマンにSonyの陥ったジレンマを見て、ジョブズはチャンスを直感した。だから、確かにSonyの説明は不要かもしれなかった。マシンガンを撃つようにファデルを質問攻めにした後、彼は大好きなプロダクト・プランニングに移っていった。

iPodのデザインに見るApple必勝の方程式

お手本があった。Sonyのウォークマンだ。ウォークマンは、テープレコーダーから余計な機能を削り、「再生専用」にしたときに誕生した。そして音楽は部屋から解放され、人の歩くところすべてを音楽の市場にする画期的なイノヴェーションをもたらした。

ソフトウェアとデザインの力で、驚くほどシンプルな操作性を実現する。そうすれば、mp3プレーヤーはギークのものから音楽ファンのものになる。シンプルを追求して非消費者を消費者に変えるのだ。そこには、初代マッキントッシュの開発で培ったApple必勝の方程式があった。そのために音楽ガジェットは再生専用とする。ジョブズはハードとソフトを融合させることで、手本のウォークマンを超えるつもりだった。難しい操作はガジェットから思い切り省き、全部パソコン上のiTunesにまかせてしまう。デジタル・ガジェットでAppleがSonyに敵うところはないか。必死に考え、iMovieの後にたどり着いたのが、このアイデアだった。

千曲をポケットに持ち運べるよう、一・八インチHDDを採用する。フラッシュメモリは当時六十四〜一二八メガバイト程度と容量が小さかった。十〜二十曲しか持ち運べないなら、Sonyの大賀典雄が創ったMDウォークマンを超えられない。MDを超えるためには、メガバイトの千倍のギガバイト単位が要る。小型のハードディスクを使うのが最適だった。そしてFirewire一本で、高速充電と高速転送を実現する。FirewireはAppleの開発したケーブル形式だ。千曲を転送するのにUSB1・1だと四時間以上かかるのが、十分で転送できた。CD－Rを焼いたり、ラジカセでMDに録音したりするより早い。もう「焼く」「ダビングする」は古くなる。充電もACアダプタ要らず。M ａｃに繋ぐだけでよい。革命的に便利なはずだ。

ここまでのアイデアはロジカルに出せたが、肝心な問題が残った。本体の操作を司るユーザー・インターフェース（ＵＩ）だ。千曲も入っていたら、どうやって聴きたい音楽を選べばいい？　ボタン方式だとひたすら連射しなければならない。ジョブズはファデルたちの用意した様々な模型を触ったが、この点だけはどうもしっくり来るアイデアが出てない気がした。彼のため息で、重苦しい空気が会議室を流れた。

「私のアイデアも見てもらえませんか？」★023
空気を変えるような声と共に、マーケティング責任者のフィル・シラーが新しい模型をいろいろ抱えて来た。どの模型にも大きなスクロールホイールが付いていた。

「それだ！」

ジョブズは叫んだ。この瞬間、「すごいものが出来上がる」と彼は確信した。スクロールホイールなら、大量にボタンを押すかわりにくるくる回すだけでよい。シンプルでエレガントなアイデアだった。

ヴェンチャーのように大企業を経営する

二〇〇一年四月のこの会議は、のちのＡｐｐｌｅの運命にとっても、人類の音楽生活にとっても決定的なものだった。それはＡｐｐｌｅがパーソナル・コンピュータの次にあるものへ踏み出した瞬間でもあったからだ。

ジョブズはこの新規プロジェクトのために、エース級の人材だけを少数、集めた。通常、大企業はエースを既存の主力事業に充て、新規事業は手あまりの若手に渡すことが多いが、それは彼の流儀に反していた。ハード担当のルビンシュタイン、プロデューサー候補のファデル、マーケティング担当のシラー、そしてデザイン担当のアイブなど、錚々《そうそう》たるメンツが揃った。

若き日にミュージシャンに憧れ、ビートルズに経営の理想を見ていたジョブズにとって、会議は「ビートルズのレコーディング・セッション」★024のようなもので、真剣勝負だった。ジョブズのようなビジョナリーのもとで、エース級の特別チームがヴェンチャーのように自由闊達にアイデアをぶつけあう。そして最高のプロダクト・プランニングを生み出す。この時空こそが、新たな顧客価値が生まれる瞬間であり、会社の価値が創り出される場所だった。

目標は利益ではなく、すごいモノづくり、すなわちプロダクト・オリエンテッドだ。営業志向でも技術志向でもない。まして経理志向でもない。すごいモノづくりを目指すプロダクト・オリエンテッドこそ、バラバラになった大企業を情熱でまとめ上げ、イノヴェーションの精神で蘇らせる唯一の道だと彼は見出していた。それは十数年の流浪の末に編み出した、ジョブズ流の「イノヴェーションのジレンマ」克服の道でもあった。やがてその黄金の精神は、インターネットの登場でジレンマの陥穽《かんせい》に嵌《はま》ってしまった音楽産業を巻き込んでいくことになる。

世界一の萌芽――iPodに見るジョブズのイノヴェーション理論

ジョブズは学ぶ男だ。じぶんと他人の失敗から学ぶ。尊敬するライバル、頭にくるライバルから学ぶ。秘訣を盗み尽くし、徹底的に改良し、教師を超えてくる。彼の愛読した『イノベーションのジレンマ』の著者、クリステンセン教授の理論では、ＡｐｐｌｅやかつてのＳｏｎｙは、垂直統合に向いたクローズド志向の統合型モデルだ。一方、マイクロソフトやグーグルは水平統合に向いたオープン志向の専業型モデルになる。

ジョブズがトニー・ファデルをプロジェクトのマネージャーに選んだとき、Ａｐｐｌｅの統合モデルはクリステンセン教授のそれから進化したように思う。

「クリスマス商戦に間に合うよう、六ヶ月で完成させろ」

ジョブズは、あえて無茶な目標を設定した。パソコンメーカーのAppleにとってデジタル・ガジェットは門外漢だった。一九九四年にコダック社とデジカメを創って、しくじったこともある。その無茶が、Appleに限界突破をもたらした。至高を求めてやまないジョブズの理想を実現するには、社内で何でもやろうとする従来の統合型モデルから抜け、社外の力も使っていかねば間に合わなかったのだ。

のちに「iPod《ポッド》の父《ファーザー》」と呼ばれることになるファデルは、ハンドヘルド・デバイスの専門家だった。音楽配信と音楽プレーヤーを融合した会社を作ろうとちょうど動いていたこともあり、mp3プレーヤーに強いデベロッパーを調べ上げていた。

ファデルはポータブル・プレーヤー社を選び、Appleに連れてきた。様々な会社のmp3プレーヤーを設計していた専門会社で、ソフトウェア開発キット(SDK)を備えたファームウェア(ハードウェアを制御するためのソフトウェア)を持っていたのが魅力だった。SDKがあれば、上に載せるソフトウェアにAppleは専念できる。しかもこの会社は、mp3プレーヤーの製造に必要な様々なパーツメーカーと繋がっていた。★025

「これでAppleは十年後、コンピュータ会社ではなく音楽会社になりますよ!」

ポータブル・プレーヤー社を連れて、Appleの経営会議に乗り込んだファデルはそう吠えたという。実際それは五年も経たず実現してしまうのだが、ポータブル社のメンバーはそのせりふに驚愕した。

さらにファデルは、携帯電話向けのOSを開発しているピクソ社を連れてきた。iTunesの基となったサウンドジャムと同じく、Appleの元社員が創った会社だ。Appleから出て行った人間を裏切り者扱いするのではなく、社外のノウハウを学んだ人間として積極的に取り入れる度量を、復帰後のジョブズは身につけていた。社員に留学してもらったり、大学院で勉強し直してもらったりするより、効果的な方法かもしれない。

ピクソ社のOSには操作画面(UI)を構築できるライブラリも入っていた。このOSをポータブル・プレーヤー社のファームウェアの上に載せれば、Appleのソフトウェア・エンジニアは、UIとなる基本アプリと、Mac側との繋ぎ込みに専念できる。ポータブル・プレーヤー社のノウハウで、省電力化のために三十二メガバイトのメモリも搭載することになった。メモリに曲をいくつかキャッシュしておけば、電池食いのハードディスクを止めておくことができる。

ハードディスク、メモリ、そしてファームウェア、OS、アプリ。iPodの本質は「音楽専用の小型コンピュータ」だ。のちに登場するiPhoneの本質も、電話機ではない。電話もできる小型の汎用コンピュータだった。マイクロプロセッサが頭脳で、OSが載り、様々なアプリが走る。

二〇〇一年当時の技術ロードマップでは、iPhoneのようなポケットサイズの汎用コンピュータは実現不能だったが、用途を絞ってパーツの性能をピーキーに引き出せば、ポケットサイズの専用コンピュータなら実現できたということだ。それは、統合型モデルの会社が最も得意とする破壊的イノヴェーションのパターンでもあり、専用コンピュータという手法は、ちょうどその頃Sonyがゲームのジャンルで成功させていた。プレイステーションの名は、「ゲーム専用ワークステーション」を意味していた。

iPodがのちにiPhone、iPadへ繋がり、「ポストPC」の時代を切り拓いたのは、ここのあたりに秘密がある。ムーアの法則(半導体や記録媒体の集積率は十八ヶ月毎に二倍になるという経験則)はCPUやストレージを小型化し、コンピュータをポケットに入る段階にまで推し進めようとしていた。そして、まず汎用ではなく専用で閾値《いきち》にたどり着いた。

音楽が、「ポストPC」の時代の扉を開こうとしていた。

ジョブズの人間的成長が、新しい経営手法を生み出した

新生ＡｐｐｌｅはｉＰｏｄの開発を、外部の製造業者をフル活用して実現した。それはすべてをじぶんでやりたがる、完璧主義者だったジョブズの成長の証でもあった。

「何でもじぶんたちでやろうとしたのが、Ａｐｐｌｅが衰退した理由のひとつだ」と復帰後のジョブズは語ったことがある。「ウォズ（スティーブ・ウォズニアック）と僕が何でもやっちゃったからね[★026]」

ネクスト社でも、工場のデザインからパーツの製作まで、すべてを自社で完璧にやろうとして大失敗した。開発コストが上がり、バカみたいな値段となってしまい、ネクスト社のワークステーションは全く売れなかった。

「いくら完璧でも、売れないプロダクトはクソだ」

復帰後、ジョブズはウォズニアックにそう語るようになったという。ウォズニアックはこれを「ジョブズの成長」と讃えた。ジョブズは学び、完璧主義の発展的な修正を目論むようになった。そしてジョブズは統合型モデルを、外部の力を組み込むかたちで進化させた。「オープン・イノヴェーション」を彼なりに採用したのだ。だがジョブズは単純に、工場を持たないファブレス企業のように、外注に頼る会社にしたのではない。

「ｉＰｏｄのプロジェクトはヴェンチャー企業の立ち上げみたいだった。でも本当のヴェンチャーだったら、こんな短い時間でｉＰｏｄを作れなかっただろうね。全社の助けがあったからこそできたんだ[★027]」

外部から来たファデルをサポートするため、彼とチームを組んだＡｐｐｌｅ社員のスタン・イングはそう語る。電源に問題が起こればノートブックのチームに相談し、ドライバーに問題が出ればＯＳのチームに相談した。ディスプレイに問題があれば、ディスプレイの部隊が協力した。Ａｐｐｌｅがデジタル・ガジェットを創るのは確かに初めてだったが、「ゼロからのスタートではなかった」とルビンシュタインは振り返る。[★028]

「ちょっと助けてほしいんだ。秘密のプロジェクトだから、全部は話せないんだけどね……」そう話せばどの社員もよろこんで解決に尽力してくれた。

「完璧なモノづくり」というヴィジョンの実現には、完璧なコントロールが求められていた。大企業になっても、ジョブズはマネジメントの創意工夫で、小さい組織にしかできない完璧な社内コントロールを実現しようとしていた。彼の直下に作られたプロジェクト・チームの方針を、社内外の人間が一個の有機体のように一丸となって実現していったのだ。大企業の筋力とヴェンチャーの身軽さを併せ持つ組織。これこそが、ジョブズが編み出した「すごい会社」だった。こうしたことができるように、ジョブズはまずプロダクト・ラインをごっそりリストラしていた。

「君たちは優秀だ。優秀な人間がこんなクソなプロダクトに時間を削いじゃいけないんだ[★029]」

じぶんたちの子どもともいえる製品を切られて怒るエンジニアをそう説得して、社内のスタッフに余力をつくった。さらに事業部別の勘定を撤廃。たったひとつの勘定で動く会社にして、どの部署も協力し合える組織に変えた。ジョブズはもともと「すごいモノづくり」のことはわかっていたが、それだけでは駄目なことを流浪の十年で学んだ。すごいモノづくりを続けるには、すごい組織を創らなければならなかったのだ。

「会社自体が最高のイノヴェーションになることもあるとわかったんだ。Ａｐｐｌｅに戻るチャンスを手にしたとき、この会社がなければ僕に価値はないとわかった。だから、とどまって再生しようと心に決めたんだ[★030]」

ピクサーもネクストも廃業寸前までいったが、十年かけてようやく育て上げた。父としての成長が、ｉＰｏｄの開発に結実しているように思う。「モノづくりのための組織づくり」はやがて、彼の最高傑作となるｉＰｈｏｎｅの誕生に欠かせぬ「秘伝のレシピ」となっていった。失敗に次ぐ失敗の十年でジョブズは知恵を得た。その知恵は、『イノベーションのジレンマ』に書かれた解答をも超えたものになろうとしていた。

音楽生活を変えたジョブズのアイデア

プロジェクトが実行段階に入ると、ジョブズは毎日、細かいところまで参加するようになった。アイデア病を恐れたのだ。

「ジョン・スカリーが罹ったひどく深刻な病がある。多くの人がその病に罹ったのを見てきたよ。すばらしいアイデアが出れば仕事の九割が片付いた気になって、アイデアをスタッフに渡せば作業に入って実現するって勘違いするんだ[★031]」

復帰する二年前に、ジョブズはインタビューでこう答えている。

アイデアの実行に入ると、様々な障壁にぶち当たる。問題が想像以上に複雑だったと気づく。それは人間の不完全な知性が、初め問題を単純に見せるからだ。だから答えも簡単に見える。この段階では、問題に右往左往している連中がバカに見える。インターネットを拒んでいた音楽産業の世間的評価がそれにあたる。

問題の複雑さに気づいた人間は、まず複雑な解決策を思いつく。だが実行段階で、それが表層的な対応策の絡み合いに過ぎず、本質的な解決策になっていないことに気づく。ナップスター裁判や違法ダウンロード取り締まり、その反対論などがこの段階だ。そうしてようやく複雑な問題をすべて均衡させる、シンプルな答えにたどり着く。だが、この実行段階で、気づいてなかった複雑な問題を再び発見することになる。プレスプレイのような初期の定額制配信の失敗がこの段階だろう。

かくして、問題とソリューションを何度も分解・再構築することになる。何度も新しいアイデアが必要となる。このプロセスこそが、真のアイデアの創出であり創造性なのだと、ジョブズは言う。シュンペーターの言う「再結合」が誕生する瞬間を、ジョブズはそうやって導き出してきた。神経をすり減らす作業だ。卓越を目指す精神だけがこの作業をやり抜く。音楽制作や映像制作に限らず、サービス、アプリ、エンジニアリング、事業企画など創造的な活動に深く関わる方々なら、ジョブズの言うこの「アイデア病」の真意も、頷くところがあるだろう。

しっくりくるまで何度もアイデアを分解・再構築する作業は、限界突破に欠かせないのではないだろうか。ジョブズが復帰する前の一九九四年、Ａｐｐｌｅはデジカメのパイオニアともいえるクイックテイクを出したが、このプロダクトはまさにアイデア病の典型で売れなかった。

一方、翌年カシオから出たデジカメＱＶ－10には、「自撮り」ができる液晶ファインダーが備わっていた。「自撮り」のアイデアの磨き込みで、カシオのデジカメは閾値を超え、九〇年代、日本勢によるデジタル・ガジェットの攻勢が始まった。

ｉＰｏｄにスクロールホイールを付けるというアイデアも、そこからさらに突き詰められていった。もっとシンプルに、もっと簡単に。それだけが非消費者のマスを消費者のマスに変えてくれるからだ。

Ａｐｐｌｅの競合は、Ａｐｐｌｅの製品にない機能を足し算して闘おうとする。だが、その時点で不利を呼び込んでいる。余計な機能を引き算して、なるべくシンプルにして非消費者を取り込むところにＡｐｐｌｅ流の要があるからだ。スペック表やカタログで闘う「足し算」の戦略は、市場が定まったなかで製品を改良してゆく「漸進的イノヴェーション」には向いているが、新市場の創出には「引き算」のアイデアが向いている。

「独創性を引き出す有効な方法は、目標を設定することである」

盛田昭夫が自伝『MADE IN JAPAN』で語った言葉だ。★032 高い目標設定がもたらす様々な課題を解決するアイデアが、独創的な飛躍を生む。ジョブズの求める高い水準は、Ａｐｐｌｅのスタッフから新しいアイデアを導き出した。

まず、スクロールホイールに、慣性モーメントを導入した。くるくる回すのがいくら便利だからといって、千曲もあったらたどり着くまで何周も回さないといけなくなる。これを、ホイールを速く回すと、一気にスクロールが進むようにしたのだ。この慣性モーメントの概念は、のちにｉＰｈｏｎｅを生むきっかけに連なっていく。慣性を付けてスクロールする電話帳アプリの試作を見て、ジョブズはボタンを取り払ったスマートフォンを創ろうと意を固めるからだ。

「三回以上、ボタンを押させるんじゃない」

ユーザー体験をこだわり抜くジョブズの要求は厳しかった。

「いいか。曲を選ぶのに三回以上、ボタンを押させるんじゃない」★033

ボタンを増やさずに、どうすれば実現できるか。ジョブズが社内から集めたエリート・チームは頭を絞り抜いた。そして出たアイデアは、自ら創り上げたコンピュータ産業の常識を覆すものだった。ファイル管理からフォルダの階層を撤廃することにしたのだ。

小さな液晶のなかで何度もフォルダに潜っていくのはストレスが溜まる。テープレコーダーを限りなくシンプルにして、「カセットを入れて、再生ボタンを押すだけ」にしたＳｏｎｙのウォークマンを超えるには、極限までボタン操作を減らさなければならなかった。

だから、ジョブズたちは楽曲ファイルのＩＤタグを読み込んで、自動的にアーティスト名、アルバム名で並ぶようにした。今では当たり前の表示だが、概念的にはウェブ2・0時代に訪れるタギングを先取りしたアイデアだった。

もともと「回す」ユーザー・インターフェースは、Ｓｏｎｙのジョグ・ダイヤルやマイクロソフトのマウス・ジョグなどもあり、珍しいものではなかった。が、背後のアイデアを磨いたことで、ｉＰｏｄのホイールは「革新的」と賞賛されるＵＩになったのである。デジタル・ガジェットにはパソコンと異なる設計思想が要る。ｉＰｏｄ開発でのこの経験は、のちにｉＰｈｏｎｅのｉＯＳ誕生へ繋がっていく。

ジョブズ自身もアイデアをいろいろ出した。「電源ボタンって要らないんじゃないのか?」チームは驚いた。非常識だった。が、確かに言われてみれば自動スリープで十分だ。ボタンがひとつ減れば、さらにシンプルになる。そうなれば、より多くの非消費者を新市場に変えることができる。ジョブズのアイデアを受けて、スタッフは「段階的スリープ」という技術を開発した。Ａｐｐｌｅの技術陣はボタンを取るだけでは、アイデアの磨き込みが足りないと考えたのだ。

ボタン一発で持ち歩く曲を一気に入れ替える、「オートシンク」もジョブズのアイデアだった。パソコンにｉＰｏｄを繋ぐたびに、どの曲を入れて、どの曲を削除すべきか考えさせるのは面倒すぎる。ユーザーに最高の体験を与えないアイデアはクソだ。

「Ａｐｐｌｅは音楽プレーヤーをやるべきだ」と気づく前、ジョブズはＳｏｎｙのクリエ(パームＯＳを搭載する電子手帳)などに追従して、電子手帳に参入しようとしたことがあった。パームの、繋いでボタンを押せばほかに何も考えなくていい、シンプルな同期を気に入っていた。彼は、同じことを音楽でやりたい、とイメージしたのである。[★034]実はそれこそが、ｉＰｏｄを革命的なガジェットにした核心的なアイデアだった。

ｉＰｏｄは一見、「曲がたくさん運べるウォークマン」というだけで、音楽生活にさしたる変化はないように見える。実際、メディアは当初そう勘違いした。だがｉＰｏｄのオートシンクは、ウォークマンにもＣＤにもできなかった新しい音楽生活を実現していた。それは制作したＡｐｐｌｅよりも、ユーザーたちの方が先に気づくことになった。ジョブズがそれに気づいたのは、画面のないｉＰｏｄシャッフルを自ら着想した頃だったように思う。この点については後述しよう。

ジョブズはオートシンクに、違法ダウンロード対策を施すアイデアも埋め込んだ。ｉＰｏｄをＭａｃと同期したとき、ｉＰｏｄからＭａｃへは曲を移せないようにしたのである。ｉＰｏｄを友だちのＭａｃに挿して、ｍｐ３を交換するということが起きないようにしたのだ。消費者のウケだけを考えるなら、この機能制限は儲けを減らす判断だったが、それは彼の美的感覚から出たものだった。純白に輝く工業デザインの傑作、ｉＰｏｄに盗品が詰め込まれるのは、彼の美的感覚には耐え難いことだったのだ。

パッケージを開けると、「音楽を盗まないでください」というカードが入っているようにジョブズは指示した。この感覚が合法のオンライン音楽ストア、ｉＴｕｎｅｓミュージックストアへと繋がり、ひいては映像・本・ゲームまでも網羅する「配信の時代」を切り拓くことになった。

ｉＰｏｄのデザイン――シンプルは洗練の極み

様々な天才との出会いに彩られたジョブズの人生だが、復帰後の時代を代表するＡｐｐｌｅの天才といえば、ジョナサン・アイブを超える存在はいないだろう。

ジョブズは、エンジニアにアーティストであることを求め、プロダクトに芸術品の水準を求めた。アイブには、Ａｐｐｌｅのプロダクトを本当に芸術品にしてしまう巨大な才能があった。彼の手がけたプロダクトは、ニューヨーク近代美術館（ＭｏＭＡ）の常連になった。

Ａｐｐｌｅの創業時、ジョブズは最初の事務所に、Ｓｏｎｙの営業所の上のフロアを選んだ。そしてよく営業所からＳｏｎｙのパンフレットをもらい、デザインを研究していたという。Ｓｏｎｙのデザインに大きな感銘を受けたジョブズだが、マッキントッシュを生み出す頃から、デザイン面で脱Ｓｏｎｙを目指し始める。その際、ジョブズが道標にしたのがシンプルさと機能美の融合を謳うバウハウスのデザイン思想だった。

ＭｏＭＡに飾られたｉＰｏｄの隣には、バウハウスの流れを汲むディーター・ラムスのデザインした、ブラウン社製のポケットラジオが展示された。形状がｉＰｏｄとよく似ているが対照的に、質感に大きな個性差を感じさせる。Ａｐｐｌｅが、バウハウスを学びつつさらなる高みへ飛翔したことが伝わる、そんな展示だ。

Ｓｏｎｙを超え、バウハウスを超えたい。限りない卓越を目指すジョブズの渇望を実現してくれたのが、アイブの才能だった。ポリカーボネートの透明感のなかで、純粋なまでに輝くホワイト。継ぎ目なく連なるステンレスの背面。手に持つと、新潟県燕市の職人たちが極限まで磨き込んだ質感と丸みを楽しむことができ、それは官能的ですらある。

「デジタル・ガジェットを見ていて、ポイ捨てしたくなるような安っぽさが嫌だった」★035というアイブは、ｉＰｏｄに高貴なまでの存在感を宿らせた。

ジョブズの渇望は、イノヴェーションでも満たされなかった。イノヴェーションを超えるものを常に目指した。

「テクノロジーとリベラルアーツの交差点」こそがジョブズが人生を通して追求してきた理想だ。アイブのデザインは、ジョブズの理想を結実し、イノヴェーションとエモーション（感情）を結びつけてくれるものだった。ジョブズはアイブを「心の友《スピリチュアル・フレンド》」と呼んだ。それほどまでに、アイブとの出会いに感謝していた。

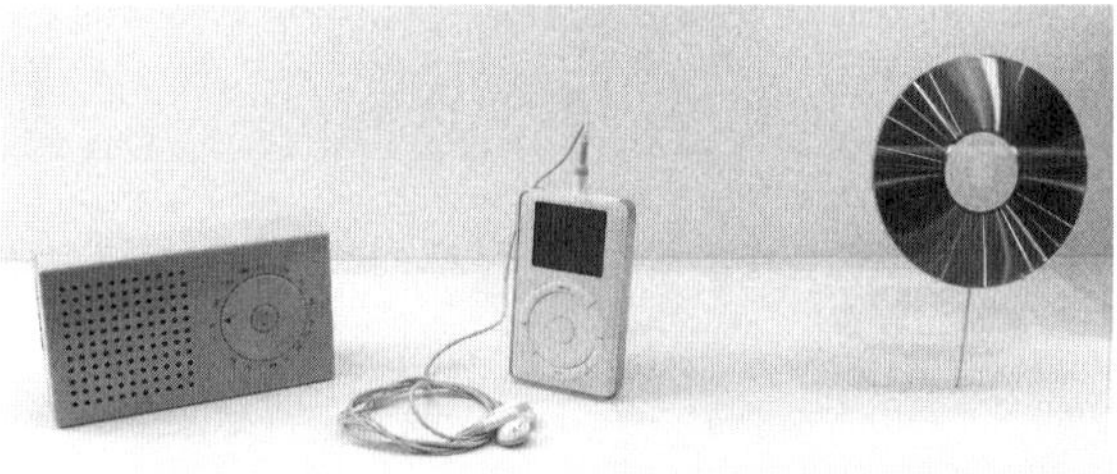

ニューヨーク近代美術館に飾られた初代iPod。右には、Sonyとフィリップスの創ったCDが虹色に輝いている。左には、ジョブズとアイブにデザイン面で大きな影響を与えたバウハウスの流れを汲むブラウン社の携帯ラジオがある。デザイン面でも「Sony超え」を目指していたことがわかる。

Max Erds "Ipod & CD", Flickr, https://www.flickr.com/photos/tvvork/340062389/

Ｓｏｎｙのウォークマンが創り上げたヘッドフォン文化は、若者の耳から垂れる漆黒のケーブルが目印だった。アイブのホワイト・ケーブルも文化的アイコンとして機能することになる。ピュアホワイトは文化現象までに高まってゆく。

卓越を目指すアイブのデザインを実現するため、ハード責任者のルビンシュタインは、ハードの設計を何度もやり直すことに付き合った。設計は分解・再構築を繰り返し、ハードウェア・エンジニア陣の創意工夫が結晶していった。あのクォリティはそうやって現実のものになったのだ。ｉＰｏｄの組み立ては、デスクトップ・パソコンの組み立てよりも日本の薄型携帯電話のそれに近かったという。★036 極限まで工夫した組み込みをジョブズの精神は追求した。すごいエンジニア、すごいクリエイター、すごい技術、すごいパーツ、すごいＥＭＳ（組み立て）、すごい職人。ジョブズはｉＰｏｄのために、世界中からそれらをかき集めた。その卓越への情熱は統合モデルを進化させ、のちにＡｐｐｌｅを時価総額で世界一の企業に押し上げる。白く輝くｉＰｏｄのデザインは、歴史的到達の象徴でもあった。

音楽への愛情、プロダクトへの愛情

創ったこともないジャンルのプロダクトを、たった六ヶ月で完成させるために、チームは休日返上でがむしゃらに働いた。だがインタビューを読むと、口々に「つらかったけど、楽しかった」と答えている。その理由もみんな同じだ。Ａｐｐｌｅはコンピュータをデザイナーやミュージシャンといったクリエイターのために創っている。

「最高にクリエイティヴなコンピュータで、世界のクリエイターを助ける」という社是は、Ａｐｐｌｅに音楽好きのスタッフを引き寄せていた。だからｉＰｏｄの開発は、じぶんが本当に欲しいものを創っている実感があったので、楽しくて仕方なかったのだ。

「デザイングループの全員が、ｉＰｏｄほど欲しいと思った製品が過去にあったかどうか、よくわからないくらいです[★037]」

アイブもそう語っている。しかしお約束と言うべきか。開発は終盤に入り、テストの段階に入ると大トラブルに遭遇した。スリープの不具合で、たった三時間で電池が切れてしまうことがわかった。

「すでに生産ラインが組まれ、緊迫した状態でした[★037]」とポータブルプレーヤー社のクナウスは振り返る。問題はひと月経っても解決せず、二ヶ月後にようやく解決した。六ヶ月のうちの二ヶ月は、きつかったと思う。

発表の一ヶ月前には、世界を震撼させた九・一一事件に遭遇した。発表が一ヶ月後に迫っていたが、「家族といるべきと思うなら、ぜひそうしてほしい」とジョブズは社員にメールした。[★038]

製品発表の数日前に、さらに問題が発生。プリント基板に欠陥が見つかった。Ａｐｐｌｅの社員は総出で台湾をタクシーで駆け巡り、町工場で基盤を創って、本当にギリギリのところで解決した。

「あのときはぞっとしたよ」とルビンシュタインは笑った。[★039]

ジョブズは初め、「ｉＰｏｄ」に反対だった

ｉＰｏｄという名前は、フリーのコピーライター、ビニー・シエコが着想した。[★040]「ｉＭａｃをガジェットのハブにする」というジョブズの「デジタルハブ構想」から宇宙ステーションを想像したという。ハブに繋がったポッド。それにｉをつけた。

シエコはほかの案も含め、名前をカードにして持って行った。ジョブズはカードの山を合格、不合格に分けていく。シエコの自信作「ｉＰｏｄ」は、あっさり不合格の山に分けられた。だがジョブズが最後に意見を聞いてきたの

で、シエコは「iPod」がジョブズの求めているものにいちばん近いことを力説した。

ジョブズは「考えておく」とだけ言って部屋から出て行ったが、プロジェクトの会議に出たとき、「決めたぞ！　iPodだ」と宣言した。ジョブズはじぶんが何でも考えたように言う癖があったが、それはいつものことだった。問題はアイデアの質だ。

iMacのときは「Macmanがいい」と言い出して、周りが止めた経緯がある。★041 あまりにSonyっぽいからだ。ジョブズは反対意見を受け入れ、iMacに決まった。イメージとは違い、話をよく聞くリーダーなのだ。

「俺は『自分が正しいんだ』なんて事には拘らない。成功すればそれでいいんだ。さっきまで強硬に主張していたのに、五分後にはころっと俺が意見を変えるのを見た人間はたくさんいるはずだよ。そういう人間なんだ」★042

目標は卓越だから、チームが卓越したアイデアにたどり着けば、じぶんのアイデアが否定されてもこだわらないのだろう。その割に何でもじぶんの手柄にしたがるのは、ジョブズの複雑怪奇な側面だ。

ジョブズの持ってきた名前は、チームもすんなり納得した。かくして「二十一世紀のウォークマン」は「iPod」となった。

二〇〇一年十月。メディアに、Appleから新製品イベントの招待状が届いた。

「ヒント。Macじゃないよ」

招待状にはそう書かれていた。

iPodは初め、理解されなかった

音楽産業は、インターネットの普及でイノヴェーションのジレンマに陥った。一方、どん底から復活したジョブズはジレンマを克服する英知を、自身とＡｐｐｌｅの失敗から学び取っていた。

禅の世界では、悟りは智慧《ちえ》をもたらし、智慧は苦しみの連鎖から自他を救うと云《い》う。ジョブズは乙川弘文禅師に私淑し、永平寺に出家しようとすらしていたが師に止められ、起業家となった。癇癪《かんしゃく》持ちだった彼が心の平安をマスターしていたようには思えない。だが、会社追放から自身を復活へ導いた英知が、倒産寸前だったＡｐｐｌｅをイノヴェーションのジレンマから救い出したことは間違いなかった。やがてその英知は、ナップスターの興した嵐に漂流するメジャーレーベルにとっても、一条の光明を示す灯台となっていく。

歴史の石版には、ｉＰｏｄの名が既に刻み込まれている。だがジョブズがＡｐｐｌｅキャンパスでｉＰｏｄを発表したとき、人びとの反応は決してよいものとは呼べなかった。

壇上のジョブズがポケットからｉＰｏｄを取り出したとき、あまりに予想外だったｍｐ３プレーヤーの登場に講堂は静まり返った。当時、ｍｐ３プレーヤーといえばＲｉｏだったが、ｍｐ３プレーヤーには微妙な印象しかなかった。

Ａｐｐｌｅコンピュータが音楽に乗り出す？　唐突すぎてよくわからない。記者たちは訝《いぶか》った。壇上のジョブズは、「好きなことをやるのがいちばんだからだ」と言った。音楽は彼にとっていつも支えだった。ビジネス上の理由もこう添えた。

「もっと重要なのは、音楽はみんなの生活の一部になっている点だ。みんなのだよ」

記者たちの脳裏には、Ａｐｐｌｅが失敗した電子手帳のＮｅｗｔｏｎやデジカメのクイックテイクがよぎっていただろう。プレイステーション以前、Ｓｏｎｙがコンピュータ技術関連で首尾よくいった試しがなかったように、デジタル・ガジェットの世界でＡｐｐｌｅが上手くいった試しがなかった。その挑戦は社内的にも掟破りだったのだ。

「最高にクールな点は、音楽ライブラリをポケットに持ち運べることだね。これは本当の本当に、大きなブレイクスルーなんだ★043」

プレゼンテーションするジョブズの映像が残っているが、報道陣はポカンとした顔を並べている。自慢のおもちゃを見せびらかすように、ジョブズは嬉しそうにデモを進めていく。サラ・マクラクランの「ビルディング・ア・ミステリー」が、iPodが公で初めて鳴らした音楽だった。

「世界中の文字に対応している」

液晶パネルに「宇多田ヒカル」などの日本語が並ぶ。

「日本の曲をかけてみよう」

スクロール後、サザンオールスターズの「忘れられたBIG WAVE」がAppleキャンパスの講堂にゆったりと広がった。その選曲は、世界で初めてヘッドフォン文化の生まれた日本へのラブコールでもあった。

「五ギガバイトのハードディスク、Firewire、十時間持つバッテリー、千曲がポケットに入る。これで三九九ドル(四万四千円)だ」

拍手は起こらなかった。他社製品の倍近い値段だった。CMのパイロット版がお披露目されると、ようやく気持ちの入った拍手が起こった。イメージがやっとできたのだろう。記者たちを責めることはできない。「じぶんの音楽を全部持ち歩ける」ということが、どういうことなのか、人類はまだ体験したことがなかった。

ウォークマンが登場したときもそうだった。ウォークマン製品発表の会場からバスに乗せられ、代々木公園に到着した記者たちは、ヘッドフォンをつけてローラースケートを乗り回す学生たちに唖然とした。ヘッドフォンで好きな音楽をいつでも、どこでも、好きな場所で聴く。人類の新しい生活スタイルを描いたその風景は、あまりに新しすぎた。

ウォークマン発表の翌日。メディアは話題にしなかった。Sonyの広報は、とにかく街中で使ってもらえる人をつくることにした。やがてヘッドフォンをつけるアイドルを雑誌で見たり、街中で黒いケーブルを耳から垂らすおしゃれな若者を見たりして、「あれは何なのか」と感じる人たちが口コミを起こし始めた。

　iPodの場合、メディアは無視しなかったが、反応が微妙だった。

「オートシンクやスクロールホイールといったiPodならではの特徴は、携帯型音楽プレイヤーに対するマスコミの先入観にかき消されてしまった。『デザインに凝ったmp3プレイヤー』というのが、大方の見方だった」

日経エレクトロニクスのシリコンバレー駐在員だったフィル・キーズは、そう回顧している。[★044]

「何事でも完全に咀嚼《そしゃく》するには、情熱を持って傾倒する必要があるんだ。ざっと眺めるだけではダメだ。でも、それだけの時間をかけない人が多いのさ」[★045]

　ジョブズはそう語ったことがある。仕事に追われる記者だけに限った話ではない。読者の多数派は今なら短いつぶやき、短いまとめ記事を頼りにしているし、企業の取締役たちも一枚のエグゼクティヴ・サマリーでトレンドを把握しようとする。皮肉なことに、新しい現実を即座に理解できるのは、惜しみない情熱を持って世界を理解しようとする人間だけらしい。少数派の彼らだけが、新しい現実を創造する資格を手に入れている。

　iPodの発売時期は、景気的にも最悪の時期だった。この年、ITバブルは崩壊した。音楽の無料ダウンロードで社会現象を起こしたナップスターが著作権法違反で敗訴して、学生層に横溢していたデジタル音楽革命の熱も急速に萎み始めていた。発売の前月にはアメリカで同時多発テロが発生。大恐慌以来の重苦しい雰囲気に、アメリカは包まれた。こんな時期に、誰がメディアに不評な新製品を買うのだろうか。

　幸運なことにAppleには、熱狂的なMacファンがいた。ジョブズの作品がどうやって「世界を変える」のか。「Think Differentキャンペーンの号令で再集結した彼らは、割高感のあるこの不思議なmp3プレーヤーを購入し、体験して理解しようとしてくれた。

　iPodはその年の残り二ヶ月で十二万五千台、売れた。[★046]　iMacの登場に比べれば慎ましやかなスタートだった。しかしこの十二万五千人が、かけがえのないインフルエンサーとなってくれた。街中でおしゃれな人たちが、白いケーブルを耳から垂らしている。いったいあれは何？　Ｍａｃのコア・ユーザーは学生のほかに音楽、デザイン、映像を生業とする人たちだった。ファッションを愛する層とも重なっていた。

その後、ユニバーサル・レコード傘下のインタースコープ社がこれを踏襲している。同社が起業したビーツ社のことだ。ヒップなファッションの若者が、赤いケーブルを耳から垂らして街を闊歩《かっぽ》し、ビーツのヘッドフォンは同市場の先駆者にして王者だったＳｏｎｙに並んだ。

ビル・ゲイツは決してファッショナブルな人ではないが、ジョブズの製品を全的に理解する情熱を持っていた。ウィンドウズを企画したときから最大の好敵手だったからだ。

ジャーナリストの重鎮スティーブン・レヴィが、ゲイツと食事をしたときのことだ。

「これはもうご覧になりましたか」と新製品のｉＰｏｄをゲイツの前に置いた。

彼は、そのまま何分間も無言でｉＰｏｄを触り倒した。「ゲイツはこの時点で、自分だけの境地に入り込んでしまった」とレヴィは書き残している★047。

「素晴らしいプロダクトだ」

しばらく経ってから、ゲイツはそう独りごちた。

ｉＰｏｄ誕生から二ヶ月後。クリスマスの頃だ。ミュージシャン、レコーディング・エンジニア、プロデューサーで構成された米レコーディング・アカデミーはＡｐｐｌｅにグラミー賞を送ることを決めた。

ある理由で人はすぐ忘れてしまうが、音楽の世界でコンテンツとハードは両輪だ。ミュージシャンたちは「ウォークマン以来の革命的ハード」とｉＰｏｄを見なした。海を越えた先でもｉＰｏｄはミュージシャンに賞賛された。

「どれほどの情熱と時間、そして愛がこれに注がれたか、よくわかる★048」とグラミー賞で三部門受賞したソウル・

ミュージシャンのシールは語っている。テクノロジー好きのミュージシャンは少なくない。

概してテクノロジーは音楽に貢献してくれるものだ。印刷技術が普及するとベートーベンたち職業作曲家が誕生し、ジャズ時代にはエジソンのレコード発明が音楽の産業化を進めた。その後もテクノロジーは音楽コンテンツに変革をもたらした。エレキギターとロック。ドラムマシンとクラブミュージック。サンプラーとヒップホップ。これからも新しい技術が新しい音楽を創るだろう。

テクノロジーが音楽に初めて猛威をふるったのは、ラジオだった。ラジオがもたらした「無料で音楽が聴き放題」のインパクトは巨大で、普及時、米音楽産業の売上を文字通り、壊滅に追いやった。それから七十年。ファイル共有の席巻で、再びテクノロジーは音楽産業に牙を向いていた。新しい音楽生活のスタイルを提示したｉＰｏｄは、音楽産業にとって久々の明るい話題だった。

セレンディピティ――ｉＰｏｄのもたらした音楽生活の変化

「こんなに音楽に夢中になったのは十七歳のとき以来だよ！[★049]」

映画『ハリー・ポッター』シリーズに出演したデヴィッド・シューリスは、撮影現場でインタビューを受けた際、映画の話題はそっちのけでｉＰｏｄについてまくしたてた。

「次に何がかかるのか予想もつかないんだ。午後はずっと、ここで音楽を聴いていたよ。二十一世紀最高の発明だと思うね」

ｉＰｏｄはその後、社会現象になっていくが、シューリスのせりふはｉＰｏｄが創り出した熱狂の本質を表現していた。ナップスターは音楽の流通を破壊したが、ｉＰｏｄが破壊をもたらしたのは音楽の聴き方だった。

「私は未来を見た。その未来とはシャッフルだ」[★050]

ニューヨーカー誌のアレックス・ロスは、記事の冒頭でそう切り出した。ｉＰｏｄにお気に入りの音楽を何千曲も詰め込んだ後は、シャッフルを押す。何がかかるか、予想もつかない。これが、ＣＤプレーヤーでは実現できない驚きと感動を創っていた。予定調和が、これまでの音楽生活だった。ＣＤもミックステープも次に何がかかるか、リスナーは承知済みだった。だから、いずれ倦《う》んでくる。ＣＤのシャッフル機能がほとんど使われなかったのは、次に何がかかるのか予想の範囲内だったからだ。ｉＰｏｄは、予定調和の世界を破壊していた。

「セレンディピティ」という言葉がある。偶然、新しい感動を発見する能力のことを言う。ＳＮＳが普及して以降、セレンディピティの演出はウェブ・プロモーションの基本となった。ウォークマンの後継者、ｉＰｏｄの功績は音楽の世界でセレンディピティを広げたことだ。

「これは、音楽と出会う方法として革新的で比類ないものだ」[★051]

〝ｉＰｏｄ教授〟のマイケル・ブル博士は、ワイアード誌にそう語った。博士の調査では、大多数のユーザーがシャッフルを利用していた。四人に一人は、アルバムやプレイリストではなく、シャッフル機能をメインにして音楽を聴いていた。

「一直線の音楽体験はもう過去のものになった。僕らは、飛ばし聴き時代のまっただなかにいるんだ」

初代ｉＰｏｄのヘヴィーユーザーとなったジョン・メイヤーはそう語った。[★052]今や三大ギタリストのひとりとなったメイヤーは、ジョブズのお気に入りの新人で、家庭にたびたび招待されていた。Ａｐｐｌｅイベントでも繰り返しゲストアクトに呼ばれている。若き才能に、プロデューサー魂が抑えられなかったのだろう。

インターネットの普及は音楽コレクションを管理不能な楽曲数にしつつあった。ナップスターの登場で、学生たちも千曲以上を持っているのが当たり前となっていた。

「音楽コレクションは、喜びの種があちこちに隠れている宝の山になった。ｉＰｏｄの魔法のような力が、宝の存在をユーザーに気づかせてくれるからだ[★053]」とブル博士は言う。

忘れ去られた情報は死んだに等しい。ネットのもたらした情報の氾濫は、「アクセスされない情報をいかに復活させるか」というテーマをもたらした。その答えがグーグルの検索エンジンや、アマゾンなどのおすすめ機能だった。音楽ではｉＰｏｄのオートシンクとシャッフル機能がその嚆矢《こうし》となった。

もうひとりの専門家、マルクス・ギースラー助教授は語る。

「シャッフルモードはもともと斬新な仕掛けに過ぎなかった。それが今では、そうしなければ失われかねない情報にアクセスするための最も有効な方法になっている。消費の複雑さを軽減するサイボーグ消費の戦略だ[★051]」

どのアルバムを聴いたらいいか、どういうプレイリストを創ればいいか。ふつうの音楽ファンには収拾がつかなくなったときに登場したのがｉＰｏｄだった。パソコンに繋げば、ｉＴｕｎｅｓが適度にｉＰｏｄの中身を入れ変えてくれる。あとはシャッフルで聴くだけ。ジョブズの考案したシンプルなオートシンク機能は、音楽生活を自動化して、人びとの音楽生活が抱えていた問題をエレガントに解決してみせたのだ。

ｉＰｏｄはもはや「最高のマイラジオ」でもあった。なにせじぶんの買った好きな音楽だけが数千曲、詰まっているのだ。ペットのようにｉＰｏｄに愛着するファンが続出した。ウェブサイト「ｉラウンジ」には世界中からｉＰｏｄのおでかけ写真が集まった[★053]。

シャッフルはいわば、じぶんだけのＤＪだった。時を待たず、それはやがて、ｉＴｕｎｅｓのジーニアス機能や、パンドラのような人工知能によるＤＪの登場に連なってゆく。音楽での人工知能の利用は、昨今のＡＩブームより十年は早かった[★054]。

ｉＰｏｄの登場から三年後、「ラジオの再発明」が起きる。パンドラやラストＦＭのようなパーソナライズド放送の誕生だ。ｉＰｏｄのもたらした音楽生活は、新しい放送の原型にもなったわけである。「ｉＰｏｄは流行りものじゃない。音楽の聴き方を革命的に変えたんだ」製品発表時に、ジョブズは報道陣にそう宣言したが、真実だった。

その後、ｉＰｏｄは音楽フェスのあり方、ラジオ番組のあり方にまで影響してゆく。就中、音楽の消費スタイルを変えたことは、音楽の販売スタイルにも大変革を促すことになった。ｉＴｕｎｅｓミュージックストアの登場だ。

定額制配信の失敗で、音楽産業はジョブズに助けを求めてきた

「アホばっかりだな」

年が明けて二〇〇二年の一月。ジョブズが言い放った先には、「相談がある」と訪ねてきた友人、ワーナー・ミュージックの副社長ポール・ヴィディックがいた。

違法ダウンロードが猛威をふるうなか、音楽産業は団結して、コピー防止規格を制定しようとしていた。ｉＰｏｄで音楽の世界に参入したＡｐｐｌｅに賛同をもらいにきたが、ジョブズは音楽業界の取り組みをばっさりと切り捨てたのだ。その切っ先には、先月メジャーレーベルが鳴り物入りで始めた定額制配信（サブスク）のことも含まれていた。音楽産業はふたつの陣営に分裂し、互いに音楽カタログを融通し合うことはなかった。アーティストたちも協力しようとしないので、最新のヒット曲もほとんどない。加えてサービスの使い勝手は最悪で、何から何までジョブズの美意識を逆撫でする出来だった。

「そのとおりだ。なにをどうしたらいいのかわからない。だから手伝ってほしい」★055
風邪をひいていたヴィディックは喉から絞り出すように嘆願した。

相手を怒らせて本音を引き出す。それはジョブズのよくやる手だったが、このときは逆に驚いたらしい。そして、

こういうときの彼は誠実になるのだった。ジョブズはコピー防止規格に賛同を与えたうえ、心中に秘したヴィジョンを開陳した。

シンプルでエレガント。禅の美学だ。それがジョブズにとっての正解であり、あるべきサービスの姿だった。もともと音楽配信をやるつもりはなかったジョブズだが、出来損ないだらけの音楽配信を触るうちに、創作欲が抑え難くなったらしい。俺ならこう創る。いや、これからの音楽ビジネスはこうあるべきだ……。創作欲はいつしか使命感に変わっていった。

二ヶ月後、ヴィディックはボスを連れてきた。ワーナー・ミュージックのCEO、ロジャー・エイムズはそこでiTunesミュージックストアのモックを見た。検索欄にアーティスト名を入れる。曲が瞬時にリストされる。クリック一発でダウンロード。

「そうそう、これだよ。これを待っていたんだ」

エイムズはジョブズの顔を見て笑った。違法ダウンロードと闘うには、ナップスターよりもシンプルでエレガントでなくてはならない。なのに巷の音楽ダウンロード販売サイトは、まともに検索もできなければ、ダウンロードまで十ステップも必要で嫌気がさす出来だった。熱気に当てられたのかもしれない。ワーナー・ミュージックのエイムズは、メジャーレーベルの世界で、ジョブズの案内役を務めることになる。

ちょうどその頃、米レコード協会(RIAA)のCEO、ヒラリー・ローゼンも同様の答えを模索していた。彼女には急がねばならない事情があった。

RIAAは違法アップロードをする個人の告訴に乗り出していた。合法配信を推し進めるかわりに、違法配信を取り締まる。フェアな考えではある。だが肝心の合法配信が出来損ないだった場合はどうなるか。火に油を注ぐ事態になる。プレスプレイとミュージックネットは「複雑すぎて使いものにならない」という酷評が集まっていた。業界内で合法配信の時代を説いていたローゼンは立つ瀬がなくなった。

「音楽業界としては、ボタンを押すだけで再生できるシンプルな環境を作りたいと考えていました」★056

ローゼンはインタビューに答えている。音楽業界は、音楽配信はCDのようにシンプルであってほしかったのだ。ジョブズのアイデアは、音楽配信、iTunes、iPodをエレガントにまとめた一体型サービスだった。MacがウィンドウズIに負けて以来、「ソフトウェアとハードウェアの融合は時代遅れ」と烙印を押されていたが、それこそ音楽産業の求めるかたちだった。音楽配信から再生までが一体なら、インターネット・ユーザーを一元管理できる。ナップスターの席巻で失ったコントロールの手綱を、業界が再び手中に収めるチャンスだった。

一曲九十九セント──マイクロペイメントの破壊力

かつてSonyがCDを世界に提案した際、音楽産業から猛反発を受けた。大賀典雄はメジャーレーベルを説得しにめぐったが「石もて追われる」有り様だった。iTunesミュージックストアの立ち上げでも同じようなことが起こった、とまでは言えないが、似たような感じになった。

ジョブズ本人が、メジャーレーベルに乗り込んできた。「経営界のロックスター」を石もて追うことはできなかったので、CEOがサシで応対することになった。それは、ジョブズが「現実歪曲フィールド」を発揮する機会を与えた。エレガントな一体型サービスで一元管理、という彼のアイデアは魅惑的だった。だが、考え込んでしまう提案がセットになっていた。「一曲九十九セントでアルバム曲をバラ売りしたい」と言うのだ。経営者としては、イエスとは言えない相談だった。アルバムビジネスの崩壊を受け入れることになるからだ。

「五〇年代はシングル中心のビジネスだった。本当の意味でアルバムが重要になったのは、六〇年代半ばからだ」

アイランド・レコードの創業者クリス・ブラックウェルは語る。ボブ・マーレー、キング・クリムゾン、U2、そしてボン・ジョヴィを世に送り出し、その功績でロックの殿堂に入った音楽業界人《ミュージックマン》だ。

「アーティストにとって、ヒットシングルはいわばフリー・プロモーションに相当した。シングルは収益源にはなりえなかったからだ」★057

五〇年代、ロックンロールと安価なシングルの組み合わせは、音楽産業のマーケットを若年層まで広げてくれた。だが安価なシングルは、制作費・宣伝費の元手を回収しにくい。メジャーレーベルはこれを嫌気し、当時ロックと無縁だったアルバムビジネスにこだわった。

身軽なインディーズレーベルは違った。無料のラジオを活用して安価なシングルをたくさん売り、ライヴに集客して稼ぐというモデルを創った。何か二〇一〇年代のことが脳裏によぎった読者もいらっしゃるだろう。かくしてロックの時代は、インディーズから始まることになった。

六〇年代に入るとシングルの寄せ集めに過ぎなかったアルバムに変化が起きた。アルバムにコンセプトを取り入れ、曲の連なりに物語性を持たせたのだ。これでシングルではなく、アルバムを買う理由が出来た。メジャーレーベルは、ラジオでシングルを売った後、ライヴに誘導するのみならず、単価が高く十分な粗利の取れるアルバム・セールスへ繋げるようになった。音楽産業はアルバムの力で黄金時代を取り戻したのだった。

八〇年代。CDが登場するとアルバムビジネスは復活したのみならず、拡大した。レコードの倍近く曲が入るCDで、アルバムの価格を上げることができたからだ。九〇年代には、CDアルバムが音楽産業に史上最高の黄金時代を到来させた。

弊害も起こった。捨て曲の発生だ。レコードの三十五分で、ストーリーを創れる才能をもってしても、CDの七十分は難題だった。そしてコンセプト・アルバムは徐々に崩壊してゆく。気づけば、アルバムを買っても二、三曲、光る歌があれば十分、という妙な常識が出来上がった。消費者からすれば、それなら二、三曲だけ買わせてもらいたい。ジョブズはそうしろというのだ。受け入れた場合、どれだけ売上が落ちるだろうか。

計算結果だけ書こう。★058 アルバムビジネスが完全に崩壊した場合、売上規模は約四分の一に減る。アルバムあたり十三万枚だった採算ラインは、シングル・カット三曲が四十八万ダウンロードずつに変化する。それに、アルバム十万枚なら中堅アーティストでも可能だろうが、シングルを四十八万枚以上で三連発というのは売れっ子しかこなせない。

ジョブズの提案を聞くことは、レーベルの経営だけでなく、アーティストたちの人生にも大きな影響のある決断だった。音楽会社が顔を顰《しか》めるのも当然である。一曲九十九セントは、不思議な破壊的イノヴェーションだった。「デジタルの力で、五〇年代に経験したシングル中心の世界へ戻ろう」ということだったからだ。

アルバムは死んだのか?

音楽のダウンロード販売サイトは前世紀からあった。リキッド・オーディオやEミュージックなどだ。だが、大物アーティストの音楽はほとんど載っていなかった。ジョブズからすれば、そんなクソみたいなミュージックストアはありえなかった。じぶんが創る以上は、完璧な作品を目指す。HMV、タワーレコード、アマゾンを超える最高のメガストアだ。そのためには、ビッグ・アーティストからひとりひとり許諾をもらう必要があった。大物ほど楽曲の権利をじぶんたちで保有しているからだ。

ジョブズだけができて、マイクロソフトのゲイツやインテルのグローブCEOにはできなかったことがある。アーティストに会いに行き、説得することだ。

「アーティストが話をしたいと思うようなＣＥＯはコンピュータ業界にいませんでしたが、彼は例外でした」★059

ＲＩＡＡのローゼンはそう振り返る。ジョブズはカリスマを持っていただけでなく、大の音楽ファンでもあった。そういうのは伝わるものだ。それに、契約金でものをいわす話ではなかった。アーティストに心を開いてもらう必要があった。創作上の問題があったからだ。

「良いアルバムには流れがあります」ナイン・インチ・ネイルズのトレント・レズナーは、フォーチュン誌にそう切り出した。「曲と曲が互いに支え合う。私はそういう風に音楽を創りたいんです」★060

レズナーはそうやって「神アルバム」をものにしてきた。『ザ・フラジャイル』、近作なら『ヘジテイション・マークス』がそれだろう。

レズナーと同世代のシェリル・クロウは早くに、ジョブズの提案に賛同したひとりだった。

「アルバム制作から解放されるのはミュージシャンにとって救いだし、バラ売りの方がリスナーも買いやすくなる」

クロウはインタビューにそう答えた。あっさりしている。彼女にだって神アルバムはある。当時なら『シェリル・クロウ』や、『カモン・カモン』がそうだろう。制作スタイルの違いなのかもしれない。クロウはのちに、ジョブズと共に撮った写真でフォーチュン誌のカヴァーを飾ることになる。

才能を取り扱う術にかけては、ジョブズは名人級だった。ゲイツとの貴重な対談が映像に残っているが、そこで成功の秘訣を問われたジョブズは、こう答えた。

「まず情熱をもって完璧なプロダクトを目指すこと、次に最高の才能を集めることだ」★061

別の場所ではこう語っている。

「これまでのキャリアで痛感したことがある。最も優れた人材はコンテンツを理解できる人間だ。嫌になるくらい扱いづらいんだけど、コンテンツに関しては最高に優秀な奴らだから、俺はグッとこらえてやっていくんだ。これが最高のプロダクトを創る秘訣だ★062」

ジョブズにとって「コンテンツ」とは、形式張った仕事のプロセスよりも重視すべき、仕事の「中身」でもある。もちろん彼は、映画会社ピクサーを経営した経験からコンテンツビジネスの才能を扱う術も体得している。

コンピューティング、映像、デザイン、広告。彼は様々な才能と渡り合い、取り込んできた。ジョブズに心を開くアーティストが次々と出てきたのは、彼がプロデューサーの流儀を極めた男だったからかもしれない。

U2とドクター・ドレーの果たした歴史的役割

テクノロジーのもたらす節目には、決定的な働きをするミュージシャンが登場してきた。CD時代の幕開けを宣言したカラヤン、MTVの立ち上げを助けたミック・ジャガー、ナップスターと闘ったメタリカなどがそうだ。

iTunesミュージックストアは音楽流通の歴史的な転換となったが、これを助けた象徴的なミュージシャンを挙げるとするなら、ドクター・ドレーとU2で異論はないように思う。

ドレーは、ヒップホップの帝王だった。エミネムやスヌープ・ドッグのメンターにもなっていた彼は、デス・ロウ・レコードの粒ぞろいのカタログを有していた。開局当初のMTVは、白人ロック一辺倒だったが、ドクター・ドレーがパーソナリティを務めるプログラムが大人気を博したのを機に、ヒップホップの強力なサポーターに変わった。さらにナップスターが登場した際、ドレーはメタリカと共に闘った。

「ダウンロードと名の付くものには一切楽曲をライセンスしない★063」

そう公言するようになっていた。もちろん、iTunesも例外ではなかった。ヒップホップ界のキーマンが、ダウンロード販売に反対していたのだ。だからこそ、ジョブズはドレーと話をつけたかった。彼はドレーをクパチーノに招待した。「音楽配信なんてみんな失敗している」と言うドレーに、ジョブズは自らｉＴｕｎｅｓミュージックストアのデモをやってみせた。

「ほう、ようやくちゃんとできたってわけだ★064」

ドレーは破顔した。初めてまともな音楽配信が誕生しそうだと思った。ジョブズは彼に、数時間に渡って、音楽産業の将来を熱っぽく語った。そしてドレーから、ｉＴｕｎｅｓに楽曲を卸す約束を取り付けたのだった。

ポストパンクの旗手としてＵ２は、ＭＴＶと共に時代を駆け上がったが、ｉＴｕｎｅｓにも大きく関わることになった。ｉＰｏｄといえばＵ２というくらい、その後、両者のイメージは重なり合っていくが、Ｕ２も最初はｉＴｕｎｅｓミュージックストアには反対していた。

「コンセプト・アルバムだからバラ売りはやらない★065」

そう断ってきたのである。幸いだったのは、Ｕ２のメンバーにテクノロジーおたくのギタリスト、ジ・エッジがいたことだ。彼はＡｐｐｌｅに強い親近感を持っていた。ミュージシャンなら誰もが制作にＭａｃを使っていたことが、功を奏したのだ。

「それでスティーブはボノやエッジとじっくり話し合い、じぶんのアイデアを試させてくれと頼んだんです」

ローゼンは、ディスカバリーチャンネルでそう解説した。この米レコード協会の会長は人気コメンテーターの顔も持っていた。

「Ｍａｃのシェアはたった五％だ。何かあれば引っ込めてくれたらいい」

ジョブズはそう言ってジ・エッジを説得した。ほどなく、ふたりは意気投合し、いつしか家族ぐるみで付き合うようになった。芸術を愛し、求道的で、使命感が強いという点でふたりの人格には響き合うものがあったのだろう。

ジ・エッジと違って、もはやテクノロジーに悲観的な業界人は少なくなかった。彼らは、テクノロジーの結晶であるＣＤに文化保全を求めるようにして音楽配信に反対していた。

「そういう連中を信じるな。ＣＤじゃ違法ダウンロードと対等に戦えない」ボノは、ジョブズのようにばっさりと業界人を切り捨てた。「僕らは音楽産業みたいに未来から逃げるつもりはない。歩み寄ってでっかいキスをしたいんだ」★066

ボノはスポティファイのときもでっかいキスをしている。ｉＴｕｎｅｓストア誕生から六年後、スポティファイがイギリスに上陸した際、新アルバムの『ノー・ライン・オン・ザ・ホライゾン』をスポティファイで独占先行配信。ふたたび時代を先導した。

ドクター・ドレーも、ジョブズの死後、スポティファイに感化されて定額制配信を自ら立ち上げる。Ａｐｐｌｅはドレーの創ったビーツ・ミュージックを買収し、それを基にＡｐｐｌｅミュージックを立ち上げた。

ボノとドレー。ふたりはＭＴＶ、ｉＴｕｎｅｓ、定額制配信と三度、時代を導いたミュージシャンだった。

ミュージックマンたちの決断

ジミー・アイオヴィンは答えを探していた。

ブルース・スプリングスティーンのレコーディング・エンジニアだった彼は、才能を聴き分ける卓越した耳を持っていた。彼はその耳で世界のトップレーベルのひとつ、インタースコープを創り上げた。上に登場したドレー、ＮＩＮのレズナー、クロウ、Ｕ２。ほかにエミネム、ベック、ゴリラズ、レディ・ガガ。当時、高校生だったガガを除いて、そのすべてがｉＴｕｎｅｓミュージックストアのお披露目で目玉アーティストとなったが、みなアイオヴィンのインタースコープに在籍している。

技術音痴が少なくない音楽業界だが、エンジニア上がりのアイオヴィンはそうではなかった。テクノロジーを知悉《ちしつ》するがゆえにこそ未来を憂えていた。音楽産業の依って立ってきた技術的根拠を、ファイル共有は破壊してしまった。業界人たちがシリコンバレーを詰《なじ》って溜飲を下げる一方、彼は違う道を取った。

悟りを求めて師を探す僧のように、あるいは才能を求めてライヴハウスをめぐるディレクターのように、彼はシリコンバレーの会社という会社をめぐっていた。答えを持つ人物をじぶんで探し当てようとしていたのだ。だが、ＩＴ業界の「賢人」と会うたびに、失望感は深まっていくばかりだった。

「すべての産業が未来永劫続くってわけじゃないんですよ」★067

当時、ＩＴ業界の盟主だったインテルの最高幹部が言い放ったこの言葉は、アイオヴィンの心臓を突き刺したという。この最高幹部とは、アンディ・グローブ会長その人だったのではないか。彼は「インターネットすべてがナップスターのようになる」と公言していた。ＩＴ業界の経営者は音楽を救うことに関心などない……。徐々にアイオヴィンは、ドライな真実に気づいていった。彼らはＩＴバブルの崩壊で、じぶんたちを救うことで精一杯だった。

ダグ・モリスは怒っていた。ソングライターとしてキャリアをスタートしたモリスは、伝説の音楽業界人《ミュージックマン》、アーメット・アーティガンの右腕となり、やがて音楽産業の頂点に立つことになった。音楽産業の盟主、ユニバーサル・ミュージックはモリスが率いる時代に、ナップスター革命と遭遇した。

モリスが頭に来ていたのは、社内のＩＴ担当者たちだった。彼らのやることなすこと、すべてが失敗していたからだ。ｉＰｏｄ発売の五ヶ月前に、ユニバーサル・ミュージックはmp3.comを巨額の三億七千万ドル（四一〇億円弱）で買収した。だが当のユニバーサルとの裁判をきっかけに失調したmp3.comは買収後、人気が急落していった。社内のＩＴ担当は続いてＳｏｎｙミュージックと組み、サブスクを鳴り物入りで開始した。だが始まってみれば、他社から音楽をまともに調達できていなかったし、コピー防止にばかり頭が行ったせいで、システムの出来は最悪。音楽ファンから総スカンを食らっていた。

そんな折だった。モリスのもとに、ワーナー・ミュージックの長、エイムズがその男を連れてきた。モリスはワーナーのＯＢだった。ユニバーサルに来る前、ワーナーの旗艦レーベル、アトランティックをアーティガンと経営していた。後輩のエイムズがぜひ紹介したいというからには、会わないわけにいくまい。二〇〇二年秋のニューヨーク、ブロードウェイにあるモリスのオフィスに現れたジョブズは、ロックスターと同じ才気を身に纏《まと》っているように見えた。デモの合間に挟むジョブズの説明は、モリスの心に響くものだった。

ｉＴｕｎｅｓからワンクリックで購入する。ｉＰｏｄで聴く。とてもシンプルだった。これならＣＤを買って、再生機で聴いてもらっていたのと同じように、音楽産業は安全に流通を維持できる。ＣＤにできないコピー防止もｉＴｕｎｅｓならかけられる、とジョブズは言った。音楽産業が何に困っているか、よくわかっているとモリスは思った。だが、懸念点もあった。Ａｐｐｌｅに一元管理をまかせれば、いつの間にか主導権を持っていかれるかもしれない……。

モリスは、かつてそんな体験をしたことがある。ワーナー・ミュージックにいた頃のことだ。親会社のワーナー・コミュニケーションズがＭＴＶを立ち上げた。他社が音楽ビデオの提供を渋るなか、「同じグループだから」ということでモリスはＭＴＶに無償でビデオを提供した。だが気づけば、ＭＴＶがビデオを流してくれなければＣＤが売れなくなっていた。新譜の生殺与奪権を事実上、ＭＴＶに奪われたのだ。

それ以上に心配なこともあった。ｉＴｕｎｅｓでアルバム曲をバラ売りしたら、会社の柱であったアルバムビジネスを諦めることになるかもしれない。渋るモリスにジョブズは言った。「アルバムは既に崩壊しています。ナップスターで」

それはその通りだが……。「まずＭａｃでやらせてください★068」とジョブズは説得した。「Ｍａｃだけなら、もしまずいことが起きても、荒らされるのは市場の五％だけですよ」

それはここに向かうタクシーのなかで、エイムズと打ち合わせした決め台詞だった。経営界のスーパースターが、謙虚な物言いをする。モリスの心はぐらりと動いた。ジョブズはもはや、やんちゃなロックスターではなかった。ピクサー社の映画配給で、ハリウッドの頂を創るディズニー社のCEOと渡り合い、いつの間にか、コンテンツ産業のトップと交渉する術をマスターしていたのだ。

会談を終える頃には、モリスの直観は確信に変わりつつあった。レコーディングに、才能あるプロデューサーが要るように、ITの世界にも才能が要るのだ、と。加えてジョブズという男は、「こちら側の人間」でもあった。『トイ・ストーリー』や『モンスターズ・インク』をハリウッドに送り出したジョブズは、同じコンテンツ産業の経営者としてファイル共有の問題を危惧していた。「Appleはソフトウェアの違法コピーに長年、苦労してきました」とも言った。

CEO室でひとりになったモリスは考え込んだ。

「サブスクリプションは失敗しますよ。アルバムのダウンロード販売も既に失敗している」

ジョブズはそうも言った。定額制配信のことは、プレスプレイの惨状を見れば反論の余地もなかった。アルバムのダウンロード販売は競合のEMIが、元ワーナーの人気コンサルタント、テッド・コーエンを雇って進めていた。だがアルバム中心のダウンロード販売サイト、リキッドやEミュージックはファイル共有に押され、死に体だった。しばらく考え込んだ後、モリスは電話を手に取った。信頼する部下、アイオヴィンに相談することにしたのだ。

「救世主を見つけたかもしれないよ。ジョブズだ」モリスはそう切り出した。

「ジョブズってあのスティーブ・ジョブズですか？」

「そうだ。クパチーノへ飛んで、彼と会ってみてほしい。君の感想を聞きたいんだ」

驚くアイオヴィンにモリスはそう頼んだ。★069

アイオヴィンとはワーナー時代からの仲だった。モリスはＭＣＡ（現ユニバーサル・ミュージック）のＣＥＯを引き受けてすぐに、アイオヴィンのインタースコープ・レコードをワーナーから買い取った。彼はアイオヴィンに、アーティガンの面影を見ていたのだろう。アーティガンの〝奇跡の耳〟は六〇年代、オーティス・レディングやアレサ・フランクリンを発掘し、ソウルミュージックをメジャーにした。さらに七〇年代、奇跡の耳はレッド・ツェッペリンやローリング・ストーンズを見出し、ブリティッシュ・インヴェイジョンでワーナーに黄金時代をもたらした。作曲家あがりのモリスに音楽業界のいろはを教えてくれたのは、この〝奇跡の耳〟だったのだ。

アイオヴィンはその正当な後継者だった。アーティガンのアトランティック・レコードのもと、アイオヴィンの立ち上げたインタースコープは、先に列記した大物アーティストを次々と発掘し、今や業界の盟主ユニバーサルの旗艦レーベルになっていた。ジョブズという男が、本物かどうか。本当に音楽のことを考えてくれているのか。迷いあぐねたモリスは、アイオヴィンの、才能を見抜く力に賭けてみたのだ。モリスの紹介を受け、アイオヴィンはジョブズに会いに行った。

「圧倒された」とアイオヴィンは振り返る。ｉＴｕｎｅｓミュージックストアはほかの音楽配信と一線を画すクォリティだった。それだけでない。事業計画は緻密で、何より音楽産業の将来像を情熱的に話す。彼こそ探し求めていた、答えを描けるヴィジョナリーだった。「僕らはすぐに意気投合した」★070

この頃、「ユニバーサル・ミュージックをＡｐｐｌｅが買収するか」という報道が流れた。実際、そんな会話がジョブズとの間であったらしい。★068「ぜひそうなってほしい」と願ったほど、アイオヴィンはジョブズが好きになっていた。彼は傘下の錚々たるアーティストたちに「ｉＴｕｎｅｓミュージックストアへ参加してくれ」と説得を開始した。

モリスの方は、社内の反対派をなだめすかした。ｉＴｕｎｅｓの抵抗勢力に回ったのは、当のＩＴ担当者たちだった。プレスプレイで無能扱いされて臍《へそ》を曲げたらしい。

「Ｍａｃのシェアなんて五％なんだから一度やらせてみろ」というモリスの説得に、彼らはしぶしぶ折れた。

あとのレーベルは、業界の盟主ユニバーサルに右へ倣えだったという。ただし、業界二位のＳｏｎｙを除いて――。こうしてワーナーの友人を介した音楽業界との一本の糸をたどって、交渉の名手ジョブズは音楽産業の本流をほとんど攻略してしまった。

余談だが、若き日のジョブズはワーナーとニアミスしている。大学中退後、アタリに入社したが、悟りを求めて休職。インドを放浪したのち、復職し、ウォズニアックに手伝ってもらって「ブロック崩し」を開発した。これが大ヒットしてアタリはワーナーが買収するが、その直前に小遣い稼ぎで創ったＡｐｐｌｅ Ｉも当たって、ジョブズは起業しワーナー・グループの社員にならなかった。

ｉＴｕｎｅｓミュージックストア誕生へ向け、残った障害は、彼の尊敬するＳｏｎｙだけとなった。

Sonyミュージックのトップは iTunesに賛成だった

日本人には意外かもしれない。Ｓｏｎｙミュージックのトップは端からｉＴｕｎｅｓミュージックストアに賛成だった。

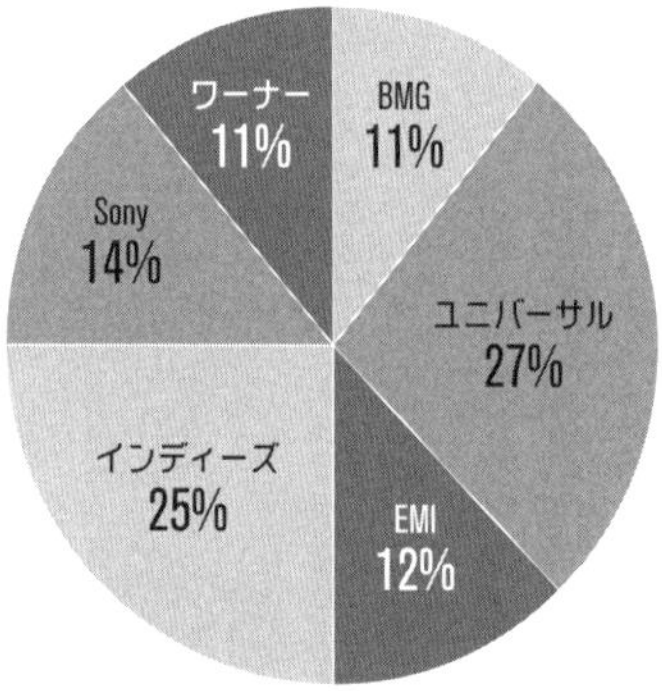

［図2－5］五大メジャーの世界的シェア（2002年）
1位のユニバーサル・ミュージックが世界の4分の1を持っていた。2位のSonyミュージックはiTunesへ最後の参加となった。
資料：IFPI

「スティーブが話しはじめてから、私が心を決めるまで、十五秒もかからなかったと思います」★071

当時、ジョブズと交渉したSonyミュージックのアンディ・ラックCEO(当時)は振り返る。社内には当然、「音楽配信がCDを喰うのではないか」と懸念する声があった。だがジャーナリスト出身のラックには音楽レーベルはジョブズの言う方向に進むべきことがすぐに理解できた。ラックが慮ったのは、本社のウォークマン部隊のことだった。ジョブズのやろうとしていることは本来、Sonyが目指していたことではなかったか。本社のウォークマン部隊こそやるべきことなのに、じぶんはAppleの手助けをしていいのか。そう悩んでいたのである。

ラックは音楽産業の将来像についても懸念した。一曲一ドルのiTunesミュージックストアが成功したとしても、一枚十五ドルのCDのように稼いでくれる可能性はなかった。ソフトで稼げない未来が待っているなら、音楽会社はハードで稼ぐ手立てを講じておく必要がある。

「スティーブ。機器の販売に対して、ある程度の支払いを約束してくれるなら、私も協力を約束しよう」★072

楽曲使用料に加え、iPodが一台売れる毎に販売手数料をもらいたい、という意味だった。この提案で、ラックはジョブズに嫌われてしまった。

「君らと違って頭が良くない。音楽ビジネスがわかってない」★072

裏でジョブズは、モリスやアイオヴィンに愚痴をこぼした。

たぶん、それは違う。会って十五秒でジョブズの提案を肯定したのは最速だったろうし、ラックは音楽ビジネスの未来も見通した。ただラックは、Sony本社のために内心の賛意を隠したのだ。

ジョブズも内心を隠した。のらりくらりと要求をかわし、厚く接待してなんとか懐柔しようと試みたが、ラックは信念を曲げなかった。

それから十余年。経過を見ると、ラックの未来予測は当たっていた。音楽ソフトの市場が縮小した一方、ヘッドフォンなど音楽関連のハードは成長した。iPodからバトンを受け取ったiPhoneも未曾有の市場を創出している。

「ハードで稼ぎたいなら、じぶんらでハードを開発すればいいじゃないか」ジョブズはそう思っていた。SonyならiPodやiTunesミュージックストアと同じものを創って、ハードで稼げばいい。そもそも、当のウォークマンが音楽会社にロイヤリティーを払っていない。つまり未来予測は正しかったが、交渉の観点から見ると、ラックのロジックは切れ味が悪かった。

一方、インタースコープのアイオヴィンは、この部分でも上手くやった。その後、iPodのU2スペシャルエディションを創り、共同プロデュースするかわりにiPodの売上からロイヤリティーを徴収した。このかたちならジョブズは折れた。ラックの考えたロジックに、アーティストパワーを足すことで取引が成立したのである。アーティスト専用iPodという座組は一度きりで終わったが、これでアイオヴィンは学んだ。ジョブズの没後、アイオヴィンは、ドレーとヘッドフォン市場を取りに行った。赤い小文字bのロゴ、赤いコー

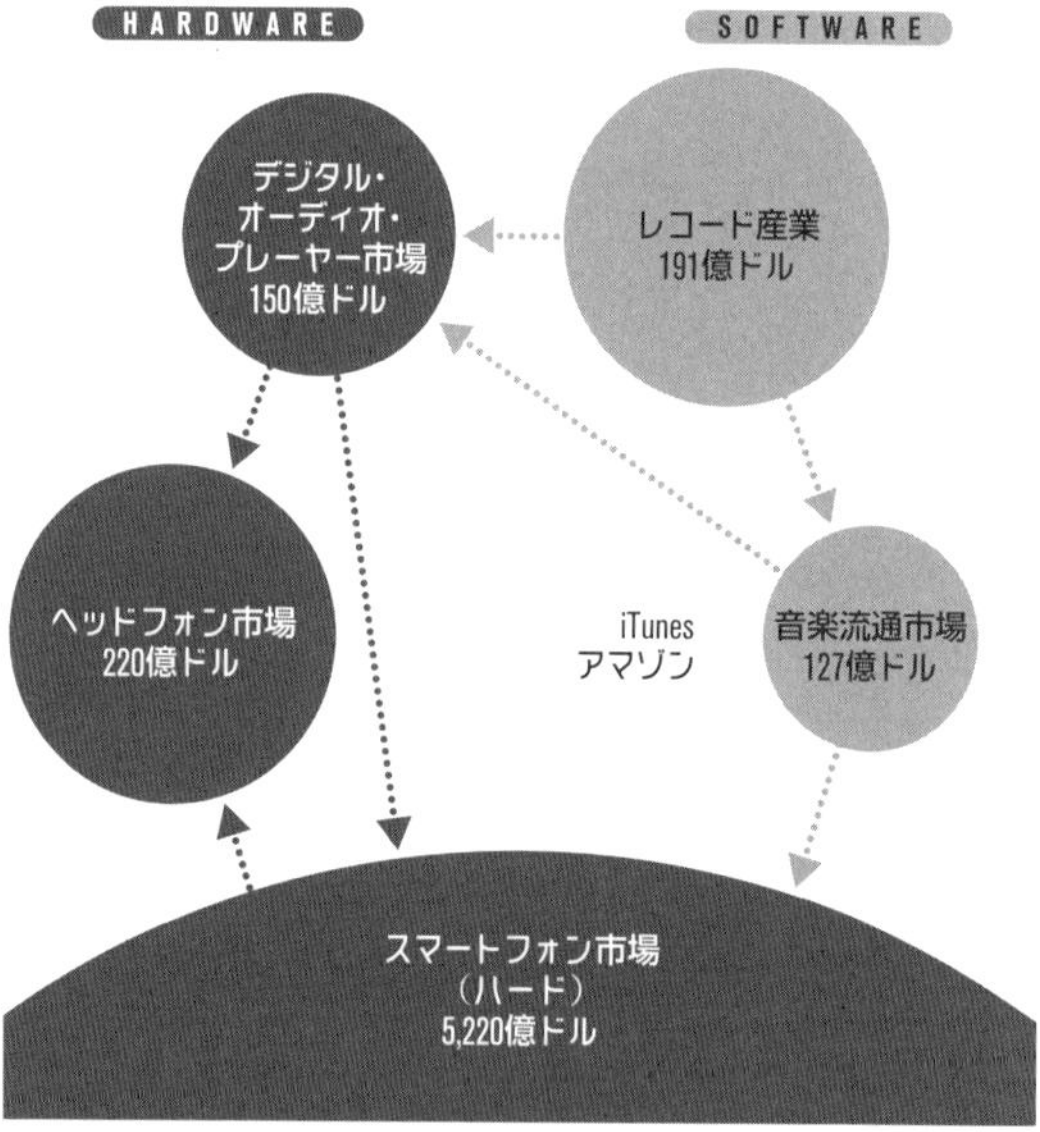

［図2－6］音楽産業におけるソフトとハードの規模（2018年）

ジョブズは、音楽ソフトで儲けず、音楽ハードで稼ぐ戦略を打ち出した。音楽はキラーコンテンツのひとつだ。

資料：IFPI、Futuresource Consulting★073

ドで有名な「ビーツ」だ。

二〇一八年、ヘッドフォンの世界市場は二二〇億ドル（二兆四千億円）。音楽産業売上の一九一億ドルを超えた［**図2-6**］。アイオヴィンの起業したビーツ・バイ・ドレー社は工場を持たないファブレス企業だったが、ヘッドフォン市場で王者Ｓｏｎｙとトップを争うまでになった。二〇一四年、Ａｐｐｌｅに買収されると、アイオヴィンはＡｐｐｌｅミュージックの担当役員を務めることになる。

二〇〇三年に戻ろう。アメリカの音楽産業はいよいよ待ったなしの状況だった。ＢＭＧは一四〇〇人をリストラ。ＥＭＩは一八〇〇人、Ｓｏｎｙミュージックは千人のリストラと、惨憺《さんたん》たる状況に陥っていた。ラックは迷いに迷った。だが、ジョブズは音楽産業に好評なソリューションを提示している一方で、親会社のＳｏｎｙから音楽産業に対する新たな答えは出てこなかった。結局、ラックはｉＴｕｎｅｓミュージックストアに参加するよう進言すべく、東京へ旅立たねばならなかった。

神は細部に宿る

ジョブズの仕事を振り返って痛感するのは、本当に大事なことはスポットライトが当たる前に起きていることだ。
「ストーンズをゲットできたのは、スティーブのおかげさ」ＡｐｐｌｅでコンテンツをՄ担当していたクリス・ベルはいう。「スティーブがストーンズやサラ・マクラクランを口説いたのをお手本に、僕らはアーティストと交渉する専門のグループをつくって、ほかにはない曲を集めたんだ」★074
トップ同士で大筋を決めたら、あとは現場が細かいことを擦り合わせていく。それは経営者の通常のスタイルだが、革命児のジョブズは違った。大物アーティストとの交渉には、最後までじぶんが出張ってきた。相手からすれば恐ろしいことだ。交渉の世界では、将来を左右する条件が細かいところに隠れていたりする。それを経営界のスーパースターが詰めてくるのだ。そうして出来上がった交渉条件を手本にして、ジョブズの部下たちがほかのアーティストへ広げていった。「ストーンズとはこのような条件で決まりました」とやられたら、それ以上の条件などなかなか要求できない。

革命を何がなんでも成し遂げる。ジョブズの断固たる意志に、いつしか音楽産業のリーダーたちも巻き込まれていった。

「夜の十時でもおかまいなしに自宅に電話をしてきて、レッド・ツェッペリンやマドンナもなんとかしないといけないと言うんですよ」[★075]

ワーナー・ミュージックのＣＥＯだったロジャー・エイムズは述懐した。メジャーレーベルの世界でジョブズの案内役を引き受けたエイムズは、発表のその瞬間まで休ませてもらえなかった。のちにスポティファイのダニエル・エクは、大ファンだったレッド・ツェッペリンに猛アタックして、配信を実現している。ファンの愛情は届くものらしい。

「彼がじぶんの使命と思っていたことが、結局メジャーレーベルの重役たちの使命となってしまいました」

米レコード協会のＣＥＯだったヒラリー・ローゼンは振り返る。ジョブズの気迫に呑まれた、という意味では彼女もそうだったかもしれない。

ローゼンがジョブズと話し合っていたときのことだ。ちょうどｉＴｕｎｅｓミュージックストアのトップページが上がってきた。ジョブズは、ローゼンを前にしてデザインの微調整に没頭しだしたという。

「三十分は真剣に悩んでいました。たった三つの言葉でもフォントサイズがどうとか、位置がどうとか」

大企業のＣＥＯがそこまでやるのか……。ジョブズの鬼気迫るその姿に、ローゼンは圧倒された。彼女は首を振っ

て言った。「驚いたというより、ショックでしたね」★076

神は細部に宿るという。近代建築の巨匠、ミース・ファン・デル・ローエの標語だ。「レス・イズ・モア（シンプルなほど豊かになる）」というもうひとつの標語と共に、その世界観はジョブズの仕事に霊感を与えてきた。幼少時のジョブズが住んでいた家は、ローエの建築美学を、中流社会の誰でも享受できるようにしたアイクラー・ホームズのデザインを踏襲していた。最高の美意識を誰の手にも届くようにするアイクラーの志は、幼いジョブズに伝わったのだ。

パーソナル・コンピュータの誕生から二十余年。ハード、ソフトの両方で革新的な作品を残してきたジョブズは、オンラインサービスの世界でも生涯の代表作を生み出そうとしていた。

Ｓｏｎｙを襲ったイノヴェーションのジレンマ

「これがウォークマンキラーです」

二〇〇三年四月初旬。Ｓｏｎｙミュージックを率いるアンドリュー・ラックはポケットからｉＰｏｄを取り出し、御殿山にある本社の経営陣に突きつけた。

「こういうものを創るために、音楽会社を買収したのではありませんか？」★077

確かにそうだった。ＣＤの父、大賀は「じぶんの去った後、ＣＤの次の時代も、後輩たちがソフトとハードの両輪を成し遂げてくれるように」と願って、二十億ドルもの巨額でＣＢＳレコードを買い、世界のＳｏｎｙミュージックを築き上げたはずだった。

ジョブズと交渉を続けてきたラックの鞄には、ｉＴｕｎｅｓミュージックストアの資料も入っていた。

「みなさんなら、もっといいものが創れるはずだ」

ラックはｉＰｏｄを片手に、本社の経営陣を挑発した。

ウォークマン、ヘッドフォン文化、そしてＣＤ。Ｓｏｎｙは人類の音楽生活に次々と革命を起こしてきたはずだった。だが「デジタル革命」と呼ばれたＣＤの誕生から二十一年、音楽会社を持たぬＡｐｐｌｅが「デジタル流通革命」を起こそうとしていた。

ラックの言う通り、Ａｐｐｌｅがやろうとしている一体型ビジネスのすべてをＳｏｎｙは持っているはずだった。音楽配信、デジタル・オーディオ・プレーヤーも先に出していたし、世界の音楽産業でリード役を務めるＳｏｎｙミュージックも持っていた。ＶＡＩＯのヒットでパソコン事業も軌道に乗り、パソコンのノウハウも社内に蓄積されつつあった。あとは一体に統合するだけでよかったのだ。

だがＳｏｎｙには、統合とは逆の力が働いていた。最高のモノづくりを目指した創業者世代とは打って変わって、出井ＣＥＯは数字で求心力を出そうとしていた。それで会社を二十五のカンパニーに分け、各社に利益を追求させた結果、Ｓｏｎｙはバラバラになり、まとまりがつかなくなっていた。

「音楽のＳｏｎｙを築いたあなた方なら、Ａｐｐｌｅ以上の音楽ビジネスを組み立てられるはずだ」と言うラックの挑発に対し、御殿山に集ったＳｏｎｙのエグゼクティヴたちは顔色が優れなかった。それはｉＰｏｄの出来のせいではなかった。当時、ｉＰｏｄは累計販売台数七十万台あまり。たとえ脅威といっても当時、累計販売台数で三億四千万台に向かっていたウォークマンを今すぐ脅かすものではなかった。

Ｓｏｎｙの経営陣はそのとき、ｉＰｏｄの将来的な脅威が霞むほどの現在的な危機に追い込まれていた。屋台骨のテレビ事業が総崩れになっていたのだ。絶好調だった平面ブラウン管テレビが、プラズマや液晶テレビの登場で一気に持ち崩していた。既存製品の生む利益を追求するあまりイノヴェーションを怠ったツケだった。典型的なイノヴェーションのジレンマだ。

イノヴェーションのジレンマは、創造的な企業を大企業病に陥れる。ラジオ、ウォークマン、CDと次々と世界を変える製品を発表し、黄金時代を築いたSonyの音楽事業もまた、ジレンマの重力に引き摺り込まれようとしていた。

同月二十五日。Sonyショックが始まった。テレビ事業の大崩れで記録的な赤字がSonyから発表されると、東京の株式市場は大混乱に陥り、日経225は二十年来の最安値を更新。バブル崩壊から始まった日本の「失われた十年」は、Sonyが陥ったイノヴェーションのジレンマを機に「失われた二十年」へ突入していった。

Sonyショック直後だったiTunesミュージックストアの発表

二〇〇三年四月二十八日、サンフランシスコ。奇しくもSonyショックが起きて三日後だった。「Appleが音楽サービスを発表するらしい」という噂が集まるなか、ジョブズは壇上に立った。

「iPodはナンバーワンのmp3プレーヤーになった」

客席から拍手が起こる。

「二十年前、Sonyは革命を起こし、音楽を持ち運べるようにした。このデジタル時代、iPodがちょうど同じ革命を起こしている」

ジョブズはウォークマンを超え、そして今日、自らのiPodをも超えてみせると宣言した。

「ナップスターが証明してくれたことがある。インターネットは音楽配信のために誕生したんだ」

違法ダウンロードを詰ることに、世間が終始していた時期だ。ジョブズは壇上で大胆に、ファイル共有のユーザーメリットを並べてみせた。店舗のCD在庫は限られているが、ナップスターのカタログは二千万曲超だ。お目当てを探すのも検索一発。フロアをうろつく必要も、そもそも店に出かける必要もない。最後に、なんと言っても無料だった。CDストアと比べた際、ファイル共有のユーザーメリットは際立っていた。違法配信に代わる代替サービスは、ユーザー体験でナップスターに並ぶ必要がある。ジョブズの説得にメジャーレーベルはついに応じた。

「この一年半、コンテンツ業界とテクノロジー業界は戦争状態にあった」

ナップスター裁判だけでない。合法配信のあり方をめぐり、メジャーレーベルはふたつの陣営に分裂していた。内輪争いが起き、鳴り物入りで始まった定額制配信には、最新チャート曲がまともに揃ってないという惨状に陥っていた。交渉にふさわしい天候ではなかったというのを超して、まとめ上げるのはむしろ不可能に近かったのだ。

「だがこれは言っておこう。音楽産業には優秀な人たちもいた。一緒に世界を変えると決意してくれたんだ」

メジャーレーベルがこの日に用意したのは二十万曲。現在の感覚からするとかなり少なく見えるが、先行する定額制配信と違い、iTunesにはビルボードチャートに入っている新譜がほぼすべて揃っていた。業界の盟主ユニバーサル・ミュージックのCEO、ダグ・モリス(当時)らがミュージシャンたちを説得してくれたのだ。さらにジョブズと友人となったアイオヴィンの尽力で、トップページにはiTunesミュージックストアに協力する旬の大物アーティストがずらりと並んでいた。

CDストアを超える品揃えには、米メジャーレーベルの覚悟が込められていた。たとえCDが音楽配信に喰われても構わない。インターネットがもたらしたイノヴェーションのジレンマを超える。アメリカの音楽産業は、そう決意を固めたのだ。

プレイリストさえ違えば、無限にCDに焼ける。iPodをどんなに買い替えても、どのiPodも同期できる。Mac一台ではなく、三台まで聴ける。Appleとメジャーレーベルの取り決めは、ユーザーを犯罪予備軍として扱うのではなく、音楽ファンとして扱っていた。

「このすべての権利が、一曲九十九セントで買える。スタバ一杯の値段で三曲だよ」

大きな拍手が長いあいだ会場を包んだ。ジョブズの読み通り、ファイル共有の「無料」に対抗するには、ワンコイン感覚のマイクロペイメント（小額決済）が正解だったのだ。

マイクロペイメントは歴史の節目で、音楽産業を助けてきた。一九三〇年代、無料のラジオに対し、高額なレコードは太刀打ちできなかったが、ワンコインでヒット曲が友だちと聴けるジュークボックスがレコードの売上を倍にした。いわばiTunesは、生まれ変わったジュークボックスだった。一ドル以下の少額決済は本来、クレジットカードを利用できなかったが、ジョブズがカード会社と直接、話をつけた。

メジャーレーベルから獲得したユーザーライツ（消費者の権利）を並べたジョブズは、最後にこう付け加えた。

「何よりも、よいカルマだ」

会場は爆笑した。違法ファイル共有を評して「カルマをもてあそぶのはよくない」と、東洋好きのジョブズが語ったニュースを、会場のAppleファンは知っていたからだ。空気を軽くしてから、ジョブズはデモンストレーションに移った。

iTunesから一瞬でストアが立ち上がる。トップページの右側に並んだトップソングから、シェリル・クロウの「ソーク・アップ・ザ・サン」をクリック。ワンクリック購入のボタンを押して十五秒でダウンロード完了。「ソーク・アップ・ザ・サン」の陽気なイントロが会場に鳴り響き、歓声は最高潮に達した。拍手はやまなかった。

iTunesミュージックストアのユーザー体験は、ナップスターよりも遥かにスマートだった。ワンクリック購入はアマゾンの特許だったが、これもジョブズが交渉して、iTunesに搭載したのだ。余談だが、日本でワンクリック購入の特許をアマゾンより前から持っていたのはSonyだった。

無料に勝る利便性。ナップスターを創業した二十歳のショーン・パーカーが予言した、有料が無料に唯一、打ち勝つ道だった。ジョブズの狙い通り、ユーザーと音楽産業の取引がここに成立した。

「アーティストへの気配り、楽曲保護への気配り、革命への気配り、そしてユーザーがすぐに音楽を入手できる気配り。みんなのことが配慮されている。取り残されている人は誰もいないわ」

壇上のスクリーンに映ったアラニス・モリセットは、ミュージシャンを代表してiTunes革命を肯定した。

「テクノロジーの進化と、スピリチュアルな配慮。ふたつが究極の融合を見せていると私は思う」

それはスティーブ・ジョブズの人生を讃えるのに最も本質的な言葉だったかもしれない。復帰後のジョブズは、テクノロジーの進化で世界がよくなるとは純朴に信じなくなっていた。

「二十代の頃、テクノロジーが世界を変えてくれると考えたりしたが、事はそれほど単純じゃない。テクノロジーはいっこうに世界を変える気配を見せない。これが問題なんだ」★078

かわりにできること。それは、最高の作品を提供することで、人類の精神に美しい影響をもたらすこと。それが天命とジョブズは心に期するようになった。テクノロジーとアートの交差点は、技術と魂が融け合う場所だった。インターネットを機に戦争状態になったコンテンツ産業とIT産業の和平交渉が、ここに成立した。

一週間で勝負を決める

発表は上手くいったが、iTunesミュージックストアは商業的に成功するのか。懐疑的な声が少なくなかった。

「一百曲の最高にクールなプレイリストを聴くとする。ラプソディなら月十ドル弱(千円強)だけど、iTunesなら十九八ドル(二万円強)だ」定額制配信を運営するリアルネットワークスのロブ・グレイザーCEOは懐疑的だった。「スティーブや僕ならそれくらい払えるけど、ふつうの人にそれを押し付けるのはどうなんだろうな[★079]」

先行するサブスクリプション陣営の疑問に対し、ジョブズは自信満々だった。

「まあ見ていて。ｉＴｕｎｅｓミュージックストアのユーザー数は、(音楽サブスクの)プレスプレイ、ミュージックネットの会員数を一日で抜くと思うよ」

ジョブズの発表から一週間後。メディアやライバル陣営が疑問符を投げかけるなか、奇跡は起こった。

「驚異的な数字が耳に入ってきている[★080]」

マドンナが設立し、アラニス・モリセットなどが所属するマーヴェリック・レコードの関係者が漏らした。一週間で百万ダウンロードを達成したのだ。

Ａｐｐｌｅたった一社で、これまでの合法音楽配信すべての累計ダウンロード数を超えていた。[★081]シェア五%に過ぎぬＭａｃユーザーのうち、ｉＰｏｄを所持していた七十万人の客層だけで叩き出した数字だった。

ウィンドウズ版もやっていたとしたら、単純計算で二十倍いくはずだった。メジャーレーベルの楽曲使用ライセンスが、ウィンドウズ版ｉＴｕｎｅｓにも供給されることは決まったようなものだった。

「ｉＰｏｄとｉＴｕｎｅｓミュージックストアは、ようやく見えた光明だ」

ファイル共有の対抗策として誕生した音楽サブスクの不調に苦しんでいたＲＩＡＡのケリー・シャーマン社長は、ｉＴｕｎｅｓミュージックストアの立ち上がりを祝福した。「Ａｐｐｌｅのやり方は正しかった」

ユニバーサル・ミュージックのダグ・モリスＣＥＯは、この社会実験を成功と判断し、Ｓｏｎｙと運営していた音楽サブスクを整理・売却。ｉＰｈｏｎｅとスポティファイが登場するまで、定額制配信が再び脚光を浴びることはなくなった。

ＳｏｎｙミュージックのラックＣＥＯは、ｉＴｕｎｅｓのウィンドウズ版登場を機に、ｉＰｏｄの本体価格に楽曲使用料を乗せる交渉を再び試みるつもりだった。しかしこのＭａｃ版のみの時点で、既にデジタル流通革命の主導権はＳｏｎｙの手から離れていた。わずか一週間でｉＴｕｎｅｓミュージックストアは、この星の音楽ビジネスの将来を決めることとなったのである。

シルエットＣＭ――違法から合法へのゲートウェイ

ジョン・スカリーが、ペプシのマーケティング手法を導入して以来、Ａｐｐｌｅはマーケティング会社の様相を呈している。スカリーは広告費を一五〇〇万ドル（十七億円）から一億ドル（一一〇億円）に上げ、Ａｐｐｌｅブランドを確立した。[★082] このブランド資産がなければ、Ａｐｐｌｅはジョブズが復帰する前に消滅していただろう。

ジョブズはじぶんを追放したスカリーを許せなかった。が、ブランドを創ることが何にも増して重要なことをスカリーから学び取っていた。

ｉＭａｃの宣伝にはスカリーと同じく、一億ドルを投下した。そして今度は、その四分の三をタイアップ音楽を使った「シルエットＣＭ」に投入した。ｉＴｕｎｅｓミュージックストアに楽曲を提供してもらうため、ジョブズはメジャーレーベルを口説き落とす必要があった。それで、ＣＭを使った〝クレージー〟なアイデアを約束していた。

ｉＰｏｄとｉＴｕｎｅｓストアの宣伝にタイアップ枠を用意する。ここまではふつうだ。ただし、レコード会社の宣伝費とは桁がふたつ違った。七五〇〇万ドル（八十三億円）を投入するというのだ。音楽プレーヤーの広告規模としても他社比で百倍だった。

「ｉＰｏｄを売ればＭａｃも同じように売れるはずだと、すごいことに気づいたんだ」[★083]

ｉＰｏｄが売れれば、ｉＭａｃも人気が出る。さらにメジャーレーベルを口説けるとくれば、一粒で三倍おいしかった。シルエットCMが始まると、そこから次々とヒットが生まれるようになった。もちろんiTunesミュージックストアで、だ。ブラック・アイド・ピーズの「ヘイ・ママ」から始まり、N・E・R・Dの「ロックスター」、フィーチャー・キャストの「チャンネル・サーフィン」、ゴリラズの「フィール・グッド・インク」、ダフト・パンクの「テクノロジック」、エミネムの「ルーズ・ユアセルフ」、プロトタイプスの「フーズ・ゴナ・シング？」、カット・ケミストの「ジ・オーディエンス・イズ・リスニング・テーマ・ソング」等々。まるで二〇〇〇年代半ばは、iPodのタイアップソングが時代を創っていたかのような錯覚に陥る、絶妙な選定だ。

iPod、iTunesミュージックストア、そしてタイアップソング。三者すべてが一体となって社会現象を巻き起こすことになった。シルエットCMの狙い通り、白いイヤフォンの向こうにでっかい音楽フェスが始まったのだった。iPodは「少数派の変わり者が使うもの」から、「音楽好きなら、持っていなければならないマストアイテム」に位置づけが変わった。

iPod+iTunesのブランディングは価値観の革命を起こした。CMを見た若者に、「iTunesで音楽を買ってiPodで聴くのがかっこいい」という価値観が広がっていったのだ。ナップスターがクールだった時代は終わった。「違法ダウンロードをすると罰があたるぞ」と脅す米レコード協会のキャンペーンより、遥かに有効だった。いつの時代も、若者は脅すより信頼する方が変わるのだろう。mp3のダウンロードを愛する若者がiPodを持つ。iTunesを使う。iTunesミュージックストアで音楽をダウンロードする。三つがシームレスに繋がった。さらにシルエットCMが「iTunesはかっこいい」と深層心理に訴えかけたことで、Appleの創った違法から合法へのゲートウェイが機能し始めた。

iPodがAppleの株価を押し上げ始めたのはこの頃からだ。ジョブズが水面下で米音楽産業と交渉していた二〇〇二年、iTunesミュージックストアの発表の段階では、株式市場はAppleを決して高く評価していなかったが、歴とした理由があった。Ａｐｐｌｅ復活を押し上げたｉＭａｃのブームが終わり、ｉＰｏｄの属するｍｐ３プレーヤーはまだまだニッチ市場に過ぎなかった。三〇％のシェアを持つｉＰｏｄの累計販売台数がわずか七十万台だったのだ。[★084]売れ出したｉＰｏｄを見て、王者のＳｏｎｙが参入してくればひとたまりもないように見えた。

実は、ジョブズたちもそう考えていた。

「ｉＰｏｄを発売した時はＳｏｎｙあたりに一年分の差をつけたかな、と思ってたんだ」Ａｐｐｌｅのハードウェアを統括していたルビンシュタインは振り返る。「実際僕らは『今年のクリスマスはもらったけど、来年は他の企業も追い付いてくるぞ』って言い続けてて、常にそのつもりで開発を進めてきた」

だが蓋を開けてみれば、Ｓｏｎｙもマイクロソフトも、誰もＡｐｐｌｅのｉＰｏｄに追いつけなかった。「何年か経ったら『今年もクリスマスが楽しみだね』みたいな感じになっちゃったんだよ」[★085]

ルビンシュタインは笑った。若者の欲しいガジェット・ランキングでｉＰｏｄは、日本勢のカメラ付き携帯電話やプレイステーションをついに追い抜き、一位に輝いた。かつてエジソンから始まったアメリカのエレクトロニクス産業は、戦後日本に頂点を奪われた。そしてｉＰｏｄはチャンピオンベルトを再びアメリカに返そうとしていた。

ｉＰｏｄは初め、日本で受けなかった

「で、きみはどうしたらといいと思う？[★086]」

ジョブズは単刀直入に尋ねてきた。日本市場の攻略法を問われた前刀禎明《さきとうよしあき》はＳｏｎｙに勤めていたこともある。その後、ライブドアを創業したが経営破綻し、堀江貴文率いるオン・ザ・エッジに会社を譲渡。起業に失敗した前刀だが、なにも諦めてはいなかった。紆余曲折を経て前刀は、春の日差しが差すクパチーノの会議室で、ジョブズから最

終面接を受けていた。

世界中から興奮を集めたiPodも、日本では当初、芳しくなかった。というよりAppleブランドがいまひとつだった。二〇〇四年の当時、Appleは日本でニッチなブランドにとどまっていた。Macのシェアは三％以下で、銀座のAppleストアには勢いがなく、手本となったSonyビルの方が往来を得ていた。苦戦の続く日本市場にテコ入れするため、ジョブズは、じぶんの直轄で日本を担当するバイス・プレジデントを雇おうとしていた。

前刀は日本の消費者の視点を、率直にジョブズへ伝えた。「iPodはオタクっぽい」というのが銀座を歩くOLたちの総評だった。パソコンで音楽を聴いたり、同期したりするというのはオタクっぽいというのだ。

世界に先駆けて、日本にはポストPCの風が吹き始めていた。iモード・ブーム以来、日本では「パソコンは仕事、遊びはケータイ」という文化が育っていたのだった。だから日本はiPodが売れないのです、で話が終われば不採用だったが、前刀は問題の本質に踏み込んだ。

「Macが主、iPodが従になっているからAppleブランドはオタクっぽくなるのです」

その主従関係は、ジョブズの頭脳にあった固定観念かもしれなかった。「主従をひっくり返せばいいです」と前刀は続けた。おしゃれな音楽ガジェットをメインにして、Macは音楽のサポート役にするのだ。

「便利さ、クールさでiPodを売らない。機能よりも感性で訴求する。iPodをガジェットではなく、ファッション・アイテムとして認知させる。この一点突破で日本市場は切り拓けるはずです[★087]」

前刀の提案に、ジョブズは乗った。本質的な議論を通じて、じぶんのなかにある固定観念を捨てる。そういうことに快感を覚えるところがジョブズにはあったように思う。私淑していた乙川禅師との散歩の日々が、彼のその気質を培ったのだった。前刀の提案はジョブズにとって、PCの時代を切り開いたAppleだからこそ、いち早くポストPCへ行くべきだということを意味していたのだった。前刀の採用が決まった。

就任した前刀は、再び固定観念にぶつかった。日本では白いイヤフォンは汚れるから嫌われる、日本ではリモコンがないと売れない、日本では……。それが店の声だった。Ａｐｐｌｅジャパンは、ウォークマンの常識に囚われた現場の声を信じ込んでいた。黒の常識を純白が打ち破り、スクロールホイールでリモコンを不要にしたｉＰｏｄの常識破りを、Ａｐｐｌｅジャパン自身が受け入れていなかった。

ちょうどその頃、Ａｐｐｌｅは日本の常識を破壊するのにふさわしいプロダクトを誕生させたばかりだった。ｉＰｏｄ ｍｉｎｉだ。

ファッション路線でキャズム超えしたiPod mini

「何であんなの買うのかしら。ユーザーに妥協を強いるのに」[★088]

ｉＰｏｄのマーケティングを担当するダニカ・クリアリーがそれに気づいたのは、前刀とジョブズの面談から二年遡る。市場調査を行なったところ、わずかアルバム二、三枚分しか運べないフラッシュメモリ・ベースのｍｐ３プレーヤーが三〇％もシェアを持っていたのだ。

利便性を捨ててでも、小さくて軽い音楽プレーヤーを求めている層がいた。スポーツやアウトドアでは千曲持ち運べるよりも小さいことが大事だった。ならば、もっと小さいｉＰｏｄを創れば、スポーツ層とアウトドア層を取り込めるのではないか？　小ささに加えて、おしゃれな装いにすれば女性層も取り込めるはず……。そう彼女は仮説を立てた。ちょうどそのタイミングで、日立がいっそう小さな一・一インチのハードディスクを開発した。容量は小さかったが、これを使えば彼女の商品企画は現実にできるはずだった。

おしゃれな女性層を取り込むと、アーリーアドプター層（初期採用者）からアーリーマジョリティ層（前期追従者）へのキャズム超えを起こしやすい。ウィンドウズ版のｉＰｏｄとｉＴｕｎｅｓミュージックストアは、ｉＰｏｄを二・五％のイノヴェーター層から、一三・五％のアーリーアドプター層へ広げてくれたが、まだ音楽世界の主流はウォークマンだった。だがこのときもまた、ジョブズは最初、反対したらしい。「同じ値段で容量が減ったら、買ってくれるわけがない」と思ったのだ。

「スティーブはスポーツをしませんから」

それでわからなかったのだと〝ｉＰｏｄの父〟ファデルは笑った。[★089] いったんは開発中止を命令しようとしたが、クリアリーたちの説得に真実を感じたジョブズはＧＯサインを出した。

そして二〇〇四年の一月六日、サンフランシスコのマックワールドエキスポの壇上には銀色に輝くｉＰｏｄ ｍｉｎｉを誇らしげに掲げるジョブズの姿があった。オープニングアクトで歌った若き友人、ジョン・メイヤーがジョブズの持つｉＰｏｄ ｍｉｎｉを物欲しそうに覗き込む、ほほえましい写真も残っている。[★090]

ｉＰｏｄ ｍｉｎｉにはカラーバリエーションが用意されていた。ｉＭａｃ以来のＡｐｐｌｅの勝ちパターンだ。

ｉＴｕｎｅｓも、革新的なバージョンアップがあった。ジョブズの発案したオートシンクの完成だ。それは音楽ＡＩの時代到来へと続く、「マイラジオ」としてのｉＰｏｄがここに完成したことを意味していた。

ｉＰｏｄは音楽ライブラリを全部持ち運ぶことを意図していたが、この頃になると数千曲を持つヘヴィーな音楽ファン層も十分な母数を持ち始めた。すべての楽曲を持ち運べないかわりに、どんな曲を持ち運ぶべきか自動で判断し、適度にｉＰｏｄの中身を入れ替えるアルゴリズムが搭載された。奇しくもその時期、ミュージシャンの感性と人工知能を融合させてラジオを再発明した、あのパンドラの開発も進んでいた。

そしてｉＰｏｄはキャズム超えを起こした。クリアリーの企画通り、ｉＰｏｄ ｍｉｎｉは三四％のアーリー・マジョリティ層をリードする女性層を取り込んだのだ。二〇〇四年一月から五月までの携帯型音楽プレーヤーの売上べスト4を、iPod勢が独占した。[★091] アメリカでAppleストアを囲む長蛇の列はやむことがなく、在庫切れが続いた。iPodをウォールストリートはようやく評価し始め、Appleの株価は倍になった。[★092]

ジョブズを乗せたタクシーが、ニューヨークのマジソンアベニューに差し掛かったときの話だ。外を見てジョブズは息を飲んだ。街の誰もが白いイヤフォンを耳から垂らしていた。地下鉄からも、街角からも白いイヤフォン族が続々と出てくる。その光景を見てジョブズは車内でガッツポーズをとった。初めて「やった!」と思ったという。[★093]

ジョブズは時代のパイオニアであり続けてきたが、メインストリームを経験したことは一度もなかった。音楽は、傍流だったAppleをついに主流へ導いたのだ。それはiTunesミュージックストアが音楽流通の主流へ向かう道筋に乗ったことも意味していた。合法の音楽配信がメインストリームの舞台へ向かうのを、ファッションが後押ししてくれた。そういえるかもしれない。このパターンは未来の歴史においても、何度も繰り返されることだろう。

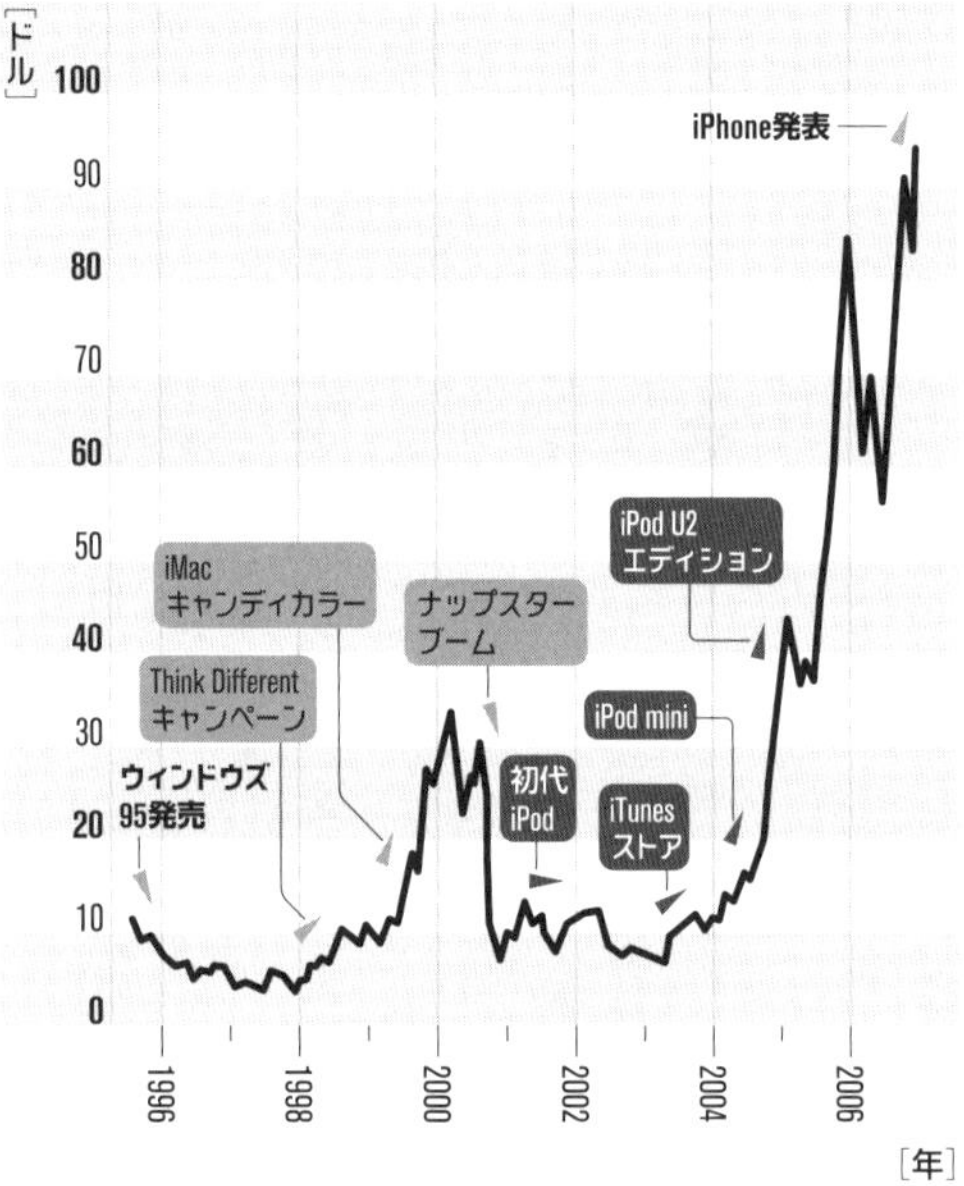

[図2-7]Appleの株価推移

ウィンドウズ95の登場で株価は半額になったが、ジョブズの復帰とiMacで約7倍に。だがiMacでナップスターとCD-Rが使えなかったせいでmp3ブームを捉え損ない、株価は暴落。Appleの歴史的な快進撃が始まったのは、iTunesミュージックストアとiPod miniのセットがブレイクしてからだ。

資料：Yahoo! Finance(アメリカ)

ウォークマンに勝つ

ジョブズがニューヨークの車中でガッツポーズをとった頃、日本では報道陣が度肝を抜かれることになった。

七月、原宿クエストホールで開かれたｉＰｏｄ ｍｉｎｉのお披露目会は、ファッションショーの様相を呈していた。ｉＰｏｄ ｍｉｎｉを装ったモデルたちがクエストホールのステージを闊歩したのだ。ファッション誌には服に合わせたカラーのｉＰｏｄ ｍｉｎｉのコーディネートが紹介され、バーニーズ・ニューヨークのマネキンにはヴィヴィッドなｉＰｏｄ ｍｉｎｉが添えられていた。そして、Ｓｏｎｙビルを手本に誕生した銀座のＡｐｐｌｅストアは、ついに本家を超える行列を作ることに成功した。

前刀は、感性マーケティングで女性層へ訴求する一方で、機能重視の男性層もたった一行で鷲掴みにするキャンペーンを打った。ＣＭの決め台詞は「ハロー、ｉＰｏｄ　グッバイ、ＭＤ」。古巣Ｓｏｎｙに挑戦する刺激的なＣＭだった。ＣＤの父、大賀典雄のプロダクトプランニングで生まれたＭＤもまた、Ｓｏｎｙが人類に提案したものだった。

カラフルなｉＰｏｄ ｍｉｎｉと白いイヤフォンの組み合わせは流行を創り出し、日本の家電メーカーも白いイヤフォンを自社製品に付け始めた。前刀はこれで勝利を確信したという。電車で白いイヤフォンを見た人はその先に日本製品が繋がっているとは思わない。「ｉＰｏｄって流行ってるんだな」と考えるからだ。日本でｉＰｏｄブランドが確立するのに、前刀がジョブズと会ってから一年とかからなかった。

翌二〇〇五年の一月、ｉＰｏｄシャッフルが登場すると、日本市場でｉＰｏｄはウォークマンを超えて売上一位を獲得。それから四年八ヵ月、ウォークマンに首位を奪還されるまで、ｉＰｏｄは日本市場において二四二週連続でトップを独走し続ける。[★094]

若い頃からジョブズの日本好きは有名だ。短い人生の晩年、家族を京都に連れて行くのがジョブズの幸福だった。だが、「ＡｐｐｌｅといえばＭａｃ」だった時代は、日本人はＡｐｐｌｅを袖にしていた。二〇一七年十月時点でのｉＰｈｏｎｅのシェアは一位が日本(六七%)、二位がオーストラリア(五六%)、三位がアメリカ(五五%)だった。★095 世界一のＡｐｐｌｅ好きとなった日本に対し、生前ジョブズは、はにかむような感情を持っていたようだ。

U2とiTunes革命の成就

「ｉＰｏｄ。ゆえに我在り(Therefore I Am.)」

二〇〇四年の七月末、自身の存在理由を込めた言葉と共に、ニューズウィーク誌の表紙をジョブズが飾っていた。その頃、彼は極秘裏に膵臓がんの手術を受けていた。がんが見つかったのは九ヶ月も前で、シルエットCMが始まった頃だった。妻や友人の必死の説得にもかかわらず、ジョブズは手術を拒否。食事療法にこだわった。レントゲンに写った影が大きくなったことで、ようやく周囲の意見を受け入れたのだが、もはや手遅れだった。手術で転移が三ヶ所に発見されたのだ。

ｉＰｏｄ Ｕ2スペシャル・エディションを発表したＡｐｐｌｅイベントには、手術後はじめて公の場に登場したジョブズの姿があった。

「ゴージャスでしょう？　黒地に美しいレッドのスクロールホイールだ」

感嘆の声と共に拍手が長く続いた。

「裏地にバンドメンバーのサインをレーザーで刻印した。これは本当に特別なんだ」

事実だった。以降、アーティスト専用のｉＰｏｄは出ていない。Ｕ2 ｉＰｏｄは唯一無二のｉＰｏｄとなった。

Ｕ２も、これまで一度もＣＭに出たことがない。金のために動くことは嫌いだった。

登壇したボノとジ・エッジに、観客は大歓声を送った。

「僕らはテクノロジー企業をいろいろ調べた。こいつ（ジ・エッジ）がサイエンティストとプレイしたいっていうから。ミュージシャンと演るのに飽きたんじゃないか」

ボノのジョークに観客が沸く。この異例尽くしの話を持ちかけたのは、インタースコープのアイオヴィンＣＥＯだ。ＣＭの出演料はなし。かわりにｉＰｏｄの売上からロイヤリティーをＵ２がもらうという提案だった。

「ＣＭのスポンサーという関係ではなくて、共同ブランディングでした」とアイオヴィンは答えている。[★096]

ｉＴｕｎｅｓミュージックストアの成功で、ソフトの後光を纏ったハードが稼ぐ時代が本格的に到来していた。

ミュージシャンは音楽ハードからも稼ぎを得る未来を創るべきだというアイオヴィンのヴィジョンは、Ｓｏｎｙミュージックのラック CＥＯがジョブズに主張したことと同じだった。

アイオヴィンに借りのあったジョブズは話に快く応じたが、難しい交渉となった。Ｕ２側が渋り始めた。

「ファンはみんな君ら（Ａｐｐｌｅ）のためだと思ってしまう」

出来上がったＣＭのパイロットを見て、ボノたちは「やめようか」という気になってきた。ジョブズの方も気が引けてきた。ハード売上からミュージシャンに支払う例外をつくることが本当に正しいのか、最後まで迷っていたのだ。

Ｕ２の大ファンだったデザイナーのアイブがなんとか説得しようと試みていた。

「他の連中にも同じことをしてやるつもりはないぞ？」[★097]

ジョブズはアイブに何度もためらいを見せた。結局、アイブが新しいデザインを持ってボノへ会いに行き、意気投合したことで交渉は再開。この企画が成立した。

「ジミー・アイオヴィンは本当のヴィジョナリーだ」壇上のジョブズは言った。「彼は『ミュージシャンはテクノロジストとちゃんと会うべきだ』という信念を持っていて、俺たちを説得してくれた。感謝する」

会場のどこかにいるアイオヴィンに対し、観客全員から拍手が送られた。

iPodとU2のコラボレーションは双方にとって、狙い以上の効果を上げたかもしれない。Appleの社歴とほぼ同じキャリアを持つU2は、シルエットCMの清新なイメージで、再び若年層を惹きつけた。AppleブランドがiPodで若返ったのと同じだった。勢いを得たU2の『原子爆弾解体新書～ハウ・トゥ・ディスマントル・アトミック・ボム』は、グラミー賞の八部門で最優秀賞を総なめにした。

iPod miniでAppleの株価は倍になったが、このU2スペシャル・エディションを機に、そのさらに倍に。iPodは、mp3プレーヤーの七五％のシェアを獲得した。

ハードの爆発は、ソフトの爆発に繋がる。Appleは七月に累計一億曲の販売を達成したばかりだったが、U2スペシャル・エディションの発売が始まると、iTunes経由で爆発的に曲が売れ始める。そして、ひと月後には

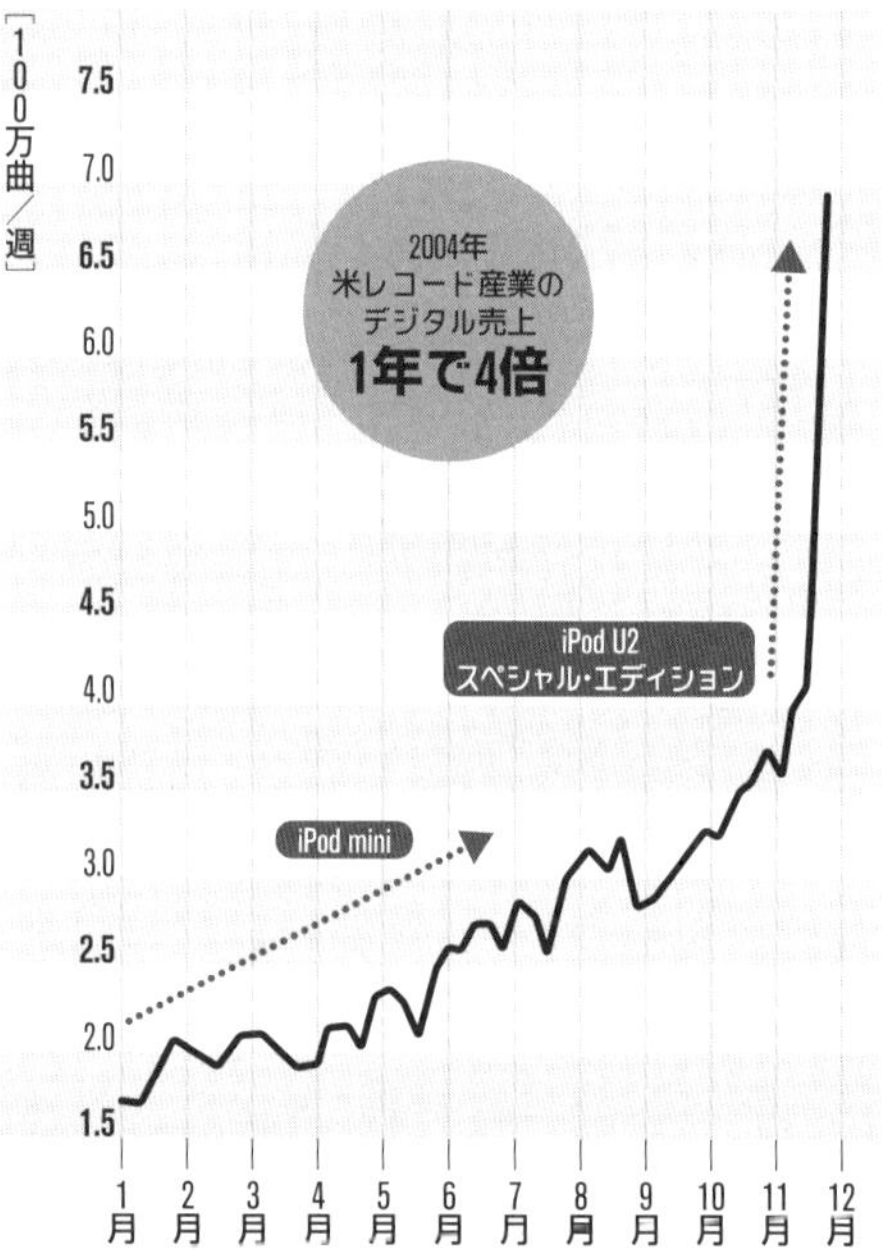

［図2－8］米音楽産業のデジタル売上／週（2004年）

iPod U2スペシャル・エディションが発売された11月末から爆発的な上昇を見せている。ダウンロード販売にキャズム超えをもたらしたのはU2だったといえそうだ。

資料：IFPI★098

七月の倍の、累計二億曲を突き抜けた。この年、世界の音楽産業売上が例年通り軒並み下がるなか、iTunesの音楽売上が急騰したアメリカの音楽界のみが四・七%、成長した。[★099]

それはナップスターが誕生した一九九八年以来の、久々のプラス成長であり、インターネット不況に喘ぐ世界の音楽界にとって初めて見えた希望の光だった。「ジョブズのiTunesこそ、音楽の救い主だ」そんな声が世界中で聞かれたのも自然なことだった。iTunesストアの上陸を待望するアーティスト、音楽ファンの声が各国で上がるようになった。

Appleが音楽をけん引していた。そして音楽がAppleをけん引していた。iPod miniの販売台数は翌年、一秒に一台のペースで売れた。[★099] iPodの販売台数がMacのそれを超え、Appleは傍流のコンピュータ企業から、ナンバーワンの音楽企業に生まれ変わった。

「十年後、Appleは音楽企業になっている」若きトニー・ファデルがジョブズの前で吐いた大言壮語は四年と経たずに、現実

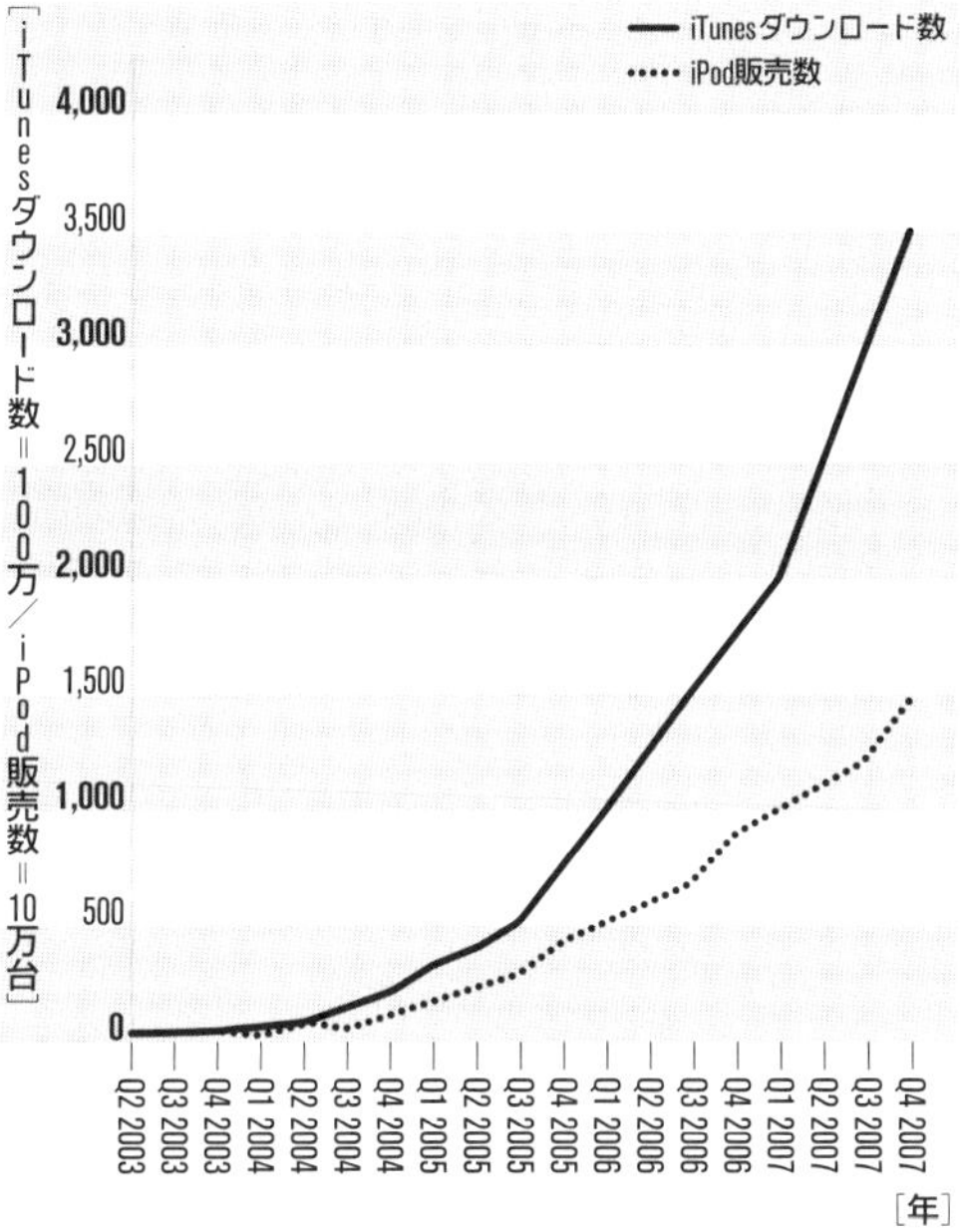

[図2－9]iPhone 3G誕生以前の、iTunesミュージックストアの累計楽曲売上数と、iPodの累計販売数

iPodの販売数に比例して楽曲販売数が伸びている。iTunes革命も、CD革命と同じく「ハードとソフトの両輪」だった。2007年第4四半期は当時推定。

資料：Appleレポート

となったのである。

iPod U2スペシャル・エディションを発表したAppleイベントの終盤には、アンプラグドライヴが行われた。ジ・エッジのピアノで、ボノが新曲「オリジナル・オブ・ザ・スピーシーズ」[★100]を披露した。

——要るものは何でもあげる。君の欲しいもの以外なら。君は人類初の存在だから。

まるでこの日のための歌詞だった。ジョブズは、ステージ端の席に座ってボノの歌を聴いていた。胸元から背中までを切り開くがん手術から、死の恐怖を乗り越えてこの場所に帰ってきたのだ。胸には去来するものがあった。

「iTunesミュージックストアを始めるのは、とてつもなく骨の折れる闘いだった。音楽業界の人間はみんな、あれが上手くいくとは思ってなかった。不可能に近かったんだ」

革命をやり遂げたのだ。ボノの歌声が鳴り響くなか、ジョブズは隣に座っていたApple社員の脛を、思い切り蹴飛ばして言った。

「今日のことは死ぬまで忘れられないな[★101]」

演奏が終わり、ジョブズは駆け足でステージに戻っていった。拍手と大歓声は鳴りやもうとしなかった。

自己表現からソーシャルへ——iTunesのもたらした音楽生活の変化

一位　Apple iPhone——全人類がコンピュータを持ち歩く時代を開拓。
二位　Sonyトリニトロン・テレビ——全家庭にテレビのある時代をけん引。
三位　Apple マッキントッシュ——個人がコンピュータを持つ時代を提示。

四位　Ｓｏｎｙウォークマン――すべての場所を音楽生活の場に変えた。

これはタイム誌が二〇一六年に発表した「史上最も影響力のあったガジェット・ランキング」だ。[★102]Ａｐｐｌｅと Ｓｏｎｙは上位を仲良く分け合った。

ｉＰｏｄは九位だった。ジョブズの言う「二十一世紀のウォークマン」は革新的だったが、本家に及ばないという判断だったのだろう。

ｉＴｕｎｅｓミュージックストアも、今では定額制配信に道を譲った。技術的インパクトという観点からも、音楽配信のｉＴｕｎｅｓは、一九九九年にいち大学生が発明したピア・ツー・ピア技術には及ばなかった。ファイル共有を生んだピア・ツー・ピア技術は、今ではブロックチェーン技術に応用され、世界にフィンテック（金融技術革新）の旋風を巻き起こしている。だが、それでもｉＴｕｎｅｓミュージックストアが人類の音楽生活に起こした変化は今も燦然《さんぜん》と輝いている。「ｉＴｕｎｅｓが我々の文化に及ぼした影響は、音楽配信を超えるものだった」と後世の歴史家は語ることになるだろう。

一、自己表現からソーシャルへ

〝ｉＰｏｄの父〟トニー・ファデルは、学生寮に住む男子学生からたびたび、感謝のメールをもらったという。「おかげで彼女が出来ました」という内容だった。

広大なアメリカでは、大学生は学生寮に入ってキャンパスライフを送る。ｉＴｕｎｅｓには、学生寮や職場で、じぶんのライブラリを共有できる機能、ボンジュールが備わっていた。「あなたのプレイリスト、すごくセンスがいいわ」と共感した女子学生が、深夜に訪問してくれるようになったと、男子学生たちのメールに書かれていた。

ｉＴｕｎｅｓが合法だったことは「カルマをもてあそぶ」のを矯《た》めたのみならず、ネットの文化をさらに先へ推し進めることになった。合法とは、「音楽ライブラリを、こそこそ隠さなくていい」ということでもあった。ｉＴｕｎｅｓは、どんな音楽を聴いているかで自己表現し、友人たちとＳＮＳで音楽のことをやり取りできるようにしてくれたのだ。

学生寮だけでなかった。ｉＰｏｄでじぶんの音楽ライブラリ全部を持ち歩く。友人にその場でお気に入りのプレイリストを聴いてもらう。いつしか、「どんな曲をｉＰｏｄに入れているの？」が挨拶になり、雑誌やテレビでは「あなたのｉＰｏｄ拝見」が定番の企画になっていった。ｉＰｏｄを持っているかではなく、ｉＰｏｄの中身に話題が変わったのだ。

「人の繋がりを促進する、というベクトルに沿ったものだったと思う」★103

ファデルは、ｉＴｕｎｅｓのプレイリストが「繋がり」を創り出したことをそう説明した。アルバムの時代から、プレイリスト共有の時代へ。サブスク全盛の時代に主流となったその音楽生活は、十五年以上前にｉＴｕｎｅｓから始まったものだった。

二、キュレーションの時代

好きな音楽で自己表現し、共感し、繋がりを深める。その行為は、学生寮や職場のＬＡＮを超えて、インターネット上にも表現の場を求めるようになった。二〇〇〇年代半ば、ブログやユーチューブの登場、そしてｉＴｕｎｅｓミュージックストアの普及が重なり合い、音楽ブログの文化が花開いた。

ドイツに住むアレックス・ウィルヘルムは二〇〇八年、二十三歳のときに音楽ブログを始めた。そこまではふつうの話だが、彼の場合は違った。抜群に耳がよかったのだ。アウル・シティー、ＬＭＦＡＯ、ケシャ、ドレイク、マイク・ポズナー、ニッキー・ミナージュ、そしてケイティ・ペリー。彼らが無名だったインディーズ時代に、世に紹介したのが、カリスマ音楽ブロガーとなったアレックスだったのだ。

かつてなら、アレックスの感性がずば抜けていたというだけで、この数を発掘するのは不可能だった。ショップにはメジャーのＣＤしかなく、デビュー前の無名ミュージシャンを発掘するにはライヴハウスに通い倒さなければならなかったからだ。デビュー前の新人もユーチューブに気軽にデモを公開でき、ｉＴｕｎｅｓミュージックストアの楽曲登録もメジャーレーベルに属していなくてもできるようになったから、これだけの数の新人をドイツから発掘できたのである。ブログを開いてから三年後、アレックス・ウィルヘルムはヘッドハントを受け、ワーナー・ミュージックのディレクターとなった。[★104]

世界では今、プレイリストによるプロモーションが根付きつつある。スポティファイやＡｐｐｌｅミュージックでは、良い音楽をピックアップするキュレーターを雇って、彼らに優れたプレイリストを創らせている。ユーザーの嗜好に合わせて、プレイリストがおすすめされる仕組みだ。結果、スポティファイやＡｐｐｌｅで勤める音楽キュレーターの目に留まり、おすすめプレイリストに掲載されることが、定額制配信時代の宣伝の鍵となった。ドイツのカリスマ音楽ブロガー、アレックスは、音楽キュレーターの先駆けだったのだ。

先駆けは個人にとどまらなかった。「ピッチフォーク」は、一九九五年からある音楽キュレーションサイトの老舗だ。当時、高校生だったライアン・シュライバーは、ＣＤショップで発掘したお気に入りのインディーズ・ミュージシャンをホームページで紹介し始めた。その志は共感を集め、やがて音楽ライターたちが集い、匿名で新譜に点数をつけて採点する大胆な音楽キュレーションサイトに成長。ブログのブームが始まると、ピッチフォークの記事は音楽ブロガーたちを通じて拡散するようになる。アウトキャストの「ヘイ・ヤ！」、レディオヘッドの「キッドＡ」、アニマル・コレクティヴの「マイ・ガールズ」、ボン・イヴェールやケンドリック・ラマー……。これらはピッチフォークがプッシュした新人や新譜だったが、ジャンルを超えて共通する色合いをお感じにならないだろうか。レーベルからギャラを受け取らずに、自らの感性を貫き通したピッチフォークの音楽ライターたちは独自のカラーを形成し始め、二〇一〇年頃には「音楽の流行に最も影響力があるサイト」とまで賞されるようになった。★105

ブログを読みながら、ユーチューブやｉＴｕｎｅｓのリンク先をいちいちクリックするのは骨が折れたが、スポティファイが登場して変化した。ピッチフォークの記事には、スポティファイのプレイリストが添えられるようになった。スポティファイは基本無料なので、誰でもラジオのようにプレイリストを聴きながら、紹介記事を読むことができるようになったのだ。

ミレニアル世代に多大な影響力を持つピッチフォークは二〇一五年、ワイアード誌やヴォーグ誌などを傘下に持つ出版財閥コンデナストに買収された。

三、音楽番組の革新――人工知能とポッドキャスト

ジョブズが水面下でメジャーレーベルと交渉していた二〇〇二年。ロンドンでインディーズレーベルを営んでいたマーティン・スティクセルたちは、ｉＴｕｎｅｓとブログの融合を実現した。ｉＴｕｎｅｓの機能を拡張するプラグインを創り、聴いている音楽をブログでリアルタイムに公開できるようにしたのだ。

さらに、ｉＴｕｎｅｓユーザーから集めた膨大な聴取ログを解析。聴いている音楽の近似性からおすすめの音楽や、音楽友だちの候補を表示できるようにした。そしてこれを、そのままラジオにしてしまったのである。人工知能がリスナーひとりひとりに合った曲をかけてくれる「魔法のラジオ」、ラストＦＭの誕生だった。

それは既存のラジオと実質、変わらなかったインターネット放送に革新を起こした。ロンドンでブームを起こしたラストＦＭは、アークティック・モンキーズなど新人の雄飛に貢献。二〇〇〇年代半ばの第二次ブリティッシュ・イ

ンヴェイジョンすら起こしてゆく。

音楽をキーワードに人びとが集まるラストFMは、ソーシャルネットワークの先駆けでもあった。ラストFMに影響を受けたSNS、マイスペースは音楽をキラーコンテンツにして人気を博し、SNSの世界的なブームが始まった。

大西洋を跨いだアメリカでも、人工知能を使った放送の革新が起こった。執筆現在もなお、アメリカでAppleミュージックやスポティファイのブランド認知を圧倒するパンドラの誕生だ。二〇一九年、アメリカでパンドラを知る人は八九%、Appleミュージックは七四%、スポティファイは七三%だった。[★106]

パンドラは人工知能がDJとなる「ラジオの再発明」だった。iTunesの聴取履歴を使うのではなく、プロのミュージシャンが解析した音楽データベースを基にしていた。Appleもパンドラの大流行に感化され、プレイリストを自動生成してラジオのように流す「ステーション機能」をiTunesに搭載する。スポティファイも同じ機能をほどなく備えた。

人工知能による、ひとりひとりの趣味に合わせたプレイリストの自動生成は、いわば音楽番組の新しいかたちだった。それは世間で人工知能ブームが起こる十年前から、始まっていたのである。

「ポッドキャスト」もまた、iTunes+iPodが生んだ文化だった。ユーチューブのように個人が気軽にラジオ番組を創って配信できるポッドキャストは、iPodをインフラにして定着したが、近年に入り、アメリカで当時以上の社会現象となって再燃している。

二〇一八年、ストリーミングで音楽を聴く人のうち、じぶんで創ったプレイリストを聴く割合は二三%、ステーション機能で音楽を聴く割合は二〇%、ポッドキャストで聴く割合が一八%、キュレーターが創ったプレイリストを聴く割合が一五%だった。[★107]キュレーションされた流行のプレイリストより、パンドラのようなステーション機能や、ポッドキャストの方が利用頻度が高かったのだ。

ポッドキャストのブーム再燃は二〇一四年、街の犯罪をミステリー劇のように追う番組『シリアル』が、アメリカの若年層に数百万人単位で聴かれるようになったのがきっかけだ。さらには、スマートスピーカーを全米国民の二割が持つようになり、ジョブズの在生時を超えるポッドキャスト熱の下地が出来上がった。執筆現在、Ａｐｐｌｅやグーグル、スポティファイが百億円単位で、人気ポッドキャスト制作会社の買収合戦を繰り広げている。巨人たちが考えているのは、音楽番組による定額制配信の差別化だ。

ジョブズは、合法の音楽配信を切り拓いた。合法はエコシステムを生み、そこにステーション機能やポッドキャストのような、放送の時代にはなかった、全く新しいかたちの番組たちが芽生える土壌を育んでいったのである。

四、音楽の民主化

ナップスターは、ジャンルや年代を超えて、すべての楽曲カタログが活性化する未曾有の時代を到来させた。呼応するように、膨大な音楽からおすすめの音楽を紹介するピッチフォークやパンドラのような「ミュージック・ディスカバリー・サービス」が繁栄していった。パンドラではおすすめ曲の七〇％が無名の楽曲というほど前衛的だったが、音楽アプリで全米ナンバーワンの座に就いた。スポティファイも、幾千万に及ぶ楽曲カタログの七割が再生されているという。

定額制配信では、もはや最新のヒットシングルは全聴取の一部になっている。それは「音楽の民主化」だった。これまでわずかひと握りの人気ミュージシャンの最新シングル曲しか聴かれなかったのを、音楽配信が変えたのだ。

既存の放送もｉＰｏｄの影響を受けた。ｉＰｏｄに耳を奪われたアメリカ大都市圏のラジオ局は、これまでのＴＯＰ40路線を捨て、ｉＰｏｄのシャッフル機能のような番組作りを始めたのだ。シングル曲にこだわらずアルバム曲もかける。最新ヒット曲だけでなく、古今東西のヒット曲をジャンルを超えて放送する「アダルトヒッツ」の誕生だ。

「ジャンルと年代をシャッフルし、シングル曲とアルバム曲を等価に扱うｉＰｏｄのシャッフル機能は、七〇年代に席巻したＦＭ革命のリバイバルに繫がった」[★108]

『ｉＰｏｄは何を変えたのか』の著者スティーブン・レヴィはそう述べている。

音楽イベントも多様化の波が押し寄せた。音楽フェスの「コーチェラ」はオルタナロックがメインで始まったが、今ではヒップホップからエレクトロ、果てはオールディーズまでシャッフルされた多様なラインナップを誇るまでに育っている。ニューヨーク・タイムズ紙は、「コーチェラ・フェスの多様性はｉＰｏｄ時代の産物だ」と評価した。[★109]

最後に流通の民主化だ。かつてナップスターが席巻したとき、身震いするような興奮を覚えたミュージシャンが多かった。メジャーレーベルに寡占されていた流通が破壊され、音楽に個性が認められる時代が来たと感じたからだ。実際、ｉＴｕｎｅｓミュージックストアが登場すると、チューンコア(TuneCore)のような独立系のデジタル流通業者が誕生した。

今では誰でもわずかな手数料で、じぶんの楽曲をｉＴｕｎｅｓや定額制配信を通じて発表することができる。メジャーレーベルと契約しなければＣＤを出せなかった時代にはできなかったことだ。ナップスターが音楽の貴族制を破壊し、ｉＴｕｎｅｓが音楽の民主主義を立法化した。そういえるのかもしれない。

今のサブスクが失ったものは未来のヒントでもある

歴史は糾《あざな》える縄の如く進んでゆく。何かが進化すれば、その影で何かが失われる。「ポストｉＴｕｎｅｓ」の音楽サブスクであっても、失ったものがないわけではない。コレクションによる自己表現と、思いがけない出会いの消失だ。

いま世界では、音楽を所有する時代が終わりつつある。サブスクにすべての曲が揃えば、ｉＰｏｄ時代のように音楽を所有する必要はなくなった。だがコレクションというものは、人間の本質的な欲求だ。人はコレクションに喜びを感じ、自己表現を見出す。コレクション欲という観点から見ると、満足感はレコードやCD、iTunesの時代から後退している。

もうひとつが、シャッフルが実現していた、全く新しい音楽との出会いの喪失だ。サブスクは、ユーザーの趣味嗜好を分析し、好みに合ったプレイリストを提示してくれる。だが逆に言えば、じぶんの趣味を超えた出会いを生み出し難い。生物の世界で起こる、突然変異的な偶然の出会いをなかなか演出できないのだ。結果、驚きは薄く、感動が減っている面もある。

現時点では、ソーシャルメディアや友人関係が、じぶんの趣味を超えた新しい出会いをつくる役割を担っている。センスのある友だちが「好き」と言っているなら、聴いたことのないジャンルでも「聴いてみようか」という気になるからだ。

iPodがウォークマンのリバイバルであったように、音楽サブスクが失ったiTunes時代の喜びをリバイバルさせる新しい何かが将来、生まれるかもしれない。イノヴェーションのヒントは歴史のあちこちに隠れている。

音楽配信の時代を切り拓いたiPod+iTunes

二〇一三年、iTunesミュージックストアは十周年を迎えた。開始当初は二十万曲だった楽曲数は二六〇〇万曲を超え、U2とのイベント時に九ヵ国だった展開国は、一一六ヶ国になった。十周年の段階で、楽曲の累積販売数は二五〇億曲。世界のダウンロード販売の六二%をiTunesミュージックストアが占めていた。★110

「六年後から八年後に、音楽購入の大半はオンライン経由になるだろうね★111」

ジョブズは二〇〇四年にそう語ったが、二〇一一年にそれは現実となった。アメリカで、CDなどの物理売上を音楽配信売上が超えたのである。二〇一六年には世界全体で音楽配信がCDの売上を超えた。★112

iTunesミュージックストアとジョブズの偉業を、ミュージシャンと音楽ファンは褒め讃えた。だが、歴史はお伽話ではない。救世主が登場して大団円を迎えるというわけにはいかなかったことを、後世の我々は知っている。iTunesミュージックストアの寿命は、CDよりも短くなりそうだ。

ジョブズが世を去った翌年、二〇一二年の三十九億ドル(四三〇〇億円)をピークに、iTunesの音楽売上は下降の一途をたどり、二〇一八年には六億ドル(六六〇億円)まで下がった。★113 その年、世界のCD売上は一〇%減ったが、ダウンロード売上は二一%も減った。★114 今や、iTunesは歴史的役割を終えようとしている。二〇一九年、Appleは歴史ある「iTunes」の名を捨て、音楽、ポッドキャスト、映像三つのアプリに分割すると発表した。

歴史を俯瞰すれば、iPodはウォークマンを超えるイノヴェーションとはいえないだろうし、デジ

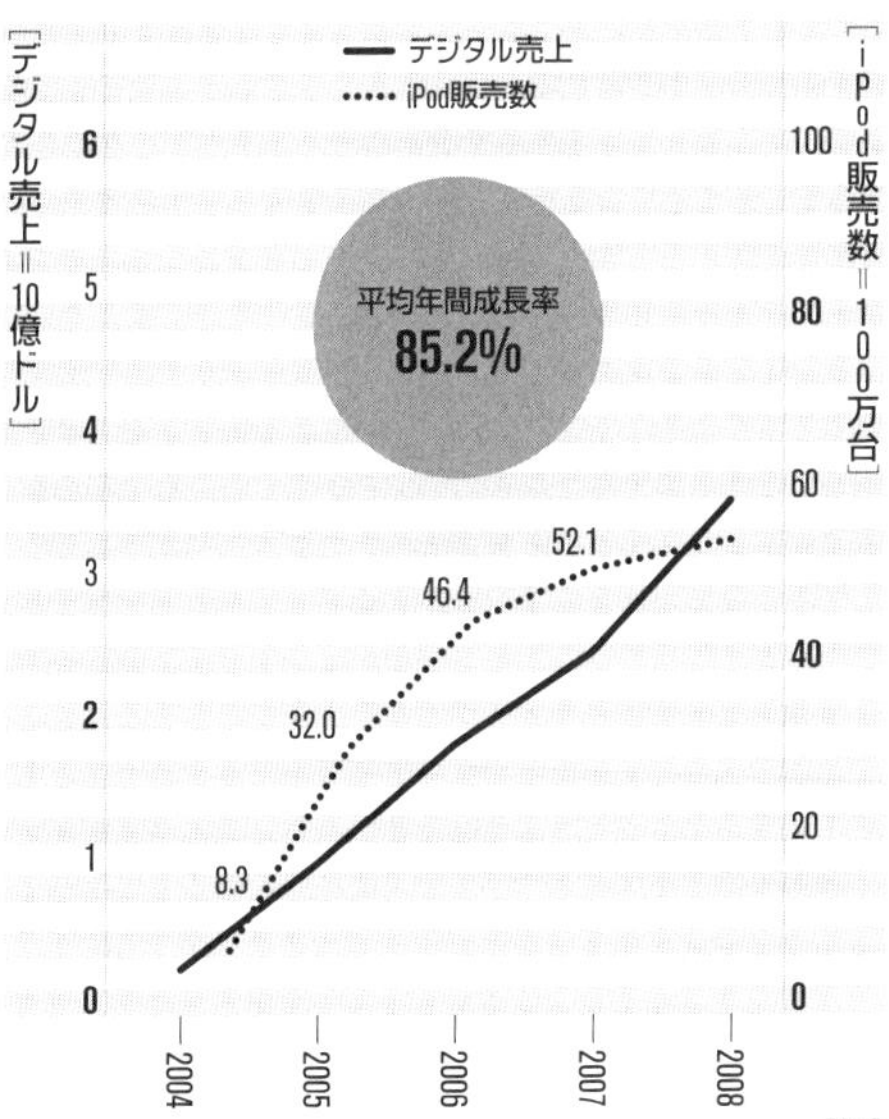

[図2－10]世界のレコード産業、上位10ヶ国のデジタル売上とiPodの売上

2004年からiPhone 3Gが出る2008年までの間、世界の音楽産業上位10ヶ国のデジタル売上は、年平均85.2%という高い成長率だった。世界的に見ても、iPod＋iTunesがデジタル時代をけん引していたことがわかる。

資料：IFPI

タル時代はCDのときから始まっている。ナップスターのもたらした影響にも勝らないだろう。事実、iTunesは違法ダウンロードの席巻を止めることはできなかったし、音楽産業の衰退はiTunesでは止まらなかった。iTunesミュージックストアの本質を絞っていくなら、流通革命となるだろう。iTunesの登場で、CDのかわりにデジタルファイルを売るようになったが、音源のコピーを売るビジネスモデルはエジソン以来変わらぬままだった。

だが、それでも後世の音楽産業は、iPod＋iTunesを評価するだろう。iTunesの全盛時代と呼べる二〇〇四年から二〇〇八年の間、世界のデジタル売上は平均で八五％という驚異的な成長率で拡大していった。iTunesミュージックストアがデジタル売上の初期を力強くけん引したことは間違いがないのだ。それは配信の時代を切り拓いた。合法の音楽配信を成功に導いたことは、違法ダウンロードに失望していたエンタメ産業を勇気づけた。結果、本、漫画、ゲーム、映画、番組、ありとあらゆるものが合法で配信される時代を我々は享受している。

ビジネスのみにとどまらなかった。iPod＋iTunesはファイル共有の普及で始まったCD不況のなか、人びとの音楽生活を再び活性化した。世界のどの街を歩いても、誰もが白いイヤフォンをつけて音楽を楽しむシーンが見られるようになった。それは七〇年代末にレコード不況が始まったとき、ウォークマンとCDがもう一度、音楽生活を活性化したのと同じだった。

「俺たちはとてもラッキーだった。音楽といちばん親密な世代だったんだ。たぶん今と比べても音楽と俺たちはずっと寄り添っていた。今はたくさん選択肢があるからね。当時はゲームもなければパソコンもなかった」

ローリング・ストーン誌に話すジョブズは、どこか感傷的な面持ちだった。二〇〇三年の十二月、iTunesミュージックストアのウィンドウズ版が始まってしばらく経った頃だ。

「今はいろんな娯楽が子どもの時間を奪い合っている。でも、デジタル時代にフィットした再発明で、音楽は人びとの生活に舞い戻ってきた。僕らはそんな風に微力ながら、世界をよりよい場所にしたいと思ってるんだ[★115]」

ロックの黄金時代と西海岸のカウンターカルチャー文化のなかで育ったジョブズは、音楽の世界を変えた。iTunes革命は音楽への、ジョブズ流の恩返しだったのだ。

iPod＋iTunesは、音楽とAppleにとって重要な転換点となっただけでない。音楽に特化しながらも初号機からOS、アプリ、UIを備えていたiPodはポストPCの先駆けであり、ハイテク産業の転換点にもなった。だがジョブズのすごみは、iTunesミュージックストアを超える影響を、再び音楽産業に与えたことだ。ポストiTunesの礎もジョブズが築くことになったからである。エジソン以来の革命を音楽の世界にもたらしたのはiPodとiTunesではなく、その次の代表作だった。

なぜiTunesは救世主とならなかったのか

歴史は希望と失望が織りなすタペストリーだ。

二〇〇四年に四・六％の売上増を記録し、世界に希望を与えたアメリカ音楽産業だったが、翌二〇〇五年には二・八％減、二〇〇六年には五・一％減、二〇〇七年には八・一％減に。そしてリーマンショックの暗雲が覆った二〇〇八年には、実に一八・六％減と釣瓶落《つるべお》としでアメリカの音楽界は調子を落としていった[★116]。「CDがiTunesミュージックストアに入れ替われば、音楽不況はすべて解決」。そんな楽観論を言う人はいなくなっていった。

音楽会社の懸念が当たった。アルバムビジネスの崩壊が止まらなかった。確かに、iTunesはシングル売上を伸ばしてくれた。それも劇的にだった。CDの全盛時代だった一九九七年、米国民はひとりあたり〇・五枚しかシングルを買わなかった。だが、二〇〇八年にはiTunesが定着したおかげで、米国民はひとりあたり三・五曲も買ってくれるようになった。

一方で、九七年にはアルバムはひとりあたり三・五枚、売れていたが、二〇〇八年には米国民ひとりあたり一・五枚しか買われなくなった。ちょうどアルバム三・五枚がシングル三・五曲に入れ替わった寸法だ。

ＣＤアルバムが一枚十五ドルなら、ｉＴｕｎｅｓのシングルは一曲一ドル。結果、音楽売上は激減した。第二次黄金時代の一九九七年、米国民はひとりあたり七十ドル近く音楽にお金を使っていたが、二〇〇八年にはひとりあたり三十ドルを割ってしまった。[★117]実に六割減だ。

もちろん、これをジョブズのせいにすることはできない。彼が言ったように、ｉＴｕｎｅｓの誕生以前から、ファイル共有で既にアルバムビジネスの崩壊は決定的になっていたからだ。もしｉＴｕｎｅｓがなければ、シングル売上の激増もなかったろう。彼が音楽に貢献したのは間違いがない。

では、なぜ二〇〇四年、アメリカの音楽売上はプラス成長だったのだろうか。実は、それはＳｏｎｙのおかげだった。二〇〇〇年に発売されたＳｏｎｙのゲーム機、プレイステーション2は、累計九千万台となり、最終的には一億五千万台を突破。「家電史上最も売れた同一機種」でギネス記録を達成した。[★118]プレステ2はゲーム機だったが、ＤＶＤの普及機でもあった。若年層に再生環境を得た音楽ＤＶＤは急成長していった。結果、二〇〇四年に北米でいちばん増えた音楽売上は、音楽ＤＶＤになったのである。シングルのダウンロード売上が前年比一億三八〇〇万ドルの増加だったのに対し、音楽ＤＶＤは三億七百万ドルの増加だった。[★117]

共に総売上から見れば小さく、アメリカでもＣＤ売上がなおも九三％を占めていたが、国際レコード産業連盟はその年、音楽配信に並ぶ希望の光として音楽ＤＶＤの急成長を称賛していた。[★119]既にファイル共有で節約したＣＤ代がライヴに流れていたが、人は所有欲を持つ動物だ。「ＣＤのかわりに、コレクション欲を満たすものとしてＤＶＤが成長してくれれば、それに越したことはない」と音楽業界の経営陣は見ていた。だがそのＤＶＤも翌年、買う理由がなくなった。ユーチューブが誕生したからだ。

ユーチューブは、IT史上最速の成長を遂げたサイトだが、初期のユーチューブをけん引していたのが音楽だ。MTVから録画した音楽ビデオが無数に共有された結果、当時、動画検索の六割が音楽になっていた。[★120] ナップスターは誕生から一年三ヶ月で三千万人の利用者を得たが、ユーチューブは公開から一年半で五千万人を集めている。[★121] この六割にあたる三千万人は、ちょうどナップスターの人数と同じだ。

ユーチューブは、わずか一年で世界第五位のトラフィックを誇るサイトとなった。「いずれテレビの時代が終わ

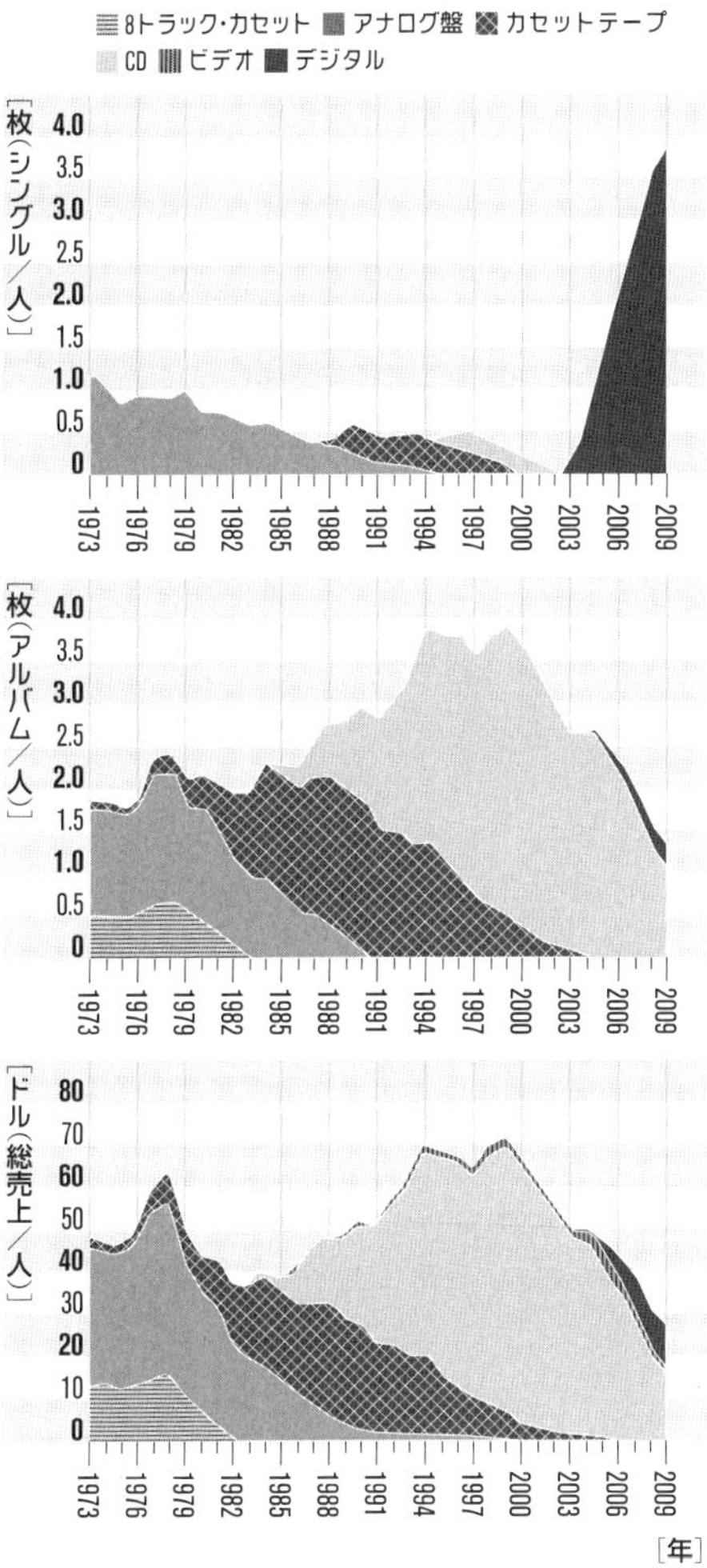

[図2－11]米音楽産業の売上推移

iTunesミュージックストアの誕生した2003年からデジタル・シングル売上が爆発的に増加している。一方、アルバムのユニット売上はナップスターの登場以降3分の1に。合計するとひとりあたりの売上も3分の1になった(インフレ換算済み)。

資料：RIAA

り、ユーチューブの時代になる」と世界は興奮した。ファイル共有に続き、音楽が動画共有の時代をけん引していた。「ユーチューブは次世代のナップスターなのか?」マーシャブルのような影響力の高いニュース・ブログが次々とそう論じていたが、[★122]ユーチューブとナップスターには決定的な差があった。ナップスターは違法だが、ユーチューブの運営は合法だった。

ナップスターが裁判で頼ろうとして認められなかった「セーフハーバーD項」は、ユーチューブには適用された。たとえ人気の音楽動画がMTVの録画から違法に投稿されたものでも、大半の投稿動画は合法のものだったからだ。しかもストリーミング(厳密にはプログレッシブダウンロード)のため、視聴者はダウンロードしないので法に触れなかった。

動画共有とファイル共有はとても似ていた。ユーチューブならmp3やiTunesで買った曲のように、好きなときに何度再生してもタダだった。違法ダウンロードと同じ便利さを、動画ストリーミングは視聴者に合法で提供してくれたのだ。結果、音楽業界の頂点が希望を見た音楽DVDは、二〇〇五年以降、年々売上を落とし、二〇〇八年のアメリカで、二〇〇四年の売上の三分の一となった。[★117]それ以上にCDの売上が急減したのは、言うまでもない。

「まさか生きている間にこうなるとはね。タワーレコードも消えたよ」[★123]

サイアー・レコードの創業者シーモア・スタインが語るように、CDストアはアメリカで壊滅した。二〇〇四年、大型CD店チェーンのHMVがアメリカから撤退。二〇〇六年末、タワーレコードがアメリカの全店を閉鎖。二〇〇九年夏、ヴァージン・メガストアも全店舗を閉鎖し千人を解雇した。今では三社とも経営破綻しており、大型CDストアは日本やドイツなどわずかな国に残るだけとなった。

不況は経済弱者をいちばん苦しめるが、アメリカでは二〇〇〇年から二〇〇九年にかけて、プロミュージシャンの三割が失業した。新人はもっと悲惨で、世界のデビューアルバムの売上は、二〇〇三年から二〇一〇年にかけて四分の一に減ってしまった。★124 大物アーティストが稼いだ金を、新人に投資して回すのがこの業界だ。だが資金繰りが悪化し、新人に投資資金を回す余裕がなくなった。当時、日本の製造業も大不況で新商品を開発する余裕がなくなり、勢いづく中国に対しジリ貧になっていたが同じ構図だった。

二〇〇八年四月、「ｉＴｕｎｅｓミュージックストアは大型スーパーのウォルマートを抜き、ナンバーワンの音楽販売会社になった」とＡｐｐｌｅは発表した。★123 アルバムビジネスの崩壊に困じ果てた音楽会社は、「一曲一ドルを値上げできないか」とＡｐｐｌｅに訴えたが、交渉は難航。もはや立場は逆転していた。交渉が決裂してｉＴｕｎｅｓで売れなくなったら、音楽配信の売上を七割も失うのだ。

「もし曲の価格が上がれば、消費者は再び違法ダウンロードへ舞い戻り、全員が敗者になってしまうだろう」★125

ジョブズがそう言って、値上げを拒否することは容易だった。

もっと大きな誤算が待っていた。記録的な落ち込みを見せた二〇〇八年、国際レコード産業連盟（ＩＦＰＩ）から衝撃的な調査が発表された。

全世界の音楽ダウンロードのうち、合法のダウンロードはたった五％しかなかったのだ。★126 ｉＴｕｎｅｓはデジタル売上の七割を占めていたが、単純計算で三・五％しか、違法ダウンロード問題を解決していない……。音楽産業は厳しい事実を突きつけられた。

考えてみれば当然だった。ｉＴｕｎｅｓで音楽をダウンロードしなくても、ファイル共有があれば無料でダウンロードし放題だからだ。ファイル共有で得たｍｐ３をｉＰｏｄで楽しめばそれでよかった。

「インターネットが普及すれば、音源のコピーを販売するビジネスモデルは崩壊する。だからダウンロード販売も上手くいかない」

かつて定額制配信を提唱したジム・グリフィンはそう予言した。デジタルデータが無数の端末に複写されていくのがインターネットの技術的な本質だからだ。iTunesもCDも、実は根本的なビジネスモデルに変わりはなかった。楽曲のデジタルコピーを売ることでは同じだったからだ。iTunesが救世主とならなかった本当の理由は、まさにそれだった。

iTunesミュージックストアが起こした革命は、音楽会社の流通を物流から通信に変えたことであり、エジソンが創始したビジネスモデルの根本は変わっていなかったのだ。ダウンロード配信の失敗を予言したグリフィン。定額制ストリーミングの失敗を予言したジョブズ。まずジョブズの予言が当たり、やがてグリフィンの予言が当たるというのが、この二十年間だった。

iTunesミュージックストアは世界一の音楽会社となった。iPodのヒットでAppleの時価総額は、iPhoneの登場を待たず十倍となった。音楽ソフトの販売をフックに、ハードで稼ぐAppleは成功を収めた一方で、音楽ソフト産業は依然、苦しんでいる構図だった。

音楽はソフトで稼げず、ハードが稼ぐ時代が来る。そう予測したふたりを紹介した。ジョブズと激しい交渉を繰り返したSonyミュージックのアンディ・ラックがひとりめ。ジョブズとタッグを組み、iTunesミュージックストアの実現を強力に支えたジミー・アイオヴィンがふたりめだ。

iPod U2エディションで稼いだアイオヴィンは聡《さと》かった。二〇〇六年、彼のレーベルは自らハードウェア・ビジネスを立ち上げる。高級ヘッドフォン会社のビーツ・エレクトロニクスだ。iPodに匹敵する市場規模を持つヘッドフォン事業に、彼は傘下のアーティストたちと乗り出した。そしてアイオヴィンの読みは見事に的中することになる。彼の真意に同業者のレーベル経営者が気づくのは、十年以上も後だった。

とはいえ、音楽レーベルの本分はやはりハードではなく、音楽ソフトだ。もう一度、音楽ソフトで稼ぐ仕組みを見出さなければならなかった。だがCDも駄目、定額制配信も失敗、DVDも駄目、iTunesも駄目ではどうすればいいのか。

「全く新しいもの」に繋がる何かが要る——。

ｉＴｕｎｅｓミュージックストアのブームが落ち着いた頃、音楽産業はそう希求するようになった。かつてｉＭａｃブームが下降に入ったとき、ジョブズが感じた情熱と同じものだったかもしれない。

時代は巡る。ｉＰｏｄ誕生のきっかけは九〇年代後半、日本が起こしたデジタル・ガジェットのブームに、ジョブズが示唆を得たことだった。ｉＴｕｎｅｓに代わる答えを探し出したとき、世界の音楽業界が注目したのは、再び日本だった。日本では、世界に先駆けてポストＰＣの時代が始まっていた。携帯電話の上で音楽配信を実現した日本は当時、ｉＴｕｎｅｓにすら打ち勝ち、アメリカと並ぶ音楽配信売上を実現していた。

この日本での敗北がジョブズを突き動かし、音楽産業はついに答えを見出すことになる。

明星の章

音楽と携帯電話――東の空に輝いた希望の光

カーラジオから携帯電話の発明へ

一九七三年、ニューヨークのとある交差点で、人びとはぎょっとするものを見た。スーツに身を固めた紳士が、レンガほどもありそうな大きさの白い何かを耳に押し当て、大声でひとりごとを喚きながらこのうえない笑顔で交差点を渡っていったのだ。

携帯電話を発明したマーティン・クーパー博士の電話先は、ニューヨークのラジオＤＪだったともいうし、ＡＴ＆Ｔにいるライバル研究者だったともいう。たった八人の仲間と半年の突貫工事で完成し、通信業界の巨人を出し抜いてやったのだ。

「電話をかけつつニューヨークの交差点を渡ったのは、人生で最も危険な瞬間でした」

博士は笑う。だが、スマートフォンを見つめながら歩きまわる危険な人びとで溢れる未来を垣間見ることができたなら、きっと博士もぎょっとしたことだろう。

「リープフロッグ」という言葉がある。ある技術をコアに、先駆者が周辺の事業者を巻き込み、エコシステムを築き上げる。後発者には不利のはずが、これが逆転のチャンスになる。先駆者がエコシステムを謳歌している間に、彼らは新たな技術革新で新しいエコシステムを創り出す。

だが先駆者はじぶんたちの繁栄を支えるエコシステムを捨てきれず、立ち遅れる。そして立場は逆転し、後発者が先駆者を蛙跳びに追い越し、先をゆくことになる。リープフロッグは、イノヴェーションのジレンマをよく表した言葉だ。それは企業の世界のみならず、国と国の間でも頻繁に起きている。

クーパー博士の会社は、一九三〇年に初の量産型カーラジオ「モトローラ」を売り出して創業した。モトローラは、リビングを根城としているラジオメーカーを出し抜いたのだ。七〇年代に入るとモトローラ社は、今度は巨人AT&Tと車内電話で競っていたが、勝負は完敗の気配を見せていた。一発逆転を図るモトローラは、リープフロッグを仕掛けた。AT&Tが独占する車内電話のエコシステムを飛び越えて、携帯電話の新市場を創出しようとしたのだ。

その技術的な本質は双方向のラジオだ。携帯電話の技術的アイデアは、ラジオの黄金時代の一九四〇年代、既にあった。だが実現には、要素技術となる半導体の集積回路が進歩するのを待たなければならなかった。

カーラジオを開発し、車のなかに音楽を持ち込んだモトローラは、トランジスタ・ラジオに進出した後、トランジスタ技術を発展させて半導体メーカーになっていた。モトローラが携帯電話を発明したのは、けだし自然な成り行きだったといえよう。だが携帯電話の本格的な普及期が訪れるのに、クーパー博士がニューヨークの交差点を渡ってから十六年の歳月を待たねばならなかった。人はレンガほどもある電話を持ち運びたくなかったのだ。

一九八九年、半導体集積回路をいっそう小型・省電力化できたおかげで、モトローラはようやくポケットに入る携帯電話「マイクロタック」の販売に漕ぎ着けることができた。ここからアメリカは、パソコン産業に加えて、携帯電話の普及でも世界を先行していくことになる。遅れを取った日本勢がリープフロッグを仕掛けたのは、携帯電話がアナログからデジタル回線に移行したタイミングだった。

パソコンから携帯電話へ――iモードの切り拓いた未来

テクノロジーが音楽産業を変えてゆく物語を、エジソンの昔から語ってきた。「未来は予測不能」というが、九〇年代も後半になると、近未来のあらましを予測するのは比較的容易になってくる。新ビジネスのタイミングは技術ロードマップに支配されるようになったからだ。

半導体の進化は「ムーアの法則」で予測可能になった。通信速度の進化も、光ファイバーが基幹回線となったことで、「カオの法則」に沿うようになった。通信速度は半導体の進化と同じく、等比級数的に伸びてゆくという法則だ。

榎啓一がNTTドコモの社長室に呼ばれたのは、一九九七年の一月だった。ジョブズがAppleに復帰してひと月後にあたる。大星社長(当時)は、コンサル会社マッキンゼーの作った分厚いレポートを渡して榎に語った。

「これからは通話ではなくデータで稼ぐ時代が来る。だからドコモは携帯電話でマルチメディア事業を起こしたい」

面白そうだ、と榎は直感した。ちょうど携帯電話の回線は、アナログの第一世代からデジタルの第二世代(2G)へ移行しようとしていた。固定電話のために生まれたデジタル回線を、通話だけでなくデータ通信に使うようになったとき、インターネットの時代が始まった。このとき大星が榎に手渡したレポートには、固定電話の回線に起きたことが携帯電話にも起きるという予測が綿密に述べられていただろう。

だが、「君ひとりでやれ」という社長命令にはひっくり返りそうになった。「部下はいないから外から募集しろ」という。「無茶苦茶ですよね」と榎は当時を振り返る。[★001] しかし大星社長の話は筋が通っていた。携帯電話といえば、外回りするビジネスマンが使うほかなかった時代だ。ドコモに情報ビジネスを知る社員はいなかった。外から専門家を集めた方が間違いがなかった。

榎には年頃の娘がいた。娘は、ポケベルで友だちとチャットすることに夢中だった。「広末 ポケベルはじめる」のCMでドコモの社名は人口に膾炙《かいしゃ》するようになっていた。業務連絡を用途に開発されたはずのポケベルは、なぜかおしゃべり好きな生き物、女子高生・女子大生の間で大流行していた。それは予想外の社会現象だった。

ドラッカーの「七つの機会」によれば、予期せぬ成功と失敗こそ最高のイノヴェーションの機会になる。アイデアや新技術よりもだ。

――携帯電話で情報サービスをやるなら、主要客のビジネスマンをターゲットにすべきでない。まだ携帯電話を持っていない娘の世代が、遊べるようなものを創るべきではないか。

榎はそう思い、女性誌の編集長だった松永真里をリクルート社からスカウトした。リクルートは情報ビジネスのパイオニアだ。松永が「とらばーゆ」の会社から転職して早々の出来事だった。

「ショートメールではなくなったんですか？」[★002] 松永は声を上げた。

メール形式のコンテンツの編集長、ということで松永は呼ばれたはずだった。マッキンゼーの作った戦略では「まずメール形式の雑誌型コンテンツから入り、次にインターネット形式のサービスへ向かう」ということになっていた。当時ケータイに載っているCPUは貧弱で、ブラウザを動かす処理速度は出せなかったからだ。だが、この年ドコモが始めた「ケータイ・メール」は予想外のヒットになった。のちのSNSの隆盛でわかる通り、コミュニケーションは、それ自体がキラーコンテンツとなる。その潜在需要を掘り当てたのだ。

大星社長は次のステップに想定していた、「携帯電話でインターネットのような世界を楽しむサービス」を前倒しする決断を下した。松永は戸惑った。確かにじぶんは情報ビジネスのプロかもしれないが、インターネットはずぶの素人だったからだ。不幸中の幸いなのか、社長は「外部からどんな部下を連れてきてもいい」と言っていた。閃いたのは、学生時代にリクルートでインターンをしていた夏野剛の顔だった。夏野は貴重な体験をしていた。インターンの後、一九九三年にMBA取得のため渡米した夏野は、そこで未来を見ていたのだ。

アメリカでパソコンがキャズム超えを起こしたのはかなり早い。普及率が閾値《いきち》の一六%を超えたのは、一九八八年だった。日本の普及率が閾値を超えるのは一九九六年で、アメリカに八年遅れている。夏野が渡米した頃、既にアメリカ人の四人に一人がパソコンを持っていた[★003]。結果、パソコン通信が北米大陸に広がっており、既に生活に根付いていた。

渡米した彼が衝撃を受けたのは、パソコン通信の最大手AOLの総合サイトだった。ニュース検索、生活情報、航空チケット、Eコマース、コミュニティ等々。AOLのトップページは、未来社会の雛形そのものだったのだ。

AOLだけでなかった。彼はアメリカで、インターネットの生む新たな経済を説明しうる理論にも出会っていた。複雑系の都市経済学だ。情報のカオスがやがて有機的なエコシステムに発展する――。それが複雑系経済論の要だった。だから、エコシステムの基盤を築き上げる者が、次の時代の勝者になると、彼の学んだ理論は情報プラットフォームの時代到来を示唆していた。

帰国後、理論を応用すべく、夏野は無料プロバイダを立ち上げた。無料の力でネットユーザーを一手に集め、行動履歴を集積し、これを基に広告プラットフォームを展開しようと考えたのだ。まるでグーグルだ。だが夏野の無料プロバイダは上手くいかなかった。松永から電話がかかってきたのは、差し迫る失敗に苦悩している最中だったという[★004]。

「携帯電話に液晶画面があるでしょ。ここにインターネットの情報を流そうと思ってるんだけど、私、とにかく機械に弱いから、手伝ってくれないかしら[★001]」

その手があったか……。全身を貫くような閃きが夏野を襲った。いち早い失敗がヴィジョンを生んだのだろう。携帯電話はいずれひとり一台の時代が来る。「ケータイならパソコンよりすごいことができる。パソコン中心のアメリカにだって勝てる」と彼は直覚した。

今、iモードの革新から学び直せるたくさんのこと

「通信速度の進化は、半導体の進化よりも先を行く」とカオの法則は説く。通信とCPUの間には常に進化のギャップが存在する。問題は、携帯電話に載る貧弱なCPUだった。

携帯電話でデータ通信が可能になった一方で、携帯電話のCPUは一九九八年時点で十メガヘルツ以下。初代Macと同じ処理能力では、ブラウザを動かすのもままならなかった。そこでドコモの技術陣は、発想を転換した。

「端末のCPUに頼らなければいい。サーバー側の処理速度に頼ろう」

のちのクラウド・コンピューティングと同じ発想だった。サーバー側でHTMLを処理してデータを簡略化し、携帯電話にパケット送信する。簡略化したインターネットを一二〇×一六〇ドットの小さなケータイ画面上で実現する。それがiモードの技術革新だった。

ドラッカーは、予期せぬ成功・失敗に次ぐイノヴェーションの機会として、ギャップの存在を挙げた。iモードは、カオの法則とムーアの法則の構造的なギャップを捉えたイノヴェーションとなった。

夏野たちは、コンテンツ戦略でも革新を起こす。欧米の携帯会社は、コンテンツを買い集めて、データ通信の武器

にしようとしていた。マッキンゼーがドコモに勧めたのも同じだった。だが、夏野はこれに反対した。コンテンツはサードパーティにまかせ、ドコモは手数料をもらうプラットフォームに専念すべきだと主張したのだ。ドコモは本職のパケット通信料で稼げばいい。のちに、Ａｐｐｌｅやグーグルがアプリ売上手数料を三〇％も取ったのと比べると、ドコモの手数料九％がどれだけ安かったか、わかっていただけるだろうか。これが携帯電話上に、豊かなコンテンツが花開く下地となった。

解決すべき難題はまだあった。簡易インターネットのなかに、いかに有料の文化を創るかだ。当時、パソコン上のインターネットは無料が基本で、有料で稼いでいるコンテンツはポルノしかないという悲惨な状況だった。

初めは「インターネットは新しいビジネスチャンスだ」と勇んでいたコンテンツ産業も、ファイル共有が席巻するのを見て、「ネットでコンテンツを売るのは無理だ」と失望していった。猜疑心に包まれた彼らを説得するには、「パソコンでは無理だったが、ケータイならユーザーもお金を払ってくれる」と思える仕組みづくりが必要だった。

有料の文化を築くにあたり、大きな貢献をしたのが松永真理だった。松永はパソコンで出来上がったインターネット文化を、ケータイにそのまま持ち込む考えに違和感を持っていた。ネットに溢れる情報を、小さなケータイの画面にそのまま表示しても不便なだけではないか。そう思ったのだ。

パソコン音痴でキーボードが苦手だった松永は「ボタン一発で知りたいことにたどり着けるインターネットが欲しい」といつも思っていた。それくらい簡単なら、パソコンが苦手なおじさんから女子高生まで使ってくれるだろう。非消費者を消費者に変える「新市場型イノヴェーション」が起こる。かといって、ネット上の情報をドコモが編集してまとめるのは、無理だった。人手がかかりすぎる。そうして閃いたのが「公式メニュー」だ。

ドコモを本屋に仕立て、公式サイトを雑誌の数程度に絞って提供するのだ。そうすれば情報の氾濫で破綻しないし、人手の問題も解決できる。ネットの情報をケータイ向けに精選するのは、各サイトが行なってくれる。今で言うキュレーションだ。

それは、ネットの常識への反逆でもあった。「無数のサイトからどれを公式にするか、ドコモが選んで決めるなんてできるわけがない」と参謀役のマッキンゼーから猛反対を受けた。が、AOLの公式メニューがアメリカで成功しているのを見ていた若き夏野が援護射撃をしてくれ、了承を勝ち取った。もうどちらがチーフ・コンサルタントなのかよくわからない。

iモードの公式メニューは、のちにAppleへ大きな影響を与えてゆく。初めジョブズは「サードパーティにアプリを創らせたら、パソコンの世界のように酷いことになる」と反対していたが、部下たちは「iモードのようにAppleが選定すれば大丈夫」と説得した。そうして誕生したのがAppストアだ。

昨今、音楽での成功を機に各産業でサブスクリプション・モデルが流行しているが、この流行の二十年前に、月額制のサブスクリプション・モデルを成功させたのも、iモードである。雑誌出身の松永は、コンビニで雑誌を買うように、気軽に公式サイトへ加入できるよう、iモードの基本使用料を安い月刊誌並みの三五〇円に、そして各社のサイトの購読料を月額一〇〇円から二〇〇円程度に設定した。ちょうど週刊誌の価格帯である。[★005]

新しいサービスを消費者に提案する際、消費者が慣れている商習慣を上手く踏襲すると馴染むのが早い。ジョブズものちに使った手だ。ワンコインで缶ジュースを買う感覚を、彼はiTunesミュージックストアに取り入れた。のちのスマートフォンも、先行するiモードをAppleとグーグルが研究したことで、百円から三百円が有料アプリの相場となった。

執筆現在、月額九八〇円の定額制音楽配信が、日本で普及しきれずに苦しんでいる。スマホの相場に合わないからだ。しかし歴史を振り返るなら、日本ではサブスク型のコンテンツが既に成功した経験を持っているのだ。レンタルで二泊三日の定額制にも馴染んでいる。工夫のよすがはあるように感じられる。

シンクロニシティというのはあるのかもしれない。一九九八年二月、「ｉモード」の命名を松永が施した時期、クパチーノでは「ｉＭａｃ」のネーミングについて議論していた。ジョブズは最後までウォークマンにあやかった「Ｍａｃｍａｎ」を推したが、側近たちの説得を受け入れ、「ｉＭａｃ」となった。そこからｉＰｏｄ、ｉＰｈｏｎｅ、ｉＰａｄと生まれるが、時系列的にｉモードもｉＭａｃも、どちらもパクリではない。

四文字で伝わる秀逸なネーミング。商習慣に合ったマイクロペイメント。コンテンツ提供者を奮い立たせる仕組みづくり——。日本の定額制音楽配信がｉモードから学び直せることは少なくない。「聴き放題」という機能面を押しただけでは、厳しいような気がする。

「技術を形にしただけじゃ売れるプロダクトにはならない。心の琴線に触れないとお客さんは欲しくならない。大賀さんはよくそう言っていたね」

晩年の「ＣＤの父」について訊ねたとき、盛田昭夫の次男、盛田昌夫は筆者にそう語った。ｉモード発表の記者会見について読み直していたとき、ふと頭に浮かんだのがその言葉だった。

ｉモードの発表会場に集まった記者の数はわずか七人だったという。「ＷＡＰとはどう違うんですか？」会見は、技術的な質問に終始した。世界の携帯会社はＷＡＰの規格を使うのに、ドコモだけがなぜＨＴＭＬを使うのか。記者たちは「閉鎖的な日本企業」というありふれた視点で取材を進めようとしていた。記者会見は失敗だった。

製品発表の難しいところは、しくじっても「もう一回やり直します」と呼び直せるものではないことだ。そして人の知性は、第一印象に判断を支配される性質を持つ。ジョブズが最初の発表にこだわり抜いたのは、人間のそうした性質を知り抜いていたからである。彼自身が友人に、第一印象で人を決めつけると怒られてきた。

しかしｉモードのチームは起死回生の「やり直し」を思いつく。携帯電話は、これまでビジネスマンを主要顧客にしていた。そこからポケベルに飛びついた若い女性層へ携帯電話を広めるため、ちょうどＣＭキャラクターをビジネスマン層向きの織田裕二から広末涼子に替えたところだった。

「広末涼子さんの新しいCM発表会をやります」

そう言って、報道陣を呼び直したのである。早大生になった広末涼子が会見に登場するとなって、今度は五百人を超えるマスコミが取材にやってきた。ポケベルで遊ぶ女子高生のアイコンとなった〝ヒロスエ〟が、大学生になって携帯電話デビューする。学食でメールやiモードを触るヒロスエを映して、女子大生の琴線に触れることを狙ったCMだった。

アーティストは、とある曲をきっかけに音楽ファンとシンクロして、存在を認められるようになる。サービスも同じだ。技術そのものではなく、琴線に触れる瞬間を創ったことで、iモードはマーケットとシンクロした。

同じ頃、太平洋の先では、ジョブズがiMacの秀逸なCMで、Appleと消費者を再びシンクロさせることに成功していた。

着メロ——そしてケータイは世界の希望の星となった

「携帯電話の音楽をMIDIにしてくれると助かるのですが」

ヒアリングへ来た夏野に、カラオケ業者は言った。MIDIとはメロディをデータ化したものだ。音楽を着信音にする着メロが着想されたのはこの瞬間だった。

時々、ペットのように溺愛される家電が誕生するが、日本の女性は携帯電話に愛情深かった。壁紙と着メロでじぶんだけのケータイに仕立て上げる遊びが流行し、着メロ・ブームが始まった。それが空前のiモード・ブームの嚆矢《こうし》となった。

二〇〇〇年。サービス開始から二年後だった。ビジネスウィーク誌の表紙には、榎啓一、松永真理、夏野剛の姿があった。「Eビジネスに最も影響を与えた二十五人」に彼らは選ばれたのだ。[★006] 世界の注目が始まっていた。

既に九〇年代末から「パソコン時代の終わり」が囁かれていた。パソコン中心のインターネットでは、違法ダウンロードが横行しだし、人びとは何でも無料で済ませようとしていた。売れるコンテンツといえばポルノばかりだった。それを、日本の夏野たちは着メロと携帯電話でひっくり返してみせたのだ。

アメリカの携帯電話が相も変わらず電話とショートメッセージだけだったのに対し、ヨーロッパの携帯会社はすぐに日本を追いかけ始めた。翌二〇〇一年には、欧州でケータイ用コンテンツの売上の九五%が着メロと画像に。その売上は、ポルノが七割だったパソコン中心のインターネット・コンテンツ売上を二倍以上、引き離していた。

二〇〇二年には、日本のケータイ向けコンテンツの売上は一八〇〇億円に届こうとしていた。その五三%が着メロであり、音楽に続いて次々とほかのジャンルも売れ始めていた。[★007]「パソコン向けの配信は駄目だが、携帯電話向けなら行けるのではないか」。インターネットに絶望しつつあった欧米のコンテンツ産業は、東の空に小さく輝く明けの明星に希望を見出した。その年、「世界のモバイル・インターネット利用者のうち、八〇%以上が日本人となった」と夏野は講演で高らかに報告した。[★008]

「パソコンはおじさん臭い。ケータイはかっこいい」。日本の女子の感性が、次の時代を示す羅針盤となった。日本はネットと携帯電話の融合で、パソコンを核にエコシステムを創ったアメリカを軽々と飛び越えてみせた。それは「先の者が後になり、後の者が先になる」という聖書の言葉が具現化したかのように、荒野に輝く希望の星となった。

ｉＰｈｏｎｅが日本に登場する二〇〇八年には、日本のケータイ向けコンテンツ市場は、五千億円に迫る勢いとなる。ケータイ向けＥコマースなど関連市場を含めると、実に一兆三五〇〇億円にも達する未来が待っていた。[★009]

「人はインターネットだと何でも無料で済ませたがる。だけどモバイルならコンテンツにもお金を払ってくれるらしい」

東の国に沸き起こった新たなコンテンツ市場を伝え聞いて、世界中でそう囁かれるようになった。それは日本が発見した新大陸だった。

そして日本に、携帯電話向けの音楽配信が誕生する。それは、パソコン中心のｉＴｕｎｅｓミュージックストアでは音楽を救えぬ事実を突きつけられ、音楽業界の重鎮たちが密かに失望しだしたときのことだった。

Ｓｏｎｙミュージック、丸山茂雄の危機感

ことは一九九八年の早春に遡る。

八〇年代に小学生だった団塊ジュニア世代はファミコン・ブームに熱狂。中学、高校時代にはマンガの全盛期を買い支え、九〇年代に入って大学生となると、音楽を買う遊びに遭遇していた。

タイアップソングをテレビで耳にして、ＣＤシングルを買い、カラオケで盛り上がる。中高年が演歌をがなっていたカラオケが、小室哲哉の手で小さなレイヴパーティに変わり、若者のものになったのだ。この黄金の方程式を見出したエイベックスは隆盛を極め、いちインディーズから一躍、日本を代表するレーベルになった。九〇年代後半にはポスト小室時代を目指すアーティストたちも、ミリオンヒットでチャートを埋め尽くした。

史上最高の音楽景気に沸くなか、Ｓｏｎｙミュージックの社長となった丸山茂雄は、危機感を募らせていた。音楽レーベルのシステムは今後、崩壊するのではないか……。業界の盟主と言って差し支えない立場となった丸山だったが、社内だけでなく業界内でも、この焦燥感はなかなか共感を得なかったという。★010
当時、十人に一人が使っている程度だったインターネットだが、いずれ音楽産業のビジネスモデルに挑戦してくる

ように思えてならなかった。丸山の予感は的中することになる。

インターネットの勃興期に、日本のＳｏｎｙミュージックが取った施策はふたつある。ライヴ事業の構造改革と、音楽配信の開始だ。丸山は、ライヴ産業の仕組みに疑問を持っていた。音響機材、照明、輸送、イベンター、サポートミュージシャンなど、コンサートをやれば様々な業者への支払いが発生する。業者は確実に売上を建てていく一方で、当のアーティストにはお金が残らないという事象が、至る場所で発生していた。

ライヴは赤字覚悟でツアーをやる。かわりに各地のラジオ局に取り上げてもらい、そのプロモーション効果によりＣＤを売って黒字にする。今とは真逆だが、そうしたケースを受け入れざるをえないアーティストも少なくなかった。もしＣＤのかわりにライヴで喰っていく時代が来ても、このままでは大物アーティストしかやっていけない。中堅以下のミュージシャンを多数、抱えるＳｏｎｙミュージックの丸山はそれを危惧した。

ライヴで、もっと確実にアーティストが稼げるようにするにはどうすればいい……。思案を重ねた結果、赤坂ブリッツが誕生した。ブリッツには、音楽に特化した照明と音響機材が常設されていた。これを雛形に全国へライヴハウス、Ｚｅｐｐを展開した。「『楽器だけ持ってくればいい環境を作れば、問題は解決する』と思い、Ｚｅｐｐを全国に作りました」と丸山は言う。★010
その後、丸山の危惧は当たる。スタジオ音源を売るレコードビジネスは落ち込んでいった。その一方で、ライヴはアーティストにとって大切な収益源となった。ライヴの収益性改善に不断の工夫を凝らすことが、アーティスト生命と直結する時代となったのである。

もうひとつの施策だが、Ｓｏｎｙミュージックは丸山時代、音楽配信へ業界を先導する決断をした。それは親会社Ｓｏｎｙから丸山のもとにやってきた、ある人物の提言から始まった。

盛田ジュニアの音楽配信

「確かに音楽配信をやろうと言ったのは、Ｓｏｎｙからこちらに来たときで……」盛田昌夫はそう振り返る。★011

世界のカリスマ盛田昭夫の次男に生まれた彼は、父が小さなＳｏｎｙを世界が憧れる企業に育てていくのを見て成長した。当時、日本の多くの少年がそうであったように、彼もまた「いつかＳｏｎｙで働きたい」という憧憬を持って大人になったという。

武蔵高校からイギリスの高校を経てアメリカに渡り、クリントン元大統領を輩出したジョージタウン大学を卒業後、モルガン銀行に入行。東京に戻ってＳｏｎｙに入社し、ウォークマンとＣＤを育てたオーディオ事業部と、ＩＴと携帯電話を手がけるカンパニーの執行役員を経てきた。音楽ハードと通信事業をやってきた盛田には、音楽配信を進めるべきことは自明の理だった。

「みんな反対だったんですよ。得るものと失うもののバランスが誰もわからなかった」

ＣＤ革命を起こしたＳｏｎｙミュージックは世界最大のＣＤプレス工場を持ち、ＣＤストアに強大な営業ネットワークを築き上げてきた。それらを不要にする音楽配信は自己否定にも等しかったのだ。

だが盛田は、音楽産業みずから積極的にイノヴェーションを起こすべきだと社内で主張した。

「音楽業界って、保守的なところがあるでしょう。ネットの時代になると、パッケージにしがみついても、時代がどんどん変わっていっちゃうのに」

盛田ジュニアの主導で、日本のＳｏｎｙミュージックは前世紀末、世界に先駆けて音楽配信を行い、ほかの国内レーベルも賛同していくことになる。

「最初にやると何がいいかっていうと、最初に失敗できる。それはほかの人よりも早く二回めができるってことでしょ」

その通りになった。一九九九年、Ｓｏｎｙミュージックは、傘下のアーティストの曲を配信する音楽配信のビットミュージックを立ち上げたが、さっそく失敗した。音楽ファンからすると、レーベル単体にそれぞれ配信されても困ってしまう。誰がどのレーベルに所属しているか、ふつうの人は知らない。音楽ファンの立場を考えれば、配信はプラットフォームであるべきだった。だが日本の音楽業界はこれを恐れた。

ＣＤと違って、音楽配信は再販制度の適用外だ。音楽配信を運営するＩＴ産業側に、ＣＤのように「この値段で売って」と音楽会社が求めれば、独占禁止法違反となってしまう。だが、無料が当たり前の世界に生きるＩＴ業者に値付けをまかせるのは危険だった。こうした反応は日本に限った話ではなく、アメリカでもそのためｉＴｕｎｅｓ以前のダウンロード配信に楽曲が集まらなかった。

――この状況が続く限りまともな音楽配信は出来ない。いつＣＤの時代が終わるかわからないのだから、音楽業界が一丸となって自ら状況を打破するべきだ。

そう考えた盛田はＳｏｎｙグループの技術陣を結集し、Ｓｏｎｙミュージックが身銭を切って配信プラットフォームを開発。次に全レーベルに出資してもらい、Ｓｏｎｙの創った音楽配信をみんなで所有した。

二〇〇〇年、ダウンロード販売サイト、レーベルゲートの誕生である。音楽会社が力を合わせ、音楽配信に向かったのは日本が初めてだった。当時、アメリカの音楽会社は定額制配信の立ち上げをめぐり分裂し、紛糾を極めていた。だが、レーベルゲートはｉＴｕｎｅｓのように華々しいことにはならなかった。パソコンも、高速なインターネットも日本で普及していなかったからである。

それはアメリカと日本の差異だった。アメリカでは会社員も確定申告書を作る必要から「表計算ソフトを家庭でも使える」とパソコンが歓迎され、二〇〇〇年当時、既に家庭の普及率は五七％と半数を超えていた。★012

一方で、日本のパソコン普及率は三六%を切り、高速通信のブロードバンドに至っては、孫正義が業界に殴り込みをかけるまでは、先進国でも最低クラスの普及率だった。★013 結果、一曲ダウンロードするのに当時は十六分もかかった。★014 加えて日本には世界にない、CDレンタル店があった。パソコンで七面倒臭いことをするぐらいなら、近所のツタヤにでも行った方が早かったのだ。

パソコンとインターネットは、「答え」ではないかもしれない……。そう気づいた部下が、盛田のもとで働いていた。

着うた——モバイル音楽配信の先駆け

今野敏博が初めてネットの可能性に触れたのは、インターネットが誕生する前の、一九八七年のニューヨークだったという。当時、CBSソニーで坂本龍一のディレクターだった今野は、〝教授〟のマネージャーがパソコンを電話線に繋ぐのを見て驚いた。

「アメリカは広いから、みんなこれをやっているよ」

その言葉に衝撃を受けた彼は、帰国後、パソコン通信の老舗ニフティに入会。ネットをプロモーションに使えないか、熱心に研究を始めた。

それから十余年。一九九八年、音楽配信を目指す盛田昌夫のもと、Sonyミュージック・オンラインが新設されると、創生期のネットビジネスを追ってきた今野はそこへ異動となった。そして日本初となるインターネット・ライヴ中継を彼は仕切った。

高速通信のまだない、ISDNの64kbpsだった時代だ。ライヴ映像はぶつ切りに途切れた。今野はこれで、「ストリーミングで音楽配信をやるのはまだ無理だ」と痛感した。

同年、盛田と今野はダウンロード型の音楽配信、ビットミュージックを立ち上げた。だが、音楽業界からの反応は薄かった。今野の部署は寂しかった。

「新人ディレクター時代に見たCD制作室のことを思い出した[★015]」と今野は語る。

CDが生まれたばかりの頃、CD制作室に異動となったディクターたちは意気消沈していた。みんな、レコード収集が趣味でディレクターになった。「何のためにCDなんていうものを創るのか」。そう愚痴をこぼしていた。それでもCBSソニーは、CD革命を先導し切ってみせた。その過去を思い出したのである。

CDの絶頂期が来ると今度は、「何のために音楽配信なんてやるのか」と、ピンとこない業界人で溢れることになった。ほかの音楽レーベルでデジタル事業部に異動となったディレクターたちも、傍流になったような疎外感を持っていたかもしれない。

二十一世紀の最初の月、転機は訪れた。ドコモの三人がビジネスウィーク誌の表紙を飾った月であり、〝iPodの父〟となるトニー・ファデルにAppleから仕事依頼が来た前月のことだった。

品川で開かれたレーベルゲートの会議には、今野を含め、各レーベルからインターネット担当の現場責任者たちも参加していた。日本のミュージックマンたちには不思議なところがある。どこかの会社のアーティストが売れると、悔しがると同時に喜んだりするのだ。ライバル意識はあるが、同士の感覚も共有している。会議の後、今野はエイベックス、ビクター、東芝EMIの担当者と品川で飲んだ。「全然おもしろくないよね」と意気投合したという。

まずパソコン配信がつまらなかった。インターネットでは、コンテンツにお金を払わない文化が出来つつあったうえに、ナップスターが猛威をふるい始めていた。確かに高速通信の普及率が低いことが、日本の音楽配信をニッチにしていた。だがブロードバンドが普及すれば、音楽配信よりも違法ダウンロードが流行るのは目に見えていた。

話は盛り上がり、二件めは品川プリンスのバーに行った。話題は携帯電話となった。幸い、日本ではiモードのヒットで、携帯電話のなかで有料コンテンツの文化が育ちつつあった。だが、そこで花開いた着メロの売上は全部、カラオケ業界が持って行き、音楽レーベルにはわずかな著作権料が入ってくるだけだった。不公平だった。その音楽を売れるようにするために音楽レーベルがどれほどの投資をしなければならなかったか。

事務所に育成金を払い、デビュー前のアーティストに給料が出るように取り計らう。スタジオ費用を払い、マスター音源を制作する。工場に支払って音源の複製をプレスし、流通に乗せ、宣伝費を払い、放送局や店舗に営業を派遣する。結果、リスナーが音楽を耳にしてくれて、CD購入でようやく成り立つのが音楽レーベルだ。なのに着メロは最後のおいしいところを、アーティストに何の金も愛情もかけなかった会社が持って行ってしまっていた。

だが、愚痴を言っても始まらなかった。今野は言った。

「ほかの業界にまかせて、文句ばかり言っていてもつまらないじゃないか。俺たちで面白いことを仕掛けないか」

夜明けが近づいていた。三件めは渋谷のレゲエバーだった。

「一緒に会社を創らないか」

今野の言葉にライバル会社のディレクターたちは、意気投合した。

半年後の二〇〇一年七月。エイベックスの上田正勝を社長にしてレーベルモバイルが立ち上がり、音楽レーベル五社がそこに出資した。のちのレコチョクだ。

同じ頃、欧米では、ベルテルスマンのミデルホフが抜け駆けして、ファイル共有のナップスターを定額制配信に変えるべく単独提携。これを機にメジャーレーベル間のライバル意識が再燃し、音楽業界が真っ二つに分かれて争う事態に突入していた。

今野たちはまず着メロ配信から入った。先行者のノウハウを急いで吸収するためだ。本当の目標は着メロの後追いではなく、ケータイで音楽配信をやることだった。作詞作曲しか関わりのない着メロとは違って、音楽配信なら音源の権利を持つ音楽レーベルに稼ぎが入る。

だが二〇〇一年当時、携帯電話で音楽をダウンロードしたら、一曲で〝パケ死〟するほどパケット通信料がかかった。通信環境が進化して、ケータイで本格的な音楽配信ができるようになるには、数年かかるだろう。何か工夫が必要だった。今野たちはSonyミュージックの会議室で、議論を重ねた。いくつものアイデアを検証した。生き残ったアイデアが、サビの四十五秒を百円で売る「着うた」だった。

「サビの四十五秒だけじゃ試聴じゃないか。試聴に百円も払うわけがない」

プレゼンするたびにそう否定された。だが今野は諦めなかった。「十回はプレゼンしたのではないか」と彼は笑う。岸CEOにプレゼンすること五回めにして、ようやく承認を得た。

しかし、まだ大きな課題が残っていた。「ダウンロード配信を携帯電話でやる」といっても、iモードには月額定額制の課金しかなかったのだ。

iPodに圧勝した日本の音楽ケータイ、反撃を目論むSony

その日、盛田昌夫は六番町ビルの最上階で、夏野剛と向かい合っていた。

iモードが登場したとき、ビジネスモデルを調べた盛田は惚れ惚れしたという。改めて夏野から説明を受け、その仕組みに感心した。iモードの月額課金で音楽配信をやれば、ユーザーが音楽をダウンロードしなかった月は、まるまるSonyミュージックの利益になるという。

だが、盛田は「そういうのは困る」と夏野に苦言を呈した。じぶんたちは音楽をアーティストから預かっている立場だ。ユーザーがサービスを使うのを忘れたり忘れなかったりで支払いが変わるというのでは、アーティストや事務所へ誠実な説明ができない――。

「都度課金ならやります」と盛田は切り出した。[★016]

CDシングルのように一曲買う毎に支払うというのなら、アーティストにとって不可解な点はなくなる。だがiモードにあるのは月額定額制のみで、都度課金のシステムはなかった。

「ユーザーの喜んでいるビジネスモデルに合わせるべきでないでしょうか」

夏野は言った。ドコモには、サブスクリプション・モデルで大成功を収めた自負もあったのだろう。結局、交渉は決裂し、夏野は憮然《ぶぜん》として帰っていった。

この会談をセッティングした今野は頭を抱えたという。しかし、この交渉失敗が次の歯車を回すことに繋がった。

携帯電話が第二世代(2G)に入ると、勝ち組キャリアと負け組キャリアができていた。ドコモはiモードで盟主となり、Jフォン(現ソフトバンク)も世界初のカメラ付きケータイで二位につけるなか、これといったヒットのないauは大きく遅れを取っていた。

好調な日本の携帯電話は、世界に先駆けて第三世代(3G)へと向かいつつあっ

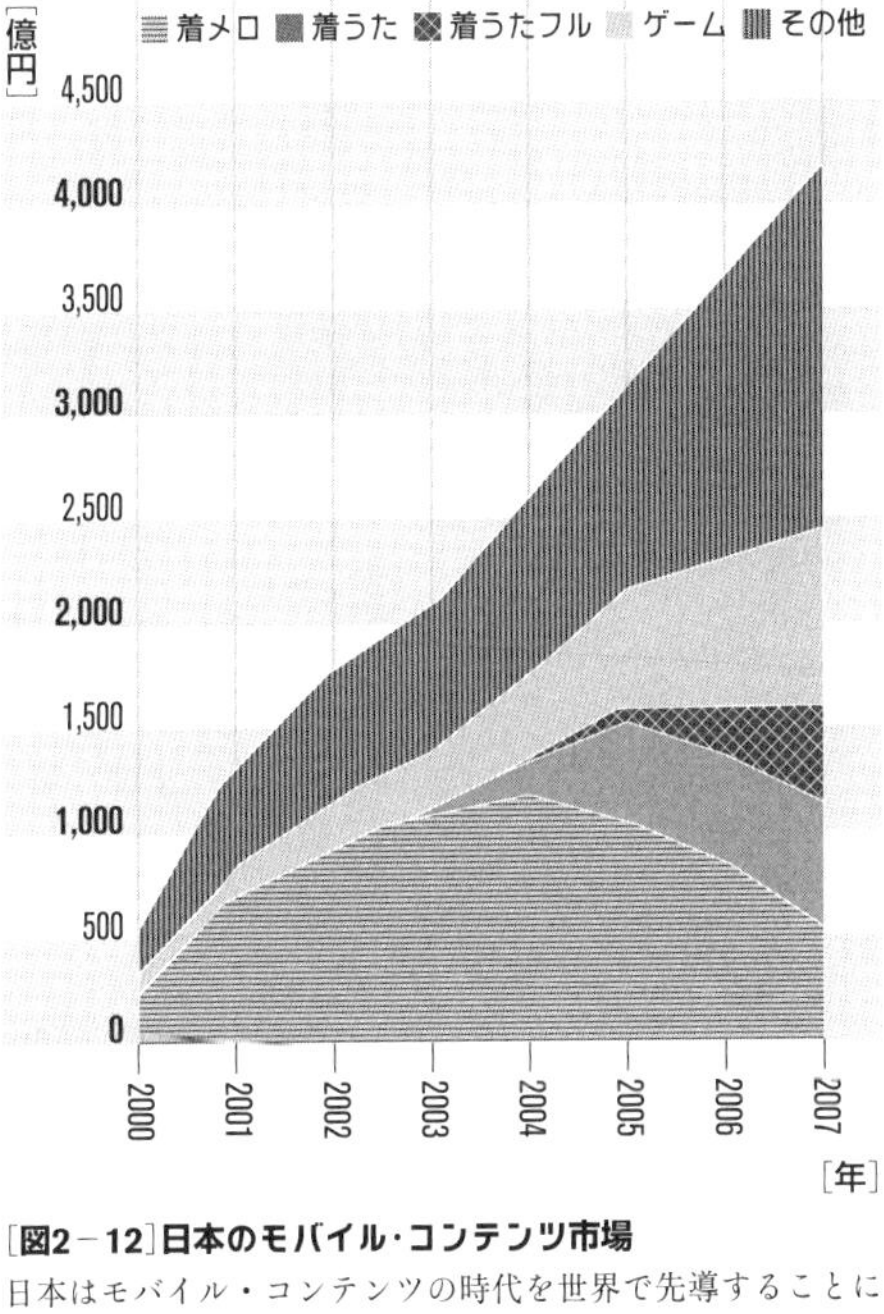

[図2－12]日本のモバイル・コンテンツ市場
日本はモバイル・コンテンツの時代を世界で先導することになったが、その立ち上がりをけん引していたのは音楽だった。
資料：ケータイ白書2009

た。2Gがモバイル・インターネットの始まりなら、3Gは携帯電話のブロードバンド(高速通信)だった。第二世代で敗北したauは、第三世代でリープフロッグを仕掛けるチャンスを探っていた。

初期の3Gは、まだ動画をこなせるほどの通信容量がなかった。「ならば、音楽配信ではないか」とauは考え始めていた。だが、一曲まるまる配信するのも、まだ厳しい。そこにSonyが「着うた」と音楽ケータイを提案してきた。

この時期、親会社からSonyミュージックに来ていた盛田昌夫は、重要なヴィジョンを抱えていた。

——父、昭夫の創り上げたウォークマンと携帯電話を融合する。

そう考えていたのだ。実際、ウォークマン・ケータイのコンセプトはiPodの先を行っていた。携帯電話で音楽をダウンロードできて、iTunesのようにパソコンを買い揃える必要がなく、面倒なパソコンとの同期も要らない。iPodのように携帯電話と二台持ちする必要もない。インターネットもメールもできる——。

auはこのヴィジョンに賛同し、都度課金のシステム開発が始まった。そして二〇〇二年の十二月に、着うたはスタートすることになった。「絶対、売れない」と内外から何度も否定された着うただったが、始まってみれば、爆発的に売れた。

「ガラケー」の脅威がiPhone誕生へ繋がった

翌二〇〇三年十一月。iTunesミュージックストアがウィンドウズでも使えるようになった翌月だった。auがパケット定額制を開始すると、着うたの人気はさらに増した。パソコンのインターネットが従量制から定額制に変わったとき、無料のファイル共有が席巻したが、日本が先導するモバイル・インターネットで定額制が始まると、コンテンツ課金がいっそう繁栄することになった。

今野の真の目標は、四十五秒ではなかった。一曲まるまるの完全な音楽配信だった。着うたがキラーコンテンツとなってパケット定額制が普及し、ようやくゴールが見えてきた。

二〇〇四年十一月、ｉＰｏｄ Ｕ２エディションが登場し、アメリカでｉＴｕｎｅｓミュージックストアが爆発的に普及しだした頃だった。ついに日本で、世界初のモバイル音楽配信が実現した。「着うたフル」の始まりである。翌二〇〇五年には盛田が思い描いたウォークマン・ケータイ、Ｗ８００も世界で発売され、Ｓｏｎｙエリクソンは世界の携帯電話市場でＴＯＰ５にまで上がってきた。★017

ジョブズは、音楽をワンクリックで購入できるよう、アマゾンからワンクリック購入ボタンを拝借したが、着うたフルも四桁の暗証番号だけで買える、とてもシンプルな出来事だった。このシンプルな感覚があったからこそ、着メロに続き、女性層がブームをけん引してくれることになったのだろう。二〇〇八年、半数の人が着うたを楽しんでいたが、特に十代女性の利用率は八割で、引き続き日本の女子が、モバイル音楽配信の時代到来を先導していた。★018

着うたをきっかけに生まれた携帯電話の都度課金は、停滞に苦しんでいた日本の

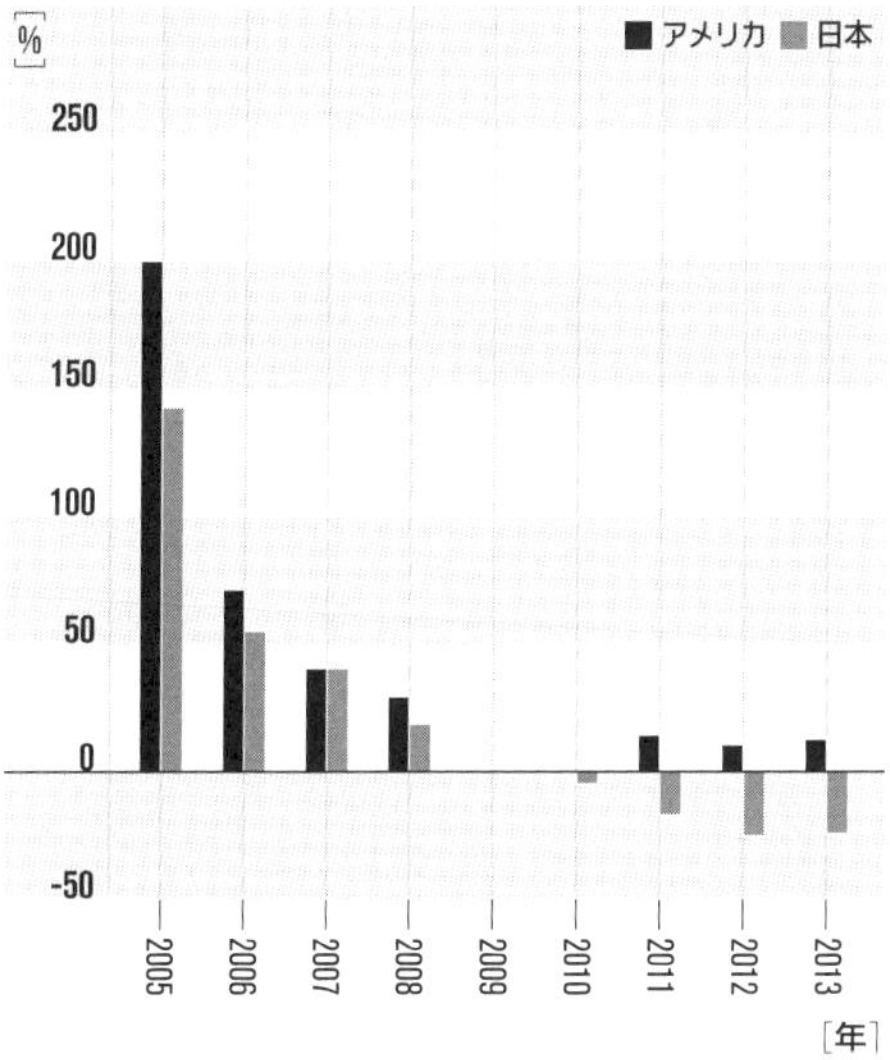

[図2－13]日米のデジタル売上成長率

ダウンロード配信の普及期は、世界的に見て2004年から2008年になる。この時期、パソコンが強いアメリカはiTunesミュージックストアが伸び、ケータイ大国だった日本は着うた配信が伸びた。

資料：RIAJ、RIAA

ゲーム産業の救世主にもなった。ソーシャル・ゲーム、略称〝ソシャゲ〟の誕生である。

音楽のスポティファイが「基本無料と月額定額制」を組み合わせたのに対し、日本のソシャゲは、「基本無料と天井知らずの都度課金」を組み合わた。結果、社会問題となるほどの稼ぎをやがて出すことになる。

「iTunesの弱い日本は、音楽配信後進国」

巷にはそんな意見が流行ったが、世界の音楽業界はそう見ていなかった。着うたフルにけん引された日本の音楽配信売上は、アメリカと並ぶ急成長を見せていたからだ［図2－13］。

二〇〇八年、世界の音楽配信売上は、iTunes中心のアメリカが三九%、着うたフル中心の日本が一九%を占めていた。★019 主要十ヵ国のデジタル売上比率も一位のアメリカが三六%、二位の日本が二〇%、三位のイギリスが一四%だった。

かつて、日本は「音楽配信の優等生」だったのが実際だ。滑り落ちるのは、スマホの普及を機に着うたが崩壊してからである。一方で、iTunesミュージックストアは日本で散々だった。世界の音楽配信売上の七割を押さえたこの帝王も、日本では音楽配信売上の一割にも満たなかった。★020

着うたフルはiTunesの三倍近い、一曲三百円でも売れた。CD売上と共食いする気配も見せないどころか、「着うたフル先行配信」で話題を創り、CD売上を伸ばすプロモーションすら生み出していた。何よりも、携帯電話の世界には、憎きファイル共有はいなかったのだ。

結果、二〇〇八年まで日本の音楽産業は、アメリカよりも音楽売上の下降は緩やかだった。欧米の音楽業界が密かにiTunesに失望したとき、日本でiTunesに勝ったモバイル音楽配信に希望の光を見たのは、自然だった。それは東の空に顕れた、闇夜の終わりを告げる暁の明星だったのだ。音楽のみならず、無料化の大波に苦しむ世界のコンテンツ産業が、有料コンテンツで沸く日本の研究を始めていた。

ｉＰｏｄは、確かにウォークマンには勝った。だが、日本で携帯電話には勝てなかった。当然かもしれない。日本では携帯電話さえあれば、パソコンやｉＰｏｄがなくても音楽が楽しめたからだ。

エジソンの時代から音楽産業の盛衰を追ってきた。日本から始まったモバイル音楽配信は、音楽産業みずから起こして成功したという点で、歴史的にも貴重なイノヴェーションだったように思う。2Gから3Gへ。着メロから着うたへ。ｉＰｏｄから音楽ケータイへ。通信、音楽ソフト、ハードの三つの領域でリープフロッグを束ねた興味深い事例である。

いよいよ、Ｓｏｎｙが反撃に出ようとしていた。着うたフルと、ウォークマン・ケータイ。このふたつを武器に、世界でｉＰｏｄとｉＴｕｎｅｓを駆逐しようと、〝ウォークマンの父〟盛田昭夫の息子は目論んでいた。だが、それは現実とはならなかった。

確かに着うたフルは、携帯電話を買い替えると聴けなくなるという欠点があった。ウォークマン・ケータイも百曲程度しか持ち歩けなかった。とはいえ、携帯電話を買い替えても聴けるようにするのは技術的に可能だったし、千曲を保存できるメモリーが登場するのも時間の問題だった。

しかし勢いづく日本に脅威を感じて、ウォークマン・ケータイ、着うた、そしてｉモードを徹底的に研究するｉＰｏｄ担当者がＡｐｐｌｅの社内にいたことで歴史は変わった。その人物とはほかでもない、〝ｉＰｏｄの父〟トニー・ファデルだ。

「このままでは日本での敗北が、世界に拡がりかねないです」

彼の進言が、ジョブズを携帯電話の世界へ向かわせることになる。そして、世界の音楽産業は、ついに真の救い主を見ることになるのだった。

[第二部]

使命

先駆の章

救世主、誕生前夜——ジョブズと若き起業家たち

スマートフォンを予見していた若き日のジョブズ

「スティーブ、これはなんだい?」
執務室を訪れたスカリーがジョブズに尋ねた。初代Ｍａｃが誕生して間もない頃だ。★001
「これは未来だ。ぜひあなたに見てほしい」
そう答えると、ジョブズは立ち上がって机上のベルベットを取り払った。小さな端末らしきものが顕れた。キーボードは付いていない。端末を覆うスクリーンを、直接タッチして操作できるのだろうか。ＨＰ社がタッチパネル式のデスクトップＰＣを商品化したばかりの頃だった。★002

謎解きを試みるスカリーに微笑みながらジョブズは、これは未来の電話だと言った。「Ｍａｃフォン」とそのモックを呼んだという。

「いつの日かＡｐｐｌｅは、こうしたプロダクトを創ることになるだろう」

あの日、二十九歳のジョブズがそう言ったのをスカリーは確かに覚えている。その頃のふたりは日がな語り合う仲だった。仕事だけでなく、芸術について、音楽について、人生についても語り合った。ある週末のことだ。

「じぶんは早く死ぬと思う」

ブランチのあとジョブズは、スカリーにそう打ち明けた。恋人やごく親しい友人にしか漏らしたことのない、理由なき不安だった。[★003]

「人生は短い。じぶんができる本当にすごいことは、ごくわずかしかないと思うんだ」

なぜジョブズが駆り立てられるように働くのか。スカリーは理由に触れた気がした。同じ時期、ジョブズはインタビューでこう答えている。[★004]

「三十代、四十代になったアーティストが、ものすごい作品で寄与するケースはめったにない」

人の脳はコンピュータのようなもので、何かを考えるたびに生化学的パターンが脳に刻み込まれている。出来上がった神経回路は使うほどに強化され、人を有能にしてくれる。だが回路が太くなるにつれ、思考はレコードの溝に嵌《はま》ったようになり、自らの思考を根底から疑わなくなる。

そうして革命的なモノづくりからかけ離れた中年が出来上がるのだと、ジョブズは考えていた。[★005] それは、人工知能（ＡＩ）におけるニューラル・ネットワーク理論に基づいた洞察だったのかもしれない。その理論は昔からあった。

後年、ジョブズはクリステンセン教授の名著『イノベーションのジレンマ』に出会うが、そこには似たようなことが書かれていた。

ヴェンチャー企業が成功して刻《とき》が経つと、自らの創り上げたバリュー・システム、じぶんたちに富をもたらしたエコシステムを捨てることができなくなる。新しいエコシステムが登場して、そちらが伸びるとわかっていても、乗り換えできずに衰退するのだ、と。そこに社員や下請けの家族や生活がぶら下がっていて、無慈悲に切り捨てられなくなることもある。

二十代の今しか、生きた証と誇れるモノづくりはできないかもしれない……。若きジョブズは生き急いだ。要素部品の進化速度を無視して、次期Ｍａｃの開発を失敗させた。過大な要求に疲れたエンジニアたちの大量退職を招いた。そしてスカリーたち経営陣と対立し、Ａｐｐｌｅから追放された。

「これから何をして生きればいいのか。何ヶ月もの間、私にはわかりませんでした」

二十年後、スタンフォード大学の卒業式典でジョブズは語った。[★004] 金ならあった。いっそシリコンバレーから逃げて隠遁してしまうか。結局、何かを創ることへの激しい愛をどうしても消せなかったので、ジョブズは再起を選んだ。

「そのときはわかりませんでしたが、結局、Ａｐｐｌｅから追放されたのは人生で最良の出来事だったのです」

新たに興したネクスト社とピクサー社は、Ａｐｐｌｅの創立のようにはいかなかった。ピクサーは二年でキャッシュが枯渇。ネクストは六年で累積二億五千万ドル（約二八〇億円）の大赤字となった。[★006・007]

両社ともハードウェア事業から撤退を余儀なくされ、ＯＳとコンテンツに向かわざるをえなくなった。だが、ジョブズは挑戦者であることをやめなかった。

「重圧に苦しむ成功者から身軽な挑戦者に戻れました。物事に対する思い込みも薄れました」

失意が、三十代の頭脳に出来上がったレコードの溝を消してくれた。ピクサーのＣＧ専用ワークステーションは売れなかったので、大胆に業転してＣＧアニメの製作に専念した。ネクストもワークステーションの制作・販売を捨て、次世代ＯＳの開発に集中した。ハードを捨てるなど、若きジョブズの思考パターンにはなかった発想だ。

「おかげで私は解放され、人生で最もクリエイティヴな期間に入ることができたのです」

やがてピクサーは低迷していたディズニー・アニメの救世主となり、次世代OSの開発に失敗したAppleも、ネクストOSを求めてジョブズに復帰を請うこととなった。

それだけでない。いま振り返ればわかる。この時期の仕事は、iTunesを超える革命を音楽産業にもたらすことにも繋がっていた。

「将来を見ながら点と点を結ぶことなど誰もできません。できるのは振り返って結び合わせることだけです」

だが、いつの日か点と点は結ばれる。そう信じた者だけが、異なる結果を得るとジョブズは学生たちに語りかけた。すべてが結び合わさり、衰退に苦しんだAppleと音楽産業に復活が訪れる物語を、これから書いてゆこう。

アンドロイドの父、iPodの父を育てた伝説の会社

一九七二年。人類の目標がひとつ設定された。

「このエッセイでは、誰もが携帯できる情報端末の出現とその活用が、子どもと大人に与える影響について考察します」

この書き出しから始まる論文で、アラン・ケイは、パーソナル・コンピュータの未来像を描いてみせた。[★008] 子どもでも簡単に使えるタブレット・コンピュータ、「ダイナブック」構想だ。

目覚ましく進む小型化・低価格化の流れを考えれば、ダイナブックは近いうちに実現するだろうとケイは結論づけたが、その予測は随分外れた。携帯電話が発明される一年前、AppleⅡが発売される六年前のことだ。

無理とわかるとケイは、理想への橋渡しとなる技術を手がけることにした。それがGUIだった。一九七九年、ゼ

ロックス研究所でケイのGUIをジョブズとゲイツが見たことで、八〇年代にMacとウィンドウズが誕生することになった。ケイに影響を受けたふたりが、パーソナル・コンピュータの未来形を忘れるはずがなかった。

一九八五年。ジョブズは追放されてしまったが、Appleにはタブレット・コンピュータの構想が残った。一九八七年には映像デモが公開されている。★009

スカリーは、パソコン用のCPUではタブレット・コンピュータを創れないことに気づいた。小さな端末を創るには、低電力のCPUがどうしても必要だった。それで、低電力CPUを設計するARM社をジョイント・ヴェンチャーで立ち上げた。

一九九〇年の春には、ジェネラルマジック計画がApple社内で始動した。タッチパネルを搭載した情報端末にアプリと電話の機能を収斂し、「クラウド」(これが語源だ)という名のサーバー群にアプリを同期してサービスを提供する。それはスマートフォンを予見したかのようなコンセプトだった。

ジェネラルマジックには、Macを生み出したエース級エンジニアたちが参加した。Mac OSのユーザー・インターフェース(ファインダー)を手がけたアンディ・ハーツフェルド。そのGUIの基盤となった描画API(クイックドロー)を書いたビル・アトキンソンがそうだ。

ジョブズが去ったのち、革新的な仕事ができなくなったふたりは苛立っていたが、再び情熱を傾けるに値する理想を見つけた。魔術師《ウィザード》と称されるこのふたりが参加したことで、シリコンバレーの事情通から注目されるプロジェクトとなった。

秋、アトキンソンとハーツフェルドは御殿山に行き、Sonyでプレゼンを行なった。出資を仰ぎ、スピンアウトしようとしていたのだ。

少し後だがふたりはインタビューで、SonyのCDウォークマンで進む小型軽量化と搭載ディスプレイの大型化を例にとって、来るべきデバイスの収斂を説明している。音楽もまた情報端末の上で花開く。そんな未来像だ。

「いつ日本を発つのですか?」

デモを見終えた大賀典雄社長は、ふたりに質問した。火曜日だった。

「金曜日には帰国します」とハーツフェルドが答えた。すると大賀は振り返り、

「木曜日までに社内の意見をまとめてくれたまえ」と部下に命じた。

CDの父が見せた即断即決に、音楽フリークのハーツフェルドたちは思わず歎声《たんせい》を漏らした。★010

ジェネラルマジック社はAppleが七〇%、Sonyが一〇%、携帯電話を発明したモトローラが一〇%の株主比率で立ち上がったが、雲行きが怪しくなるのに歳月を要さなかった。

一九九二年一月。ビースティ・ボーイズがメジャーアーティスト初となるウェブ・プロモーションを行うことになるこの年、世界最大の消費者家電ショーCESの基調講演に登壇したのはスカリーだった。Appleは前年、IBMを抜いて世界一のパソコンメーカーになっていた。★011

スカリーは、デバイスの収斂が進み、コンピュータと消費者家電の融合が起こると予言。Appleの答えとして、PDA(個人用携帯情報端末)というコンセプトを世界に提案した。それはジェネラルマジックの製品であるマジック・キャップではなく、Newton(ニュートン)を指していた。

Newtonはもともとタブレット・コンピュータに近い計画で始まった。しかし当時の技術では商用化が無理だったため、機能を電子手帳機能に絞り込み、小型化・低価格化を目指すことになった。それでジェネラルマジックと競合する齟齬が起こった。

「携帯電話を再発明するんだ」

そうＡｐｐｌｅのスタッフが言っているのを聞いたとき、アトキンソンは胸騒ぎがした。[★012] ＰＤＡと電話の融合で情報端末の正解は出ない。情報がシステム手帳程度に限定されてしまう。そういうものとジェネラルマジックの理想が混合されるのではないか。彼はそう危惧したのだ。

時を待たずしてＡｐｐｌｅのＮｅｗｔｏｎと、ジェネラルマジックのマジックキャップは、共に混乱してゆく。

スカリーはＡｐｐｌｅが世界一のパソコンメーカーになったあたりで、大統領選でクリントン候補の応援に付きっきりとなり、Ｍａｃに興味を失った。興味の残った事業は、ハンドヘルドのＮｅｗｔｏｎと次世代ＯＳだった。しかし、どれも失敗へ向かっていった。デルやコンパックといった価格破壊型のパソコンメーカーが登場し、低価格化のトレンドにさらされたＭａｃは一気に事業収支が悪化。先の基調講演から一年でスカリーは退陣に追い込まれた。執筆現在、中国ではシャオミなど低価格スマートフォンの台頭で、サムスンやＳｏｎｙの高級スマートフォンに同じ危機が起き、歴史が繰り返されている。

スカリーの庇護を失ったＮｅｗｔｏｎは開発が停滞。一九九六年、ＰＤＡの概念をさらにシンプル化して小型化に成功したパーム・パイロットが出るとあっさり抜かれ、敗北した。次世代ＯＳの開発も難航し、ＭａｃＯＳの進化が停滞したところで、ウィンドウズ95が登場。Ａｐｐｌｅは暗黒時代に陥ってゆく。世界一達成から五年あまりで、ジョブズの言う「倒産六十日前」に追い込まれていった。

スカリーは、次世代ＯＳとハンドヘルドでイノヴェーションを目指したまでは正しかった。だが、プロダクトを磨き上げて完璧にまで導くクリエイター魂を彼は持っていなかった。結果、あっさりイノヴェーションを後発に奪われた。

「利益があればこそ、すごいプロダクトを創っていける。でも原動力はプロダクトであって利益じゃない。スカリーはこれをひっくり返して、金儲けを目的にしてしまった」

晩年、この頃のAppleを振り返って、ジョブズは作家のウォルター・アイザックソンに語った。

「このわずかな違いが、すべてを変えてしまうんだ。誰を雇うか、誰を昇進させるか、会議で何を話すか、すべてさ」[★013]

執筆現在、世界で起きた定額制配信ブームを受けて、日本でも新たな定額制音楽配信が次々と生まれた。ジョブズが正しければ、ビジネスだけで立ち上がった定額制配信はいずれスポティファイやAppleミュージックに敗れ去るだろう。

国産なら何でもいいというものではない。音楽配信もひとつの創作物だ。劣化版コピーをユーザーは無意識に見抜く。最後は、磨き抜かれたクリエイティヴなサービスを音楽ファンは支持することになるのだろう。

ジェネラルマジックは〝銀の舌を持つ悪魔〟とまで呼ばれたマーク・ポラトの冴え渡る外交で、壮大な陣営を築いていった。Sony、松下(現パナソニック)、フィリップス、モトローラに加え、通信業界の巨人AT&TとNTTを自陣に引き入れた。

ジェネラルマジックの理想は高かったが、専用の通信環境とクラウド・サーバーを一から構築することを通信産業に求めていた。確かにプロジェクトの始まった一九九〇年五月にはそうするほかなかった。ウェブはその半年後まで存在すらしていなかったからだ。

だが会社が上場した一九九五年には、わずか五年弱でウェブは情報インフラのデファクト・スタンダードを制していた。一九九五年には大量解雇が始まり、二〇〇二年にジェネラルマジックは破産した。シリコンバレー史上、最も重要な倒産企業。二〇一一年、フォーブス誌はジェネラルマジック社をそう呼んだ。[★014]同社の解雇・倒産が、次の扉を開いたからである。

ジェネラルマジックの失敗で、とあるふたりの若い社員が再起を賭けて独立した。アンドロイドの父となるアンディ・ルービンと、ｉＰｈｏｎｅの開発責任者となるトニー・ファデルである。アンディ・ルービンはＡｐｐｌｅ社から子会社への移動組。トニー・ファデルは新入社員だった。

アンディ・ルービンはマイクロソフトの子会社ウェブＴＶに転職。その後、起業して、ブラックベリーよりも先に初期スマートフォンの傑作「サイドキック」を創り上げる。そして二〇〇三年にアンドロイド社を創業。二〇〇五年にグーグルに買収された。

トニー・ファデルは携帯デバイスが専門のコンサルタントになった。そして念願だった音楽配信とデジタル・オーディオ・プレーヤーをひとつにしたビジネスモデルを、Ａｐｐｌｅで実現した。ｉＰｏｄとｉＴｕｎｅｓミュージックストアのことである。

Ｎｅｗｔｏｎを支えたＡＲＭプロセッサが、音楽プレーヤーも可能な速度にたどり着くと、ファデルはｉＰｏｄをこれに採用。ジョブズはｉＰｏｄの上に、ｉＴｕｎｅｓミュージックストアを築いたのだった。

のちにＡＲＭプロセッサのパワーが、汎用コンピューティングができる閾値《いきち》に達した段階で、ｉＰｈｏｎｅが誕生する。ｉＰｈｏｎｅの開発責任者もファデルだった。当然、ルービンのアンドロイド陣営もＡＲＭを採用している。スカリーが興したといってよいＡＲＭは、ポストＰＣの要石となった。

なお、アンディ・ハーツフェルドはグーグルに行った。グーグル・ニュース、その次にＳＮＳのグーグル・プラスを担当している。のちにグーグル・プラスの仕組みはユーチューブに組み込まれた。

二十一世紀初頭の十五年間、音楽産業のビジネスモデルは、ＣＰＵの技術ロードマップに沿って変革を経験してきたが、その背後には常にＡｐｐｌｅチルドレンたちがいたことになる。ブログや翻訳ニュースを読んで新しい事象の明滅に一喜一憂しているうちに、何がなんだかわからない気分になることもあるだろう。そのときは、技術ロードマップに沿って物事を見直してみることをお勧めしたい。

iPodの開発中、既に練り上げていたポストPCの将来図

一九九八年、iMacで復活の狼煙を上げたジョブズはこう語った。[015]

「電話というものはずいぶん前からある技術だけど、最近の携帯電話は革命的じゃないか。コンピュータ業界も実は初期段階で、新しいこと、ワクワクすることは十分できると思っているんだ」

当時、パソコンは価格破壊でコモディティ化が進んでいた。様々なイノヴェーションが起こるインターネット企業に比べ、コンピュータ企業は黄昏ているというのが世論だったが、ジョブズはそうは思っていなかった。

「たとえば、コンピュータはまだまだ酷い出来だよ。操作が複雑すぎて、やってほしいことをやらせるのにひと苦労だ」

そこに革新の余地があると踏んでいた。

「みんな情報家電とか『ポストPC』とか言っているけど、本当に上手くいってるのは二、三かな。パームとプレイステーション、それと携帯電話ぐらいだ」

二〇〇〇年のインタビューだ。[016] パームのほかは、日本勢によるポストPCということになる。日本人は「ガラケー(ガラパゴス携帯)」と自虐していたが、メール、ブラウザ、スケジュール帳を備えたiモード携帯は、欧米では初期スマートフォンにしばしば分類されている。

「なぜほかはみんな駄目になってるか、わかるかい?　今のインターネットはPCに最適化されてるんだよ。だからテレビにウェブを表示しても上手くいかないんだ」

ジョブズは同じポストPCでも、シリコンバレーやハリウッドが躍起になっている方には手厳しかった。マイクロソフトが進めていたウェブTVのことである。そこでは、のちにアンドロイドの父となるアンディ・ルービンが働い

ていた。

ゲイツはテレビ業界で大規模買収を繰り返し、Ｓｏｎｙほかテレビメーカーとも提携した。「通信と放送の融合」は流行語になり、いよいよコンテンツ産業もＩＴの大波に乗るかに見えたが、ジョブズの洞察通り消費者はついてこなかった。

「もしやるとしたら、一年経っても古くならなくて、フルでインターネットを体験できるデバイス。そういうものなら買ってくれると俺は確信できるだろう。インターネット・ジュニアはやりたくないな」

ジュニアとは、簡易インターネットを実装したｉモード携帯やパームを意識した言葉だった。ｉＰｏｄの開発を裏で進めていたこの時期、ジョブズは携帯電話に新たなユーザー体験をもたらそうとイメージを練りつつあった。物事はたいてい、ニュースが「最新事情」ともてはやす遥か前から始まっている。

ｉＰｏｄでウォークマンを超えるだけでなく、その新しい何かで日本のｉモードを超えようと模索していたのだ。ジョブズの眼光に、日本はロックオンされた。

グーグル誕生、あるいは人工知能ブームの震源

一九五〇年代、トランジスタが登場するとふたつの世界を変えた。ひとつは音楽の世界だ。
Ｓｏｎｙの井深大が創造したポータブル・トランジスタ・ラジオは、音楽をひとりひとりのものにするパーソナル・オーディオの世界を切り拓いた。そしてポータブル・オーディオは世界の十代にロックが広がるのを支え、音楽産業の黄金時代を再来させた。★017
もうひとつはコンピュータだ。トランジスタの登場でコンピュータの進化は一気に加速した。ユーザー・インター

フェースの定義をご存知だろうか？　それは本来、操作画面の設計やデザインのことではない。そのもっと奥にあるもの、すなわち「コンピュータと人間の相互作用」を捉えた言葉だ。

一九五〇年代、ユーザー・インターフェースの未来、あるいはコンピュータと人類の将来像をめぐってコンピュータ科学の天才たちは二派に分かれた。[★018] 優勢だったのがＡＩ（人工知能）派だ。コンピュータはやがて人間に等しい知能を持つ。人工知能こそが、計算機械と人類の間にあるべき正しいインターフェースだとＡＩ派は信じた。ＳＦ小説のようで夢がある。ＡＩ派は人気があった。

ユートピア的なＡＩ派に対し、「機械が知能を持つことはない。コンピュータは人間の知能をサポートする道具、インテリジェント・アシスタント（ＩＡ）であるべきだ」と唱える現実派がいた。ＩＡ派だ。現実的すぎて、人気がなかった。

続く一九六〇年代、研究開発の実権を握ったのはＡＩ派だったが、結果は惨憺《さんたん》たるものとなった。プログラムが知能を持つことはなかったのだ。それで一九七〇年代は現実主義のＩＡ派が主導権を奪い、人類は実際的なユーザー・インターフェースの開発に勤しむことになった。その結果生まれたのが、アラン・ケイのＧＵＩだ。

一九八〇年代、ジョブズやゲイツたち起業家の活躍でＧＵＩは商用化され、コンピュータは「頭脳労働を助ける道具」として世界に普及した。Ｍａｃの登場時、ジョブズは「脳の自転車」という比喩を好んで使った。

音楽でも同じことが起こった。作曲するＡＩプログラムは使い物にならなかったが、作曲を助ける道具、シーケンサーをミュージシャンは重宝した。ほとんどの音楽家にとってVision（ヴィジョン）やPerformer（パフォーマー）[★019]との出会いは、魔法のようなＧＵＩに感動した最初の出来事だったろう。

やがて録音スタジオ環境がソフトウェアになると、ミュージシャンの傍らで、コンピュータはレコーディングを助ける道具にもなってゆく。余談だが、デジデザイン社の創業者ピーター・ゴッチャーは、パンドラのエンジェル投資家になった。ミュージシャンのみなさんはプロツールス代★020を通じて、パーソナライズド放送の誕生を助けていたわけだ。

「ＡＩが人間のように心を持つ必要はないのではないか」と考える現実的なＡＩ派が現れたのは、一九八〇年代の終盤だった。完璧に創ったプログラムに、完全なデータをインプットする。そうすればコンピュータは世界を正確無比に理解し、人類は一点の曇りなき正解を得られる――。こうした演繹的なユーザー・インターフェースこそコンピュータの目指す世界だと、古典的なＡＩ派は信じてきた。

しかし、そもそも知性というのは不完全さが本質ではないのか。人間は正しいと信じて間違い、修正してようやく正解にたどり着くではないか。知性が持つ根本的な欠陥をポジティブに捉えたジュディア・パールは、ＡＩに演繹的な完璧性を求めるのではなく、「だいたい合ってる」答えに、すばやく到達する存在にすればよいと気づいた。

コンピュータに、不完全でもいいから大量のデータを与える。そして主観的なだいたいの統計処理でデータ・マイニングして、「だいたい合ってる」ぐらいの感じでナレッジベースを構築してゆく。そうすれば質問に対して、ＡＩはだいたい合っていそうな正解の候補群を見繕えるようになる。答えの候補リストを人間に返すユーザー・インターフェースの出来上がりだ。

お気づきだと思うがのちの検索エンジン、そしてパンドラやｉＴｕｎｅｓラジオを支える楽曲レコメンデーション・エンジンはこの実用例である。パールは考えた。これならＡＩが心を持つ必要はない。ＡＩは主観的統計法（ベイジアン・ネットワーク）にしたがって確率計算しているだけだ。帰納的なアプローチで、心のないＡＩを創った方が人間の役に立つという寸法だった。帰納法は演繹法と違って、間違える。だが、間違えたら修正を施せばいいのだ。チューニングは機械学習で追々進めてゆけばよい。

彼ら「杜撰《ずさん》なＡＩ」派の考えはプラグマティックであったが、実用化にはボトルネックがあった。莫大な費用だ。機械学習が精度を高めてゆくには、途方もないビッグデータと、基地の如き情報処理施設が要ったのだ。

　歴史は繰り返すという。ゼロックスの研究所でジョブズやゲイツがアラン・ケイのＧＵＩに出会ったように、一九九〇年代半ばに、ジュディア・パールから始まる「杜撰なＡＩ」に出会った若者がいた。名を、ラリー・ペイジという。ユーザー・インターフェースを専攻していたペイジは、Ａｐｐｌｅにいたインターフェースの世界的権威、ドナルド・ノーマンの名著『誰のためのデザイン?』をバイブルにしていたという。

　ある日、教授のところに来たペイジは言った。

「ウェブをダウンロードして、インターネットの構造を解析してみたいのです」

「大学のネットワーク管理者に申請しよう。ディスクでいうと何枚分のデータが必要になるかね?」そう教授が尋ねると、想定外の答えが返ってきた。

「インターネットのウェブすべてをダウンロードしたいのです」

　途方もないことを事も無げにいう大学院生に、教授は眼を丸くした。

　ウェブは、蜘蛛の巣のようにリンクが張り巡らされている。このリンクを「ウェブの構造」として捉え、解析できればいい。ウェブの構造すべてを機会学習してナレッジベースに落とし込めば、凄まじいＡＩが出来上がる。そうペイジは着想したのだ。幼少時から、途

グーグル共同創業者のセルゲイ・ブリン。ブルースギターが趣味で、クラプトンやキース・リチャーズ、ラルフ・マッチオから特別レッスンを受けるのが彼の贅沢だ。ジョブズは若きペイジとブリンの師匠となったが、特にブリンとの散歩を愛したという。
Steve Jurvetson "Sergey Brin Ted 2010", Wikimedia, https://commons.wikimedia.org/wiki/File:Sergey_Brin_Ted_2010.jpg

方もない理想を本気で言い出すのが、ペイジの気質だった。ネットのビッグデータで人工知能を育てる。その概念を発明したのは、この学生だったと言っても過言ではないだろう。

同じ研究室には、史上最年少でスタンフォード大学院に進学したセルゲイ・ブリンがいた。「百万年ぐらい飛び級した感じ」そう評した同級生がいたように、ブリンには天才的な数学力が備わっていた。じぶんの才にふさわしい博士論文の課題を探していたブリンは、ほとんど夢想の如きペイジの課題を聞きつけ、共鳴した。

こうしてペイジのアイデアは、ブリンの天才的頭脳によって、五億の変数を持ちつつも極めてシンプルで美しいアルゴリズムに結実した。ペイジランクの誕生である。このとき、世界にコペルニクス的転回が起きた。それは三十年間、GUIを代表とするIA派に打ちのめされてきたAIが、ようやく「使える」ユーザー・インターフェースとして復活した瞬間であったのだ。

世界を変える三つの条件

グーグルが誕生する前から、検索エンジンはいくつかあった。ライコスやインフォシーク、アルタ・ヴィスタなどがそうだ。だが、本質的な欠陥があった。世界にウェブサイトが増えるほどに検索速度と精度が落ちていったのだ。一方、初めから人工知能の理論を応用したグーグルは違った。ビッグデータを機械学習する手法を確立したグーグル検索は、データが増えれば増えるほどに精度と速度が上がっていった。

学生コンビのペイジとブリンは、起業にあまり興味がなかった。とりあえずヤフーやエキサイトなどに技術を買い取ってもらおうと一年あまり動いてみたが、すべてに断られてしまった。それで仕方なしにグーグルを起業した。一九九八年九月のことだった。この一ヶ月前、同じく学生のショーン・ファニングが、ピア・ツー・ピア技術を着想。

音楽産業を破壊したのみならず今の仮想通貨の基礎にもなっている。韓国ではｍｐ３プレーヤーの先駆けMPManが登場。年末には日本でｉモードが発表され、ポストＰＣの時代が着々と準備されていく。ウィンドウズ95のブームからわずか三年めで、早くも次の時代が胎動を始めていたことになる。

検索エンジンでは後発だったグーグルだが、その圧倒的な検索の精度はオタクやエンジニアの間で、すぐにカルト的な人気を博した。だが当のふたりはインタビューに対し、検索エンジンの現在に全く満足してないと答えた。

「ユーザーをいつも満足させるためには、世界のすべてを理解する必要がある。コンピュータ科学の用語で言うと、僕らは人工知能を創っているんだ」そうペイジは言い、ブリンが継いだ。

「グーグルの目標は検索サイトではない」

検索エンジンの創業を取材に来た記者の目を白黒させた。

「質問が頭に浮かんだ瞬間に、答えを渡せるのがグーグルの理想だ」とブリン。「それが究極の検索エンジンだ」とペイジ。[★021] そしてこの人工知能のために、「百万台のサーバーを持つ会社になる」と途方もないことを宣言した。

記者たちは、まともに取り合う気を失ったようだった。無理もない。ペイジの創ろうとしているクラウド・コンピューティングの世界は、人類の誰ひとり、経験したことはなかったのだから。だが、ペイジの壮大なヴィジョンは磁石のように才能を吸引した。起業からわずか一年で、コンピュータ科学のトップ・エキスパートたちが、自転車屋の二階にあったグーグルに集結したのである。[★022]

我々はここに、歴史を画すイノヴェーションをめぐり、繰り返されるパターンを認識できる。天才発明家と称される井深大に出会った盛田昭夫は、「世界一クールなハイテク・ブランドを創る」というヴィジョンを掲げる。その旗印のもと、エレクトロニクスの一流エンジニアたちがＳｏｎｙに集まった。

ＩＱ二〇〇の頭脳を持つと噂されたスティーブ・ウォズニアックは、「世界を変える」と信じたスティーブ・ジョブズと出会い、地上にパーソナル・コンピュータが誕生した。ジョブズが掲げるヴィジョンのもとに、超一流のコンピュータ・エンジニアたちが集結した。

世界の金融技術《フィンテック》のブームを興したブロックチェーン技術を誕生させることになるピア・ツー・ピア技術は、天才的なプログラマーだった大学生ショーン・ファニングが発明した。彼にショーン・パーカーが出会うと「音楽産業を変える」という情熱に憑りつかれた。ナップスターには当時最高クラスのネットワーク・エンジニアが集結した。

ヴィジョナリー、超一流テクノロジスト、それを慕う才能の集結。この三項で成り立った組織が、本物の破壊的イノヴェーションを起こすようだ。逆に言えば、起業熱だけを若者に煽っても駄目なのではないか。

Appleとグーグル――現王と次の王との友情

「検索は儲からない」

それが当時、シリコンバレーの常識だった。だが、グーグルは幸運にも投資家に、アマゾンのジェフ・ベゾスCEOや名門ヴェンチャーキャピタルのKPCBを得ることができたのだった。「一流のCEOを雇うことが出資の条件ですよ」とKPCBのジョン・ドーアは若いふたりに語った。成功の鍵はビジネスモデルの確立と見ていたからである。ところがしばらくすると「CEOというものがよくわからないので、雇いたくない」とペイジたちが言い出し、彼は参ってしまった。

これは、CEOのお手本を見せるしかない……。ドーアは考えた。

シリコンバレーの絆だろう。「見込みある若者がいるから、CEOとはどんな仕事をするものなのか、教えてやってくれませんか」とドーアが友人たちに頼み込むと、錚々《そうそう》たる人物たちが応じてくれた。そのひとりがスティーブ・

ジョブズその人だった。

ジョブズはふたりがすっかり気に入った。当時、iPodの開発に没頭していた彼の情熱に、若者ふたりも胸を打たれた。最高のサービスを創るには最高の会社が要る。最高の会社を創るには最高のCEOが要るのだ。そうわかったペイジたちはドーアに報告した。「グーグルでCEOを雇うならスティーブ・ジョブズしかいません」と。ドーアは椅子からずり落ちたという。

ともあれジョブズの感化を受けたふたりは、CEOを正しく選ぶことができた。エリック・シュミットだ。温厚な賢人、シュミットは才気溢れるふたりとトロイカ体制をつくり、理想的な経営が実現した。少ししてアドワーズという最強の広告モデルも見つかった。

やがてパロアルトの丘やクパティーノの緑道では、ジョブズがトロイカのひとりを連れて散策する姿をよく見かけるようになった。スカリーとジョブズの在りし日の如く、ジョブズはブリンとペイジのメンター(師)となったのである。ジョブズは特にブリンを散歩によく誘った。天才的知性を持ちつつも、まるで人がよくておしゃべり好きのブリンに、若き日の相棒ウォズニアックの面影を見ていたのかもしれない。

「シリコンバレーの現国王、そしてやがて王となる男とが、王国の未来図について語り合っているかのようだった」

スティーブン・レヴィはそう自著に書き記している。★023 それはGUIで隆盛したIAの国と、ウェブで新興するAIの国との同盟関係にやがて繋がっていった。

IAの王が生み出すiPhone。そしてAIの王が生み出すクラウド・コンピューティング。まだ見ぬ両者が交差するとき、世界が変わる運命が待っていた。そしてiTunesでも救えなかった音楽産業の病も、ついに治療法を見出すことになるのだった。

携帯電話を諦め、タブレット計画を始動したジョブズ

二〇〇三年。iTunesミュージックストアが立ち上がり、世界が音楽配信の時代に突入した一方で、もうひとつの新たな未来が始まろうとしていた。

この年、Appleの元社員アンディ・ルービンがアンドロイド社を創業。のちにグーグルが買収することになる。一方でジョブズ自身も、携帯電話事業の検討を始めていたのである。iPodが生まれて間もなく、「iPodの携帯電話を作ってほしい」という声々があがるようになったのは自然なことだった。iPod、パーム、携帯電話にデジカメにゲームボーイ。デジタル・ガジェットのブームで、人びとのポケットは限界に達していたからだ。

その検討は、ビジネス的にも自然だった。その前年、iPodの累計販売がようやく百万台に届くかという一方で、世界では既に十億人が携帯電話を使っていたのだった。[★024] iPodが携帯電話の世界に進出できれば、Appleはやがて宙《そら》まで飛翔できるはずだった。

だが携帯電話の世界について偵察報告を集めるにつれ、暗澹《あんたん》たるムードがAppleの会議室を覆った。そこは通信キャリアたちが絶対王政を敷く世界だった。Appleに類するハードウェア・メーカーたちは、キャリアの命じる仕様を恭しく拝受して携帯電話を作っていた。

「端末メーカーは実際、キャリアから、分厚い巨大な本を与えられ、『これが、あなた方が次に作る電話です』と言われているだけだ」

ジョブズはインタビューでそう答えている。

「ノキアとモトローラが彼らの言うことを聞かなくなれば、韓国サムスンとLGがかわりに聞くだろう[★025]」

全くクリエイティヴでないと思った。ジョブズはやる気を削がれてしまい、携帯電話の世界には一切関わりたくな

いとまで思うようになった。★026

かわりに創作意欲を刺激したのは、積年の好敵手だった。その日、ジョブズ夫妻とゲイツ夫妻は、マイクロソフトに勤める共通の友人の誕生日パーティにいた。

「あの夕食会ですか。スティーブは私に相当フレンドリーでしたよ」

ゲイツは、伝記を書いたアイザックソンに語った。ピクサー、ｉＭａｃ、ＯＳＸにｉＰｏｄ。ゲイツにできない革新をいくつもやり遂げたジョブズから、かつての屈辱感は薄らいでいたのだろう。週末にはダブルデートを楽しんでいた二十代の頃の友情が、ゲイツとジョブズの間に戻りつつあった。

「ただし、パーティの主役にはいささか好意的でなかったですね」

共通の友人は、マイクロソフトでタブレットＰＣを開発し、じぶんの作品を世に送り出したばかりだった。ウィンドウズＸＰタブレット・エディションだ。

「マイクロソフトはタブレットで世界を変えるんだ。ノートＰＣなんて全部消える」と友人が興奮ぎみに喋ってきたのも自然なことだろう。それを聞かされたジョブズはみるみる不機嫌になっていった。俺を差し置いて、マイクロソフトがポストＰＣを語るか、と……。つい先ごろ、マイクロソフトは「パワード・スマートフォン２００２」もリリースしていた。スマートフォンの語源のひとつとみてよい製品だ。

「Ａｐｐｌｅもマイクロソフトのライセンスを受けて、この革命に参加すべきだよ」

ジョブズの表情に気づかない友人の饒舌がそこまで達したとき、彼の脳中でプツリと糸が切れた。ゲイツは少し離れたところから、冷や冷やして見ていたらしいのだが、案の定、ジョブズは帰ってしまった。

「ムカついて家に帰って叫んだよ。『クソが！　タブレットってものがどんなものか、眼に物を見せてやる』ってね★026」

翌日、出社すると彼は、最も信頼する人材で固めたエリート・チームを招集して言った。

「タブレットを創ると決めた。キーボードもスタイラスもないやつだ」

ジョブズのアイデアを匿ったアイブ

かつてジョブズはＡｐｐｌｅに戻った際、アメリオＣＥＯ（当時）に携帯情報端末の先駆け、Ｎｅｗｔｏｎ事業の廃止を強く求めた。アメリオは驚いて反対した。携帯情報端末は成長分野だったし、それよりもっと成長している携帯電話とＮｅｗｔｏｎがいずれ融合するのは目に見えていたからだ。

「償却して身軽になるんだ。あの事業を廃止すれば君は喝采を浴びるよ」

当時、ジョブズはそう言ってアメリオを説得したが、腹心の部下には別のことを語っていた。ネクストから連れてきたルビンシュタインたちに、両手をかざして言ったという。[★027]「神は我々に十本のスタイラスを与え給うた。もう一本、発明するのはなしにしよう」と。

この少し前にジョブズはワイアード誌にこうも語っている。[★028]

「デザインを見た目のことだと思っている人がいるけど、深く考えてない。デザインとは機能そのものなんだ」

ＧＵＩの大家、ジョブズの至言だ。ポストＰＣは、パソコンとは形状も用途も違う。人間と機械の関わりが異なれば、ユーザー・インターフェースを根本的に再構築する必要があった。

だが、ゲイツたちはウィンドウズＸＰとスタイラスの組み合わせで、パソコンのＵＩをそのままタブレットに持ってきている。それではガラクタができるだけだ……。出来損ないに触ると創作意欲に火がつくのが、いつものジョブズだった。

今でも、あまり出来の良くないアプリ開発では、画面遷移表を読んだデザイナーが「見た目」を作って、エンジニアがそれを切り貼りしてなんとなくUIが出来る。これだとユーザー体験を練り上げるプロセスがデザインの作業から欠落してしまう。

「人類の体験を広く理解した者のみが、デザインを導くことができるんだ」

同じインタビューの発言である。GUIでは、デザインはユーザー体験の設計そのものだ。ジョブズは密かに練っていたタブレットのアイデアを開発陣に渡した。

「ガラス製のディスプレイで、マルチタッチで、ソフトウェア・キーボードを表現できる。これが僕のアイデアだった」

開発陣の中心はマイクロソフトからAppleに転職してきたティム・ブッチャーと、MITでマルチタッチを研究していたジョシュ・スコットリンだった。★029 ジョブズは振り返る。★030

「開発に指示して六ヶ月後には、すごいディスプレイが出来たよ」

だが、そこで開発は止まってしまった。二〇〇三年のARMプロセッサは、まだモノトーンで文字主体のUIだった初期のiPodを動かすだけで精一杯だったのだ。そのパワーでGUIを動かしても、使いものにならないことが再確認された。

Appleのタブレット計画は中止された。ジョブズはウィンドウズ版iTunesミュージックストアを実現し、大好きな音楽を事業の柱にすべく邁進することになった。しかしタブレットのアイデアを惜しみ、匿った男がいた。Appleのチーフデザイナーにしてジョブズの親友、ジョナサン・アイブだ。壊れやすい卵にそっと羽をかぶせるように、アイブはじぶんのチームにタブレットのデザインを続けさせた。アイブの温める卵には、音楽産業だけでなく、やがてコンテンツ産業すべてに広がる希望が宿されていた。

鉄腕アトム好きの「アンドロイドの父」が考えたこと

アンドロイドOSの開発版に初めて名付けたコードネームが「鉄腕アトム」だったことからわかるように、〝アンドロイドの父〟アンディ・ルービンは子ども時代、日本のアニメが大好きだった[★031]。それで、大人になるとよく日本に行くようになった。秋葉原でパーツを買い集め、趣味のロボット作りに勤しむのが彼の休暇となったのである。アトムのようなアンドロイドを創るのが彼の夢だったのだろう。だからAppleを辞めた後、立ち上げた会社にアンドロイド社と名付けた。二〇〇三年、鉄腕アトムが作品中で誕生した年だった。

ルービンには、未来を見通す資質があった。当時、ジョブズがマイクロソフトに対抗すべく極秘裏にタブレットの検討を始めた一方で、ルービンの方は既にスマートフォンを創ったことがあったのだった。フル・ブラウザにゲーム・アプリのダウンロード・ストア、連絡先やカレンダーをサーバーに保存するクラウド機能等々……ガラケー全盛の二〇〇二年にして、彼の「サイドキック」はのちのアンドロイドやiOSが持つコンセプトをほとんど備えていたのである。

鉄腕アトムとアンドロイド社が誕生した年は、古巣のボス、ジョブズがiTunesミュージックストア立ち上げに成功した年でもある。人びとがiPodと音楽配信に未来

アンディ・ルービン。2003年にアンドロイド社を設立。サードパーティを取り込んだモバイル・アプリのエコシステム構築、モバイル・アプリのストアといったルービンの構想は、当初クローズド志向だったジョブズのiPhoneに方向転換を促し、新時代を切り拓いた。

Joi “Andy Rubin”, Wikimedia, https://commons.wikimedia.org/wiki/File:Andy_Rubin_(1).jpg

を感じる裏で、時代の仕掛け人は既に次の時代へ向かって走り出していたのだった。今現在もそういうことは起きているのだろう。

そんなルービンがスマートフォンの「ＯＳ」を創る会社を立ち上げたのには、彼一流の洞察があった。

アンドロイドの父、世界をひっくり返す大戦略

「あの時代、モバイルにサービスを提供することは、地獄のような苦痛を伴いました」

グーグルを率いるラリー・ペイジＣＥＯ（当時）は、大学院で起業してからしばらく経った二〇〇二年をそう振り返る。[★032]

「クローゼットは百台の携帯電話で溢れ、機種ごとにアプリを創らないといけなかったのです」

百台の機種それぞれに合わせ検索アプリを創っていたグーグルは地獄を味わっていた。ひとつのモバイル・アプリを企画したら、各メーカーの各端末に向け百個のアプリを開発しなければならなかったのだ。共通ＯＳのないモバイルの世界に、ソフトウェア産業が育つわけがなかった。

それはメーカーがバラバラにＯＳを創っていたパソコンの黎明期に起きたことでもあった。共通のＯＳをもたらしたマイクロソフトはソフトウェアの時代を切り拓き、若きビル・ゲイツは世界一の富豪となった。対してゲイツと組んだ、ＰＣメーカーの巨人だったＩＢＭは、木馬の計に嵌《は》められたトロイアの如く時代の中心を彼に明け渡すこととなった。

時代は繰り返すという。それは未来を予測するのに役に立つ。初期スマートフォンをＯＳから手がけたルービンは気づいた。ビル・ゲイツと同じことを起こすチャンスを、じぶんは手にしているのではないか、と。

そのビル・ゲイツも二十一世紀初頭に、スマートフォン時代の到来を読んでいた。そして「ウィンドウズ・パワード・スマートフォン2002」を世に送り出したが、高いライセンス料が警戒され、なかなか採用されなかった。通信産業の巨人たちは、IBMの二の舞はごめんだと考えていたのである。

一方、ルービンは初期スマホ「サイドキック」のOSを、無料のOS、フリーBSDで創った経験があった。マイクロソフトの隙を突いて、「無料」の力で一気にプラットフォームを獲ればいいのではないか。OSを無料にするかわりに、じぶんたちアンドロイドはアプリのストアや定額制のクラウドサービスなどで稼げばいい――。それが無名だったルービンの立てた大戦略だった。時代は再び、ひとりの男に覆されようとしていた。

「無料」の力で、顧客価値を生み出すということ

フリーミアム・モデルという言葉がある。無料（フリー）と有料（プレミアム）を組み合わせたビジネスモデルのことだ。音楽産業とフリーミアム・モデルの付き合いは長い。

かつて無料で音楽が聴き放題のラジオが登場すると、有料のレコードは全く売れなくなり、売上が二十五分の一になる大災厄をアメリカは経験した。そこからラジオで音楽を無料で聴き、レコードを買ってもらうフリーミアム・モデルが成立するまで、二十年以上の歳月を費やした。

二十一世紀初頭、ネットの普及で無料の大波が音楽を襲うと、CDのもたらした絶頂期から音楽産業は転落した。だがスマートフォンの普及以降、無料配信で人びとを集め、定額制配信で稼ぐ革命児スポティファイが世界を席巻すると、音楽産業はCDに代わるビジネスモデルを見出すことになる。

ほかの業界もいよいよ無料化の波に飲まれ、今では音楽産業の復活を促したビジネスモデルの革新、すなわちフ

リーミアム・モデルやマイクロペイメントの仕組みを見習う時期が来ている。しかし、コンピュータ産業で「フリー」の力を使って初めて力強く稼いでみせたのは、一九九〇年代に瀕死となったIBMだったかもしれない。大規模コンピュータで一大産業を築き上げ、シリコンバレーの礎を築いたIBMは八〇年代にパソコンの時代が到来すると、音楽産業に先立って倒産の危機に陥った。

一九九三年には八十一億ドル(約九千億円)の赤字を出し、CEOはルイス・ガースナーに交代。彼は、敗戦したパソコンで追いつくことは捨て、次のビッグウェーブに復活の照準を合わせた。コモディティ化したハードやソフトの販売だけでビジネスを考えるのはもうやめだ。客はもう、IBMが創った囲いの外に出ている……。それで彼は世界のほとんどが気づいていなかった兆候に、会社を賭けた。当時インターネットの普及率はわずか〇・三%ほど。[★033]だがガースナーは、政府や企業は必ずネットに対応した大規模ソリューションを求めるようになると見たのである。

ガースナーはパソコンを売ってハードで稼ぐのではなく、無料化したOSやオープンウェアを逆に活用して、政府や企業の求めるシステム・ソリューションを組み上げるソフト業態にIBMを変革した。「無料」の力で新たな顧客価値を創ったガースナーに導かれたIBMは、十年で逆に八十一億ドル(約九千億円)の黒字を出す会社に復活した。[★034]

ガースナーは創業者ではなかったが、ジョブズと同じく、イノヴェーションのジレンマを克服した存在として語られるようになった。創業者の時代が過ぎ去ったほとんどの日本企業にとっては、ある意味ジョブズより参考になる部分があるかもしれない。

ルービンがアンドロイド社を起業したのは、ガースナーがIBMを退いた翌年のことだった。無料を核にエコシステムを創り上げ、エコシステムの生む顧客価値で稼ぐ――。ガースナー流を、ルービンが携帯電話の世界に持ってこようとしたのは不思議なことではなかった。

しかし現実は厳しかった。ソウルのサムスン本社に行ったときのことだ。ジーンズ姿で訪れたルービンだったが、取締役会議室に通されるほどには、丁重に扱われた。彼の創った「サイドキック」が業界の評判になっていたからである。だがスーツで身を固めた二十人のサムスン幹部たちの視線は、彼のプレゼンが進むにつれ冷ややかとなっていった。

プレゼンが終わると、サムスン社のひとりが言った。

「我が社では、二千人がモバイルOSの開発にあたっている。あなた方はたった八人だが？」

どっと嘲笑が会議室に起こった。[035] ルービンは屈辱に耐えるほかなかった。結局、世界中のメーカーへ赴いてプレゼンしたが結果はどこも同じだった。

「ほとんどの人が、ルービンを正気扱いしていませんでした」

当時の噂を知るグーグルのペイジCEOは、ブログにそう書いている。[032] ルービンは未来を見通すヴィジョナリーだった。だが、どんなにヴィジョンが正しくとも、誰も聞き入れてくれないならどうにもならない。産業の巨人たちを前に、ルービンはピエロのように悪戦苦闘を重ねるのだった。

ラストFM――ビッグデータが起こした「ラジオの再発明」

Appleのタブレット計画が始まるや中断したこの時期、放送の世界に歴史的なイノヴェーションが起きていた。それも人工知能が起こしたイノヴェーションだった。

イギリスはドーバー海峡に面した港町、サウサンプトン。大学生のリチャード・ジョーンズは、街の名を冠した大学でコンピュータ科学を専攻していた。

「協調フィルタリングのアルゴリズムについて読んでいたとき、閃いたんです。こいつを新しい音楽の発見に使ったら面白いぞって」

新しい音楽を次々と紹介してくれる人工知能、というアイデアは魅力的だった。人工知能を作るには、まずはそこにぶちこむべき大量のデータをかき集める必要がある。人工知能はデータを機械学習して徐々に賢くなるからだ。データが少量なら使いものにならない。これをコンピュータ科学の世界では「コールド・スタート問題」と呼ぶ。

ジョーンズはグーグルと同じように、クローラーを走らせてデータをかき集めることにした。といってもグーグルのようにウェブを調べたのではない。ナップスター全盛の時代だ。若き学生は、ピア・ツー・ピア・ネットワークにクローリングをかけてみた。mp3の利用状況を把握すれば、音楽のビッグデータになる。ジョーンズはそう考えたのだ。しかしやってみると、使い物にならないことがわかった。

「みんな、メタリカの曲を、全部まとめてダウンロードできるからそうしているだけで、実際には全曲聴いてるわけじゃない。こんな実態を土台にして音楽のおすすめ機能を創りたくはないと思ったんです」

失敗は成功の母というが、音楽プレーヤーでmp3を実際に聴いている履歴を取ったらどうか、と彼はさらに閃いた。iTunesなどにプラグインを入れてもらい、音楽聴取歴(ログ)を自動で送ってもらうのだ。

あとはログを送ってもらうメリットを創らなきゃいけない。音楽生活のプライバシーを公開するメリットが何か要る……。学生は悩んだ。そうだ。出会いが生まれるようにしよう。音楽の好みが似た人が見つかるサイト。その人の再生ランキングを見て、新しい音楽が見つかるサイト。そんな音楽交流サイトにしたら面白いはずだ。

音楽鑑賞のログを集め、曲と曲の繋がりを見出す。曲と曲の繋がりから、人と人の新たな出会いをつくる。人と人の繋がりから、人と曲の素敵な出会いが生まれる。

ジョーンズの発明した「オーディオ・スクロブラー」は、音楽を中心としたソーシャルネットワークの誕生でもあった。しかも、それはのちのフェイスブックよりも先進的な概念すら含んでいたのだ。

グラフ理論というものがある。点と点を線で結んで出来上がるグラフについて扱う数学だ。点をノードと言い、線をエッジと呼ぶ。グーグルのブリンは「ウェブはサイトという点（ノード）をリンクという矢印線（エッジ）で繋いだ有向グラフだ」と考えて、ペイジランクの数式（アルゴリズム）を書き上げた。フェイスブックのソーシャルグラフも、人と人（ノード）を線（エッジ）で結びつけて出来ている。

対して、「オーディオ・スクロブラー」は、人と人、人と曲、曲と曲。この三層を結び合わせたインタレスト・グラフを描き上げた。それも音楽に特化したインタレスト・グラフ、すなわちミュージック・グラフである。定額制配信の雄、スポティファイが「ミュージック・グラフ」という名の新機能を発表したのは、それから十年経った二〇一二年になる。

さて、ジョーンズの試みだが、すぐにイギリスの国営放送BBCが目敏く報道した。そして、点と点が繋がるように、新たな出会いが起こった。ラストFMからジョーンズに連絡があったのだ。イギリスの音楽ファンに話題だったラストFMから連絡を受けたジョーンズは、嬉しさを隠せなかった。

日本と並び、イギリスはインディーズ音楽が謳歌する国だ。

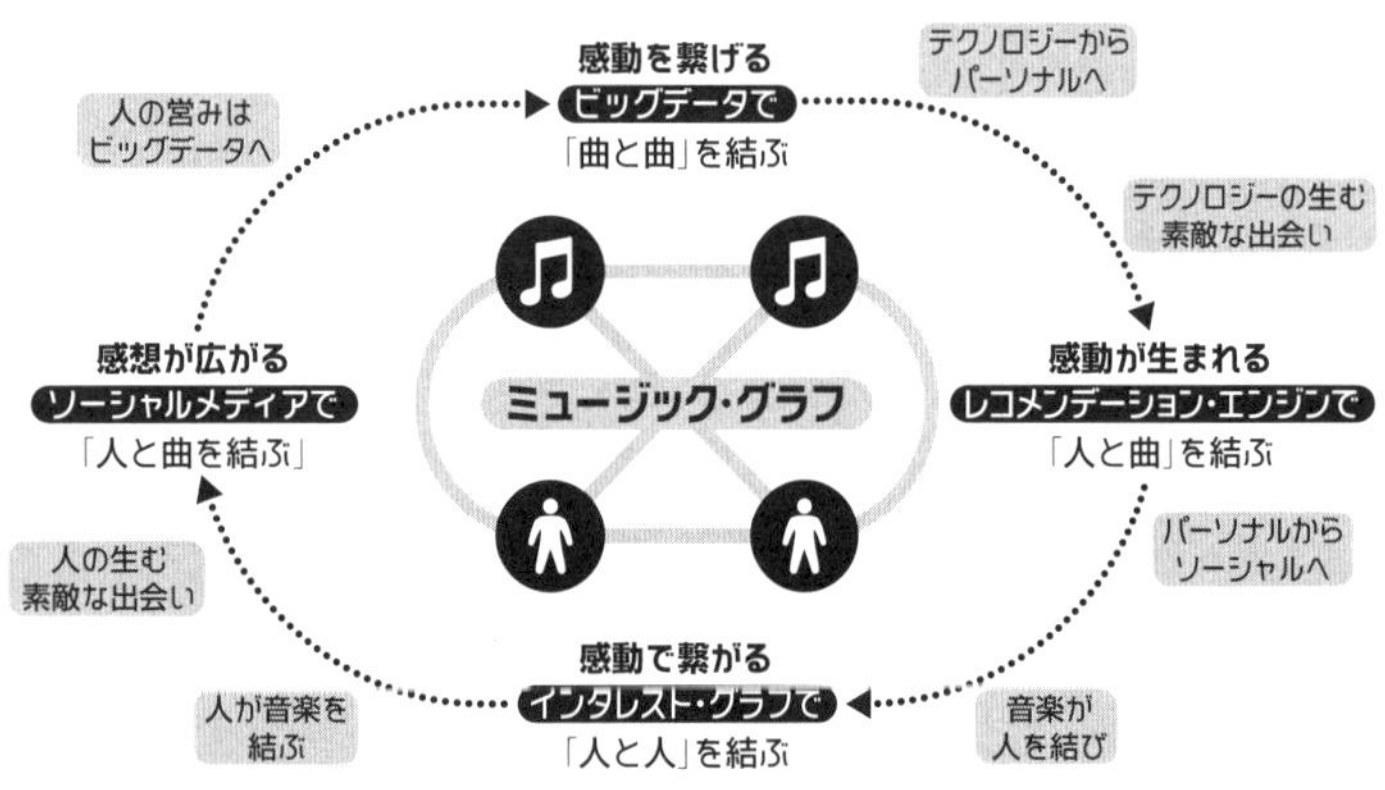

［図3－1］2002年にラストFMのリチャード・ジョーンズが発見した「ミュージック・グラフ」

実に音楽賞の三割を、インディーズレーベルに所属するアーティストが占めている。★036 アデル、アークティック・モンキーズ、ベースメント・ジャックス、ビョーク、コールドカット、フランツ・フェルディナンド、リバティーンズ、ロスト・プロフェット、マリリン・マンソン、マクシモ・パーク、プロディジー、レディオヘッド、アンダーワールド、ホワイト・ストライプス……。彼らすべてが、インディーズレーベルに属している。インディーズの専門ラジオとして始まったラストFMは、錚々たるインディーズレーベルとオンライン放送の契約を結んでいた。

この楽曲群を自在に使えるなら、じぶんの創った音楽をおすすめする人工知能を、そのまま新しい放送局に出来る、と学生は気づいたのだ。ひとりひとりの趣味に合ったおすすめ曲が次々と流れる「魔法のラジオ」の誕生だ。

「一緒にやらないか」というラストFMの誘いに、学生は乗った。「インディーズから音楽のトレンドを興したい」と理想を掲げるラストFMのヴィジョンと、才あるテクノロジストとの出会いが、ここにも起きたのだ。かくて二〇〇三年、「ラジオの再発明」が誕生した。

ラストFMでは、リスナーみんながDJになれた。それも自動的に。まずiPodで繰り返し聴いているお気に入り曲が、じぶんの好みと似たリスナーたちへ自動的に放送される。それを聴いた音楽友だちが「これいいね」と思って、ハート形のボタン(Likeボタンの元型だ)を押せば、ラストFMの注目チャートを駆け上がり、さらに多くの人のもとでオンエアされることになる。

翌二〇〇四年。ライヴの根付いたロンドンでラストFMが流行したことで、象徴的な成功例が生まれた。ライヴハウスで評判を呼んだとある無名バンドが、ラストFMの注目チャートを最上位まで駆け上がった。それを地上波ラジオ局が見つけてオンエアすると、耳にしたEMIがすぐさまメジャーデビューさせた。「オアシス以来の大型新人」と呼ばれたアークティック・モンキーズだ。

二〇〇五年をピークとする第三次ブリティッシュ・インヴェイジョンは、UKロックのなかでもインディーズ・シーンの色彩が強いムーヴメントとなった。その立役となったアークティック・モンキーズを発掘したことで、Sonyなどのメジャーレーベルもこの新しい音楽メディアに胸襟を開いてくれた。ラストFMに全世界への配信権を与えてくれたのだ。ラストFMは一躍、世界一のインターネット放送となった。当時の人気は、のちにMTVを超えてみせたパンドラをも凌いでいた。

ラストFMは、来るべきSNSブームの先駆けでもあった。音楽友だちを見つけ、相互フォローしてメッセージをやり取りする。同じ音楽趣味なら、一緒にライヴに行くのも楽しいのだろう。ラストFMから結婚するカップルが次々出た。実はこれがラストFMがロンドンで人気だったもうひとつの理由だ。

マイスペースとラストFMは、ほぼ同時期に誕生している。どちらかというとラストFMの方が早い。共に音楽の力で、SNSの時代を到来させた。人工知能とソーシャルメディアを兼ね備えたラストFMは、あたかも次世代インターネットの雛形であった。iモード、ジェネラルマジック、そしてラストFM。この三つは次代の雛形という点で共通している。やがて忘れ去られた、という点でも——。

いつの時代にも雛形はある。iPod以前にもmp3プレーヤーはあった。iTunes以前にもダウンロード配信はあった。スポティファイ以前にも定額制配信はあり、グーグル以前に検索エンジンはあった。そしてフェイスブック以前にもSNSはあり、iPhoneの誕生以前にもスマートフォンはあった。いつの時代も、雛形を研究し倒して、完成形を見出した者が世界を征するものらしい。余談だが、NHKの番組司会で日本でも著名となった、MITメディア・ラボ所長の伊藤穰一氏が、ラストFMのエンジェル投資家であった。

さて、ITの世界ではレコメンデーション、おすすめ機能はふたつに大別される。アルゴリズムを使ったものと、ソーシャルグラフを使ったものだ。前者の代表が、グーグルの検索エンジンやアマゾンの関連商品リスト。後者の代表がフェイスブックやツイッターだろう。

音楽のウェブ・プロモーションも、本質はレコメンデーションである。音楽も、人工知能によるおすすめと、友人によるおすすめのふたつが本来、大切だ。全盛期のラストFMは、人工知能によるおすすめと、音楽友だちによるおすすめの両方を兼ね備えた理想的なものだった。ラストFMが、第三次ブリティッシュ・インヴェイジョンを後押しするメディアパワーを出せたわけは、そこにあった気がする。

我が国の様々なプロモーションを眺めていると、ネットの活用といえば動画、ソーシャルメディア、イベントの現場を使った「シェア」で考えが止まっている風潮がある。「テレビは確かに時代遅れかもしれないが、ウェブ・プロモーションも決定力が欠ける」とお感じになる場合、ITの片足だけで歩こうとしているからでは、と考えてみるのはどうだろうか。日本の音楽を盛りたてるには、アルゴリズムの力とシェアの力、両方が要る。

ラストFMは二〇〇七年、世界最大の放送ネットワークCBSに買収された。買収額は二億八千万ドル(約三一〇億円)。ラストFMを創った若者三人はその一五%ずつを受け取り、英国IT界のヒーローとなった。だが、その買収がきっかけで、ラストFMがイノヴェーションのジレンマに巻き込まれるとは、そのとき有頂天だった三人がどうして気づけようか……。

翌二〇〇八年、リーマンショックで追い込まれた親会社のCBSは、子会社に無茶を求め出した。音楽配信の王者となったスポティファイが上場後も未だ黒字化していないことからもわかるように、音楽配信は投資の期間が長い地道な事業だ。だがCBSから天下りした役員たちは、即座の黒字化を求めて、揺籃期にあったラストFMのサービスを次々と破壊し、怒った創業者たちは会社を去っていった。スポイルされたラストFMは人気を落としていった。そしてCBSは、三百億円の投資を無駄にしてしまったのである。

「スクロブラーの発明で、世界を変えた男」。後年、ワイアード誌はラストFMで「ラジオを再発明」したジョーンズの記事をそう題したが、決して大袈裟ではなかった。★037 ラジオの誕生以来、「一対多」であった放送の概念を、初めて「多対多」に変えてみせたのは、大学三年だったこのテクノロジストだったのだから。音楽のビッグデータが、放送の未来を連れてきた。同時に彼は音楽の力で、フェイスブックに先駆けてソーシャルメディアの時代を切り拓いていたのだった。

ナップスターの創業者がフェイスブックの初代社長になるまで

「ホームレスになった。ほとんど破産してたんだ」

二〇〇一年の夏。のちにフェイスブックの初代社長となるショーン・パーカーはナップスター社から追放された。失業のうえ、ナップスター裁判の弁護士費用で借金を背負っていた。

「友だちの家に二週間ほど置いてもらい、それから出て行くということを繰り返した。路上生活者になりたくなかったからね」

しばらくしてパーカーは彼女の家に転がり込んだ。そして半年間、何もせず玄関前のカウチに座ったまま暮らした。ずっと考えていた。ナップスターを超えるくらいすごいことを、もう一度始めたい。一体それは何だ……。

「もう諦めて、スタバとかで働きなさいよ」と当時、付き合っていた彼女はパーカーをたびたび諭した。ヒモ扱いである。★038

音楽配信をもう一度やることはもちろん考えた。パーカーを見込んだ音楽業界の大物も少なくなかった。ユニバーサルを率いていたエドガー・ブロンフマンもそのひとりだ。ブロンフマンはワーナーの会長となっていて、パーカーが言うなら助けてやるつもりだった。しかしパーカーは、再びメジャーレーベルと交渉する意欲が湧かなかった。i

Ｐｏｄ発売前と重なるこの時期、ジョブズさえ音楽配信をやりたがらなかったほど、音楽とＩＴ産業の対立は、厳しい環境にあった。

カウチで、携帯電話のアドレス帳を弄びながらずっと考えた。ナップスターに賭けたのは、音楽で人を結びつける夢だった。音楽だけ外して同じ熱狂を創れないか。早くしないといけない。アップデートされないこのアドレス帳のように、俺自身も古びてしまう……。二〇〇二年の春だったろうか。ひねもすカウチに座るパーカーを閃きが襲った。携帯電話のアドレス帳をベースとしたＳＮＳはどうか、と。

ＳＮＳの歴史は古い。一九九七年に、シックスディグリー(sixdegrees.com)とソーシャルネット(socialnet.com)が登場したのが始まりだ。ジョブズがＡｐｐｌｅのＣＥＯとなった年にあたる。ＳＮＳの先駆けはＩＴバブルの崩壊と共に消えていった。だが、正しくやれば上手くいったのではないか。ナップスターがそうだったように。そうパーカーは思っていた。

二〇〇二年の晩秋、パーカーは再起した。セコイアキャピタルから資金を調達し、ＳＮＳプラクソを立ち上げたのだ。その後の半年で、ＳＮＳが立て続けに誕生する。翌年五月には、仕事専用のＳＮＳとして世界を馳せるリンクトインが創業。先のソーシャルネットを創業し、失敗したリード・ホフマンの再起だった。八月にはロスのウェブデザイナーが人気だったフレンドスターを模倣して、マイスペースをオープンした。ロスという土地柄、マイスペースはハリウッドの業界人やミュージシャンに愛される存在となっていく。

なかでも三月に始まったフレンドスターは、大学生を中心に爆発的な人気を得ていた。同業の仲間としてパーカーは、フレンドスターやリンクトインの創業者たちと知己を得た。特にフレンドスターの創業者は、兄弟の友人だったこともあって、すっかり意気投合した。聞けばフレンドスターは、フレンドとナップスターの合成語だという。ナップスターの熱狂は、ＳＮＳの第二波に、確かなインスピレーションを与えていた。

iTunesミュージックストアの登場に音楽業界が希望を抱いた二〇〇三年。最有望株のフレンドスターに著名ヴェンチャーファンドがこぞって出資した。いよいよソーシャルメディアの時代が到来した、とシリコンバレーは見ていた。

パーカーは、友情でフレンドスターのコンサルタントを引き受けた。そして、急崩壊する様を目の当たりにすることになった。フレンドスターのサーバー施設は爆発的成長に追いつけなくなった。増強し続けたが、激重の状態は半年以上続き、学生たちは事実上、ソーシャルメディアを突如失った。それはSNSの戦国時代が到来したことを意味していた。誰がSNSの天下を取るのか。戦いが始まった。

その頃、西海岸から始まったフレンドスターの悲劇を、東海岸の大学で体感したユーザーがいた。名をマーク・ザッカーバーグという。ハーヴァード大学でコンピュータ科学を専攻していた彼は、グラフ理論を学んでいた。

当時アイビーリーグでは、電子版の学生名簿を作る計画が進んでいた。大学生名簿は米語でフェイス・ブックと呼ぶ。

ザッカーバーグは大学のシステム管理部による名簿データベースの計画を知って阿呆らしいと思った。今やるならSNSで学生名簿を作るべきだろう、と。それで、勝手に作った。

シンプルかつ軽快なフェイスブックは、瞬く間に学生の人気を博していった。ザッカーバーグはフレンドスターの轍《てつ》を踏まなかった。完全招待制にして、ハーヴァードから順次、大学を増やすことで爆発的

マーク・ザッカーバーグ。フェイスブックを創業したSNSの帝王。尊敬していたショーン・パーカー(ナップスターの共同創業者)を初代社長に選んだ。

JD Lasica "Mark Zuckerberg", Wikimedia. https://commons.wikimedia.org/wiki/File:Mark_Zuckerberg_(8137913667).jpg

成長を敢えて避けたのだ。

映画『ソーシャル・ネットワーク』では、人気ミュージシャンのジャスティン・ティンバーレイク扮するパーカーが、前夜に知り合ったスタンフォードに通う女子大生のベッドで目を覚ます。そして彼女のコンピュータに偶々目をやって、フェイスブックの存在に気づく。

フェイスブック、これこそじぶんの理想を叶えるものだ……。そうパーカーは確信した。彼はちょうど、フレンドスターの崩壊で混沌としたSNS業界を、きちんと創り直せないかと考えていたところだったのだ。じぶんのプラクソでやればいいじゃないか、とお感じになるかもしれないが、パーカーはプラクソからほとんど追放されようとしていた。

パーカーの働き方は癖がある。連日、会社に寝泊まりして大きな問題を解決すると、雲隠れする。電話をかけても音信不通だ。

「そしてある日、二十三時に会社へ来るんだけど、まともに仕事をするわけでもない。何人も女の子を連れていたりするんだ。じぶんが創った会社だぜ、と見せびらかすためにね」

プラクソの共同創業者はそうこぼした。★039

そしてしばらくして、パーカーが騒ぎすぎてクラブから出入り禁止になったという噂が流れてくるのだ。CEOはロックスターじゃないんだから、生活を改めるか会社を辞めるかしてくれというところまで来ていた。

そんな騒動のなか、パーカーはフェイスブックの代表メアドに「ショーン・パーカーだ。君たちに会いに行っていいか。アドバイスがある」という旨のメールを送った。

ザッカーバーグたちは喜んだ。ナップスターの爆発的なインパクトは日本人だと実感が沸かないものだが、ハーヴァード大学でも、ナップスターの創業者は世界を変えたヒーローだった。その頃、ザッカーバーグはナップスターに憧れるあまり、フェイスブックと平行してファイル共有アプリを開発していたぐらいだ。
ザッカーバーグは、パーカーの見込み通りの男だった。「世界を変える」というのがザッカーバーグの口癖で、「手っ取り早い儲け話など眼中になかった」とパーカーは振り返る。★040
「といっても、まだ大学生だった。世界征服といっても大学を征服するぐらいしかイメージできてなかった」
それだけでなかった。フレンドスターの崩壊で、「SNSは一時的流行に過ぎないのではないか」とシリコンバレーは考え始めていたが、ザッカーバーグ自身もその疑念を捨てきれていなかった。だが、パーカーには確信があった。
「この会社が『超ビッグ』になる可能性を最初に見抜いたのは、ショーン・パーカーだ」★041
イーロン・マスクの盟友にしてペイパルの創業者、シリコンバレーを牛耳る「ペイパル・マフィア」の領袖ピーター・シールは、のちに語っている。
ナップスターのときと同じだった。ショーン・ファニングは自身の発明が歴史を変えるとまでは思い至ってなかった。「シェア」が世界に革命を起こすと見出したのは、今も昔も、ショーン・パーカーだった。音楽の次は、情報のシェアだ。パーカーにはヴィジョンが見えていた。

フェイスブックの「シェア」に隠されたテクノロジー

結局、パーカーはSNSの先駆け、プラクソ社から追放された。じぶんの創った会社から追放されるのは、二度めである。「人間不信に陥ったよ」とパーカーは述懐している。職を失った彼はアパートを引き払い、また女の家に引っ越すことになった。夜な夜なパーティで散財したのか、貯金がなかったらしい。

それはiPodの社会現象が始まった、二〇〇四年の初夏のことだった。羽振りのいいときに買ったBMWにスーツケースとパソコン機材を載せていると、この暑いなか、ノースフェイスのフードを被った集団がこちらを見て寄ってきた。まずい、と思った。ゴロツキだ。どんどん近づいてくる。

「ショーン、僕だよ。マーク・ザッカーバーグだ」

フードを外した男は言った。確かにニューヨークで会った、フェイスブックを創ったハーヴァード大生たちだった。聞けば数軒隣の家を借りているという。夏休みを使って、西海岸へ開発合宿に来ていたのだ。立ち話をするうちに、宿がないなら一緒に合宿しないかと、ザッカーバーグは誘ってきた。二十四歳のパーカーがいたらビールが買えるし、クルマがあるとありがたいし。

パーカーは合流し、学生たちに夕食を奢ることにした。レストランでのことだった。携帯電話が鳴った。パーカーが電話に出ると、話は、プラクソの株をすべてパーカーから剝奪するというものだった。

「そんなバカな話があるか！　俺は五一％の株を持っているんだぞ！」

だがプラクソの定款では取締役会が、問題のある株主から株を剝奪できた。プラクソはその後、一億五千万ドルでコムキャストに買収されているので、パーカーは七十五億円ほどを一晩で失ったことになる。再び無一文だった。じぶんの会社を乗っ取られるなんてことがあるんだ……。目の前で絶望するパーカーを見て、ザッカーバーグは震撼した。

合宿の家には小さなプールがついていた。空き缶やピザのゴミが散らかったプールサイドで、パーカーとザッカーバーグは夜通し語り合った。

「君の背中を完全に守る体制をつくりたい。そうすれば俺と違って、失敗したときもやり直せるチャンスが残る」

パーカーはザッカーバーグに言った。それが、「フェイスブックの社長になってくれ」というザッカーバーグのオファーを引き受けた彼の実現したいことだった。★042

ところで合宿所では、ガールフレンドと一緒に来ていたフェイスブックの共同創業者モスコヴィッツとパーカーが同じ部屋になった。そこでもモスコヴィッツの彼女にちょっかいを出し、彼を激怒させてしまったパーカーは合宿所を追い出されてしまい、結局じぶんの彼女の家に越していった。★041

仕事の話に戻ろう。仕事だけは、彼の右に出る者はなかった。

まずパーカーは、考えうる最高のエンジェル投資家を呼んできた。先のペイパル創業者、ピーター・シールや、リンクトインの創業者、リード・ホフマンたち「ペイパル・マフィア」だ。

次に、人気が爆発しても、フレンドスターの轍を踏まぬようにした。最高のヘッドハンターを口説き落として、何の名声もないフェイスブックに、優れたエンジニアが集まる手配をしたのだ。どれほどネットワークの規模が大きくなっても、スケーリングで問題を起こさない体制が出来上がった。

さらにサイトをリニューアルし、今後、機能追加をしてもデザインがシンプルなまま保てるようにした。パーカーは、ユーザー・インターフェースを設計できるデザイナーを連れてきた。かつてＭａｃ版ナップスターをひとりで書いたほどプログラムができるデザイナーだったが、iMeem(アイミーム)にいたのを引き抜いてきたのだ。

デザイナーとザッカーバーグは、プログラムの段階からユーザー・インターフェースを煮詰めた。これで、フェイスブックを特徴づけるミニマルで軽快な動作を確保した。この施策はのちに、人気で先行するマイスペースを打ち破る勝因にすらなった。

それと、ファイル共有の開発をやめさせた。当時、ザッカーバーグはＳＮＳに専念することを恐れていた。ＳＮＳは技術的に誰でも創れるうえ、ネットワーク効果があるので、流行り廃りが起こる。だから高い技術を要するファイル共有を立ち上げ、保険にしようと考えていたのだ。一方、ナップスター裁判を体験したパーカーにとって、危険なファイル共有を保険にするなど、ありえない話だった。パーカーは、ワーナー・ミュージックを率いるブロンフマンと会う機会をつくり、ファイル共有がいかに危険な事業か、業界のトップに説得してもらった。

ファイル共有のかわりに、フェイスブックが始めたのが写真共有だ。もともとフェイスブックには、写真投稿の機能がなかった。だが、ユーザーがプロフィールの写真を頻繁に変えるのを見て、パーカーは写真共有アプリの組み込みを指示した。「写真共有なんて、今さらやっても面白くない」と、反対意見も強かった。当時、写真共有はありふれたウェブ・アプリで、数あるなかでフリッカーがトップを走っていた。しかし写真共有の機能を追加すると、フェイスブックは女子学生に爆発的な人気を起こした。写真に友だちをタグ付けする機能で、写真共有は友情を確かめ合うツールに変わったのだ。

単純なウェブ・アプリも、ソーシャルグラフと結びつくと化ける。ドラッカーのいう「予期せぬ成功」が起こった瞬間だった。ザッカーバーグは、設立当初から「フェイスブックをプラットフォームにしたい」と言っており、それは雲を摑むような話だったのだが、写真共有アプリの成功で俄《にわか》に現実的となった。

ここで発見した流れは、二〇〇七年にはフェイスブック・プラットフォーム、二〇〇八年にはフェイスブック・コネクト、二〇一〇年にはオープングラフAPIと、フェイスブックが世界のインフラとなる進化に連なってゆく。そして二〇一一年にフェイスブックのAPIは音楽にまで拡張し、スポティファイほか音楽配信とフェイスブックが統合されていくのである。

さて、ザッカーバーグは、入れ込んでいたファイル共有の開発に、アダム・ダンジェロをあてていた。高校時代、ザッカーバーグと音楽レコメンデーション・エンジンを創った縁で、行動を共にしていた友人だ。

だが、ファイル共有は中止となった。退屈したダンジェロは、グーグルのインターンにでも行こうとしていたが、パーカーが説得して止めた。かわりにダンジェロと煮詰めたテクノロジー志向のプロダクトが、ニュースフィードだ。

人脈を競い合う文化のあるハーヴァード大学から始まったこともあり、フェイスブックには友だちの数を競い合う文化ができた。だが百人単位の投稿が素で流れて来たら、読み切れるものではない。ニュースフィードは、これを技術の力で解決した。

ユーザーのプロフィールと投稿履歴を解析し、どの会話をどのユーザーに知らせれば「面白い」と共感してくれるか、計算する。さらに、今この瞬間、どんなトレンドが生まれているのかを把握してプッシュする。ニュースフィードは、いわば投稿のレコメンデーション・エンジンだった。十五分おきに、数百万人（執筆現在、月間二十七億人）のビッグデータを機械学習にかけるニュースフィードは、グーグル級の技術力を要した。

ニュースフィード機能のリリース前日のことだ。

「フェイスブックはつまらぬ存在なのか、グーグルを超える存在となるのか。明日、それが決まる」

パーカーはそう予言した。[★043] それは大袈裟だったかもしれない。だが、かつてマイクロソフトが、並み居るソフトウェア企業から抜きん出た瞬間があったように、フェイスブックのニュースフィードは、流行り廃りに頼る同業他社を、技術力で一気に引き離すことになった。

ウェブの集合知を、人工知能の力で共有できるようにしたグーグル。ソーシャルグラフの情報共有を、人工知能の力で効率化したフェイスブック。ニュースフィードの成功はフェイスブックが、グーグルに並ぶ存在となる未来を切り拓いた。

現在、フェイスブック上で行われる様々なプロモーションは、このニュースフィードのレコメンデーション・エンジンを裏で頼っている。これが現在、ネット上ではじぶんと同じ意見しか目にしなくなるという「フィルター・バブル」の問題を生み、アメリカ大統領選に見られるような社会の分断を引き起こしているが、それは将来の話である。

かくしてパーカー社長のもと、フェイスブックは実力を高めていったが、パーカーは上場を期して、本格的な資金調達に入った。それはパーカーが果たした最大の貢献だった。シリーズAで当時、史上最高額となる評価額九八〇〇万ドル(約一一〇億円)をヴェンチャーファンドから得たのである。ちなみに、グーグルがシリーズAで得た評価額は七五〇〇万ドル(約八十億円)だった。

この史上最高額となるフェイスブックの評価に、実は、iPodの広告出稿が奏功した。それは実験的な広告だった。バナーやテキスト広告ではなく、フェイスブックのAppleファン・グループに出稿してもらったのだ。パーカー社長の時代、iPodを主としたAppleの広告はフェイスブックの大黒柱となるほど、売上を建ててくれた。パーカーは、この成功をグーグルのアドセンスに匹敵する発見だとプレゼンして、投資家から最高の評価を得たのだった。

ヴェンチャーファンドから出資を受ける前に、パーカーは最後の仕上げを定款に施した。取締役会の定員を五人にして、ザッカーバーグにひとりの任命権を与え、パーカーとザッカーバーグで実質過半数を押さえられるようにした。投資家に会社を乗っ取られる可能性を潰し、フェイスブック社をザッカーバーグの絶対王朝にパーカーはしたのだ。ナップスター時代に、ショーン・ファニングとじぶんが受けたあの苦痛を、ザックが味わわなくて済むように——。苦い失敗から得た知恵を、二十五歳のパーカーはフェイスブックの創業に注ぎ込んでいった。

ソーシャルメディア・マーケティングは音楽から始まった

パーカーがフェイスブックの社長に就いて間もなく、宿敵マイスペースが音楽を武器にしてブレイクした。きっかけはオルタナ・ロックの先駆者、R.E.M.だった。

二〇〇四年九月、R.E.M.は新アルバム『アラウンド・ザ・サン』をマイスペースに無料で先行配信した。これがきっかけで、大学生とミュージシャンたちが挙《こぞ》ってマイスペースに集うことになった。R.E.M.とマイスペースは、ソーシャルネットワークの世界的なブームを巻き起こしたのだった。

その後、マイスペースがきっかけでリリー・アレンやアウル・シティー、ソウルジャ・ボーイ・テレムがメジャーデビューした。先のアークティック・モンキーズも、アメリカでの人気はマイスペースがきっかけだ。第二次ブリティッシュ・インヴェイジョンはMTVがきっかけだったが、第三次ブリティッシュ・インヴェイジョンは、マイスペースがきっかけと言えなくもない。

「マイスペースは、いずれMTVを超える存在になる」そう考えた業界人は少なくなかった。メディア王ルパード・マードック率いるニューズ社は、MTVを擁するバイアコム社と激しく鎬《しのぎ》を削っていた。だから、ポストMTVと目されるマイスペースがどうしても欲しかった。

マードックは五億八千万ドル(約六百億円)の巨額で、マイスペースを買収した。ソーシャルネットワークが、世界的な事業に変わった瞬間だった。

「ニューズ社はハリウッド的に過ぎます。彼らメディア企業が、フェイスブックのようなテクノロジー企業を理解することはないでしょう」

ザッカーバーグはMTVのインタビューにそう答えていた。コンテンツを届けるメディアとしかSNSを見ないニューズ社は、技術音痴でSNSを潰すだろう、という意味だった。★044 ザッカーバーグは、マイスペースの失速を正確に察知していたことになる。

その後マードックはメジャーレーベルを巻き込んで、マイスペース・ミュージックを創業。スポティファイに先駆けて音楽のフリーミアム・モデルに挑戦したが、技術音痴が原因で失敗した。★045
MTVもマイスペースを買おうとしていたが、しくじってしまった。バイアコムを率いるサムナー・レッドストーンは激怒し、MTV創業の貢献者トム・フレストンからCEOの職を奪った。MTVの後任者は、なんとしてもMTVとフェイスブックを統合する心づもりだった。ここで遅れを取れば、MTVは過去になってしまうと危機感を持っていた。ザッカーバーグを自家用ジェットに載せ、「買収に応じれば君もこんなジェットを買えるんだぞ」と口説きに口説いたが、ザッカーバーグが首を肯んじることはなかった。

正解だった。ソーシャルメディアには、人が集まるほど人を引き寄せるネットワーク効果が働く。だがネットワーク効果に頼れば、流行り廃りの波に飲み込まれるだけだ。テクノロジー志向が、ソーシャルメディアの底力を決めるとザッカーバーグは見ていた。一方、既存メディアにとっては伝統的に、技術部はコストセンターであって投資ではなかった。彼らにとって投資とはキラーコンテンツの獲得であり、それがユーザー層の獲得と直結していた。技術とデザインがユーザビリティを決め、ユーザビリティがユーザー層の獲得と直結する新しいビジネスの仕組みを、メディアの経営者たちはよく理解していなかったのだ。

既存メディアにソーシャルメディアが買収されると、価値観の齟齬が発生し、イノヴェーションのジレンマに巻き込まれかねなかった。実に、CBSに買収されたラストFMも、ニューズ社に買収されたマイスペースも、そうやって衰退していったのだ。

ザッカーバーグの学友で、フェイスブックの共同創業者だったエドゥアルド・サベリンも、テクノロジーの本質を理解できないタイプのビジネスマンだった。たとえば、フェイスブックをバナーで埋め尽くそうとしたり、廃れる前にとっとと会社を売却したいと考えるきらいがあった。映画でも描かれているが、パーカーたちはこのエドゥアルド・サベリンを追放した。

「学生の考えそうなことさ。サベリンはビジネスこそ成功の鍵で、プロダクトデザインやユーザー・インターフェース、プログラミングなんてものは、エンジニアたちを部屋にぶちこんでおけば勝手に出来上がるぐらいの感覚しか持ってなかった」

パーカーは振り返る。[★046] サベリンはハーヴァード大学で経済学を学ぶ傍ら、学生投資家クラブを運営していた。

「だがインターネット企業では、エンジニア集団、プログラミング、デザインこそがビジネスなんだ。そこをしくじったら、いくら広告営業だの事業計画だのを頑張っても結局、全部吹っ飛んでしまう」

ウェブ・サービスや、配信プラットフォームに関わる方々には、パーカーのこの警告を聞いておくことをお勧めする。この種の「ビジネスマン」にパーカーは手痛い目に遭ったことがある。ショーン・ファニングの叔父だ。ナップスターだけでなく米音楽産業も掻き回された。

パーカーは、ザッカーバーグやソーシャルメディア業界が、じぶんと同じ苦しみを味わうことを絶対に避けたかった。彼は法的なテクニックを駆使して、サベリンの株式を希釈化することに成功した。

『ソーシャル・ネットワーク』では、金にぎらついたパーカーたちがサベリンの株を奪ったように描かれている。映画の大ヒットが、パーカーには相当こたえたようだ。セルフイメージとは逆の人物像だったからだ。

女性と破綻したこともあり、ホテルに半年、鬱々と籠って十五キロ太った。[★046] 心配した友人がシンガーソングライターの女性を紹介したら、復活し、結婚した。ナップスターの章の冒頭で描いた、あの結婚式だ。

のちの経緯を見ると、サベリンが会社に残っていたら、今われわれが享受しているフェイスブックのかたちはなかったと思われる。ヤフーがフェイスブックに十億ドル(約一千億円)の買収提案をしたとき、買収賛成派と反対派で、会社が分裂の危機に陥ったことがあった。同時期、社会人向けのSNSである「ワークネットワークス」をザッカーバーグは立ち上げたが、全く人気が出なかったことで起きた危機だった。

「フェイスブックはビッグにならないのではないか。所詮、大学生向けの流行を超えられないのではないか」

そんな恐怖が会社を支配した。ならば、ここでヤフーに売って区切りをつけるべきでないのか。ザッカーバーグは苦しんだ。同じ疑念を抱いていたからだ。

ザッカーバーグはSNSの流行に、途方もないヴィジョンを見出していた。人の繋がりで、ウェブの繋がりを包み込んでしまおう。そうすればインターネットに、ソーシャルグラフという名の上部構造が出来上がる――。そんなヴィジョンを彼は見ていた。ウェブの繋がりを扱うグーグル。人の繋がりを扱うフェイスブック。共にグラフ理論を発想の基にしている。理論のもたらす確信が、彼の創造意欲を支えていた。

だが、ワークネットワークスは失敗した……。SNSは流行を超えて社会的インフラになりえない、それを示唆した実験だったのではないのか。ザッカーバーグは迷っていた。

「志を実現するには、買収に応じず独立を保つべきだ」と彼を励ましたのは、エンジニア陣とショーン・パーカー社長だった。マスメディア的なヤフーのもとで新ユーザーを囲い込むのと、ウェブに上部構造を作るという所期の志とでは、会社の在り方が全く異なってくる。

世界に革命を起こすか否か、生き様の選択でもあった。ここでもし、サベリンが依然三〇％の株式を握っていたら、取締役会は買収派に押し切られた可能性が高い。フェイスブックは社会的インフラにならず、流行に終わっていただろう。

さて、パーカーの生活スタイルなのだが、フェイスブックの社長になってもロックスター的なそれが変わることはなかった。というか、その後も変わっていない。

「締め切りを守る。約束の時間に来る。こうしたことが当たり前のふつうの人間にとって、彼はとてもフラストレーションのたまる相手です」

パーカーと一緒に働くスポティファイのダニエル・エクCEOがトークショーでそう語ると、会場から笑いがさざめいた。しかも言葉に遠慮が全くないので会議中、まるで喧嘩を売ってるように見えるそうだ。インタビュワーが続けて尋ねた。★044

「ふつう三十分で大遅刻といいます。彼の場合、十二時間遅刻すると聞きましたが?」

「はい。パーカーの場合、本当に十二時間遅刻します」

シリコンバレーでは、これを「ショーン・パーカー標準時」と呼ぶそうだ。パーカーと仕事をするときは時計を思い切りずらしておけという意味である。昼の十二時と言ったのに夜の十二時に来て、朝六時まで熱弁を奮って帰っていくと、エクは明かす。

「たぶんみんなが思ってるより、すまないと俺は思ってるよ。でも悪気があってやってるんじゃないんだ」

パーカーは別のインタビューでそう釈明したが微苦笑を禁じえない。★047

「それでもパーカーは、かけがえのないパートナーです」とエクは言う。

誰よりも博識聡明で、常にユニークな見解を持っていて、話せば考えを変えずにはいられない。そして誰よりも才能を見つけるのに長けている。この本を書くため、百年の歴史に登場した様々な天才の言動に接してきたが、頭の切れはパーカーがいちばんでないかと感じている。ザッカーバーグにとっても、パーカーはかけがえのない存在だった。だから、パーカーが警察沙汰を起こしたとき、ザッカーバーグは彼を庇《かば》った。

社長就任から一年して、パーカーは夏休みを取った。根っからのパーティ好きだ。海のそばに借りた別荘で騒ぐうちに、いつしか海水浴の客が音に誘われ、勝手に入ってくるようになった。そして連日連夜のパーティだ。たまりかねた近所の人間が通報したのだろう。ある日、警察が捜査令状を携えて別荘にやってきた。礼状には「対象者スコット・パーマー」と書いてあった。

「人違いだ」とパーカーは訴えたが、警察は構わず乗り込み、一時間後、警察官が白い粉の入ったビニール袋を引き出しから見つけた。別荘の借り主だったパーカーは逮捕されたが、身に覚えがなかったと彼は言う。人違いもあったのだろう。即日釈放され、警察は起訴しなかった。

すぐに会社に戻って事情を説明したが、パーカーを擁護するザッカーバーグたちと、辞めるべきだという出資者たちとで、会社は分裂の危機に陥った。会社から未成年の女性スタッフを口説いて別荘に連れていったことも、事態を悪化させた。東洋の占い師が見たら、彼の顔には女難の相が現れているのかもしれない。パーカーは退き、三度めの追放を味わうことになった。

傷心のパーカーはシリコンバレーを離れ、故郷のある東海岸に帰っていった。だが、何か運命のようなものを背負っている男なのだろう。それから四年後、彼はカムバックする。そして、ナップスターでやり残した仕事を手がけることになる。それは、ナップスターで破壊された音楽産業を救うことになるのだが、傷心の彼がその未来を知る由もなかった。

「iPodはいずれ日本の携帯電話にやられるかもしれない」

ザッカーバーグとパーカーが出会い、フェイスブックが動き出した二〇〇四年は、アンドロイド社が誕生して一年が経っていた。一方、Ａｐｐｌｅではジョブズと側近たちの間で、携帯電話事業に参入すべきか否か、意見が真っ二つに割れたままだった。

通信キャリアのいいなりで携帯電話を作っても何の革新も生まれない。Ａｐｐｌｅらしい作品は出来ない——。そう言ってジョブズが参入を嫌がる一方で、彼の部下たちは携帯電話を諦めていなかった。その年間売上台数はもはやパソコンの七倍に到達。時代の中軸が移りつつあるのは間違いなかったからだ。特に携帯電話にこだわったのが、ｉ

Podの開発を仕切ったトニー・ファデルだ。一匹狼の専門コンサルタントだった彼も、今や三十五歳の若さでAppleの上級副社長になっていた。

当時、ファデルの部下筋だった松井博は日本人ということで、この若き「iPodの父」からある頼み事を受けたという。[★048]それは東京で売れている携帯電話を片っ端から、ファデルのもとへ送ることだった。日本のケータイをファデルは次々と分解して、議論を重ねていた。

「iPodはいずれ日本の携帯電話にやられるかもしれない」というのがAppleの結論だった。二〇〇〇年にJフォンが写メールを始めると、カメラ付きケータイは世界的ブームになり、デジタルカメラの凋落が始まった。音楽ケータイが登場すれば、iPodにも同じことが起こると、Appleの幹部たちは予測したのだ。

既に日本では、着うたで音楽ケータイが成功を収めつつあった。日本のiTunesミュージックストアは全く冴えず、売上は着うたの五十分の一にも満たない状況だった。[★049]もし日本のようなことが世界中で起こったらどうなる？

去年の時点でiPodの累計売上はたった二百万台。一方、ウォークマンの累計販売台数は三億四千万台だった。[★050]Sonyエリクソンは音楽ケータイも作っている。それはいずれ、ウォークマン・ケータイになるだろう。日本では着うたという名で、モバイル音楽配信もSonyが主導していた。Sonyが本気で反撃してくれば、ひとたまりもないかもしれない。だがスティーブは、「iPodケータイはやりたくない」と言っている……。

ファデルの取った次善策は、iPodケータイならぬ「iTunesケータイ」だった。携帯電話の契約数はアメリカだけで一億六千万台にも達していた。[★051]そのすべてのケータイにiTunesアプリを搭載するよう営業をかけるのだ。

「そうすればiPodのかわりに音楽ケータイを選ぶようになっても、iTunesだけは使ってくれると思った」とファデルは語っている。[★051]

既にアマゾンも音楽配信に参入し、音楽配信はＡｐｐｌｅの専売特許でなくなろうとしていた。日本だけでなく、アジア各国でｉＴｕｎｅｓミュージックストアは苦戦を強いられていた。

ファデルにとって幸運だったのは、ちょうどその頃、最高のパートナー候補がラブコールをＡｐｐｌｅへ送ってきたことだ。一九七三年に携帯電話を発明した老舗中の老舗、モトローラ社である。同社のスタイリッシュなフリップ式携帯電話、Razr V3（レイザー・ブイスリー）は空前絶後の大ヒットになっていた。結局、ｉＰｈｏｎｅが登場するまでの三年間、Razrはアメリカで売上一位を独走し、累計一億四千万台を売った。

渋るジョブズも「モトローラからｉＴｕｎｅｓフォンを出すなら」と同意した。モトローラ社は喜んだ。「これでRazrに続くヒット製品も、うちのものだ」と考えたのである。

翌二〇〇五年九月、Ａｐｐｌｅの特別ミュージック・イベントでジョブズはｉＴｕｎｅｓケータイを発表した。

「今日、紹介するのはｉＴｕｎｅｓフォンだ」

ジョブズの背後には、無骨な携帯電話、Rockr（ロッカー）の写真が映し出された。客席からはいつもの歓声が上がらず、静まり返っている。Razrとは打ってかわって、Rockrのデザインは冴えなかった。

「この正面のボタンを押すと、あっという間にｉＴｕｎｅｓが使えるんだ。いつでもどこでもね」

日本のｉモード・ボタンとそっくりのｉＴｕｎｅｓボタンを押すとケータイの小さな液晶にｉＴｕｎｅｓもどきが立ち上がった。観客から反応が返ってこない。その後、モトローラやシンギュラー（現ＡＴ＆Ｔ）のＣＥＯが登壇したが、会場は凪いだままだった。

ようやく盛り上がったのは、ジョブズがジーンズのコインポケットを指して、ジョークを飛ばした瞬間だった。

「このポケットが何のためにあるか、やっとわかったよ」

そう言って、そこからｉＰｏｄ ｎａｎｏを出した瞬間、わっと会場は沸き、いつものように拍手と歓声が鳴り続いたのだった。イベント後、苦虫を噛み潰したモトローラのCEOに、記者の言葉が投げつけられた。

「ザンダーCEO、iPod nanoに持って行かれましたね」

「nanoなんて知るか！」とモトローラのCEOは吐き捨てるのが精一杯だった。[★051]

その月、ワイアード誌には「こんな電話が未来？」という見出しが躍ったが、無理もなかった。携帯電話のテン・キーのせいで、iPodの優れたユーザー・インターフェースは破損していた。楽曲も百曲しか入らなかった。じぶんの持っている曲を全部ポケットに詰め込めるのが、iPodだったはずだ。さらに、携帯電話から曲をダウンロード購入することもできなかった。

「前に進まなければイノヴェーションは生まれない[★052]」というジョブズの信条はやはり正しかった。顧客価値こそイノヴェーションの原動力だ。既得権益保護ありきの後ろ向きな姿勢で創ったiTunesケータイには、どこにもイノヴェーションが起きていなかった。

「モトローラみたいなアホ会社と付き合うのは二度とゴメンだからな」

イベント後の会議で、ジョブズはファデルたちにそう凄んだという。

アイザックソンの伝記では、これがiPhone計画のきっかけとなっている。だが、その後出たフレッド・ボーゲルスタインの『アップルvs.グーグル』によると、それだけではなかったようだ。

「真の問題は、モトローラと契約したときには、もう業務提携の理由が消え失せていたことだ[★051]」とファデルは弁解する。

二〇〇四年十一月のU2スペシャル・エディション発売以降、iPodの人気は爆発した。わずか二百万台だった累計販売台数は、二〇〇四年に一千万台、二〇〇五年に四二〇〇万台、二〇〇六年に八八〇〇万台、そしてiPhoneの登場する二〇〇七年には一億四一〇〇万台にまで到達。iPodは名実ともに「二十一世紀のウォークマン」と

なったのだった。★053

もうｉＴｕｎｅｓケータイのような消極的な防御策は不要だった。ジョブズからｉＴｕｎｅｓケータイの興味が急速に失せていった。しかし、ｉＴｕｎｅｓケータイを見切った理由はそれだけでなかった。がんの転移が見つかっていた。つまらないことに時間を費やす暇はジョブズになかった。残りの命を燃やすに値するものを彼は探していた。そしてこのとき既に、それを見つけていた。

ジョブズ、iPhone開発を決断――次なる革命へ

「そこのロッキングチェアにずっと座ってたよ。歩く気力もなかった」

リビングにいたジョブズは、そう言った。押しのけても絡みつく倦怠感に、やがて来る死を意識せざるをえなかったろう。肝臓に三ヶ所、転移が見つかっていた。膵臓の半分を摘出する手術は、ジョブズの体からエネルギーをほとんど奪い取ってしまった。

「結局、エネルギーが回復するまで六ヶ月くらいかかったよ★054」

世界的なｉＰｏｄブームのきっかけとなったＵ２スペシャル・エディションの発表イベントで、ボノとジ・エッジが演奏し終えた後、ジョブズはさっそうと壇上へ駆け上がって会場を沸かせた。だがそれは術後三ヶ月であり、気を抜けばふらつく時期だったのだ。

終演後、親しい友人だった記者のスティーブン・レヴィは楽屋裏のジョブズに会いに行った。

イベントの空気に、ｉＴｕｎｅｓ革命の成功を感じ取ったジョブズの目は、心なしか潤んでいたという。

「私が見たのは、感傷に浸る彼の姿だった。そのときの彼は、確かにこみ上げる感慨を噛み締めていた★054」

レヴィは自著にそう書き記している。レヴィはジョブズに近づき、ねぎらいの言葉をかけ、それから開演前にかかっていたＢＧＭについて尋ねた。前年没したジョニー・キャッシュが、ビートルズの「イン・マイ・ライフ」を歌ったカヴァー曲で、強烈に揺さぶる響きがあった。あのＢＧＭは君の選曲なのかという問いに、ジョブズは「そうだ」と答え、選曲に込めた想いを話し始めた。

「あれはキャッシュが録った最後のレコーディングに入ってる曲なんだ」

キャッシュは妻の死から四ヶ月後、糖尿病の悪化で妻の後を追った。その死の狭間の四ヶ月間に録った曲だった。

「あの曲には、やるべきことをやり通し、貫くべき信念を貫き、あるべきじぶんであり続けた男の姿があるんだ。その彼が、死に別れて間もない妻に向かって歌いかけている。こんなに豊かな音楽はめったにない……。音楽はこんなにも人生に力を与えてくれる。僕にとって、そんな曲のひとつなんだ[★054]」

レヴィはじっと聞いていた。ジャーナリストのレヴィに、ジョブズは不治の病と闘っていることを打ち明けることはできなかった。Ａｐｐｌｅの幹部ですら、知っている者はわずかしかいない時期だったのだ。伝記を書いたアイザックソンには、のちにこう話している。

「がんと診断されたとき、神だか何かと交渉したんだ。リードの高校卒業をこの眼で絶対見るってね[★055]」

息子の高校卒業は二〇〇九年。あと五年だった。ボノたちとのイベントは、ジョブズの短い晩年で節目となった。次の革命へ、自らを駆り立てていったからだ。

歴史から俯瞰すれば、ｉＴｕｎｅｓは音楽の流通革命に過ぎなかったかもしれない[★056]。だが、ｉＴｕｎｅｓミュージックストアに続く「ネクスト・ビッグ・シング」は音楽産業にとって、エジソンのレコード発明に匹敵することになる。

ファデルがｉＰｏｄケータイを諦めた後も、ジョブズにずっとそれを説得している幹部がいた。そのひとりがマイケル・ベルだ。ベルはAirportなど、Ｍａｃのワイヤレス化を進めてきたワイヤレス業界の専門家だった。

「スティーブ、聞いてください。携帯電話は、史上最も重要な家電になりつつあります。だけど操作は複雑で、我々の基準から見たら、どの会社もまともなユーザー・インターフェースを作れないでいる。これはＭａｃやｉＰｏｄが出る前の状況とそっくりじゃありませんか？★057」

ベルはそう説得を続けていた。

携帯電話に関して、ジョブズの頑なさがほぐれるきっかけはいくつかあった。ひとつはｉＴｕｎｅｓケータイをめぐるファデルとの議論だ。のちにジョブズは取締役会で「徹底的にやられる可能性があるのは携帯電話だ」とｉＰｈｏｎｅ計画の理由を語るが、それはファデルによる日本のリサーチに基づいていたろう。

いまひとつが、ＭＶＮＯ（仮想移動体通信事業者）の登場だ。ジョブズは創業家を超えるディズニー社最大の個人株主であり、同社の取締役になっていた。ディズニーが株式交換で、ピクサーを買収したからだ。そのディズニーでＭＶＮＯを使った通信事業参入が検討されていた。ディズニー・モバイルだ。

ディズニーのようにじぶんたちが通信キャリアになってしまえば、自由に携帯電話を再発明できるのではないか。そう考えだしたのである。

「ジョブズ氏はｉＰｈｏｎｅの発売直前まで、Ａｐｐｌｅ自身を通信キャリアにしてしまおうと考えていた★058」

没後、とある通信キャリアの経営者がそう述べている。やるなら総力戦だ、とジョブズは思っていた。会社を賭けることになる。それこそじぶんの余命にふさわしかった。

ジョブズの背中を最後に押したのは、部下ベルの次の口説き文句だった。

「絶対やるべき理由があります。アイブのデザインです。未来のｉＰｏｄのために創った、空前絶後にクールなあのデザインからひとつ選びましょう。それにＡｐｐｌｅのソフトウェアを載せるのです★059」

二〇〇四年の十一月七日だった。運命のメールを送信した日を、ベルは明瞭に覚えている。iPodの世界的ブームを確実にした、U2スペシャル・エディション発表の十一日後だった。送信ボタンをクリックした一時間後、ジョブズから電話がかかってきた。会話は二時間に及んだ。そして最後にジョブズは言った。

「OK。やるべきだと確信した」★059

初代iPhoneのキラー・アプリとなったユーチューブの誕生

同じ頃。生まれて間もないフェイスブック社でのことだ。

初代社長ショーン・パーカーの時代、初めてヘッドハントしたのはスティーブ・チェンという若いプログラマーだった。課金決済のペイパル社でシステムを組み上げた腕利きで、新たな挑戦を求めて入社してきた。だが、フェイスブックのチームが新戦力に喜んだのは束の間となった。わずか数週間後、「起業するから」と言って、チェンが辞表を持ってきたからである。

「一生、後悔するぞ。フェイスブックはあっという間に大企業になるんだ」

チェンを引き抜いたヘッドハンターのコーラーは、慌てて説得を試みた。

「いったい辞めて何を始めるんだ?」

「ペイパル時代の仲間と、動画関係の会社を始めようと思ってます」

「動画!? 動画サイトなんてあちこちにあるじゃないか」★060

理由を聞いて、コーラーは思わず声を荒らげたという。そんな凡庸なアイデアで、フェイスブックのストックオプションを捨てるのか。友だちとの起業ゴッコでないのか。

コーラーの言う通り、フェイスブックは巨大企業となり、ストックオプションで億万長者となったスタッフが続出した。だが、フェイスブックをひと月足らずで辞めたチェンが一生後悔することなどありえなかった。彼が友人と創ったのは、ただの動画サイトでなかったからだ。

グーグル、フェイスブックに次ぐアクセス数を持つ世界最大の動画共有サイト、ユーチューブが誕生したきっかけは二〇〇四年、スーパーボウルでMTVがプロデュースしたハーフタイムショーだった。

ジャネット・ジャクソンとジャスティン・ティンバーレイクのふたりは「ロック・ユア・ボディ」をデュエットしていた。ファレル・ウィリアムスが共作した曲だ。「この歌が終わったら君を裸にするんだ」とジャスティンが歌い終えた瞬間だった。彼はジャネットの右胸からコスチュームをひっぺがえし、生中継のさなか、ジャネットの乳房があらわになった。

アメリカ版の紅白カウントダウンとも言える国民的イベントだ。全米の家族が見守るなかで、その放送事故は起こった。慌てたMTVのクルーは、すぐCMに切り替えた。かつて初代マッキントッシュの伝説的CMが流れた、あの時間帯である。

激怒した親たちから、五十三万件の抗議がCBSへ殺到した。[★061] 当のCBSは、MTVに怒り狂った。テレビ中継はCBSだったが、音楽イベントをプロデュースしていたのはMTVだったからである。[★062] ジャネット、ジャスティン、そしてMTVが「故意ではない」と弁明したことで騒動はさらに炎上し

ユーチューブの創業者たち。ジョード・カリム（右）が着想し、チャド・ハーレイCEO（当時・左）がデザインし、スティーブ・チェンCTO（当時・中央）がプログラムした。27〜9歳だった3人は売却で6.5億ドル（650億円）を得た。

user:Ianmacm, based on File:Chad Hurley -World Economic Forum Annual Meeting Davos 2007.jpg – World Economic Forum; File:YouTube TaiwanVersionLaunch SteveChen-1.jpg – Rico Shen; File:Jawed Karim 2008.jpg – Robin Brown "Youtube founders", Wikimedia, https://commons.wikimedia.org/wiki/File:Youtube_founders.jpg

た。

本当にアクシデントなのか。問題の映像を見て、事の真相を確かめたい。そう思った無数の男のひとりに、かつてチェンとペイパルで働いていたジョード・カリムがいた。

彼はすぐ、グーグルで検索したが、問題の動画はなかなか見つからなかった。ファイル共有や写真共有は世に溢れていたが、動画を気軽に共有できるサイトは、世に存在しなかったのだ。MTVとジャネットが起こしたこの騒動で、カリムはこの盲点に気づいたのだった。★063

さっそく、ペイパル時代の友人ふたりに相談した。チェンと、もうひとりの元同僚チャド・ハーレイだ。「世界には動画共有サイトがない。一緒に動画共有サイトを起業してみないか」と。ハーレイとチェンは顔を見合わせた。似たような議論をしていたからである。

ふたりが、とあるパーティに出たときのことだ。ビデオを撮って翌日メールで送ろうとしたが、それが難しいことに気づいた。メールで送るには動画はファイルサイズが大きすぎたのだ。なんとかならないか、と議論を交わしていた。

だからふたりは、カリムの「動画共有」というアイデアにどれほどの価値が秘められているか、すぐわかった。事業資金ならあった。三人の働いていたペイパルは上場し、初期スタッフに配られたストックオプションが数百万ドル（数億円）に化けていたからだ。こうして三人は起業することになり、チェンはフェイスブックを辞めたわけである。

三人が最初に創ったサイトなのだが、実はユーチューブではなく、動画共有を使った出会い系サイトだった。

当時、ホット・オア・ノット（Hot or Not）という写真共有の出会い系サイトが人気を博していた。二枚の写真が並び、どちらがイケてるか評価して遊ぶサイトだ。ホット・オア・ノットは、「シェア」のちからで強力な口コミを起こしていた。カリムはこの現象に着目した。じぶんでサイトを創るなら、やはり熱狂を生み出したかった。ザッカーバーグも学生時代、ホット・オア・ノットに影響を受け、フェイスマッシュというサイトを創ったのだが、大学当局に怒られて閉鎖した経緯がある。それでフェイスマッシュのアイデアをもっと一般化させて、男女の出会いに限定せず、人と人の繋がりを扱ったSNSを創った。フェイスブックの誕生である。

カリムのアイデアで、ホット・オア・ノットの動画版を創ってみたが、予想に反して人気はさっぱりだった。

「男女の出会いに限定せず、もっと用途を一般化したらどうか。何にでも使える動画共有にするんだ」

このとき、そうアイデアを出したのが、のちにユーチューブの初代CEOとなるチャド・ハーレイだった。ペイパル時代、ロゴとユーザー・インターフェースを手がけた男だ。誰でもメールで簡単に送金できる、ペイパルのシンプルさをデザインで表現し、同社をインフラにした腕利きのデザイナーだった。ハーレイはペイパルを辞めた後、コンサルタントをやって暮らしていた。彼の眼から見ると、世に溢れる動画サイトのデザインはぐちゃぐちゃで、インフラになりうる水準に達していなかった。

それに当時、友だちに動画を気軽に見てもらうことは至難の業だった。動画を再生するには、専用アプリをダウンロードして、PCにインストールしなければならなかったからだ。動画をアップする前にも、エンコード・ソフトで複雑な処理をする必要があり、PCに詳しい人間しか使えなかった。

ハーレイは、誰もが使えるシンプルな設計をユーチューブでも目指した。URLをクリックすれば、ブラウザ上ですぐ動画を再生できるようにした。ジョブズが初代iTunesでやったように、余計な機能を省いて簡単に動画をアップロードできるようにもした。考え抜き、余計な機能をそぎ落とす。ひとつでも画面要素を省き、クリック数を減らす。そうして初めて、みんなが使うインフラが出来る。Appleの哲学にも通じるこの大原則を、ハーレイはペイパルの立ち上げで学んでいた。

そうやって動画を簡単に共有できるようにした後、ハーレイは共有の拡散が起こる仕掛けを、ユーチューブのデザインに組み込んだ。コピー&ペーストで、ブログやSNSの投稿欄にも気軽に動画を貼り付けられるようにしたのだ。当時、カンファレンスで発表されたばかりだったウェブ2・0の戦略を、ハーレイはいち早く取り入れていた。折しもマイスペースがブレイクし、ソーシャルメディアの時代が世界で始まろうとしていた。

二〇〇五年のバレンタインデーに、ユーチューブは始まった。ジョブズがスマートフォン事業への参入を取締役会に主張してひと月後にあたる。

「いま象の前に立っているんだけど、こいつらがかっこいいのは、鼻がすっごい長いことだね」

かなりどうでもいい感想ではある。が、動物園に来たカリムによるその自撮りビデオは、ユーチューブでシェアされた記念すべき第一号の動画となった。ビデオで日記を綴る動画版ブログになることを、当初はイメージしていたのだろう。

二ヶ月後、カリムはまた動画を投稿した。

「ユーチューブには、五、六十本しか投稿されてないんだよ。じぶんが見たくなるビデオは全然ないんだ……」

そう言って落胆するチェンCTOを映した動画だ。ハーレイにカメラを振ると「ちょうど、こんなビデオばかりだね」と、このCEOは自嘲した。始まったばかりのユーチューブは、全く人気が出なかったのだ。[★064]

翌月の五月、三人はほとんど投げやりなPRを打った。地域広告サイトに、「ユーチューブに投稿してくれた美女のみなさんに、動画十本ごとに百ドル(約一万円)をプレゼント！」と出したのだ。人気商売を手がけていると世の中、よくわからなくなる瞬間があると思うが、この施策ともいえぬ施策が、ユーチューブにブレイクをもたらした。

「女の子たちの日常が覗ける」ということでユーチューブは、ブログやSNSの口コミを通じて、一気に広まり始めた。[★064]いま思えば、「ブログの動画版」というコンセプトをよく捉えたPR策だったのだ。

誕生から半年後の夏。世界中を旅して、記念に変な踊りを踊るマッド・ハーディングの動画がユーチューブで大人気となった。これを世界のテレビ局が紹介したことで、ユーチューブは世界的な認知を得て、瞬く間に社会的インフラの領域に入っていった。そして、何もかもが投稿されるようになった。

なぜファイル共有は違法で、動画共有は合法となったか

その頃、筆者はチケッティング会社のぴあで、携帯電話に関わっていた。電子チケットだけでない。iモードの興した月額制(実はサブスクだ)の携帯サイトのブームは一段落していたが、ファイル共有で浮いた音楽に使うお金は、CDからライヴへ移ろうとしていた。

このトレンドを、ぴあのモバイル事業部は上手く捉えることができた。音楽ライヴの先行チケット予約がフックとなって、無料会員から有料会員への乗り換えが進み、月額会員数は桁がひとつ上がった。フリーミアム・モデルを活用したのだ。

だが、いい気分には到底なれなかった。とびきり使いやすいフル・ブラウザが動く、大画面の携帯電話をどこかが出してくれれば、iモードの囲いはいずれ崩れる。大型化する液晶画面で、実験的なフル・ブラウザをぎこちなく動かした体験があれば、それは難しい予測ではなかった。

「CDが売れなければ、配信とライヴで食べていけばいい」そんな議論が始まった時期でもある。だが、チケッティング会社というライヴ産業の傍らにいたことから、ライヴが伸びたぐらいでは、大物アーティスト以外はさして収入が回復しないことは既に知っていた。

幸い日本では、アーティストにとって、iTunesよりも実入りのよい音楽配信が人気を博しつつあった。着うたフルのことだ。一曲三百円とiTunesより高く、CD購入の促進にも繋がっていたからである。

出来たばかりのユーチューブを触ったのはその頃だった。クリックを重ねるうちに、毛が逆立つような興奮を覚えた。そこには抗うことのできない未来があったからだ。面白い番組、お気に入りの映画。人びとは、みんなと共有したい映像なら何でも投稿していた。なかでも最も人気を集めたキラーコンテンツ、それは、MTVなどから録った音楽ビデオだった。しかも、これは「セーフハーバー」の範囲内だと気づいた。音楽をアーティストや音楽会社の許可なくアップロードしても違法を裁かれない、免責事項のことである。

ぴあに来る前、音楽テレビ局スペースシャワーTVの新事業で矢井田瞳やゆず、くるりなどのライヴ番組を毎週、ストリーミングで中継していた筆者は、アメリカの著作権の仕組みについておぼろげながら学んでいた。当時は、インターネットで音楽ビデオを流すことすら、至難を極めた。ファイル共有に慄いたレコード会社は、「宣伝になる」という決まり文句ぐらいでは配信許諾をなかなか出さなかったからである。だが動画共有なら、これから説明する「セーフハーバー」を法の抜け穴にすれば、無断投稿の音楽ビデオが事実上、合法にできる。ユーチューブを触り、そう気づいたのだ。

それだけでない。ユーチューブはSNSの仕組みを兼ね備えていた。ナップスターと同じ「シェア」の爆発力を持っていた。

既に携帯電話で動画をストリーミング配信する実験は、日本でも始まっていた。それは「ユーチューブをいずれ携帯電話で見る時代が来る」ということを意味していた。

ユーチューブが携帯電話で普及すれば、もう音楽をダウンロードする必要もなくなる。iTunesや着うたも、衰退の運命に入るということだ。やがて終わりが来るのは、iモードだけでなかったのだ。

——CDだけでなく、iTunesも着うたも死ぬぞ。そう直感したが、当時、そんな話題を出す音楽業界人は皆無に等しかった。「面白い。宣伝になるかも」と思う程度で、事の本質に気づいていなかったのである。残念ながらそれから十年、予感通りに進み、日本の音楽産業は、CDも配信もマイナス成長する未曾有の危機に陥っていく。

止まらない流れなのなら、ユーチューブと同じ流れのさらに先に、答えを見出さなければならない――。そう思った筆者はその夏、ぴあを辞めた。チケット会社という立ち位置で、答えを見つけることに困難を感じたからだ。そしてすぐにパンドラやラストFMとも出会い、もうひとつの未来について、手がかりを得ることになった。

同二〇〇五年の秋。ユーチューブの視聴者数は空前絶後の伸びを見せ始めた。これほどの爆発的な伸びを見せたサービスはナップスターのほかはかつてなく、フェイスブックやツイッターもこれに及ばない。★065

「我が社はユーザー・トラフィックの八〇%が、違法ビデオに依存している」

その頃、共同創業者のチェンがメールに二度、そう記したことが明らかになっている。★066

ファイル共有と動画共有。ナップスターとユーチューブはよく似ている。ユーチューブで「Full Album」と検索をかければ、無断で投稿された様々なアルバムが羅列され、有料会員になっていなくても、無料で楽しむことができる状況が長らく続いた。

たいてい広告収入はグーグルと無断アップロードした者で折半され、アーティストやレコード会社には一切発生しない。同じことをファイル共有や投稿サイトでやれば、ユーザーも運営者も法に触れ、下手をすれば逮捕される。一方、ユーチューブ社からは逮捕者は出ていないし、違法サイトではない。なぜファイル共有のナップスターは違法で、動画共有のユーチューブは合法となったのか、お考えになったことはあるだろうか。

ユーチューブを創業したハーレイCEOは懸念を示していた。

「違法動画をただちに削除しなければ、ユーチューブはナップスターのようになるかもしれない」

実際、その三年前にナップスターは裁判で違法性を指摘され、倒産した。

「いや、それでもサイトに置いたままにすべきだ」

ＣＴＯのチェンは強硬に主張した。違法動画のアクセス数は八割を占めていた。すべて削除すれば、その勢いでユーチューブ人気は崩壊、会社は消滅しかねなかったのだ。チェンの考えた対策はこうだった。

「セーフハーバー条項を使おう。音楽会社で無断アップロードに気づいた担当が、会社の法務部に行く。二週間後、そこから僕らに削除要請の手紙が届く。それから削除すれば問題ない」

法的には、それで正解だった。デジタルミレニアム著作権法では、権利者から削除申請を受けて十四営業日以内に無断コンテンツを削除すれば、サイト運営者は免責される。これがセーフハーバー条項だ。発見され、申請され、削除されるまで無断の音楽ビデオは、ユーチューブにとって実質、合法コンテンツだった。わずかな砂金も積み重なれば、合法の金塊となる。それでユーザーをいくらでも集めればいいのだ。

同年九月、チェンは全社員にメールを打った。

「映画とテレビ番組は僕らで削除しよう。だがニュース映像、お笑い、音楽ビデオはキープだ。将来は削除するが、当面はキープだ」

別のメールでは、その意図を書いている。

「とにかく数字の拡大に、全精力を集中するんだ。悪どい戦術と言われたって構うものか」

世界有数の、通信量を喰うサイトだった。莫大な通信コストが発生していた。[★066]資本金を食い潰す前に、できるだけ早く巨大なユーザーベースを築いて、すぐに高値で会社を売り抜ける必要があった。偶然か必然か。ユーチューブの三人が考えた出口戦略は、かつて二十歳のショーン・パーカーがナップスターのために描いた戦略と瓜ふたつだった。

翌年、ＭＴＶ擁するバイアコムは、ＭＴＶから録った十六万本の音楽ビデオを無断で掲載した咎《とが》でユーチューブを

訴えた。その際、法廷に提出されたのが先のメールのやり取りである。★067

セーフハーバー条項は万能ではない。適用には条件が付いている。投稿されるコンテンツの違法性を、運営者が初めから認識していた場合、免責されない。ナップスター裁判では、共同創業者ショーン・パーカーのとあるメールに「違法」という言葉があったことで、窮地に追いやられた。チェンのメールも違法性を認識しているが、ユーチューブは助かっている。何が違ったのだろうか？　答えは、ナップスターのユーザーが一〇〇%の確率で違法ファイルをシェアしていた一方で、ユーチューブはそうではなかったからだ。

立ち上げから二年後、ユーチューブの内容について調査が行われた。投稿数を見ると、音楽ビデオなどプロの制作したものはわずか八%だが人気があり、ユーザー作成の動画は六一%もある一方、人気がなかった。★068 だが、たとえ人気がなくても、合法の素人動画の方が投稿数では圧勝していた。これが、ユーチューブを合法と裁判所が認めた最大の根拠だ。MTVはユーチューブに敗訴した。

ユーチューブ、グーグル・ビデオ、MTVオーバードライブ。この三つの動画サイトはほぼ同時期に登場している。グーグル・ビデオには契約の取れた映画・ドラマがあり、MTVの動画サイトには、合法な音楽ビデオが載っていた。だが、清濁併せ呑むユーチューブにはすべてがあった。サイトの登場からわずか一年で、ユーチューブは、大企業のグーグルやMTVの動画サイトを瞬く間に超えていった。

ユーチューブはデジタルミレニアム著作権法の申し子だった。その大胆不敵な戦略は、グーグルやMTV擁するバイアコムなど、コンプライアンスを求められる上場企業には、まずできぬ芸当だったのだ。

登場から一年後。日本からもユーチューブのアクセス数は、すぐにアメリカと並ぶものになった。★069 MTVと同じように、スペースシャワーTVのロゴが入った邦楽ビデオが次々と投稿され、日本からのアクセスをけん引していた。

さらに当時、音楽に強いSNSのマイスペースが全盛期を迎えていた。ユーチューブはマイスペースで音楽ビデオの共有に使われるようになった。そして二〇〇六年の夏には、当時「次世代のMTV」と言われていたマイスペースをも超える訪問数を達成した。★070 わずか一年あまりでユーチューブは事実上、世界最強の音楽メディアとなったのである。

音楽会社も動き始める。裁判で争っても勝ち目がないと見た彼らは、プロモーションに活用してやろうと目論んだ。まずユーチューブに投稿を始めたのは、デジタル配信に積極的だったメジャーレーベルEMIだった。そのなかに新人バンド、オーケー・ゴーのビデオがあった。

ジムのランニングマシーンを遊び心いっぱいに使った「ヒア・イット・ゴーズ・アゲイン」の音楽ビデオは、瞬く間に口コミを起こし、地球上に広がっていった。オーケー・ゴーはグラミー賞を受賞。新しい音楽プロモーションの成功例と報道された。★071

二〇〇六年秋、バイアコムが勝ち目のない裁判を起こす一方で、グーグルは敗北を受け入れ、この「次世代のテレビ」を十六億ドル（約一七〇〇億円）で買収した。「高すぎる」と株式アナリストたちから批判を受けたが、新時代の世界的テレビ局をその値段で買うなら安いものだった。実際、メディア財閥の帝王だったマードックも「何がなんでも手に入れろ」と指示を出していたが、グーグルに競り負けた。

二〇一八年、テレビ業界の世界売上は五千億ドル（約五十六兆円弱）、前年比三％増。ユーチューブは一五〇億ドル（一兆七千億円弱）だが成長率は一〇％で、世界の音楽ソフト売上を超えつつある。★072 元は十分、取れたと見てよい。

グーグルのユーチューブ買収——強《したた》かだった音楽会社

「本当に会社を売って後悔しないのか？」

グーグルの創業者、ラリー・ペイジはそう訊いた。その瞬間、「こいつらは本物だ」とユーチューブの創業者チャド・ハーレイは感銘を受けたという[★073]。

買収前のユーチューブは、ナップスターと同じように致命的な病を患っていた。ビジネスモデルの欠如と莫大な通信コストの合併症だ。一方、巨大な通信インフラを持ち、広告モデルを持つグーグルは、それを癒やすことができた。ラリー・ペイジならユーチューブをスポイルしない……。そう確信し、ハーレイはグーグルを買却先に選んだ。買収後、ユーチューブがグーグル・ビデオに吸収されることはなく、オフィスもグーグルキャンパスに吸収されなかった。

「私たちは大企業になろうとしていたが、ユーチューブはエッジの効いた小さな会社だった。台無しにしたくなかったんだ」グーグルのドラムンド取締役はそう語っている[★074]。

グーグル検索も誕生時、法的にグレーだった。ニュース・サイトの記事を無断でキャッシュしていたからだ。だが、グーグルも誕生したばかりのデジタルミレニアム著作権法を活用して、新聞社など既存メディアとの訴訟に打ち勝った。

グーグル・ビデオでは逆に、デジタルミレニアム著作権法を活用するユーチューブに敗れた。その敗戦は、創業からわずか八年でグーグルが既存企業側の価値観に立ち、判断を誤ったことを示唆していた。早くもグーグルにイノヴェーションのジレンマが起こったのだ。だからこそペイジたちはユーチューブをすぐ買収した。そしてユーチューブの独立を維持するよう指示した。グーグルの創業陣は、イノヴェーションのジレンマに対し、早々に手を打ったのである。

グーグルのユーチューブ買収に対し、メジャーレーベルは強かに動いた。ユニバーサル、Ｓｏｎｙミュージック、ワーナーはグーグルと取引し、ユーチューブの株主に収まった[★075]。そして株主として、ユーチューブに音楽の違法投稿を対策するよう指示した。

音楽を投稿したときに自動でスキャンして、メジャーレーベルの楽曲だと気づいたら、レーベルにまとめて報告する仕組みをユーチューブは開発した。「コンテンツＩＤ」というこの仕組みを使えば、音楽会社は無断投稿を一括削除するか、投稿を許可して広告収入をグーグルと折半することができるようになった。

ＭＴＶと共に生まれた音楽ビデオだったが、一本十万ドル（一千万円超）と高騰する制作費にもかかわらず、音楽産業には「ＣＤの宣伝」のほか、ほとんど利益をもたらしてこなかった。そしてＭＴＶは音楽ビデオをほとんどタダで使って、サブスクリプション売上と広告売上の両方を得ていた。だが本来、音楽ビデオはＭＴＶのものではない。制作費を出した音楽会社が権利を持っている。

生まれたばかりのユーチューブは、音楽会社にとって困った存在ではあった。だが同時に、音楽ビデオの生み出す広告売上だけでも取り返すチャンスだった。否定しても止まらぬ流れならば、利用する道を作るほかないのだ。

彼らの目測通り、時代はＭＴＶからユーチューブへ移ろうとしていた。だが同時にそれは、ジョブズがｉＴｕｎｅｓで創った有料ダウンロード配信の世界を、無料で見放題の動画共有が飲み込んでいく未来を示唆していた。携帯電話でユーチューブが自由に見られるようになれば、音楽を買う必要もなくなるからだ。それはジョブズの死後、「バリューギャップ問題」として、ユーチューブを宣伝に使おうとした音楽産業に立ちはだかることになる。

ニルヴァーナとＭＴＶ——音楽産業の絶頂期

「マニエリスム」という言葉がある。ミケランジェロの弟子ヴァザーリは「人類の芸術はついに完成された」と考えていた。レオナルド・ダ・ヴィンチ、ラファエロ、そして師ミケランジェロが創出した革新的な技法（マニエラ）は、それほどまでに完璧だったからである。天才の死後も、ローマ教会や貴族たちスポンサーは、ミケランジェロたちの技法を自在に使いこなす芸術家に資金を注いだ。後世はこの時代を、天才の模倣に明け暮れたマニエリスムの時代と評した。「ワンパターン」「時代遅れ」「退屈」を意味する「マンネリ化」の語源である。

一九九一年の夏。MTVに「スメルズ・ライク・ティーン・スピリット」のデモ音源が送られてきたとき、編成部ではただひとりのほか、反応するスタッフはいなかったという。ほかは、ガンズ・アンド・ローゼズの開いた試聴パーティで総出だったからだ。[076] 実は、デモを送りつけたゲフィン・レコードの方でも、ニルヴァーナという新人バンドにほとんど期待していなかった。担当だったロビン・スローンが社内の営業に何枚売れるか賭けを誘ったところ、初月三千枚でようやく成立したほどだった。[076]

そんなわけで、MTVが「スメルズ・ライク〜」の音楽ビデオがあれば放送したいと言ってきたとき、ゲフィン・レコードは音楽ビデオの制作費を確保していなかった。「とにかく仕事が欲しいんだ」とランチで訴えた画家上がりの貧乏監督サミュエル・ベイヤーを、スローンが起用したのはそれが理由だった。

「一万五千ドル(二八〇万円)で、ナンバーワンの音楽ビデオを創ってやろうと思った」

ベイヤーは振り返る。音楽ビデオに二、三千万円をかけるのが当たり前だった時代に、それは格安の制作費だった。

その頃、音楽ビデオはマンネリ化していた。底抜けに陽気な色使いで、セクシーな白人女性が踊っている……。それがMTVの創成期からずっと続く形式だった。音楽の方は、LAメタルが全盛期を迎えていた。バンドのファッションと言えば、長髪をスプレーで膨らませて化粧をした出で立ちで、LAメタルの底抜けに明るくてゴージャスな音がMTVからいつも流れていた。だが音楽ビデオが描く景色は、いつしか十代のリアルな内面生活から遠く離れつつあった。

「音楽ビデオとロックに起きたマンネリをすっかりぶち壊してやろう」

監督のベイヤーとバンドのリーダー、コバーンのふたりは、そう考えたのである。カート・コバーンは初の音楽ビデオに意気込んでいて、じぶんからアイデアを出してきた。アメリカでは高校のスポーツ対抗試合で、ハーフタイムに双方の男子応援団とチアリーダーが集まって応援合戦をやる。これが酷くなっていく感じ、というのがコバーンの持つ曲のイメージだった。ベイヤーはこれに触発された。

「僕は画家だったからね。カラバッジオやゴヤのパロディで表現してやろうと考えた」

どちらも鋳色を活用して、闇に光が差すが如き、ひとの内面を描いた画家だ。特にカラバッジオは「発展《evolution》ではなく、革命《revolution》で時代を進めた最初の画家」として知られている。[★077] 生前、乱闘を繰り返した彼は悪名高かったが、ミケランジェロたちの技法に固執するマニエリスムを破壊し、ルネサンスの模倣からバロックへ時代を進めた。

ビデオではニルヴァーナの演奏が進むうちに生徒たちが暴れ出すが、これは演出ではなかった。監督が「ストップ！　カット！」と何度叫んでも、コバーンは演奏を止めず、酒の入ったエキストラたちは興奮してセットを壊し始めたのだ。だがこの瞬間、撮影の成功をベイヤー監督は確信したという。コバーンの意図した「ヤバくなっていく応援団」がリアルに現出したからだ。

「みんなが感じていたことを見事に表現していたろ？[★078]」ジェイ・Zはそう振り返る。ヒップホップをけん引していた彼でさえ、そのメッセージ性に衝撃を受けていた。「スメルズ・ライク〜」は若者のアンセムとなり、触発されたバンドが後に続いた。時代はLAメタルからグランジへ移り、九〇年代の音楽シーンが始まった。

アルバム『ネヴァーマインド』は毎月四十万枚のペースで売れ、初月三千枚で賭けたスローンは、営業スタッフから結構な酒代を巻き上げることとなった。一九九二年に入るとマイケル・ジャクソンの『デンジャラス』を超えて、チャート首位に。執筆現在までに累計三千万枚を超えている。[★079]

ＣＤアルバムビジネスが全盛期に入った九〇年代、音楽産業は三度めの黄金時代を迎えていた。ＣＤのセールスを支えるＭＴＶもまた、文化的影響力は頂点に達しようとしていた。

一九九二年の大統領選で当選したビル・クリントンは〝MTV大統領〟の異名を得た。趣味のサックスをテレビで披露し、MTVで学生と討論番組を開くことで、政治に興味のなかった若年層の票を開拓したからだ。貧乏監督だったベイヤーも一躍、売れっ子に変わった。

「あんな感じで撮ってくれと、みんなオファーしてきた。一年間、ずっとニルヴァーナの模倣を作らされたよ」★080 ベイヤーはそう回顧する。それまでMTVを彩っていたカラフルなヘアメタルの音楽ビデオは全くかからなくなった。当時それは、人びとの話題から消滅することを意味していた。

「お願いだから俺のビデオをオンエアしてくれ」★080

ウォレントのギタリスト、ジョーイ・アレンは、パーティでMTVの友人を捕まえ、財布とクレジットカードを突き出して嘆願したという。叶わぬ相談だった。MTVは「スメルズ・ライク〜」に似た錆色の映像で溢れるようになっていた。革新は模倣され、新しいマニエラとなったのである。

音楽ビデオの黄金時代は終わったのか

「一九九二年、音楽ビデオの黄金時代は終わりへ向かい出した。業界でビデオを創っていたほとんどがそう認めている」

インタビュー集『I Want My MTV』をまとめたR・タネンバウムとC・マークスは同書でそう述べている。原因は何なのか。

「肥大化した予算が新鮮なアイデアに取って代わったからだ」これが、ふたりの結論だった。

創成期には一本、二万ドル（二二〇万円）だった制作費は、一九九三年には三十万ドル（三三〇〇万円）、場合によっては百万ドル(一億一千万円)にまでに肥大化していたと、キャピトル・レコードの幹部は認める。[★081] 大金を賭けた音楽ビデオがＭＴＶでオンエアされなかったら大損だ。レーベルはそうしたリスクを嫌気するようになった。それで、八〇年代初頭のように、映像監督が音楽ビデオでやりたい放題やることは難しくなった。かわりにレーベルのプロデューサーやマネージャーが参加する「制作委員会」が、音楽ビデオの制作を指揮する機会が増えていった。

「毎回、偉いさんが『いいアイデアがあるんだ』と言い出すのがいちばん怖かったよ」

音楽ビデオで、実写にアニメを合成する手法を確立したジェフ・スタインはそう語る。不思議なものだ。創作というものは、予算がなければ自由がない。やれることに限界が出来て、安っぽくて似たものばかりになる。だが華形ビジネスになり、予算が巨大になるとまた自由がなくなる。失敗が許されないので冒険できなくなるからだ。そして成功作の模倣で溢れ、マンネリ化する。このことは、音楽に限らない気がする。ゲーム、音楽、バラエティ番組等々、おしなべてそんな衰退サイクルが存在するようだ。コンテンツ産業を設計する立場の方は、平均的制作費のちょうどいい塩梅をいつも探した方がよさそうである。

才能の流出も起こった。音楽ビデオは自由がないうえに、監督は印税収入も与えられなかったからだ。映像印税がない件を「音楽レーベルの横暴」と詰《なじ》るのは酷だろう。セル・ビデオが全く売れないので印税の出しようがなかったからだ。この状態はユーチューブ時代の今も続行中だ。

音楽ビデオの監督業は、ハリウッドへの踏み台に変わっていった。「スメルズ・ライク〜」を編集した映像エディターもハリウッドに転向した。のちに、ナップスター以降のショーン・パーカーを主人公にした映画『ソーシャル・ネットワーク』でアカデミー賞を受賞している。

音楽レーベルで働く人間も、こうしたまずいスパイラルに気づいていたが、どうすることもできない事情があった。九〇年代に音楽ビデオを取り巻く環境は、さらに悪化してしまったからだ。一九九二年以降、ＭＴＶは音楽ビデオのオンエア数を減らし始めた。

MTVの変節が、ユーチューブ時代の下地を作った

「MTVマジック」という言葉がある。アメリカの若者はみなMTVを見ている、そんな印象を創り上げたMTVのブランド力をいう。九〇年代初頭、その文化的影響力とは裏腹に、MTVの全米視聴率は平均〇・三%と低迷していた。★082

一方でテレビドラマの方は一九九〇年、デヴィッド・リンチ監督の『ツイン・ピークス』を皮切りに、新たな黄金時代を迎えつつあった。

八〇年代を通して、安価な日本製テレビがひとり一台まで行き渡ったことで、アメリカではテレビのパーソナル化が進んでいた。結果、九一年に始まった『ビバリーヒルズ高校白書』は若年層に特化したにもかかわらず、平均視聴率は一一・七%に到達。★083 MTVの平均視聴率と比べると、ほぼ四十倍である。「若者向けドラマに比べて、MTVの番組視聴率は何だ」スポンサーからそうお叱りを受けるようになったMTVの編成部は頭を抱えていた。

音楽テレビには根本的な弱点があった。ヒップホップがかかれば、ロックファンはチャンネルを変える。クラブミュージックを聴き続けたかったのに、オルタナ・ロックが鳴り始めればテレビを消す。指向性の強い音楽を舞台に、視聴率をまとめ上げるのは至難の技だった。しかし、かといって、当時のMTVに「『ビバリーヒルズ〜』みたいなものをやれ」と言われても無理な相談だった。

MTVはこれまで、「プロモーションになるから」を殺し文句に、音楽レーベルに支払うべき音楽ビデオの使用料を格安で済ませて、音楽番組を作ってきた。一方、人気俳優・人気作家を要するドラマは金食い虫だ。一話三十分に三

十万ドル（三三〇〇万円）を賄う制作費は、MTVにはなかった。

MTVは苦肉の策を出した。素人の若者たちをひとつの家に集め、暮らしのなかに生まれる人間ドラマを筋書きなしで追う。これなら格安で制作できる。リアリティ番組『リアル・ワールド』の誕生だった。

人びとは飽きていた。伝統芸能のように決まりきった映像となった音楽ビデオに。お決まりの企画で、芸能人たちがわざとらしく会話を進めるバラエティ番組にも。だから、成り行きもリアクションも全く読めない斬新な『リアル・ワールド』に、MTVの視聴者は夢中になった。

「あの頃、『どうやったら「リアル・ワールド」みたいな番組ができたんだ？　天才的だ』ってよく訊かれたけど、あれは単に、お金がなかったから思いついたんだ」

MTVの社長を務めていたトム・フレストンは振り返る。『リアル・ワールド』の人気爆発は、MTVにとっても完全に予想外だった。なにせ素人たちの他愛のないおしゃべりシーンを延々と並べただけなのだ。一発めのシーズンは物珍しさでいけたが、さすがにシーズン2までやって、また素人たちをスターに祭り上げたら鼻につくのではないかと心配した。

「間違っていたよ！　それこそ視聴者が求めていたものだったんだ」

のちにMTVの社長となったダグ・ハーザッグはインタビューにそう答えている。『リアル・ワールド』のシーズン2は大人気を博し、MTVの平均視聴率は〇・三%から〇・九%に上がった。三倍だ。MTVは気づいてしまった。音楽ビデオよりも視聴率が取れるものがあることに……。徐々にMTVから音楽ビデオは減っていった。★084
「MTVをつけても音楽ビデオがやってない。でも、見たいときに音楽ビデオを見たいんだ」

ユーチューブが誕生したのは、MTVの変節で、そんな渇望が人びとの間に育っていた頃だった。いつでも音楽ビデオが見られるように、と人びとはMTVの音楽ビデオを、次々とユーチューブに無断投稿していった。

「MTVはつまらなくなった」
「MTV、僕らの音楽ビデオを返してくれ」
ユーチューブのコメント欄には、皮肉にもそんなメッセージが溢れていた。★085
音楽ビデオだけでなかった。世界中の放送局で『リアル・ワールド』の成功は踏襲され、リアリティ番組が席巻した。素人を撮った映像が面白い——。それは世界の常識となり、ユーチューブにユーザー作成ビデオの文化が花開く土壌が耕されていった。
「MTVはリアリティ番組にスイッチして、今のソーシャルネットワークのような雰囲気になった。それは時代の予感みたいなものだったんだ」映像監督としてMTV誕生のきっかけを創った元モンキーズのマイク・ネスミスは、そう振り返る。★086
生中継中、ジャネットの胸がはだけたスキャンダル以降、MTVはスーパーボウルの音楽ショーから追放された。ジャネットはビデオレターをウェブに載せ謝罪したが、MTVは彼女の新アルバム『ダミタ・ジョー』の音楽ビデオをオンエアしなかった。かつてならMTVのプレイリストに載らないことは、ポップスターにとってほとんどリリースの失敗を意味していた。だがネットで炎上し、バイラルを起こした『ダミタ・ジョー』は三百万枚超えのプラチナムディスクとなった。さらにこの騒動がきっかけで、ジョード・カリムの頭脳に動画共有のアイデアが閃き、ユーチューブが誕生した。いま振り返ればジャネット騒動は、MTVにとってスーパーボウルの仕事を失うどころの話でなかったのだ。
任天堂はDSで、スマホ・ゲームの下地を耕した。iPodはSonyが創ったウォークマン文化の上に花開いた。同じように、ユーチューブにユーザー文化が咲き誇る土壌は、MTV自身が九〇年代を通して耕していたのである。

MTVは保守的な放送局ではない。むしろ放送局のお手本ともいえるほどに、アグレッシヴにウェブの世界へ挑戦してきた。初期のフェイスブックを買収して、MTVと完全融合させようと動いていたことからもわかるだろう。だが動画の世界では、MTVは圧倒的に不利な立場に置かれていた。無断投稿でも合法的に音楽ビデオを集められたユーチューブに対し、MTVはすべての動画の使用許諾を得て、かつ使用契約料を払う必要があったからだ。にもかかわらず、MTVの動画サイトは健闘した。二〇〇九年には、MTV擁するバイアコムは、全米の動画サイト・ランキングで三位につけ、一位のユーチューブに喰らいついた。[★087]

しかし、音楽メディアの王座をユーチューブに奪われたのを機に、MTVの動画サイトは一気に引き離されていった。二〇一三年の秋にMTVの動画サイトはニールセンのランキングから外れ、以降は圏外のままだ。[★088]

フェイスブックの買収には失敗したが、MTVは果敢にソーシャルメディア時代にも対応してきた。その甲斐あって、二〇一四年のビデオミュージック・アワード(VMA)では、六三〇〇万もの投稿を生んだ。だがVMAの視聴率は、レディ・ガガ旋風が起きた二〇一一年の一〇・八%をピークに、十代のナンバーワン音楽メディアがユーチューブとなった二〇一二年から低迷。[★089] 二〇一八年の視聴率は一・二%に終わった。[★090] U2のマネージャーだったポール・マックギネスは語る。

「ケーブルテレビからインターネットへ時代が移ったとき、MTVとバイアコムは、世界中に持っていた巨大な視聴者の民族大移動に失敗した。そう歴史は記すことになるだろう」[★091]

アンドロイドOSを買ったグーグルはマイクロソフトを恐れていた

二〇〇五年の春、ユーチューブが創業した頃。〝アンドロイドの父〟アンディ・ルービンは窮地に追い込まれていた。サムスンだけでなかった。Ｓｏｎｙやノキアほか、どこも結局アンドロイドＯＳを採用しようと言ってくれなかった。このままでは廃業するほかない。生き残る手立てはないか。必死に名刺の束を繰るルービンだったが、ある名前を見た瞬間、彼の手は止まった。

もう六年前のことだった。一九九九年にスタンフォード大学で、揺籃期だったスマートフォンが創る未来について公開講義をやったことがあった。デモが終わり、片付けているルービンに、大学院のＯＢと名乗る雰囲気のある男が近づいてきた。

「面白いデモだったよ」

その男はそう言って名刺をくれたが、ルービンは名刺と男の顔を二度見した。そこにはグーグルを創業したばかりのラリー・ペイジの名があったからだ。

グーグルとは奇縁があった。Ａｐｐｌｅを辞め、独立したルービンが初めてオフィスを構えたのはパロアルトの自転車屋の二階だったが、そこは以前、ペイジが大学を去り、初めてグーグルのオフィスを構えた場所でもあったのだ。

ペイジに頼んで一筆書いてもらおう。「グーグルはアンドロイドＯＳに、検索アプリとＧメールを提供する予定です」と。その推薦状を見せれば、ヴェンチャーキャ

グーグルのエリック・シュミットCEO(当時・左)、ラリー・ペイジ(右)、セルゲイ・ブリン(中央)。ジョブズは3人と親しく、趣味の散歩によく誘っては語り合っていた。だがアンドロイドフォンが発表されたとき、ジョブズと3人の仲は決裂することになった。

Joi Ito "Schmidt-Brin-Page-20080520", Wikimedia, https://commons.wikimedia.org/wiki/File:Schmidt-Brin-Page-20080520.jpg

ピタルは出資してくれ、会社を潰さずに済むかもしれない。

ルービンは思い切ってペイジに電話した。その電話では、ふたりとも声が上擦っていたかもしれない。ミーティングの快諾にルービンは喜んだし、ペイジの方も願ってもない幸運と思う事情があった。

当日、ルービンは全身全霊でプレゼンした。

「今グーグルの検索ビジネスが土台としているＰＣの年間売上はたった二億台。一方、携帯電話の年間売上は既に七億台。★092 だが共通のＯＳがないせいで、携帯の世界にアプリが全く育っていません。アンドロイドという共通のＯＳが普及すれば、必ずネットの中心はＰＣから携帯電話になります。ですから、グーグルのアプリをぜひアンドロイドＯＳに出していただきたい……」

プレゼンが終わると開口一番、ペイジは言った。

「グーグルがアンドロイドを買収する、というアイデアはどう思いますか？」

ルービンは目を白黒させた。実はちょうど同じ問題意識でグーグルは、モバイルＯＳの開発を計画していたところだったのだ。そこへ、アンドロイド社のルービンがやってきた。「彼ならまかせられる」、そう思ったとペイジは言う。★093
二〇〇五年九月、グーグルはアンドロイド社の買収を発表した。買収額はわずか五千万ドル（六十億円）にも満たなかった。

時系列的にアンドロイドの買収は当然、Ａｐｐｌｅ対策ではなかった。なにせひと月前には、ジョブズが発表したｉＴｕｎｅｓフォン、「Rockr（ロッカー）」は悪評さくさくの大失敗に終わっていたのだ。

「アンドロイド社を買ったのはマイクロソフト対策でした」と、当時グーグルのＣＥＯだったエリック・シュミットは語っている。★092

「今のみなさんには全く実感が湧かないかもしれませんが、当時、マイクロソフトのモバイル戦略が成功するのではないかと本当に心配だったのです」

初期スマートフォンの世界ではブラックベリーOS、シンビアンOS、パームOSが誕生していたが、世界にブレイクスルーをもたらす完成度はどこも出せていなかった。このタイミングでOSの帝王マイクロソフトが本気を出せば、モバイルの群雄割拠は終わるのではないか。その証拠に情報端末向けに創られたウィンドウズCEの出来は決して悪くなかった。

のみならずマイクロソフトのバルマーCEOは、グーグルへの敵愾心《てきがいしん》をむき出しにしていた。モバイル用IEにマイクロソフトの検索エンジンが標準搭載されれば何が起こるか。グーグル検索はブラウザ戦争でIEに敗れ、倒産したネットスケープ社と同じ運命をたどりかねなかったのだ。

マイクロソフトを恐れたグーグルは、アンドロイドの買収で時短することにした。「Sonyがカセットテープを捨てて、二十一世紀のウォークマンを創ってくる」と恐れたジョブズが、要素技術を買収してiPodを急いで創ったのと同じだった。しかしSonyは前世紀にメモリースティックの音楽プレーヤーを創りつつも、本気になれなかった。「二十一世紀のウォークマン」の地位はiPodに譲り渡した。

歴史は繰り返すというが、マイクロソフトもSonyの轍を踏んだ。時代はPCからスマートフォンに移ると気づいたから、グーグルに先んじてモバイルOSを製品化したにもかかわらず——。

アンドロイドが「iPhoneのパクリ」にされた本当の理由

翌二〇〇六年。将来の明暗を分けた判断は、買収されたばかりのアンドロイドにも起こっていた。ルービンはグーグルのもと、ついにアンドロイドOSのアルファ版を完成。バージョン1・0のコードネームに「アストロ・ボーイ」と名付けた。子どもの頃、大好きだった鉄腕アトムの英名である。

OSだけにとどまらなかった。グーグルの潤沢な資金力を得たルービンは、スマートフォンも試作。ふたつのプロトタイプがあった。ひとつは当時、欧米のビジネスマンに人気のあったブラックベリーのような物理キーボードを持つもの。「スーナー(Sooner)」と名付けた。さっさとやる、抜け駆け、早まった奴という語義がある。

もうひとつのプロトタイプは画期的だった。物理キーボードに頼らず、液晶を指でなぞって操作するマルチタッチ・スクリーンを活用したスマートフォンだ。だが当時、マルチタッチの液晶は部品として、実用レベルに到達していなかった。モバイルプロセッサも、マルチタッチ操作を実現するにはまだ非力で、その商品化は現実的でなかった。

とはいえマルチタッチ・スクリーン版こそが、ルービンの夢だったのだろう。「ドリーム」と名付けた。そして、まず現実的なスーナーの完成を目指し、未来的なドリームには手持ちリソースを二割だけ注ぐことにした。この瞬間、「アンドロイドはiPhoneのパクリ」という汚名を背負う将来を選んでしまったことに、当時のルービンがどうして気づけようか。ちょうどその頃、アンドロイドに遅れて、Appleでもようやくスマートフォン計画が発動していたのだ。そしてジョブズは強く主張し続けていた。技術的にどれほど困難だろうとも、我々はマルチタッチ・スクリーンを採用すべきだ、と。

〝iPhoneの父〟ジョブズ

「もし今日が人生最期の日だとして、私はこれからやろうと思うことをしたいのか?」

演説するジョブズの前には、卒業式を迎えたスタンフォード大生たちが、真摯な眼差しを彼に向け、並んでいた。

「その答えが『ノー』という日が続くならば、何かを変えないといけないのです」

初めｉＰｈｏｎｅは、マルチタッチスクリーンではなかった。アイブによる新ｉＰｏｄの斬新なデザインでケータイを創りたい。そう考えて始動したのがのちのｉＰｈｏｎｅ計画だった。

スマートフォンを創ると決めた翌日、ジョブズは、彼を説得したベルとランチミーティングを持った。テーブルにはアイブもいた。話し合いの末、開発責任者は〝ｉＰｏｄの父〟トニー・ファデルで合意した。日本の音楽ケータイに脅威を感じて以来、ファデルはずっとｉＰｏｄケータイの開発を主張してきたが、実績と熱意を買われたのだ。

この昼下がりのジョブズの姿を、強烈に覚えているとベルは言う。ミーティング中、眼に炎を湛えたジョブズは、半ダースあまりのアボカドを鬼のように喰っていたからだ。★094 彼はジョブズの死後、アイザックソンの伝記を読んで、あれは食事療法だったんだと初めて知った。がんと闘い抜き、命が尽きる前にｉＰｈｏｎｅを創ってやると、ジョブズはアボカドを頬張りながら闘志を燃やしていたのだ。

「ｉＰｏｄのスクロールホイールで電話を考えろ」とジョブズは開発責任者のファデルに命令した。ブラックベリーに代表される、ボタンだらけの初期スマートフォンが大嫌いだったからである。Ｍａｃ、ｉＰｏｄでやったように、ユーザー・インターフェースのデザインで革新を起こす。それがＡｐｐｌｅの勝ちパターンだった。

それから半年あまりが過ぎた。スクロールホイールの携帯電話は、どうしてもしっくりこなかった。何かを変えないといけない。スタンフォード大生たちに説いたように、鏡の前でジョブズはそう自問していたかもしれない。「ふたりだけで見せたいデモがあります」とアイブが言ってきたのはそんなときだった。

アイブが見せたのは、Ｍａｃ用のマルチタッチ・スクリーンだった。彼は、中止となったタブレット開発のチームを預かっていた。そして、Ｍａｃのディスプレイをタブレットのようにしたら、どんなユーザー・インターフェースに進化するか、密かにずっと試作していたのだ。★095

プロジェクタの照射する大画面上に、ソフトウェア・キーボード、ピンチやスワイプ、そして慣性スクロールの動きが映し出された。

「これが未来だな」

そう感嘆を漏らしながら、その動きを見ていたときだ。ジョブズの魂が、生涯最高のアイデアを彼の頭脳に囁いた。すぐさま開発責任者のトニー・ファデルに電話をかけた。★095

「トニー、こっちに来てくれ」

そして、部屋に入ってきたファデルにこう言ったのだ。

「これでスマートフォンを創れるか？」

時代を開く扉、マルチタッチ・スクリーン

それは二〇〇五年の半ばの出来事で、スタンフォード大の卒業式に登壇した時期と重なっていた。あの有名なスピーチで、ジョブズはがんを患ったことを告白した。

「非常に稀なタイプの膵臓がんで、手術すれば治るとわかったのです。ありがたいことに今は元気です。人生で、死がいちばん近づいた瞬間でした」

嘘でもなく、本当でもなかった。体を切ることを恐れて、やれば治る手術を、彼は拒んでしまったからだ。いよいよ影が大きくなってメスを入れたが、手遅れだった。だから、マルチタッチ・スクリーンで行きたいと心を決めたとき、ジョブズは死と隣り合わせだった。

「周囲の期待、プライド、失敗と狼狽。そうしたすべては、死を前にすると消え失せます。そうして本当に大切な

ものだけが残るのです」

幹部たちの全員が諸手を挙げて賛成したわけではなかった。彼らが恐れたのは、消費者の反応だった。市場では、携帯電話のテンキーからいっそうボタンを増やしたブラックベリーのようなスマートフォンが一世を風靡していた。それが消費者の選択だった。

そもそも二〇〇五年の段階でiPhoneを、今ある形にすることは不可能に近かった。まず二本指で動く静電容量式の小型液晶タッチパネルは、世に存在しなかった。マルチタッチのGUIを実現できるモバイルOSもなければ、GUIをまともに動かすパワーを備えた携帯電話用のCPUも存在しなかった。だが、それでもやるべきだ——。

「じぶんは死ぬ。そう意識することは、人生最大の選択を迫られたとき、いちばん助けになったツールでした」

それは日本の禅の教えだった。ジョブズは残りの命を費やし、不可能に挑戦すると決めた。マルチタッチ・スクリーンは、ポストPCのユーザー・インターフェースに最もふさわしかったからだ。恐れをなす幹部たちに、彼は言い聞かせた。★096
「物理キーボードは簡単な答えだ。だが、こいつがいろんなものを抑圧してるんだ。ソフトウェア・キーボードをスクリーン上で実現したら、どれほどのイノヴェーションが起こりうるか。それを考えてみろ」

事実だった。携帯電話のアプリはこれまで、物理キーボードの鎖に繋がれていた。だがマルチタッチ・スクリーンならボタン連射からも解放され、アプリは自在にインターフェースをデザインできるようになる。魔法のように、指先だけで自在に操るアプリの誕生は、人びとを夢中にさせるはずだと彼は確信していた。

「こいつに賭けるぞ。なんとしても実現する道を見出すんだ」

アプリの時代へ連なる扉が開かれた。この瞬間、複製権ビジネスの崩壊で音楽産業の陥ったパズルを解くピースが、またひとつ揃ったのである。

日本で進んだ音楽離れ

「これ、読みましたか？」

二〇一五年のことだった。青山のとある店での夜だった。メジャーレーベルに勤めるAさんは料理の並ぶ上から、分厚いレポートを筆者に見せた。その年は会食の機会が多く、ほとんどは日本の音楽産業の今後についての真剣な相談だった。日本は欧州に五年遅れて、ようやく本格的に定額制配信の世界へ乗り出そうとしていた。

「今回はずいぶんと気合いの入った調査ですね」

レコ協が毎年出している『音楽メディアユーザー実態調査』である。★097 パラパラとめくり、筆者は毎年確認する、ある項目を探した。

「こんなに詳しくなると読むのが大変なんですけどね」と笑うAさんに微笑み返しながら、目当ての項目にたどり着いた。

「ここ、かなり増えてますね……」と筆者が指さした先を見て、「そうなんです」とAさんは意を得たように大きく頷きつつ、資料を手元に戻した。そのページには、音楽にお金を払わない層の推移がまとめてあった。

音楽にお金を払わない層といっても、大別すれば三つに分かれる。ひとつめはお馴染みの「フリーライダー層」。ファイル共有が席巻した頃のような激増はなくなったが、動画共有の人気により、音楽にタダ乗りする層は依然、微増傾向にあった。

その夜、我々が眉を顰《ひそ》めたのはフリーライダー層のことではなかった。それは予想通りであり、日本の音楽業界は前年から水面下で対策を進めてきた。欧州を中心に無料層を有料の月額会員へ誘導してきたスポティファイのフリーミアム・モデルを参考にした戦略だ。

　無料層を構成するのは、フリーライダーだけではない。手持ちの曲しか聴かなくなった「既知曲層」だ。彼らはしばらくすると音楽を聴かなくなり、「無関心層」に変わる。この流れを音楽離れと呼ぶが、我々が視線を落とした先にあったのは、この音楽離れが如実に出たグラフだった。

　二〇〇九年から四年で、若年世代の無料層は三二％から四一％に拡大したが、これを押し上げたのはフリーライダー層ではなかった。フリーライダーは確かに層が厚いが、二二％から二三％に微増したのみだ。ファイル共有の減少と動画共有の増加が均衡していた。一方、「既知曲層」と「無関心層」は合わせて、一一％から一八％に急増していた。★098 近年、我が国で音楽の無料層を急拡大させたのはフリーライダー層よりも、音楽離れの方だったのだ。

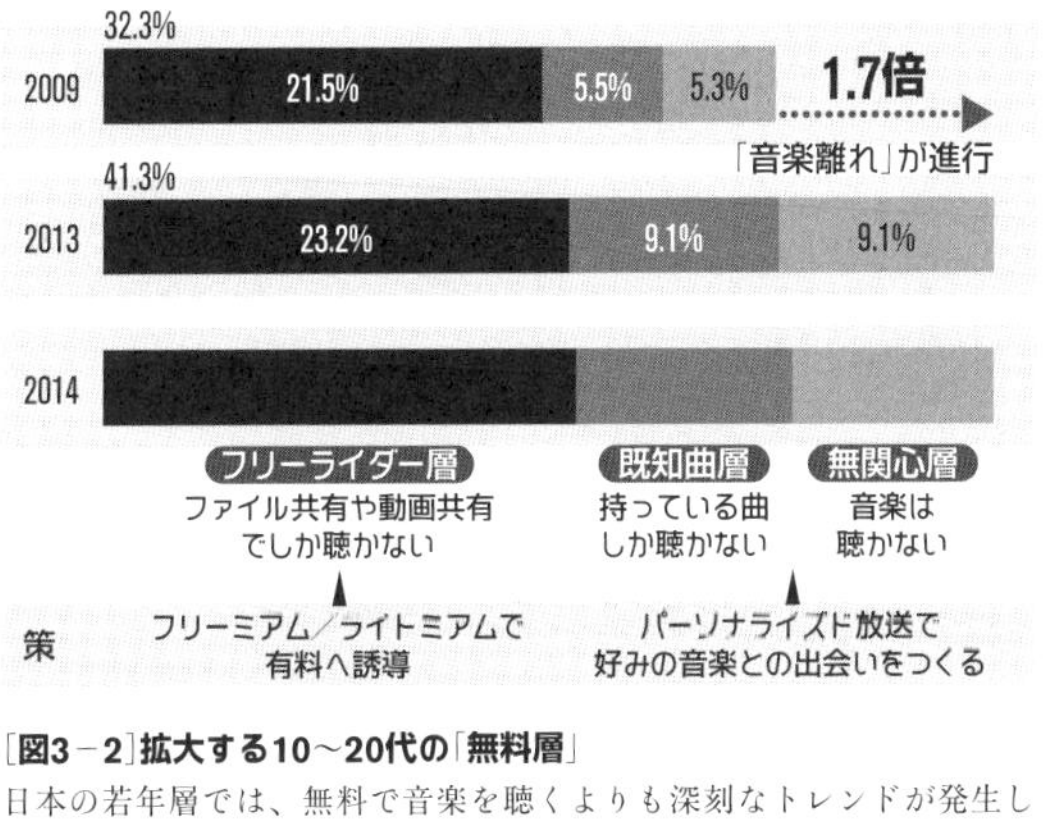

［図3－2］拡大する10～20代の「無料層」

日本の若年層では、無料で音楽を聴くよりも深刻なトレンドが発生した。音楽離れだ。2014年の数値は一般非公開。

資料：RIAJ

　フリーライダー層に対しては、無料から有料への導線を敷く。それが欧州音楽産業がスポティファイで行なった社会実験だった。では音楽離れにはどうすればよいのか？　この問いかけと共に、あるAppleチルドレンの話を始めよう。

とあるAppleチルドレンの少年時代

一九八四年、とある国に暗黒郷が到来していた。男女となく頭髪を剃り上げた人びとが行進し、広場に整然と並んでいく。彼らの無感情な視線を集めた先には巨大スクリーンが聳《そび》え立っていた。

「我らはひとつの思想、ひとつの意志に統合され、国民はひとつとなったのだ」

ヒトラーよろしく画面上の独裁者が高らかに演説するなか、目の覚めるような林檎色のランニングウェアを履いた女性アスリートが駆け込んできた。鉄槌を両手に疾走し、追いかける警備は追いつけない。

「世界を支配するのは、我らである！」そう独裁者が叫んだ瞬間だった。彼女の投げ放った鉄槌がスクリーンに炸裂した。光が迸《ほとばし》り、驚愕と共に人びとの顔に感情が戻るなか、その解放宣言は読み上げられた。★099

「来たる一月二十四日、Ａｐｐｌｅコンピュータはマッキントッシュを発表します。一九八四年をこのような『一九八四年』には決してさせません……」

スクリーンが暗転し、会議室の電気がパチリとつけられると、頭を抱えるＡｐｐｌｅの取締役たちの姿があった。

「こんな酷いＣＭは見たことがない」ひとりがそう言うと、堰を切ったように不満が飛び交った。批判を受けたジョブズは荒れた。彼は、映画『ブレードランナー』のリドリー・スコット監督を起用し、渾身の作品を創り上げたつもりだった。現在価値に直すと二億円、安い邦画なら一本撮れてしまう制作費だ。★100

加えて、ＣＥＯのスカリーを友情で説き伏せ、世界一の注目度と広告費といわれるスーパーボウルのＣＭ枠も購入済みだった。そのスカリーが嘆息し、言った。「キャンセルしよう。ＣＭ枠を売り払ってくれ」

取締役たちの不評におののいた彼は、意を翻してしまったのだ。裏切られたジョブズはドアを叩きつけて部屋から出て行った。

結局、広告代理店にいたジョブズの盟友リー・クロウが上手く誤魔化してくれたおかげで、無事ＣＭは放送された。[★101]ジョブズは復帰後、クロウをマーケティングのブレーンにした。そうして生まれたのが、Ａｐｐｌｅ復活の狼煙を上げた「Think Different」や、ｉＰｏｄの大ヒットに繋がった「シルエットＣＭ」である。

「一九八四」のＣＭはコンピュータの力を個人に解放し、世界を変える宣言だった。七千万人が見守る国民的なアメフト特番「スーパーボウル」の合間に、まるで異質なそのＣＭが流れると、試合の内容を吹き飛ばすほど全米に衝撃が疾《はし》った。そのなかには十四歳のトム・コンラッド少年もいたのだった。

翌朝、少年は起きると一目散でポストへ向かい、新聞を取った。昨日のＣＭが事件のように報道されていた。翌々日には、ジョブズの行なった新製品の劇的発表がニュースになった。新聞のページをめくると、初代マッキントッシュの写真が目に飛び込んできた。

こいつか。こいつが世界を変えるのか――。少年はその広告を丁寧にちぎり取り、勉強机の前の壁に貼り付けた。そして大人になったら絶対、Ａｐｐｌｅに入ってやると誓った。

コンラッドは勉学を重ね、ミシガン大学に合格した。少し後に、グーグルの創業者ラリー・ペイジも同校に入学している。ペイジは同大学のコンピュータ科学部を卒業後、スタンフォード大学院に行き、グーグルを起業した。

コンラッドの方だが、コンピュータ工学部に行った。彼は、コンピュータ科学部では大の苦手だった語学が必修と聞いておののいたのである。これが失敗だった。語学よりもっと苦手と判明するエレクトロニクスをたっぷりやらなければならなかったからだ。一年生の終わりに成績表を見ると、コンラッドはＡｐｐｌｅに就職するという夢が潰えていく心地がした。

挫折感に耐えていた大学二年生のある日のことだった。クラスメイトが廊下で話しかけてきた。

「おい聞いたか？　Ａｐｐｌｅのインターンに決まった奴が出たってよ」

絶句した。一体誰なのか、問い返すだけで精一杯だった。名前はわからないが我々のライバル、コンピュータ科学部の同級生だとクラスメイトは言う。コンラッドの胸に炎が戻ったのはその瞬間だった。

そのクソッタレがどんな奴なのか、知りたくて訊いてまわった。トニー・ファデルという名前で、コンピュータ科学部のくせにエレクトロニクスも得意らしいという以外、結局わからずじまいだった。絶対に負けてられない。コンラッドは決意を取り戻し、ありったけの情熱を込めたカヴァー・レターをＡｐｐｌｅの人事部に送った。一九八四年、初めてマッキントッシュのＣＭを見たときから、Ａｐｐｌｅで働くのがずっと目標だったこと。ソフトウェアの力で世界を変えるのが、少年時代からの夢だったこと……。

Ａｐｐｌｅから届いた封筒を破って返事を読んだとき、彼の手は震えていた。インターンの採用通知だった。父の運転するバンに乗り、カリフォルニア州のＡｐｐｌｅキャンパスに行くと、待っていたのはもっとすごい話だった。マッキントッシュのユーザー・インターフェースを開発するチームに配属する、というのだ。

「優秀なプログラマーの仕事は、平凡なプログラマーの四十人分に相当する」というのがジョブズの持論だ。[★102] ジョブズ追放後も、ＭａｃＯＳの中核だったファインダーを扱うそのチームは選りすぐりの人材が七人だけ集まった、中核中の中核のチームだった。そこにインターンのコンラッドは配属された。

ついていくのがやっとだったが充実したインターンの日々を終え、大学四年を迎えたある日、その電話はかかってきた。

「おまえ、卒業したらあのチームで働くよな?」

面倒を見てくれたマネージャーが、当然のようにそう言ってきた。入社面接はなしでいいという。一九八四年、あのＣＭを機に少年の抱いた夢は実現したのである。

かつて諦めかけていたじぶんを奮い立たせたあの同級生をコンラッドが忘れることはなかったが、Ａｐｐｌｅの新卒採用に同級生の名は含まれていないようだった。

実はその後、ジョブズの復帰したAppleにかの同級生はコンサルタントとして招聘され、認められて極秘プロジェクトのリーダーを歴任するのだが、引き抜きを恐れたAppleは彼の名を隠し続けていた。だからコンラッドが初めてiPodに触れたとき、その開発責任者が大学時代、じぶんの人生に触れた、あのクソッタレのトニー・ファデルだということに気づくことはなかったのである。

iTunesに触って起きた激しい後悔

コンラッドがiPodを真面目に触り倒したのは、Appleを辞めてから随分後だった。

二〇〇四年の春。仕事から帰ったコンラッドはソファに身を沈めた。大きくため息をつくと、心配した愛犬が寄り添ってきた。今の会社では上手くやっている。だが、飽々しつつあった。愛犬の頭を撫でてやりながら、彼は思った。

「結局、俺はAppleチルドレンなのかもな……」

Appleを辞めたことはそんなに後悔していなかった。ジョブズ復帰前のAppleは恐竜のように仕事が遅く、人材流出が続いていた。入社から三年経って憬然としたことを思い出す。プログラミングの腕が全く上がっていなかったのだ。

OSの販売計画から広告戦略まで、あらゆる会議に付き合うので、プログラミングに専念できたことがなかったためだった。ソフトウェアのエキスパートとして道を極めたかった彼は、このままではじぶんは駄目になると思い、転職した。

それからプレステのヒットゲームの開発など、手がけた仕事はだいたい成功したが、二〇〇一年にペット・コム

(pets.com)にいた彼はネットバブルの崩壊に巻き込まれた。職は確保したが、Ajaxのオーサリングツールを企業に売るという今の職場に、ユーザー・インターフェース・エンジニアの真の醍醐味はなかった。

ジョブズがネクスト社で経験したことと同じだった。一般消費者を相手にしていないと血が滾《たぎ》らないのだ。今さらながら、コンラッドはそんなじぶんに気づいてしまった。愛犬の目を覗き込み、彼は言った。「いっそ、ノートパソコン一丁で起業しちまうか？」

ワンッと犬は返事した。この時期、そんな感じで起業したプログラマーたちは多く、ネットバブル崩壊後の新たな潮流を創っていく。写真共有のフリッカー(flickr)やソーシャルブックマークのデリシャス(Delicious)などが立ち上がり、ウェブ２・０の潮流を創っていった。

部屋にはテレビからｉＰｏｄのシルエットＣＭが流れていた。ｉＰｏｄ ｍｉｎｉが発売され、ジョブズの敬愛するＳｏｎｙのウォークマンを、いよいよＡｐｐｌｅが追い越そうとしている時期だった。

コンラッドはテレビを消し、本棚へ向かい、千枚のＣＤコレクションを眺めた。音楽をかけようと思ったのだが、ふと買ったまま放ったらかしていたｉＰｏｄのことを思い出した。多忙のせいか、無数のＣＤをｉＴｕｎｅｓに取り込むのが億劫で、まだちゃんと使っていなかったのだ。

彼はパワーブックを開き、ＣＤを取り込み始めた。そしてｉＰｏｄとｉＴｕｎｅｓをいじるうちに、初めて激しい後悔が襲ってきたのだった。

パンドラのトム・コンラッドCTO(当時)。

Joi Ito "Tom Conrad", Flickr, https://www.flickr.com/photos/joi/4737173166/

人工知能で音楽に革命を起こそうとした男

後悔は、少年時代の夢だった職場を辞めたことではなかった。俺だったら、ここはこうする。iTunesのユーザー・データをこう活かす……。iTunesを触っていると奔流のようにアイデアが沸き上がってきたことが辛かった。

その感覚は、ジョブズがナップスターに遅れて触ったときに感じたものとほとんど同じだったろう。デジタル音楽革命に乗り遅れたと気づいたジョブズは、後悔の念をiPodとiTunesミュージックストアを生む闘志に変えた。iTunesに触れたコンラッドも同じだった。

俺は、このデジタル音楽革命の奔流になぜこれまで参加してこなかったのか……。火のついた彼は形相を変えてキーボードを叩き、アイデアを整理し始めた。

彼の構想は、iTunesのユーザー・データを使ってひとりひとりの趣味に合った曲、ライヴ、そして音楽仲間を紹介するというものだった。

「……ということを考えているんだがどう思う?」

ある日、コンラッドは友人に相談してみた。偶然か必然か、それは大西洋を跨いだロンドンでラストFMのチームがちょうど到達したものと同じアイデアだったのだが、ふたりが気づく由もない。

風薫る五月。彼はサンフランシスコから少し離れた、オークランドのカフェに向かった。音楽系のレコメンデーションなら、クレイジーなことをやっている奴がいるから会ってみないか、と友人に勧められたからだ。

「ティム・ウェスターグレンです」とテーブルに現れた男は控えめな口調で挨拶し、手を差し出した。握手すると謙虚な性格が伝わってくるような心持ちがした。だがウェスターグレンの創った会社は、サヴェージ・ビースト・テクノロジー（飢えた獣の技術）というメタルバンドのような名で、社是は名前よりもさらに過激だった。

ひと握りの売れっ子と、その他大勢のミュージシャン。インターネット登場以降も、貴族制が音楽の現実だった。音楽産業始まって以来続くこのヒエラルキーを「究極の音楽レコメンデーション」で転覆する、というのがこの穏やかな男の目標だった。

ウェスターグレンは元ミュージシャンだった。そのアイデアを着想したのは、映画音楽の作曲を手がけていたときだという。山とばかりにCDを積み上げた机を差し挟んで、監督と対話を重ねていく。それがミュージシャン時代、ウェスターグレンの仕事スタイルだった。

「この曲はどうですか？」

「ちょっと違うな……」

「ではこの曲は？」

「うん、近づいたがもっとこう明るい恐怖という感じの……」

次々とCDをかけながら、監督の反応を音楽理論で分析して、求めている曲のイメージを摑んでいく。ウェスターグレンはスタンフォード大で政治学を専攻したが、副専攻で音楽理論とコンピュータ音響学を学んでいた。

ほかに彼はロックバンドのバンマスを務めていた。というよりバンドが本職のつもりだったが、カリフォルニア州

パンドラの創業者、ティム・ウェスターグレン。

David Shankbone "Tim Westergren by David Shankbone 2010 NYC", Flickr. https://flic.kr/p/7YY6cH

を超えて人気が広まることはなかった。宣伝費が全くないせいか、メディアに取り上げられることもなかったからだ。

そんなある日、劇伴の作曲中に思いついたのが人工知能とミュージシャンの融合、「ミュージック・ゲノム・プロジェクト」の構想だった。ミュージシャンを何十人となく集め、人に薦めるに値する曲を彼らにキュレーションしてもらう。そして一曲一曲を、その耳と音楽理論で事細かに解析してもらい、ミュージシャン自身がデータベースに入力していく。そうすれば、生身のセンスと人工知能とが融合した、究極の音楽レコメンデーション・エンジンが誕生すると考えた。実際にミュージシャンを何十人も集め、作業してもらっているという。

説明を聞いたコンラッドは心のなかで叫んだ。「コンテンツ解析、いやエキスパート・システムをやっているのか⁉」

エキスパート・システムとは、潰え去ったはずの第二次人工知能ブームで培われた技術だった。見え始めてきた。音楽産業へだけではない。ミュージック・ゲノム・プロジェクトはコンピュータ科学のメインストリームに対する反逆であり、IT産業の巨人アマゾンへの挑戦でもあった。

アマゾンのおすすめが持っていた致命的な欠点、協調フィルタリング

アマゾンのCEO、ジェフ・ベゾスは商品おすすめ機能が完成したとき、侍を真似て、土下座してエンジニアたちに感謝したという。★103

ベゾスは、小売業を起業したつもりはなかった。自らガレージで梱包を手伝うなか、「アマゾンはテクノロジー企業だ」と言い続けていたが、それが現実となったのは、人工知能でおすすめ機能を実装した瞬間だった。この人工知

能はレコメンデーション・エンジンと言い、客の顔を逐一覚えている小さな書店の親父さんのように、顧客ひとりひとりに合わせて、きめ細やかにおすすめの本を示すことができた。パーソナライゼーションの誕生だ。

テクノロジーの力で、有象無象の通販サイトから抜け出したアマゾンは、本の通販が成功するとCDの通販へ業務を拡大した。音楽ファンの間でも、アマゾンのおすすめ機能は歓迎され、音楽への進出を機に、すべてを売る巨大企業へと駆け上がっていった。グーグルの検索エンジン。アマゾンのレコメンデーション・エンジン。人工知能のブームが始まる以前から、人びとはそれと知らず人工知能のおすすめを受けるようになったのだった。

アマゾンのレコメンデーション・エンジンに使われている技術、協調フィルタリングだが、実は、マッキントッシュのGUIと同じ親を持っている。パロアルト研究所だ。

パロアルトの研究員は、初めこれをメールのフィルタリングに使い、次に音楽レコメンデーションに使ってみた。好きなアルバム名をメールすると、おすすめCDが自動返信される仕組みだ。だがおすすめの精度を高めるには、誰が何のCDを買ったのか大量のデータが必要で、そんなデータを持っていない研究所のなかで日の目を見ることは難しかった。機械解析の宿命だ。

GUIを初めてマネタイズしたのがジョブズだったように、協調フィルタリングで初めて大稼ぎしたのがアマゾンの創業者ベゾスだったのである。ベゾスも、学生時代にコンピュータ科学を専攻した人間だった。アマゾンの成功は、無数の模倣者をネット上に生み出した。協調フィルタリングとビッグデータさえあれば、その秀逸なレコメンデーション・エンジンは容易に模倣することが可能だったからである。

だが協調フィルタリングは、万能ではない。「このCDを買った人は、このCDも買っています」という仕組みだと、無名ゆえ誰も買わないCDは、いつまでもおすすめの俎上に上がってこない。これを「コールド・スタート問題」という。

「ネットの普及で、マスメディアの時代が終わる。宣伝費を持たないミュージシャンも日の目を見る時代が来る」

そういわれていたのに現実は、人気ミュージシャンの寡占は変わらなかった。いや、むしろ進んだ気配さえあったのは、コールド・スタート問題が技術的な理由だ。実際、二〇一四年、一%の売れっ子ミュージシャンが売上を占める割合は、CDなど物理売上で七五%、iTunesなどダウンロード売上で七七%、スポティファイなどストリーミング売上で七九%だった。[★104]「ネット時代は『その他大勢』が売れるようになる」と語るロングテール理論が褒めそやされるなか、音楽の世界でいっそう寡占状態が拡大した背景には、協調フィルタリングの普及が関わっていた。

協調フィルタリングはソーシャルメディアの世界も支配した。フェイスブックやツイッターのタイムラインは、協調フィルターで取捨選択された人気投稿が表示されていた。知られぬものは推薦されず、知られぬままに終わる――。

それが、協調フィルタリングのコールド・スタート問題だった。

人びとの常識に反して、宣伝費でキック・スタートを打てない楽曲は不利になるのが、ソーシャルメディア・マーケティングの世界だった。印象に反して、MTVやラジオの時代とほとんど変わりなかったということだ。

そして人びとがネットバブルに浮かれていた二〇〇〇年頃から、この問題に挑戦を開始したミュージシャンたちがいた。それがミュージック・ゲノム・プロジェクトに集ったウェスターグレンたちだ。

ミュージシャンたちの目指した革命とは?

協調フィルタリングの本質的な欠陥、コールド・スタート問題の解決には「コンテンツ解析」が有効であると言われてきた。だがコンテンツ解析はあまり流行らなかった。機械解析では精度が出なかったためだ。やるとしたら人手を使って、ひとつひとつの作品を分析してもらう必要があった。

一九八〇年代、パソコンの隆盛に反して、人工知能（ＡＩ）派は冬の時代を迎えていたが、辛うじて生きる場を見つけた人工知能があった。コンピュータに何か質問すれば、専門家が答えてくれるように答えを返してくれる、エキスパート・システムだ。だが、エキスパート・システムには致命的な欠陥があり、廃れていくことになった。大量の専門家を雇って、専門知識のデータベースを構築することはコスト上、現実的でなかったのだ。

音楽コンテンツのエキスパート、すなわちミュージシャン。彼らを大量に雇い、一曲一曲を解析して、その知見をデータベースに入力してもらう——。Ａｐｐｌｅチルドレンのコンラッドが出会った変わり者、ウェスターグレンがやっているという音楽のコンテンツ解析は、エキスパート・システムの一種だった。無謀な戦いに見えた。時代に逆行したやり方であり、戦う前に敗北が約束されているようなものだったのだ。そこまでしてウェスターグレンは何を実現したかったのか？

金融経済が実体経済を超えると富の寡占が進み、貧困が広がる。その歴史的経緯を解き明かした経済学者ピケティは、解決策を税による再配分に求めた。同じく寡占の進む音楽ビジネスのなかでウェスターグレンらがやろうとしていたのは、レコード会社や著作権管理団体を既得権益と詰って、売上の再配分をやるといった凡庸なアイデアではない。彼らは、ミュージシャンのセンスと人口知能を融合して、自ら救世主を創り出そうとしていた。

楽曲のＤＮＡとリスナーの趣味の一致。それだけで音楽をプロモーションする仕組みが出来れば、宣伝費を持たない新人、インディーズ、果ては中堅ミュージシャンたちであっても、等しくリスナーを得るチャンスを手にできる。一％が支配する貴族制を破り、音楽の民主主義を実現する。それがウェスターグレンのもとに集ったミュージシャンたちが目指す革命だった。

「海軍であるより、海賊であれ」かつてジョブズはチームをそうアジテートし、オフィスの屋上に海賊旗を掲げ、社内で暴挙と呼ばれた初代マッキントッシュの開発を成し遂げた。

ウェスターグレンと会話を交わす間、コンラッドは彼の人となりを摑もうとしていた。その声色は控えめで、眼差しは下を向き、時々こちらを向いた。差すように視線を向け、殴るように言葉を投げるという、憧れのジョブズとは対極にあるように思われた。同時にコンラッドは、ウェスターグレンの秘めた情熱に、どこか圧倒されるような心地を持った。世界を変える――。時折向ける彼の眼差しはその決意を物語っていた。

「クレイジーな人たちがいる」

しかし、とコンラッドは思った。腑に落ちないことがある。何十人ものミュージシャンを雇うキャッシュは、どう稼いでいるのか。

「ビジネスモデルはまだ見つかってないんです」という返事に、彼は仰け反った。

信じられないものを見ているようなコンラッドの表情に気づいたウェスターグレンは、このアイデアで起業した頃は周りから「クレイジー」と連呼されたと告白した。起業資金は集まったのだが、案の定、大人数のミュージシャンを雇う人件費で、あっという間に尽きてしまったという。資金を再調達しようとしたタイミングで、ネットバブルが崩壊。さらに違法ダウンロードの大流行をもたらしたナップスター旋風が吹き荒れ、音楽ビジネスは世界で最も儲からない業界に変わってしまった。以来、出資を断られること三四七回。最近、三四八回めにしてようやく八百万ドル(約九億円)を調達できたが、彼を信じて無給で働いてくれたミュージシャンたちに給料をまとめて支払ったら、ほとんどなくなってしまったそうだ。

クレイジーな人たちがいる……。そのせりふから始まる映像がコンラッドの脳裏をよぎった。ジョブズ復帰後、「Think Different」を謳い、Appleブランド復活の狼煙を上げたリー・クロウの傑作CMだった。

オフィスへ行くと、クレイジーな彼らがいた。ミュージシャンたちはヘッドフォンを付け、その耳で曲を分析し、データベースに入力していた。

聴くに値する曲を選ぶ。それから発声法、使用楽器、リズム、コード、アレンジ、録音形式……。四五〇に及ぶ基準に基づき楽曲のDNAを解析していく。手作業なので、一曲あたり二十分ほどかかる。いま解析が終わっているのは一万曲で……。そう説明しながら、ウェスターグレンはキーボードをカチャカチャ鳴らして曲名を入れ、おすすめの曲が自動で並ぶ様を見せた。

「触ってみてください」と彼はコンラッドに微笑みかけた。コンラッドはじぶんの好きなアーティスト名を入れて、プレイリストが自動生成されるのを吟味していった。確かに、と彼は思った。アマゾンなど比較にならぬほどの精度だ……。

そして、自身の構想を思い返した。音楽レコメンデーションを活用したソーシャルメディア。今はないが、いつかありがちになるのではないか。今後、音楽系のレコメンデーション・サービスはいくつも出てくるだろう。その際、勝負となる箇所は結局、おすすめの精度ではないのか。

ウェスターグレンたちは、全精力を選曲にフォーカスしている。コンラッドはジョブズが戻る前に辞めてしまったが、「フォーカス」は、コンラッドのヒーローだったジョブズの仕事哲学から学び取った最も大切なマントラだった。

「実はエンジニアのリーダーを探しているのです」

ウェスターグレンは切り出した。CEOから降り、腕利きのCEOとCTOをスカウトすること。それが八百万ドルを出資したヴェンチャーファンドの指定した条件で、株はほとんどヴェンチャーファンドに譲り渡した。わずかに残った株も、三分の二を新たなCEOとCTOに譲るつもりだという。そこまでしても成し遂げたいものがある。そうウェスターグレンは考えているようだった。全く、とコンラッドは苦笑いした。

「彼らはクレイジーと言われるが、私たちは天才だと思う。じぶんが世界を変えられると本気で信じる人たちこそ、本当に世界を変えているのだから」Think DifferentのCMはそう終わっていた。

「クレイジーに、付き合ってみるか……」

コンラッドは入社した。しばらくして、CTOとなった。★105

歴史を動かすのはテクノロジーなのか、ヴィジョナリーなのか

「社会変革をもたらす本当の力は、テクノロジーだ。政治でもビジネスでもない」

ナップスター、フェイスブック、そしてスポティファイで幹部を歴任してきたショーン・パーカーはそう語った。★041

だが音楽産業百年の物語を書き連ねてきて、歴史を動かす真犯人が独り技術のみとは、筆者には感じられなくなっている。

かつてジョブズは職業を問われ、「ヴィジョナリーってやつだ」と答えた。彼がパロアルト研究所を訪れるまで、GUIの技術が世界に羽ばたくことはなかった。マッキントッシュの登場を機に、コンピュータは研究者の手から離れ、誰もが親しめるものになった。今では老若男女の手のひらの上にあるが、それがコンピュータと気づかぬ人も少なくない。

先に触れた協調フィルタリングもまた、パロアルト研究所の片隅で生まれ、埋もれた技術になろうとしていた。しかしアマゾンのベゾスと出会うと、人工知能は自らを悟られることなく人びとの買い物生活を助けるようになり、ディープラーニングの登場で人工知能ブームが起こる前から、その存在を人類の日常に溶け込ませていった。

コンピュータの話をトランジスタ誕生の時代まで遡ると、妙な具合だが、日本と音楽のことに話が変わる。トラン

ジスタで最初に人類の生活を変えたのは、シリコンバレーではなかった。

太平洋戦争の終戦から間もない頃、それは米ベル研究所で発明された。そして民生化の道を見出せずにいた。民草には役立たずに見えたこの電子部品を使って、携帯できるほどラジオを小型化してやろうと思い立ったのが、東通工の井深大だった。

ラジオから鳴る音楽を、誰もがどこにでも携帯できるようにする。それがヴィジョナリー井深大の描いた人類の未来図だった。携帯型トランジスタ・ラジオの世界進出を機に、井深の経営する東通工はＳｏｎｙと名を変えた。

アメリカの少年少女がＳｏｎｙの携帯ラジオを得ると、世界は変わり始めた。親の居座る居間では聴けなかったロックンロールは、子ども部屋でリスナーを得た。そしてポピュラー音楽全盛の時代が始まり、今ある音楽産業のかたちが出来上がっていったのである。

ＧＵＩとスティーブ・ジョブズ。協調フィルタリングとジェフ・ベゾス。そしてトランジスタと井深大。技術とヴィジョナリー、知と魂。どちらが世界を変えるのだろうか。あるいは両者が出会った刻なのかもしれない。

「ミュージック・ゲノム・プロジェクト」のコンテンツ解析も、サンフランシスコの隣、オークランドの小さなオフィスで飛翔の機を待っていた。しかしこの技術に必要だった出会いは、独りのヴィジョナリーとだけではなかった。

ミュージシャンの未来像を描く、創業者のティム・ウェスターグレン。ユーザー・インターフェースを描く、ＣＴＯのトム・コンラッド。そしてビジネスモデルを描く、新しきＣＥＯジョー・ケネディ。三人の情熱が、ひとつのテクノロジーを円心にして重なり合ったとき、歯車は動いた。

人工知能でラジオを再発明する

「クレジットカードを十二枚ぐらい持ち寄ってなんとかしてましたね。オフィスの家賃は未払で督促状は山積みだし、エアコンが故障したままで、夏なのに暖房がついてね……」

ウェスターグレンからＣＥＯを引き継いだ頃を、ケネディは楽しそうに語る。ＧＭ社に在籍時代、ハーヴァード・ビジネススクールでＭＢＡを取得。そのままサターン社の立ち上げをまかされ、続いてイー・ローンの創業にＣＯＯとして関わった。そんな彼が、どうしてこの金欠した所帯を引き受けたのか。

「私の愛してきたもの、すべてを結び合わせることができたからです」

彼は、コンラッドと同じくコンシューマーを愛していた。プリンストン大学でコンピュータ科学を専攻し（ベゾスの先輩にあたる）、数学を愛していた。そして音楽理論と作曲を副専攻に修めたピアニストで、音楽を愛していた。

「ミュージック・ゲノム・プロジェクト」はミュージシャンの感覚にまかせて創られたものではなかった。創業者のウェスターグレンは、音楽理論とアルゴリズムの専門家ノーラン・ギャサー教授をコンサルタントに招いていた。ウェスターグレンとは母校スタンフォードの研究所[★106]で知り合い、友人となった。彼こそがミュージック・ゲノム・プロジェクトの頭脳だ。[★107]

ブレーンのギャサー教授と同じく、音楽と数学を愛するケネディは、ミュージック・ゲノム・プロジェクトのアルゴリズムを見て、音楽の持つＤＮＡの近似値を四五〇次元で表した数式群の美しさに魅了された。

――これこそ求めていたダイヤの原石だ。ケネディの心は震えた。そしてＣＥＯを引き受けたのだった。

ヴェンチャーの成否は核を生成することだ。フォーカスにフォーカスを重ね、これだけは世界の誰にも負けないという核を生成する。結晶は育ち、やがてダイヤの原石となる。あとはじぶんのような人間がいれば、ビジネスモデルは見つかる、というのが立ち上げ屋ケネディの信念だった。

当時、iTunesミュージックストアとアマゾンの成功で、人びとはインターネットで音楽を売ることで頭がいっぱいだった。だからウェスターグレンもそれを手伝うビジネスモデルを立てていた。

その頃ウェスターグレンの会社は、家電量販店のCD販売コーナーに置かれたキオスク端末の上で、おすすめの音楽を検索できるようにすることを手伝っていた。本当は音楽配信を手伝いたかったが、それは叶わなかったためだ。

しかし、上手くいかなかった。音楽の販売を助け、売上が増えた分から手数料をもらうという、楽曲レコメンデーション・エンジンを貸す商売だった。それは煎じ詰めれば、ブログで小遣いを得るアフィリエイト程度のビジネスモデルだった。しかも音楽産業の売上は減る一方だった。iTunesの登場でオンライン売上の比率が上がろうとも、それは変わりなかった。販促費に楽曲売上の一部をもらう、というのは窮している音楽産業からお金をもらう発想だ。それでは勝ち目がなかった。

二〇〇四年の十一月。温暖な西海岸も肌寒くなってきたが、エアコンをつけると今度は冷房がついた。

――音楽配信やネット通販のブームに囚われて、どこか間違えているのかもしれない。ケネディの思索は、「全く新しい何か」を模索し始めていた。コンラッド、ケネディが入社して四ヶ月が経っていた。

その日、量販店のベスト・バイ社から帰ってきたウェスターグレンは、打ち合わせの様子をケネディらに語った。おすすめ音楽の機能を載せたキオスク端末の評判は上々で、導入店はみなCDの売上が伸びたという。

「それでもう一歩進んで、おすすめ音楽を実際、試聴できるようにしてくれないかと先方は言ってるんだ。できるかな?」とウェスターグレンは訊ねた。

「できるというか、社内ではもうそうしてますね」というのが、コンラッド率いるエンジニア・チームの答えだった。ミュージック・ゲノム・プロジェクトの入力画面には、曲名で検索すると似た曲がずらりと並び、実際に音を出して確認できる機能が備えてあった。曲を解析するミュージシャンをサポートするための用途だ。

さて、これをどうキオスク端末向けにカスタマイズしようか、と相談を始めたときだった。

「待て。これでラジオをやるのはどうだろう」

そうCEOのケネディが呟いたのである。三人は顔を見合わせた。

「ワンクリックで魔法のラジオができるじゃないか」とケネディは続けた。人工知能がDJとなって、リスナーひとりひとりに寄り添って、まるでリスナーの音楽趣味は何でも知っているかのように、それぞれの好みにぴったりの新曲をかけてゆく――。新たな音楽との出会いをつくる「魔法のラジオ」が着想された瞬間だった。

「この国でどう音楽が消費されているか考えたとき、音楽消費の八割がラジオだって気づいたんだ。iPodやiTunesじゃなくてね。でも音楽産業やIT産業は音楽配信で頭がいっぱいだった。これはすごいチャンスだと僕らは思ったよ」

コンラッドは当時の興奮をそう語っている。★108

フォーカス――大砲を打つ前に銃撃で照準を合わせる

少し時間を遡る。ウェスターグレンが起業した二〇〇〇年頃のことだ。

日本人デザイナーの八木保たちは、Apple本社に来ていた。初のAppleストアの、店舗デザインへ向けたデザインコンペに勝利したからである。

「倉庫を用意する」とジョブズは八木に言った。なかに極秘の店舗を実験的に創ってもらう。そして俺の納得がいくまで徹底的にデザインを磨き上げてもらう、というのがジョブズの指示だった。それから日本人デザイナー・チームは倉庫に籠り、様々なアイデアを試みていった。多忙のなかジョブズは隔週で訪れ、熱心に意見を述べていったという。

これ以上ない、というデザインが出来上がったときだった。ジョブズはGOサインを出し、全米に二十五店舗を一気に展開。床面積の平方あたりの売上でナンバーワンだったティファニーを倍も上回り、誕生したばかりのAppleストアは瞬く間に世界最高の小売店となった。★109

『ビジョナリー・カンパニー』を書いたジム・コリンズは、これこそヴィジョナリー・カンパニーに共通する戦略だと語る。★110 まず小さな銃弾を何発も撃って試行錯誤し、消費者にぴったりと合う照準を見つけてから大砲を撃ち、市場に派手な爆発を起こす。これが最良の手だ、と。

それはジョブズのマントラ、「フォーカス」と合致する理論だった。彼の没後、コリンズはAppleの幹部養成機関「Apple大学」に教授として招聘されている。

コリンズの言う「試し撃ち」には、完璧な試作品作りのほか、十全なデータ分析も含まれている。iPodの成功について問われたとき、ジョブズは「データがないまま『きっと市場が存在するはず』と期待して、家電企業が珍品を作ったような話とiPodは違う」と語ったことがある。そのマーケティング分析の過程は、第二部で描いた。

データ分析の醍醐味は予想外の結論にたどり着くことだ。それは我々の思い込みを破壊し、カタストロフィを与えてくれる。筆者もそうやって、業界人が悲観論しか語らなくなった頃に、音楽産業の明るい未来にいち早くたどり着いた。

二〇〇五年の晩秋、ケネディが着想した「人工知能によるラジオの再発明」は、ビジネス的にも前代未聞だった。検証のため、彼はさっそくビジネス分析に入った。ハーヴァード・ビジネススクールを出た彼にとって、それは慣れた仕事だったのだが、かつてない興奮を覚えた。思い込みを覆すアウトプットが次々と出てきたからだ。

ｉＴｕｎｅｓの成功以来、音楽の新事業といえば音楽配信となっていた。だが先に書いた通り、調べるとアメリカ国内では音楽を聴く時間の八割はラジオのままだった。通学といえば車のアメリカ人だ。「ラジオなぞネットの普及で廃れる」と書いていたメディアの予想を裏切り、アメリカ人がラジオを聴く時間は減っていなかった。

そして市場だ。音楽配信なら衰退する音楽市場で戦うことになる。だが、ラジオなら舞台は広告市場だ。それはアメリカのＧＤＰに連動して拡大していた。しかも、ラジオ広告の市場規模だけ見ても、米音楽ソフト産業の四倍もある、とわかった。世界で見ても音楽ソフト産業の二倍もあると、ケネディは発見した。

サブスクリプションと広告の市場規模を比較しても、同じ結論だった。当時、アメリカでは数百のチャンネルを揃えた定額制の衛星ラジオが人気を博しつつあった。その市場規模は八億ドル（約九百億円）。大きな数字に見える。だが、ラジオ広告売上はその二十倍以上の一七〇億ドル（二兆円）近くもあったのだ。★111

インフラ環境も変化していた。二十一世紀初頭、ジョブズの予言通りストリーミング配信は失敗し、時代はダウンロード配信へ向かったが、ここへ来て通信コストの低下でストリーミングも消費者ビジネスに使える閾値に到達しようとしていた。三人は知らなかったが同時期、ユーチューブの開発も進んでいた。

そしてコンテンツ調達だ。音楽配信はメジャーレーベルとタフな交渉を繰り返さなくてはならない。毎年払う契約基本料も、日本円で億単位が必要だった。が、インターネットラジオなら違っていた。米レコード協会の事業部からスピンアウトした公共団体、「サウンド・エクスチェンジ」を使えば、音楽の使用許諾を得る交渉も契約金も要らない。誰でもインターネットラジオで音楽をかけられることがわかった。

残るはプロダクト化だ。ミュージック・ゲノム・プロジェクトに一般リスナー向けのユーザー・インターフェースを被せてやれば、出来上がるはずだった。そしてここには、Ａｐｐｌｅでユーザー・インターフェースを創っていたトム・コンラッドがいるではないか。しかも彼は前職で、ウェブ用インターフェースに最適な技術を、Ajaxという名が付く前から専門としていた。三者三様に、点と点が繋がったのである。コンラッド率いる技術チームは、さっそくプログラミングに取りかかった。

Appleチルドレン、音楽でGUIの先へゆく

アルファ版はすぐに出来上がった。すると、コンラッドはＡｐｐｌｅチルドレンらしいことを始めた。ごくふつうの人たちをテスターに招き、誰もが迷いなく使えるまでユーザー・インターフェースをシンプルにしていったのだ。

ミュージック・ゲノム・プロジェクトは精緻を極めていた。一曲のＤＮＡは二千以上のパラメータで構成されていたので、コンラッドの腕があれば、あらゆる機能を実装することは容易だった。気分を選ぶインターフェース、シチュエーションを選ぶインターフェース、音楽の属性をグラフ化するインターフェースに、ソーシャルな機能。やろうと思えば、何でもできたし、彼自身、アイデアを出すのが好きだった。

だが様々なアイデアを試す過程で、彼は再びジョブズのマントラを学び取ることになった。機能を省けば省くほど、テスターたちの満足度が上がった。のみならず、プロジェクトの熱心なサポーターに変わっていったのだ。コンラッドは方針を切り替えた。可能な限り機能をそぎ落とすことにした。

「何をやるかよりも、何をやらないか選ぶ方が重要だし難しい」それもジョブズの言った言葉だった。「シンプルは洗練の極み」とは彼の生んだＡｐｐｌｅの社是だ。ベータ版のインターフェースは、Ａｐｐｌｅのその標語を想起するほどに、単純化されたものが出来上がった。

初めてサイトを開くと、空欄とボタンがひとつだけ。グーグル検索のようにシンプルだ。いま聴きたい気分のアーティスト名、あるいは曲名を入れてボタンを押すだけでよい。

二度めにサイトへ来たときには、一度たりともボタンを押さなくてよかった。じぶんの好みに合わせて、人工知能がプレイリストを自動生成。リスナーは音楽に身を委ねるだけ。ｉＴｕｎｅｓやｉＰｏｄにも入っていない、テレビやラジオでも聴いたことのない音楽がかかり、それが不思議とじぶんの趣味とぴったり合う。放送のパーソナライゼーションである。

コンラッドは極限まで操作を削り取っていった。執筆現在、ＧＵＩの限界を超えることは、いよいよ喫緊の課題となっている。ＧＵＩがいくら簡単だといっても、車内やスマートウォッチ上では操作自体がストレスになる。そこで人工知能の助けを得て、人の操作を極力削れる「ゼロＵＩ」が求められるようになり、アマゾン・エコーなどスマート・スピーカーが登場するようになった。すべてのものにネットが実装される時代の宿命だ。

ミュージック・ゲノム・プロジェクトにコンラッドが装わせたユーザー・インターフェースは、「ゼロＵＩ」の先駆けでもあった。それはパンドラが車内や手のひらの上で最適なユーザー体験を与える未来に連なっていく。Ａｐｐｌｅチルドレンの彼は、ジョブズの哲学を突き詰める過程で、師の創ったＧＵＩの時代から次の時代へ、知らずと世界を推し進めていたのである。音楽がユーザー・インターフェースの未来を連れてこようとしていた。

二〇〇五年七月二十一日。オークランドに再び夏が来ていた。ベータ版はたった二百名に限定公開された。そしてサービス名に合わせて、サヴェージ・ビースト・テクノロジー社は社名を変更した。名をパンドラと言った。

音楽離れへの解、パンドラ

二百人のテスターたちは、パンドラの熱心な伝道師になった。

「皮肉な話ですが、解析が遅れていたことが功を奏しました」パンドラの頭脳、ギャサー教授はそう振り返る。開局当初、わずか三十万曲しか使えない状況だった。[★112] iTunesミュージックストアの楽曲数の、たった百分の一だった。時間も人手も足りなかったので、本当におすすめしたい曲から順に解析していかざるをえなかったのだ。だがその結果、パンドラはおのずと優れたキュレーション・メディアになっていた。もちろん、キュレーションという言葉が流行する前の出来事である。

音楽配信はカタログがあればあるほどよい。それが当時の常識だった。いや、今でもそうかもしれない。が、パンドラはここでも逆を行った。パンドラでは、カタログの少ないことがリスナーの満足度を上げていた。パンドラがオンエアする曲は粒ぞろいで、外れがほとんどなかった。二百人を感動させたのは、その精度の高さだったのだ。テスターにはひとりあたり二十五人の招待枠が与えられていたが、彼らはすぐ枠を使い切り、パンドラのテスト・ユーザーは瞬く間に限界の五千人に到達した。

「数千万曲に誰もがアクセスできるようにすることが、必ずしも問題の解決にはならない……そうわかったのです」

と教授は語る。試し撃ちは成功だった。

音楽体験にはふたつのフェーズがある。好きな曲に出会う「発見」のフェーズと、繰り返し聴く「リピート」のフェーズだ。無数にある音楽のなかで、どれがじぶんを感動させるのか。

ファイル共有と音楽配信の登場で、溢れんばかりの音楽が誰でも聴けるようになった。だが、数千万曲が聴けると言われても、どうしていいかわからない。結果、好きなアーティストの曲を聴くか、マスメディアで触れた音楽を聴くほかなく、音楽体験はどこかで昔のままだったのだ。みな、じぶんにぴったり合う音楽を最短で見つける何かを探していた。その潜在需要をパンドラは摑んだのだった。

八月二十一日。限定公開からひと月が経ち、パンドラはいよいよ一般公開されたが、ここでも試し撃ちが行われた。サブスクリプション・モデルを試したのだ。

米国の郵便番号とメアドを入れると、お試し無料期間が一ヶ月あたえられる。以降は年額三十六ドル、月額にして三ドル。執筆現在、日本で苦戦しているパーソナライズド・ラジオとほぼ同じモデルだった。

ケネディたちはサブスクリプションには否定的だったが、それでも試してみる価値はあった。テレビの方を見れば、アメリカではテレビ広告の売上と有料テレビの売上は拮抗していた。[113] 広告のみならず、サブスクでも稼げるならそれに越したことはない。音楽ならMTVが既にそれで成功していた。

だがほぼ予想通り、結果は散々だった。無料が席巻する時代に、「ラジオが有料」というのは受け入れられなかったのだ。人びとはこぞってフリーのメールアドレスを取得し、適当に郵便番号を入力して、再び無料お試しで聴いていた。それでパンドラ・ユーザーには妙にビバリーヒルズの住人が急増したという笑い話が残っている。[114]『ビバリーヒルズ高校白書』の原題(Beverly Hills, 90210)には郵便番号が入っているので、適当に入力する際、みな、それがパッと頭に浮かんだらしい。

十一月九日。完全無料の広告モデルに移行すると、的に着弾した。当月、アメリカが感謝祭を迎えると、パンドラのリスナー数は勢いを得だしたのだ。感謝祭のホームパーティで、パンドラをBGMにするホストがたくさんいた。家族や友人が「音楽、いいね。これ何？ iTunes？」と訊く。ホストはパッと顔を輝かせ、「いいでしょう？パンドラっていうんだけど」と語り出す。みな、出会ったばかりのパンドラのすごさを人に伝えたくて、うずうずしていたのである。

ウェスターグレンは指導力の源泉を問われ、「謙虚さです」と答えたことがある。じぶんが謙虚にしているから、ケネディやコンラッドのような才能ある人間がついてきてくれたのだ、と。ロックバンドを率いていた頃、身につけた知恵だった。が、彼の穏やかな性格に反してパンドラは、あらゆることに反逆していた。

機械解析の時代に逆らい、コンテンツ解析。集合知でおすすめする時流に逆らい、専門家集団のレコメンデーション。ソーシャルメディアの流行に対し、ソーシャル機能をごっそりそぎ落としていた。だがパンドラの創り出す感動は人びとを突き動かし、いわゆる「バイラル」ではなく、生身の口コミが爆発した。感謝祭から半年後、パンドラのリスナーは二百万人を突破。のみならず局数は二三〇〇万ステーションとなり、いかなる多チャンネル放送も追いつけないチャンネル数となった。しかも十にひとつの頻度で、パンドラのリスナーは紹介された音楽を買っていた――。

「みなさんもこれから二十代の後半になって、三十代、四十代になっていきます。クラスメイトはもう周りにいません。最新の音楽を語り合うこともなくなる。みなさんならどうしますか？」

二〇〇六年、大学の特別講義に招聘されたウェスターグレンは言った。彼の問いに、大学院生たちは両手のひらを上に向けたり、首を振ったりした。[★114] パブリック・アイビーの一角、ＵＮＣで学ぶ彼らはＭＢＡの取得に忙殺され、ｉＰｏｄの中身を入れ替えるのも億劫になりつつあった。

ナップスターから始まったファイル共有の席巻。そしてｉＴｕｎｅｓミュージックストアの登場。無料であれ有料であれ、どんな音楽でも聴こうと思えば手軽に聴けるようになっていた。なのに、なぜ僕らは音楽に飽きつつあるのか。音楽を追いかけるのは所詮、社会人になれば卒業すべき趣味なのか。みなそうではないか。ウェスターグレンの特別講義を聴く大学院生たちは、考え込んでしまった。少し間をおいてウェスターグレンは微笑み、自らの問いにこう答えた。

「音楽との新しい出会い。あのワクワクがいつもある人生を送りたい。その潜在需要を満たすために、私はパンドラを創りました」

音楽離れへの解。それがパンドラだった。筆者がパンドラと出会ったのもその頃だった。三十代となったばかりだったが、音楽メディアの現場から離れると、音楽の話題が自然と減り、いつしかｉＰｏｄの中身が変わらなくなった。音楽に飽きたのかな、と錯覚しだしたのもその頃だ。

実際、日本の統計でも三十代の音楽離れは確認される。三十代になると、音楽への支出が五〇%以上も減る。★115 仕事や家庭の用に忙殺され、音楽の話をしていた友人ともあまり会わなくなるからだろう。七〇年代末、三十代になったベビーブーマーの音楽離れがアメリカに音楽不況を起こしたことさえある。そのときはMTVの登場が解決の一助を担った。

二〇〇六年になったばかりのことだ。筆者は古巣の音楽放送、スペースシャワーTVに打ち合わせで訪れた。そこで「すごい音楽サービスを見つけたんだよ」と教わったのがこのパンドラだった。次々と未知の音楽に出会い、しかもそれがぴったりと感性と合う。音楽への情熱はすぐさま戻ってきた。音楽に飽きたというのは錯覚で、良い曲と出会う機会を失っただけだったのだ。

それは友人のミュージシャンやディレクターたちも同じだった。同世代の彼らも音楽に飽きた感を漂わせ、音楽を仕事にしたことに辛い面持ちをすることさえあったが、パンドラを紹介すると次に会ったとき、「おい、あのパンドラっていうのはすごいな」と顔を輝かせて感想を返してきた。

パンドラはMTVやソーシャルメディア、ナップスターやiTunesさえもできなかった奇跡を起こしていた。パンドラは、カタログの七割をメジャーレーベルの音楽で揃えていた。インディーズびいきをパンドラがしていたわけではなかった。にもかかわらず、リスナーの趣味に合わせて音楽を紹介すると、ウェスターグレンの予想を越えて、自動的に七割の曲が、インディーズの曲になったのだ。★116

ゲイブ・ディクソン・バンドは筆者自身、パンドラで知り、「これがインディーズというだけで知られていないとはなんともったいない」と思ったバンドのひとつだ。創業者ウェスターグレンの一押しバンドだが、パンドラでパワープッシュされているわけではない。ジェイミー・カラムやベン・フォールズなどピアノ主体のロックと紐付いているので、それらメジャーアーティストをパンドラで聴いていると紹介される。ゲイブ・ディクソン・バンドは、パンドラで静かな人気を得て、CMソングにもなったが、パンドラのおかげでそうなったインディーズの曲は少なくない。

UNCでの特別講義から三年経った二〇〇九年。パンドラはアフィリエイトで、ひと月に百万ドルの音楽を売るようになった。一曲あたり一ドルで計算するなら、年間一二〇〇万曲を売ったことになる。

パンドラは違法ダウンロードの病にも、有効に働いていた。パンドラの紹介する曲は無名の音楽が多く、ファイル共有されていなかった。人びとは彼らの曲を買うほかなかったのだろう。

パンドラをきっかけにCDが売れたと語るインディーズ・ミュージシャンが続出した。ラジオやMTVでかからない曲をパンドラで知って、アマゾンやiTunesで買う商流が開通したのだ。その後、残念ながらユーチューブが普及すると、パンドラで知ってユーチューブで再生する流れが強くなった。パンドラはかわりに定額制配信に、進出することになる。

「音楽業界で次に起こる破壊は、中産階級の登場になるでしょう。労働階級というべき立場にあったミュージシャンたちも、自力でメインストリームへ歩む道を得られるようになるのです[★117]」

パンドラの社会現象を、ウェスターグレンは自らそう解説した。パンドラがあれば、宣伝費のない音楽であってもオーディエンスを見つけられるようになる。それを見たメジャーレーベルが声をかけてくるようになる。銃撃で照準を合わせ、大砲を打つ。パンドラで的を見つけ、宣伝費を投下する道筋も拓けてきたということだ。

ここで日本のことを思い出したい。日本のメジャーアーティストは、アメリカにおけるインディーズ・アーティストの立場に近いのではないか、という話だ。

世界ではメジャーアーティストとは、Sony、ユニバーサル、ワーナーの三大レーベルに所属するアーティストに限られる。彼らの売上シェアは世界全体の七割にも達している。一方、日本ではレコ協のISRCコードが付いた

CDを出せば、売上が五千枚を割ってもメジャーアーティストだ。今では、名のある邦楽アーティストでもイニシャル五千枚はよくある数字だ。

日本レコード協会に参加する会社は、六十一社にのぼる。[★118] これをすべてメジャーレーベルと呼ぶので、外国から来た音楽配信の交渉者は目を白黒させて、筆者にこう言ったものだ。

「日本は特殊だ。世界なら三社と話せば済むが、日本では六十社と話さないと話が進まないのか」

予算も、アメリカと日本のメジャーデビューでは意味合いが違う。米レコ協が提示したメジャーアーティストの典型的なデビュー費用は、五十万から二百万ドル(約六千万円から二億円超)だった。[★036] 人口の差異や世界市場の有無を考慮して、これを三分の一にしても二千万円から八千万円だ。日本のメジャーデビューで、それだけ予算を確保できるのは少数だ。

それだけでない。リリースできても、宣伝予算が取れず埋もれてしまった会心の作品はどれだけあるだろう。レーベル側から見ても、宣伝費を割けない所属アーティストに十万人単位のオーディエンスが付く音楽メディアがあるのは、助けになるはずだ。パンドラの物語は、日本のメジャーレーベルにとっても参考になるのではないだろうか。

パンドラのミッシングリンク――ジョブズの手紙

二〇一六年、アメリカでは国民の四人に一人に相当する月間八千万人のリスナー数を実現したパンドラだが、伸び悩んだ時期がある。二〇〇六年、広告モデル導入で二百万人に到達したが、そこからしばらく停滞した。

音楽には発見のフェーズとリピートのフェーズがある、と書いた。発見には無料が求められ、リピートで有料にするのがリスナーの納得するところだ。音楽の発見を専らとするパンドラに無料モデルは必須であったが、それのみでは、市場を破砕する大砲とならなかった。

パンドラが流行の領域から飛翔して、社会インフラの領域に入るためには、解決しなければならぬミッシングリンクがあった。

「パンドラはラジオの再発明だった。本当のポテンシャルを解放するためには、パソコンの外へ出ていかなければならなかったんだ。人びとがいちばん音楽を消費する場所は、机の上ではないからね」コンラッドは二〇〇六年の停滞をそう振り返る。★119 パンドラは部屋から飛び出し、車に乗り込まなければならなかった。

車だけでない。Ｓｏｎｙの携帯ラジオ、そしてウォークマンの登場以来、音楽はポケットのなかに入り、いつどこでも聴けることを求めてきた。だがウォークマンでもｉＰｏｄでも、パンドラを聴くことは不可能だった。

当時、誰ものポケットに入っているものが、ｉＰｏｄのほかにもうひとつあった。携帯電話だ。携帯電話で聴ければ、ポケットのなかにも、車のなかにも進出できる。だが当時、それはほとんど不可能だった。

コンラッドのぶつかった障壁は、携帯電話にまともな共通ＯＳがなかったことだ。ＡＴ＆Ｔなど通信キャリアとも話し合ってみたが、一部キャリアの一部機種でパンドラが聴けるようになっても、社会インフラになることはない。ラジオは通信キャリアのためのものではなく、みんなのものだ。それでは意味がなかった。だがすべての機種ごとにアプリを開発することなど、携帯電話に共通ＯＳのない当時、およそ現実的な話ではなかった。

携帯電話を相手にコンラッドが悪戦苦闘していた頃——。

オークランドから車で五十マイル先にあるＡｐｐｌｅキャンパスでは、学生時代のライバル、トニー・ファデルも電話にまつわる何かで苦闘を重ねていた。とあるプロダクトの開発責任者として、ジョブズと共にあるものを再発明しようとしていたのだ。

それからしばらく後のことだ。元Ａｐｐｌｅ社員コンラッドのもとに、スティーブ・ジョブズ自らしたためた手紙が届くことになる。そのときこそ、パンドラはまことに飛翔の刻を迎えるのである。

音楽配信の新帝王、スポティファイを創った男の過去

齢二十三ですべてを手に入れたはずだった。フェラーリ。高級マンション。クラブのＶＩＰルーム。光と音楽。シャンパンと女たち。だが成功のあかしは幻滅の苦痛に変わっていった。

「ずっとじぶんのいるべき場所を探していたんだ」

スウェーデン人らしい抑制の効いた微笑をたたえながら、若者は当時のじぶんをそう説明した。

「成功すれば居場所は見つかる。そう信じてやってきた」

現実は違った。女たちはじぶんを利用していただけだった。男たちも結局友だちではなかった。

「どう生きていったらいいか、わからなくなった」★120

だからフェラーリを処分し、高級マンションを引き払って、故郷のコテージに引き籠った。その冬、若者はギターを爪弾きながら短い半生を振り返り、何かを探そうとしていた。質素な窓から見える北欧の松は、日本のそれと違って真っ直ぐに林立し、その黒い葉が寒空を点綴《てんてい》していた。

ＩＴ革命が始まって間もない一九九七年。中学生だった彼は既にウェブのコーディングで稼ぎ始め、高校に入ると起業していた。大学は母国の名門、王立工科大に合格したが初講義に失望し、二週間で辞めた。起業の興奮に勝ることはなかったからだ。

次々とＩＴヴェンチャーの設立に関わるうち、一生暮らせる金ができた。彼の半生はＩＴから大金までが一直線に結ばれていた。だが、じぶんという人間は本当にそれだけなのか？　少なくとも、かっこよさや金を目標に事業をや

るのはもう真っ平だった。

若者はふと手を止め、窓辺でギターを見つめた。じぶんの音楽好きはやはり血筋なのだろうか……。幼い頃、家の壁に掛けてあったギター。ジャズピアニストだった祖父のものだ。祖母はオペラ歌手だった。音楽一家といってよかった。

思えばプログラミングばかりに熱中した少年時代ではなかった。中学では音楽の先生が親友がわりだった。授業が終わると飛ぶように彼の音楽室に行って、飽きるまでギターを弾いた。歌うのも好きで、ミュージカルの主役すら二度つとめた。★120 それから高校時代は——。彼は思い出した。

2012年、フォーブス誌はスポティファイ創業者のダニエル・エクを「音楽界の最重要人物」と紹介した。エクは音楽家の家系に育ち、少年時代はギターとプログラミングに熱中した。

Magnus Höij "Daniel Ek (Interview) (cropped)", Wikimedia, https://commons.wikimedia.org/wiki/File:Daniel_Ek_(Interview)_(cropped).jpg

サブスクの革命児、スポティファイのルーツを探る

一九九八年、パンドラの箱が開かれた。アメリカで、とある大学生がピア・ツー・ピア技術を発明すると、二十一世紀を迎える頃にはファイル共有が世界を席巻。突如、無料で音楽が聴き放題の人工楽園を創り上げ、当時のティーンエイジャーは名を隠して熱狂した。

ファイル共有アプリ、ナップスターのもたらした「聴き放題」というかつてない音楽体験は、スウェーデンにいた高

校生の音楽趣味をも一変させた。それまで国内の流行音楽ばかり聴いていた彼は、ナップスターと裁判を起こしたメタリカをダウンロードしてみて好きになった。それから、メタリカが影響を受けたというツェッペリンやキング・クリムゾンをダウンロードしたら、ますます好きになった。

そうやってナップスターで音楽のルーツを探っていくうちに、ブリティッシュ・ロックの虜になっていた。ビートルズ、セックス・ピストルズ、デビッド・ボウイ……。六〇、七〇、八〇年代を駆け抜けるような、未知の充実感を彼は知った。「文化を理解するようになった。それは魔法のような体験だった」[★121]

ファイル共有がもたらした聴き放題の体験は、フィーリングで音楽を聴いていた頃にはなかった感動を若者たちにもたらしていた。だがナップスターは裁判に敗れ、やがて潰えていった。

メジャーレーベルは、かわりに合法的なサブスク(定額制配信)を用意したが、その出来は悲惨だった。定額制配信はユーザーから総スカンを食らっていた。大物アーティストや最新ヒット曲がぼろぼろ欠けていたのが最大の敗因だ。

「サブスクは絶対に上手くいかない」[★122]当時、裏でスティーブ・ジョブズがそう語っていたとのちに知ったが、それも無理からぬことだった。軽快でシンプルなナップスターに対し、音楽会社の創ったサブスク・アプリは鈍重で複雑。ストリーミングの音楽は途切れがちで、ダウンロードに比べ満足に再生できなかった。

かわりにAppleが世界に提案したのが、iTunesミュージックストアだ。人びとは熱狂を持って音楽のダウンロード販売を賞賛した。だが一曲ごとに購入するiTunesの仕組みは、何もかもが聴き放題のナップスターと比べるとユーザー体験が後退していた。

そもそも有料ダウンロードの数が、無料ダウンロードの数を超えるわけがない。実際、若者の母国スウェーデンではファイル共有に押され、iTunesは全く冴えなかった。

合法かつ完璧な聴き放題。答えはそれしかないはずだ。では、どうすれば合法のファイル共有を創れるのか？　高校生だった彼は構想に没頭した――。

そこまで思い出したとき、大人になった若者は再び強い眼差しで空を見上げることができるようになっていた。テクノロジーと音楽の交差点。おそらくそこに、この若者の天命が埋もれていたからである。

二〇〇六年の早春。二十三歳の若者は街へ帰った。そしてこれまで稼いだ全財産を投じて、スポティファイを起業した。若者の名はダニエル・エク。サブスクが普及しつつある執筆現在から、十五年近い昔のことである。

サイバー海賊の一大拠点

古代、北欧は辺境の地であった。雪で覆われた山脈、森。厳しい大地にあって、人びとが頼ったのは遥か中南米から暖流の来る海だった。よき船大工を尊重した彼らは、中世半ば、技術革新を起こす。船を貫く木の背骨、竜骨の発明だ。★123

竜骨の強度があれば、船にマストを立てられる。帆に海風を受けていつまでも船は進む。世界中の民が陸沿いに船を漕ぐなか、北欧の民のみが母港を遥かに離れ、陸の見えない大海原にロングシップを疾らせるようになった。

彼らはときに商人となり、ときに海賊となった。ヴァイキングが次々と貿易の要衝を略奪するなか、欧州の国々は為す術がなかった。海賊たちの技術力を前に、欧州のいかなる国家権力も太刀打ちできなかったのである。

ヴァイキングは技術力で勝っていた。四海と交易し、先進地域のイスラム帝国やビサンティン帝国から技術を集めていたからだ。北の海賊たちはやがて国々を征服し、王侯貴族になっていった。現在の英国をしろしめす女王エリザベス二世の王朝はヴァイキングを祖としている。

それから千年余りの歳月が過ぎた。スウェーデンの夏は美しい。森は緑に、花は色とりどりに咲く。夏の風をスポティファイ社が初めて迎えた頃、世界の音楽界は、時を超えて北欧に現れた海賊の港におののいていた。違法ファイルの検索エンジン、パイレート・ベイ。スウェーデンに出来たサイバー海賊の一大拠点である。

欲しい曲を検索する。検索結果をクリックする。それだけでいい。あとはファイル共有ソフトが、軽々と音楽を無料で入手してくれる。パイレート・ベイは、実に三億人のサイバー海賊たちが愛用するネットの港となった。

二〇〇六年の夏、総選挙を迎えたスウェーデンでは首相候補たちがテレビ討論で、このパイレート・ベイの是非を論じ合っていた。違法ダウンロード刑罰化の是非について、でもある。きっかけは警察がパイレート・ベイに乗り込み、サーバーを押収したことだ。今日、グーグルとヤフーが突如消えれば我々は途方にくれる。同じように無料の音楽天国は大混乱に陥った。

スウェーデンの若年層は、ほとんどがファイル共有を愛用していた。小学生ですら六割の利用率だ。[★124] 国家の手厚い教育サポートによりＰＣが子どもにまで普及していたからである。「だってふつうよ」と小学生の女の子はインタビューに答えた。「みんなやってるよ」と男の子が続く。ファイル共有で「音楽をダウンロードしてｉＰｏｄに入れるんだ」

「党首のみなさんは、違法ダウンロードの問題についてどう思われますか?」番組の司会者は、首相候補たちに質問を投げかけた。

「音楽を愛する世代をまとめて犯罪者扱いするのは、現実的とはいえないでしょう[★125]」

そう党首ふたりが慎重に言葉を選んで語る画面を、リビングで険しい顔のまま見る男があった。頭を綺麗に剃り上げた細面の男は、スウェーデンの音楽業界を率いる立場にいた。Ｓｏｎｙミュージックのスウェーデン社を率いるペル・スンディン。それがこの精悍な男の素性である。党首討論の内容に、スンディンは微苦笑せずにはいられなかった。

この国は若年層の投票率が七五％を超える。[★126] その票を取り込むには、彼らの好きな音楽とＩＴの話題で注意を引き、かつ好感度を得る必要があった。自然と政治家の発言は、わずかな雇用者数の音楽産業よりも、若年層の大半を占めるファイル共有ユーザー寄りになる。つまりこの国は、アーティストの生活基盤を守る気などないということだ。

翌朝、さらに憂鬱になった。党首討論を受けて新聞という新聞が、警察とレコード会社を「時代遅れ」と冷笑していた。スンディンの隣人はこう話したことがある。「うちには子どもがいるからわかるけど、若い子たちはもう音楽を買わなくてもいいんだって言ってますよ」と。[★127]

それでも、とスンディンは思った。違法ダウンロードを取り締まり、ＣＤを売るほかないのだ。この国でｉＴｕｎｅｓは上手くいっておらず、その売上はＣＤの二十分の一にも満たなかった。[★128] 合法ダウンロードが違法ダウンロードの代替になる？　そんな救いは望み薄だ。有料ダウンロードがどうして無料に勝てるだろうか……。

海賊と海軍と

技術革新と海賊。それがスポティファイ誕生物語のテーマである。

近世の大航海時代。中世のヴァイキング時代に次いで、技術革新と海賊とが世界を変えた時代だ。ヴァイキングのロングシップは、三本のマストを持つコブ船へと進化し、やがてそれは近世ポルトガルのエンリケ航海王子のもとイノヴェーションを迎えた。長大な竜骨に四本のマスト、そして巨大な船倉を持つキャラック船の誕生である。

ポルトガルがこれを駆ってアフリカとインドへ向かう一方で、ライバル国スペインはコロンブスを雇い、黄金の国ジパングを目指した。コロンブスはジパングのかわりに、かつてヴァイキングの上陸したアメリカ大陸を再発見した。

ポルトガルは、アフリカの奴隷とインド諸島の香辛料で、富を作った。スペインの方は黄金の国ジパングのかわりに中南米で巨大な金山、銀山を見つけた。そして当時、欧州全土の富に比肩する金銀を本国に持ち帰った。

世界の富は、地中海を制していたイスラム圏のトルコと、ルネサンスの花咲くイタリアの連合から、大西洋を制した二国スペインとポルトガルに中心を移すことになった。一方、羊飼いの刈る羊毛のほか、さしたるプロダクトがなかった辺境のイギリスは貧しいままだった。そのイギリスが産業革命を待たずして近世に主流国へ躍り出たのには、本節のテーマである海賊に秘密がある。

スペインとポルトガルは、国力の要であった航海技術を国家機密にした。この航海技術を国家のインテリジェンス(諜報機関)と裏で組んで、あの手この手で入手していたのがイギリスの海賊たちだ。

ヴァイキングの血を引く女王エリザベス一世は、自国の海賊王たち、ドレークやホーキングを秘密裏に雇い、中南米から金銀を載せて帰るスペインの船を略奪した。宝船の財宝は女王と海賊とで山分けである。それは貧国イギリスの国家予算を超えるほどであり、苦しかった英国王室の懐は瞬く間に豊かになった。

さらに女王陛下の海賊たちはポルトガルの奴隷船を奪い取り、そしらぬ顔で奴隷をスペインの商人に密売して、儲けを女王陛下と山分けした。のみならずスペイン、ポルトガルから奪った最新鋭艦を組み込むことで、イギリス海軍は急速に近代化した。

表向きは海賊など知らぬ存ぜぬと白を切る英国に、堪忍袋の緒が切れたスペイン国王はイギリス本土占領を企てる。ここに至って女王エリザベス一世は、ドレークたち海賊船団を正式に英国海軍へ組み入れた。そして自軍の船に火薬を積み、火をつけてぶつけるという海賊ばりの奇襲作戦で、スペインの無敵艦隊を大混乱に陥れ、打ち破った。

このアルマダ海戦を機にイギリスは主流国の道へ進み始めた。が、同時にビジネスモデルの転換を迫られるようになった。警戒され、スペイン船・ポルトガル船の略奪は難しくなったからである。イギリスは短期的な略奪から、長期的な貿易へ向かうべきである――。そう女王陛下に上奏したのは当の海賊たちだ。そして王室・貴族の出資のもと史上最大の独占的な貿易商社、東インド会社が生まれた。執行役員はすべて海賊の首領だったと判明している。

かくして海賊の航海技術を公権力に取り込んだイギリスは、貿易立国というサスティナブルなビジネスモデルへ国家経営を転換していった。のみならず貿易で蓄えた富を研究開発費に注ぎ込み、今度は自身のちからで一大イノヴェーションを生み出した。ワットによる蒸気機関の発明だ。産業革命を興した島国イギリスは、七つの海を支配する史上最大の帝国になっていった。★129

それから二世紀半の歳月が過ぎ去った。

「海軍になるより海賊になれ」コンピュータ革命を起こすべく一九八一年、そう言って部下たちを鼓舞する男がクパチーノにいた。Ａｐｐｌｅを創業した若きスティーブ・ジョブズだ。比喩ではなく、彼はオフィスの屋上に海賊旗を翻していた。海賊船を率いて海軍に挑むキャプテン。それが若きジョブズの自負だったのだ。

マッキントッシュの開発に、彼は手段を選ぶつもりはなかった。社内の誰を敵に回しても、彼は狙った技術者を奪うことを厭《いと》わなかった。ある日、ジョブズは会議室に入って、電話帳をどさりと置いた。

「それがマッキントッシュの大きさだ」

これ以上、大きくなることは認めないと若き船長は言う。これまでのパソコンの半分もない大きさに、技術者たちは青ざめた。★130直前のＡｐｐｌｅⅢはジョブズが無謀な小型化にこだわるあまり、失敗作になっていたからだ。

しかし今度の場合、ジョブズは画期的なアイデアを携えてきた。平面積を縮めるかわりに、縦に伸ばせばいい。モニタと本体、一体型のアイデアだった。そのヴィジョンのもと、技術者たちは死にものぐるいで働き、不可能を可能にした。だが、初代マッキントッシュはリリースされたが売れず、海賊船長は放逐され、やがてＡｐｐｌｅ社も沈没の危機を迎えることになった。未来に、Ａｐｐｌｅがハイテク世界を統べる大正義の海軍となるとは、当時の誰も知る由もない。

二〇〇六年、スポティファイが創業した年に再び戻ろう。

産業革命にも比肩されるＩＴ革命の生んだネットの大海原では、サイバー海賊の間で人気を上げる新たな船があった。ミュー・トレント。速く、小さく、軽快な、ファイル共有アプリの決定版だ。この年、ミュー・トレント社のＣＥＯに就いた若者がいる。彼の名はダニエル・エク。そう、スポティファイを創業した若者である。エクはＣＥＯに就くとすぐにこの会社の売却先を見つけて売り払った。

いったい何が狙いだったのか。彼が欲しかったのはサイバー海賊時代、最高の船を創った男の技術だ。おそらくミュー・トレントを創ったはいいが、金にできずに困った凄腕エンジニアに、エクはもちかけたのだろう。「僕が会社を売却してあげるから、うちの会社へ来てくれ」と。彼はミュー・トレントの開発者ルーデ・ストリゲウスをスポティファイ社へ引き抜き、彼にスポティファイのテスト版を開発させたのである。サイバー海賊の技術を取り込む。それが若きエクのプロデュースだった。

音楽ストリーミングの歴史は古い

じぶんには音楽産業を救うヴィジョンがある。若きエクはそう確信していた。

技術が音楽の世界に問題を起こしたという。ならば技術には技術で勝つのが王道だ。違法ダウンロードをなくしたいなら、ダウンロード以上のものを創ってしまえばいい。それには音楽ストリーミングが最適だった。だがそれには、どうしても成し遂げなければならぬ技術革新があった。ストリーミングを革新し、最速に仕立てあげることである。

音楽ストリーミングの歴史は古い。GUIを生み、ジョブズが訪れたあの研究所が関わっている。ネットが生まれて間もない一九九三年、カリフォルニアのパロアルト研究所から、遠隔地のオーストラリアにあるビルに向けて、音楽ライヴがストリーミング中継された。史上初のライヴ配信は、インディーズバンドの演奏だったという。[★131] ストリーミングは音楽のために生まれた。そう言っていいのかもしれない。

ネットの普及が始まった一九九五年には、リアルネットワークスが誕生。同社は上場し、ストリーミングは商用化された。だがすぐにストリーミングは敬遠されるようになった。同時期あらわれたmp3と比べ音質が悪く、音は途切れ、反応が遅かったからである。

ファイル共有を機にmp3が爆発的に普及すると、ネットで音楽を楽しむということは、ダウンロードのことを言うようになった。二〇〇二年、ファイル共有に対抗してメジャーレーベルは定額制ストリーミングを始めたが失敗。iTunesミュージックストアが登場すると、ストリーミングには定額制と共に敗者の烙印が押された。定額制配信(音楽サブスク)はなぜ失敗したか、どうすれば上手くいったのか。そこまで深く考える人間は世界から消えた。若者エクを除いては——。

技術革新がスポティファイを生んだ

ジョブズの教義を一点に絞るなら「シンプルにしろ」となる。複雑に絡み合う問題をすべて解決するシンプルな答えを発見することだ。ストリーミングの速度を上げる。その一点に音楽産業の諸問題を集約できることを、エクは発見していた。

ウェブ世界の帝王、グーグルはある発見をした。人はクリックして〇・四秒以内にレスポンスがないとストレスを感じ、五％のユーザーが離れる。[★132] 五％減が二十回続けば、ユーザー数は三分の一に激減する計算だ。だからグーグルはずっと、検索結果が〇・二秒以内に返るようにシステムを磨き抜いてきた。だが既存の定額制ストリーミングは、曲が始まるまで一秒以上かかっていた。

もし音楽が途切れず、〇・二秒以上待たせずして再生できるストリーミングがあったなら、何が起こるか。違法ダウンロードというより、ダウンロード自体が不要になる。人類は今度、待ち時間を強いるダウンロードを避け、ストリーミングを選ぶようになるだろう。のみならずストリーミングなら広告モデルも導入できるようになるはずだ。ファイル共有が誕生したとき、ナップスターの社内で広告モデルも検討された。それが不可能だったのはダウンロード配信では、誰もクリックしないバナー広告しかできなかったからだ。ストリーミングなら、ラジオやテレビのように定期的に音声広告を流せる。有料の合法が無料の違法に勝てるわけがない、それが音楽業界の悩みの種だったが、広告モデルが取り入れられるなら、無料に立ち向かう戦略も生まれてくる。

以上のような洞察からエクはエンジニアに言った。「目指すのは〇・二秒以下だから」と。グーグル検索に匹敵する〇・二秒以内のレスポンス。そこにこそ、ストリーミングが音楽を救う未来への分水嶺があると彼は考えていた。それ以上、遅くなることは認めない。エクの宣言に、ミュー・トレントの開発者からスポティファイのリード・エンジニアに転向したストリゲウスは戸惑った。

「不可能だ」とストリゲウスは答えた。「インターネットはそんな風に出来ていない」

「いや、なんとか方法を見つけるんだ」とエクは言い切った。[★121]

恐るべきはストリゲウスが、やってやろうじゃないかと決意したことである。王立理科大を出たばかりの若者たちと共に、不可能を可能にする挑戦が始まった。

「さあもっと！　もっと速くだ！」

開発が進むたびに、手を叩いてそう鼓舞するのがエクの癖となった。音楽好きばかりが集まったせいか。とびきり働いた後、会議室に集まり、爆音で音楽を聴きながら、エクの用意したビールで騒ぐのが会社の流儀となった。

音楽を目一杯のボリュームで流し、ビール缶を次々あけながらポーカーやダーツ、テレビゲームに興じる。エクのお気に入りは、卓球とプレステのサッカーゲームだ。金曜日のそれはまるで小さな海賊団の宴のようで、騒ぎすぎて警察が会社へ注意に来るほどだった。[★121] 余談だが後日、ユーチューブの「歌ってみた」から世界の頂点まで駆け上がった同世代の歌手、ジャスティン・ビーバーがスポティファイ社に遊びに来たとき、エクは得意の卓球で勝負を挑んだが、一対二十一でボロ負けしたそうである。ビーバーは卓球が鬼のように強いらしい。[★127]

インターネットが不完全なら、独自のインターネットを築いてしまえばいい。エクたちは独自のプロトコルを開発した。ピア・ツー・ピア技術をストリーミングに応用することで、ストリーミングに技術革新を起こしたのである。

一年後の二〇〇七年春。スポティファイのベータ版が完成した。とてつもなく速く、体感的にダウンロード再生と全く差異がなかった。この瞬間、音楽をダウンロードする必要はなくなった。

若者エクの非凡な交渉力

配下のエンジニアたちが不可能に挑戦している最中、ＣＥＯのエクもまた別の不可能に挑戦していた。とはいうものの、取り組み出したのは、それが無理難題とは気づいていなかったからだった。音楽配信は、世間の考える著作権ビジネスとはいささか異なる。音楽レーベルから「うちの楽曲、配信に使っていいよ」と許諾をもらわなければ、一曲たりとも使うことはできない。だからエクは、楽曲の使用許諾をもらうためにメジャーレーベルに赴いた。それはま

るで、街へCDを買いに行くような気軽さだったと、当時の部下は言う。[★127]

「二週間で片付くと思っていたんだ」[★127]とエクは振り返る。「まさかそこから三年、壁にヘディングし続けるとわかっていたら、やってなかったろうけどね」

無茶な話だった。あのジョブズをして、水面下の交渉が一年要ったのだ。iTunesミュージックストアが始まったとき、レーベルが許諾を卸した楽曲はわずか二十万曲に過ぎなかった。執筆現在の二百分の一にも満たない。それでもiTunesミュージックストアのデビューが華々しく見えたのは、ジョブズ自ら大物アーティストと交渉して、賛同メッセージをお披露目イベントで発表することができたからである。様子見していたアーティストはそれを見てiTunesに参加を決めた。

それに、エクの立場はジョブズと雲泥の差があった。Appleを創業し、iMac、iPodで会社を復活させたジョブズと違って、エクは何の信用もない二十三歳の若者に過ぎなかった。のみならず、大人気の映画スタジオ、ピクサーを経営してきたジョブズと違い、IT業界出身のエクはコンテンツ業界にとって「他所者」だった。

ユニバーサル・レコードを訪れたエクは、担当が失笑するようなお願いを並べ始めた。すべての曲を許諾してほしい、それも広告モデルの基本無料で使いたいと言い出したのだ。

「君の言ってることはねぇ……」会社の担当はエクに「不可能なんだよ」と諭した。[★125]

たいてい、ここで終わりだ。音楽会社にそう言われたら、音楽アプリを創りたい若者らは憮然《ぶぜん》と去っていく。あとは仲間内でビールでも飲みながら、音楽業界の旧態依然とした様を愚痴るのみだ。

だがエクはここからが違った。[★127]彼は毎週通いつめた。どう言われても、レコード会社を説得することをやめなかった。彼には確信があったのだ。[★127]レコード会社は必ず話を聞くようになる。なぜなら、何もかもを失いつつあったからだ。そしてじぶんは答えを持っているのである。

エクの説いた戦略はこうだ。広告モデルで合法の無料を創って、サイバー海賊たちを囲い込み、ファイル共有を超える圧倒的な利便性をもって彼らを有料会員に変える。フリーとプレミアムを組み合わせたフリーミアム・モデルの導入である。

ダウンロードを不要にすること。無料で囲い込めること。そしてすべての音楽があること。この三つが揃えば最高のユーザー体験を提供できる。エクが強固に説くスポティファイのプロダクト・ヴィジョンだった。

どこもかしこも定額制配信を始め、Ａｐｐｌｅミュージックも定着しつつある今であっても、スポティファイは一際輝いている。会員数だけでない。使い勝手もコミュニティも選曲力も、Ａｐｐｌｅミュージックに差をつけていると、両方を使う筆者は感じているし、世界のユーザーもそのようだ。スポティファイがほかと一線を画す存在になった理由を、ある大物はこう評している。「信じられないほど頑固だったからだ」と。「いい意味で言ってるんだけどね。プロダクト・ヴィジョンが主で、ビジネス取引は従。交渉で主従を譲らなかった」ナップスターの共同創業者で、のちにスポティファイの取締役となったショーン・パーカーはそう語った。★121

楽曲の許諾を得るなら簡単な道もあった。日本の定額制配信がそうしたように、有料のみの定額制にしたうえ、全曲ではなく一部のみ許諾をもらって配信することだ。実際、それなら当時も前例があった。二〇〇一年の誕生以来、細々と続く定額制配信がそれだ。

だがエクはそんな「とりあえず」の議論は一顧だにしなかった。「絶対に、すべての音楽」でなければならなかった。五年前に誕生した定額制配信はそこで失敗したのだから。レコード会社とアーティストはおっかなびっくりに楽曲を小出しに提供した結果、ヒットチャートの曲がなかったり、大物アーティストの曲がない、奇妙な「聴き放題」が出来上がった。日本は音楽サブスクの立ち上げ時、歴史に学ばず、アメリカの失敗を繰り返す真似をしてしまった。

お金を払ったのに、無料のファイル共有や動画共有より曲がない？　定額制配信の曲の少なさに失望した音楽ファンたちは、無料ダウンロードの世界へ帰っていった。その二〇〇二年から四年経った今、人類はそこから成長しなければ意味がないはずだ、とエクは説きに説いた。

二十三歳の若者は頑固に、ユニバーサル・レコードへ通い続けた。比喩ではなく、会社の玄関の前で寝泊まりしたこともあるという。★127

「禅に通じるような忍耐力が彼にはある。どんなプレッシャーやフラストレーションも心に入れないんだ」アメリカ人のパーカーは、エクのそんなところがスウェーデン人らしいと評する。「それで彼は、何度でも逆境に身を投じることができる。ふつうの人間なら、タオルが投入されて終わりという逆境にね★121」

そして扉が開かれる日がやってきた。

ついに開かれた扉――欧州に成立したスポティファイ連合

二〇〇七年。スウェーデンに、若者を味方につけた四十一歳のフレッシュな首相が誕生して一年が経った。その間、ファイル共有「トレント」の利用者数は倍増。この年、スウェーデンの音楽産業売上はマイナス九％の大幅減を記録することになる。

いよいよ崩壊が止まらなくなったなか、Ｓｏｎｙミュージックを辞して、ユニバーサル・ミュージックのスウェーデン社を統べることになったペル・スンディンは迷いに迷っていた。彼は、違法ダウンロード刑罰化の強固な推進者のはずだった。ダウンロード販売が救世主にならないのが現実なら、違法ダウンロードの刑罰化とＣＤ販売の保護しか現実的な道はないはずだった。だが、若年層を一万人でも二万人でも逮捕する、そんな罪と罰の道が本当に現実的な救いといえるのか。ほかの道があるのかもしれない……。

部下がダニエル・エクという若者を連れてきたのは、そんな折だ。彼は、スポティファイというアプリのデモ版を携えていた。報告は受けていたが実際にスポティファイに触れたとき、スンディンは圧倒された。

「信じられない。これほど素晴らしいとは……」

思わずそう呟いたとスンディンは語る。[★125] ストリーミングなのに全くｉＴｕｎｅｓやｍｐ３に引けをとらない。いや、高機能化で重くなったｉＴｕｎｅｓよりも、むしろ軽快だ。のみならず、プレイリストをシェアできるようになるという。かつてＳｏｎｙのウォークマンが生み出したミックステープ文化を、エクたちがリスペクトして開発した機能だった。[★133] このアイデアこそ、音楽の正しい共有《シェア》ではないか。

「別にみんな、海賊になりたいわけではないんです」エクは説明した。「最高のユーザー体験を求めているだけなんですよ[★121]」

音楽ファンが、海賊になるのは副次的なことだと若者は言うのだった。「だからファイル共有を遥かに超える、最高のユーザー体験を与えればいい。スポティファイにすべての音楽を置いてくだされば、数千万の海賊たちは転じて音楽産業の味方になるでしょう――」それこそが、スポティファイのプロダクト・ヴィジョンだった。

無料ユーザーを罰するのではなく、許す。それが変容を生み、奇跡を起こす。この若者の言うことは煎じ詰めれば、そういうことなのかもしれなかった。スンディンは若者と、第三の道を選ぶ決断を下した。

やると決めたからには、スポティファイにすべての楽曲を集めなければならない。それにはロンドンやニューヨークの上司を説得しなければならなかったし、自社のことだけを考えるわけにもいかなかった。スポティファイに、ユニバーサル・ミュージックの音源だけあっても成功しない。転向したパウロさながらだった。かつてＣＤ保守派の雄だったスンディンはスポティファイの熱心な伝道者となった。彼はアメリカ本社の上司ばかりでなく、古巣Ｓｏｎｙミュージックの幹部たちをも説得する立場となった。

エクのスンディンへの説得が二年。スンディンの業界への説得が一年。計三年に渡る大外交が実り、欧州のレーベルほとんどがスポティファイに楽曲提供で合意。スンディンはこの大連合の影の立役者となった。かくして、海賊を海軍に変えたエリザベス女王の如く、欧州音楽界はサイバー海賊の技と匠を取り込み、スポティファイを正規軍にしたのである。提督は二十代前半の若者だ。

中世、ヴァイキングは海賊のみではなかった。ヴァイキングの生んだ航海技術は、海賊をつくることもあれば、新国家の構築にも使われた。

西のヴァイキングが海賊と略奪で国を奪ったのに対し、東のヴァイキングは違った。バルト海を渡り、ヴィスワ河を登り、植民を成して新国家を建築した。ロシアの原型、ルーシ諸国である。エクたちスウェーデン人の祖先は、新国家の創設に向かった東のヴァイキングである。

スポティファイに参加した欧州レーベルの目論見は、サイバー海賊を生んだ技術を転じて、新たなビジネスモデルを構築することだった。レコード、CD、楽曲ファイル。これからはこうした音楽の複製物をプロダクトにして売るのではない。ストリーミングで、全音楽にアクセスする権利を月額で売る。プロダクトではなくサービスの時代になる。欧州の音楽産業はエクとスンディンに導かれ、衰退する複製権モデルに代わって、「アクセス・モデル」の帝国を新たに興すことにしたのである。

エクやスンディンの体に流れる祖先の血が働いた――。そう書けば、いささかロマンティックに過ぎるだろうか。

スポティファイのブレイクに必要だった「何か」

Ａｐｐｌｅミュージック誕生の二十年近く前、定額制配信の時代を予言した男があった。ゲフィン・レコードのＣ

ＴＯ、ジム・グリフィンだ。米音楽産業で思想的リーダーだった彼は言った。

「プロダクト・ベースの商取引（楽曲販売）に代わって、サブスクリプション・モデルが優位に立つことになるでしょう。いずれサービスがプロダクトを凌《りょう》駕《が》する時代になります」

プロダクトとはＣＤや楽曲ファイルを指す。サービスとは定額制配信を指す。ナップスター旋風に襲われた米音楽産業はグリフィンの言を用い、定額制配信が誕生した。それが失敗に向かうと、次に信を得たのはジョブズの言だ。人はレコードを買い、カセットを買い、ＣＤを買ってきた。だから音楽を所有できない定額制配信は失敗する。有料会員をやめたら何も聴けなくなるレンタルは流行らない、とジョブズは言った。[★123] そうして出来たｉＴｕｎｅｓミュージックストアは熱狂をもって迎えられたが、ファイル共有の猛威に勝ることはついになかった。

グリフィンとジョブズ、どちらの予言が正しかったのか。共に正しく、かつ見落としがあった。グリフィンは技術者でなかったので、技術的な要素を見落としていた。当時のストリーミング技術が、ｍｐ３の使い勝手に勝ることはなかった。エクのスポティファイは技術革新でこれを解決した。

ジョブズが見落としていたのは何だろうか。確かに人はレンタルより所有を好む。だが空気を所有しようとする者がいないように、いつでも使えるものは所有する必要がない。クラウドが普及し、ネットからすべての音楽を瞬時に再生できるなら、手元に所有する必要はないのだ。広告モデルを組み合わせれば、ジョブズの言うレンタルのような支障もなくなる。有料会員をやめても、コレクションが消えたり、音楽を聴けなくなることはないからだ。

過去あった定額制配信の失望。その後のｉＴｕｎｅｓの熱狂。そのどちらにも若きダニエル・エクの頭脳は囚われなかった。じぶんの頭で考え、過去と現在から時を読み取り、未来を見通した。二〇一五年のインタビューで、古参社員のフォレスターはこう語った。[★120]

「これから起こるとダニエルが言ってたことは全部、いま起きている。すごいよね」

今やスポティファイは、世界の音楽ビジネスシーンの中心にあり、Ａｐｐｌｅやグーグル、アマゾンすらスポティファイを追いかけている。

だが二〇〇六年の創業当時、スポティファイがその輝かしい未来に至るためには、致命的な何かが欠けていた。それはハードウェアだ。

音楽配信を語る者はハードウェアを見落としがちだ。だがラジオ、ウォークマン、ＣＤ、そしてｉＰｏｄ、ハードウェアこそ音楽生活を変えてきた鍵だ。筆者はそれを伝えるために、数十万字を費やしてきたようなものである。

ウォークマンの登場以来、人類はいつでもどこでも好きなときに音楽が聴けなければ満足しなくなった。九〇年代からダウンロード配信はあったが、後発のｉＴｕｎｅｓミュージックストアが成功したのは、ｉＰｏｄがあったからだ。ｉＰｏｄがあれば買った音楽は持ち運ぶことができた。ファイル共有でダウンロードしたｍｐ３もｉＰｏｄがあるから持ち運べた。

二〇〇〇年の春、ナップスター旋風の渦中にあった二十一歳のショーン・パーカーは、ＭＴＶに音楽の未来を語ったことがある。

「音楽はユビキタス化して、どこでも聴ける方向で進化する。携帯電話で音楽を楽しむようになるだろうし、全く新しいデバイスも出てくるだろう。人びとは、利便性にお金を払うようになると僕は思う」

先見者の彼はナップスターの社内で、月額制のケーブルテレビを参考にナップスターを音楽サブスクにすることすら狙っていたが、実現しなかった。

ダニエル・エクによるスポティファイの創業は、世界の音楽産業にアクセス・モデルという、新たなビジネスモデルを示唆した。しかしアクセス・モデルはスポティファイというアプリのみでは機能しなかった。それには、ジョブズの生涯最高傑作の誕生を世界は待たなければならなかったのである。

二〇〇八年。音楽産業に夜明けが近づいていた。

カデンツァ

音楽産業の復活とポスト・サブスクの誕生——そして未来へ

世界の音楽産業、V字回復の立役者はジョブズのiPhone

二〇一二年。稀代のカリスマ経営者スティーブ・ジョブズの没した翌年だった。彼の愛した音楽は暁の明星の如く、復活の光を放ち始めた。インターネットの普及から始まった音楽不況は終わり、世界の音楽産業は十三年ぶりにプラス成長を体験した。★001

それは決して偶然ではなかった。

「楽曲販売に代わって、サブスクリプション・モデルが優位に立つ」と予言したジム・グリフィン。「サブスクは失敗する。ダウンロード販売こそ正しい答えだ」と予言したスティーブ・ジョブズ。

振り返れば、まずグリフィンの予言が外れたかに見えて当たり、次にジョブズの予言が当たったかに見えて外れた二十年間だった。

結局、すべての予言を当てたのは音楽産業を恐怖に陥れたナップスターの共同創業者、ショーン・パーカーだった。二〇〇〇年に当時二十歳だった彼は「音楽の聴き放題はサブスクで合法化される。人類は携帯電話で音楽を聴くようになる。全く新しいデバイスが誕生する」と話していた。

ナップスターに続き、フェイスブックからも追放された彼は傷心のなか、スポティファイと出会い、アメリカ音楽産業の復活に決定的な役割を果たすことになる(その話は次著に機会を譲りたい)。

それでもなお、後世の研究者はジョブズをこそ音楽産業の救世主と位置づけるだろう。スポティファイは基本無料を武器に、欧州で違法ダウンロードの愛用者を一気に囲い込んだが当初、二十人に一人も有料会員にできなかった。だが、iPhone登場を機に状況は一変した。

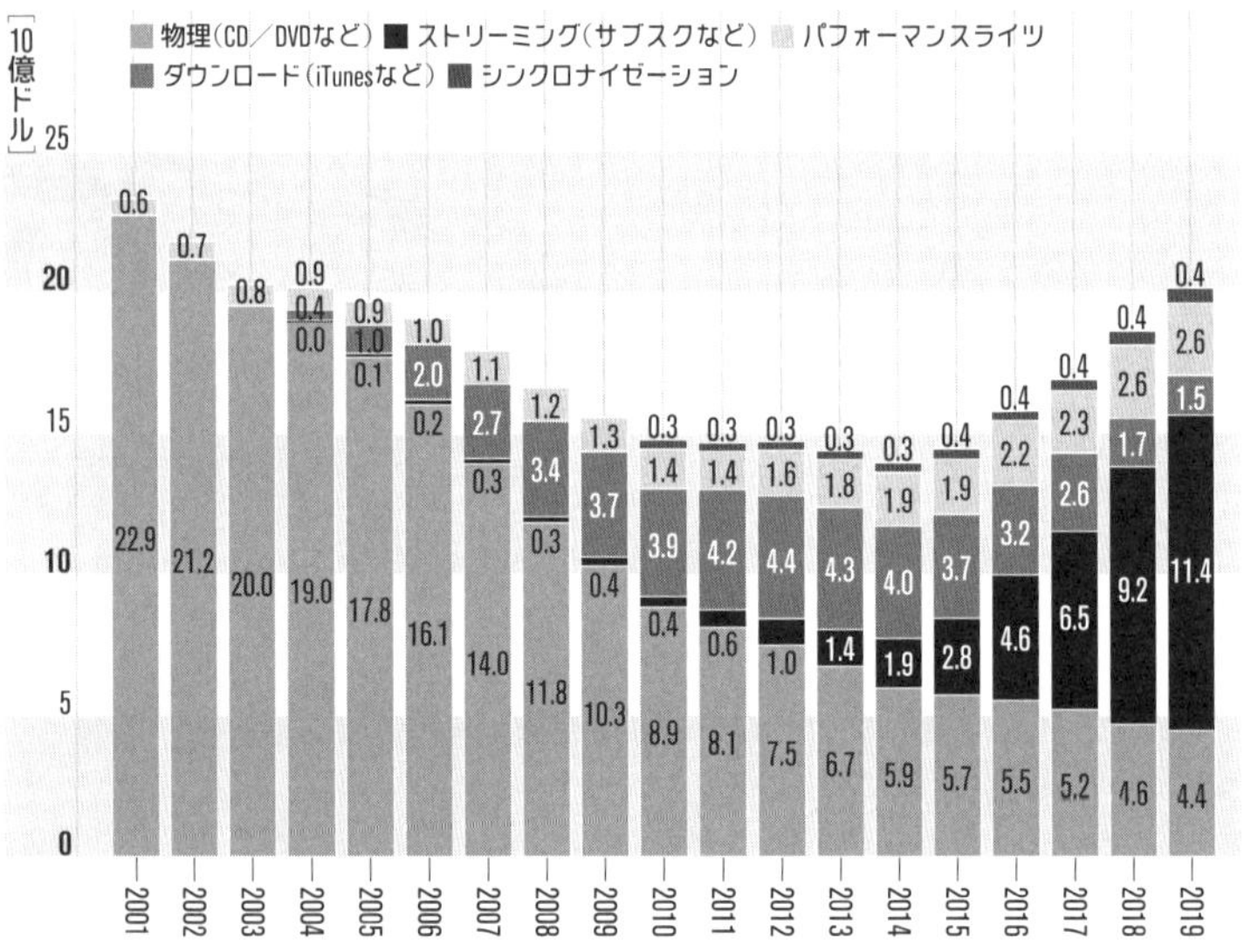

[図3-3]世界の音楽ソフト産業売上

資料:"GMR 2020", IFPI

ウォークマンの登場以来、人類は音楽生活の七割を外で楽しんでいる。★002

「基本無料。外でもスマホで自由に聴き放題を楽しみたいなら有料会員に」この必勝の方程式がスマートフォンの普及でついに成立したのである。スポティファイの有料会員比率は四割を超え、ニッチで「オワコン」扱いだったサブスクは一躍、主役の座に躍り出たのだった。

ジョブズが没して四年後、先進国でスマホの普及率が七割に達すると、世界の音楽産業で〝サブスク景気〟が始まった。★003

一方、欧州を中心にiTunesミュージックストアの売上は二〇一五年から下がる一方だった。サブスク否定派だったジョブズ亡き後のAppleはここへ来て、スポティファイに追従し、Appleミュージックを立ち上げる。グーグルやLINEなども参入し、世界的な定額制配信(サブスク)のブームが始まった。

その年から音楽ソフト売上は年々、成長速度を増し、二〇一八年には世界の音楽産業は一〇%増、二桁成長の大台に乗った。就中、ジョブズの母国は一二%増の記録的成長を二年連続で体験した。

Appleミュージックの有料会員数は世界規模ではスポティファイに及ばないものの、この年、アメリカでスポティファイを追い越した。

〝ラジオの再発明〟パンドラの栄光

〝電話の再発明〟iPhoneは〝ラジオの再発明〟パンドラを一躍スターダムに押し上げた。

二〇〇八年、Appストアが誕生すると、パンドラは北米のアプリ・ランキングでフェイスブックやユーチューブを抑えて堂々の一位に輝く。そのまま世界を席巻するかに見えた。

が、パンドラ潰しにかかった米メジャーレーベル陣と争い、打ち克ったことが災いした。禍根を残し、世界で楽曲を使用する許諾をメジャーレーベルから得られなくなってしまったのだ。

それでもパンドラは北米で無双した。二〇一六年には月間利用者数は八一〇〇万人となり、iＴｕｎｅｓミュージックストアを超えて、アメリカの音楽ファンなら誰もが使っている状況を実現した。しかし若年層は既に、同じ曲を何度も聴けるサブスクに心を惹かれつつあった。

パンドラもまた、Ａｐｐｌｅチルドレンであったと書いた。〝集中〟がＡｐｐｌｅチルドレンのマントラだ。だがコア・コンピタンスにこだわるあまり、時代を見誤ることもある。サブスク・ブームの最中、パンドラの創業者たちは、ある理由でサブスクへの参入を否定し続けた。同二〇一六年、アメリカでスポティファイに音楽配信の王位を奪われると翌二〇一七年、パンドラもようやくサブスクに参入したが、ウェスターグレンたちは会社を去らざるをえなくなった。そしてパンドラは、一度失った勢いを取り戻せなくなった。

それでもなお、音楽家のセンスと人工知能の融合で、ミュージシャンの中間層を増やす社会実験を成功させたパンドラの偉業は、流行を超えて歴史に燦然《さんぜん》と輝くだろう。それは音楽のみならず、人工知能と歪んだ資本主義の理想的関係をも示唆しているからだ。二〇二〇年二月のアメリカでスポティファイを知る人は七二％、Ａｐｐｌｅミュージックを知る人は七一％だが、アメリカ人の愛してやまないラジオに歴史的革命を起こしたパンドラの認知度は八五％となっている。★004

日本は映像ディスクとサブスクで音楽不況が底打ち

世界の音楽産業が沸いた二〇一八年、ＣＤ不況で停滞した日本も久方ぶりのプラス成長を見せた。ＣＤなどの売上は九％減となり、総売上の五二％弱となった一方で、ＤＶＤなど映像売上が四二％増、サブスク売上が三三％増と急伸。全体では前年比五％増となった。★005

我が国はサブスクの普及が欧州と比べ六年遅れ、北米と比べ四年遅れとなっているが、世界一のｉＰｈｏｎｅ人気に支えられてＡｐｐｌｅミュージックが月額制では首位を走る。それをＬＩＮＥミュージックが追いかける構図だ。世界一のスポティファイは日本では苦戦した。基本無料から来る楽曲使用料の低さが邦楽アーティストに嫌気され、スタートダッシュ時、邦楽の品揃えが薄くなってしまった結果だった。

なお執筆現在、日本における音楽サブスクの普及率は一五・五％で、普及期に入る一歩手前にまで来ている。十代に限ると利用率は三七％で、学生層は既に普及期の前半に入ったと言って差し支えない。★006

サブスクを機に新興国の音楽市場が急成長

二〇一九年も音楽産業の快進撃は止まらなかった。世界売上の三分の一以上を領する王者アメリカは前年比一〇％強に。同国のストリーミング売上（広告＋サブスク）は音楽ソフト売上の八割を占めるに至った。

欧米諸国も同様だった。特にかつて違法ダウンロード天国だった南欧の伸びが凄まじく、スペインの一六％を筆頭に、欧州全体で七％増となった。

この年、新興国の伸びが著しく、違法ダウンロードの焼野原はサブスクで一変した。アルゼンチンの四〇％増を筆頭に、南米諸国は一九％増、アジア諸国は韓国がＫ－ＰＯＰの世界進出にも支えられて八％増、中国もテンセント擁する国産のサブスクが奏効して一六％増。インドも国産サブスクのサーヴンがけん引して一九％増となった。

新興国の急伸は、ＣＤ市場が未成熟で「利益率の高いＣＤ売上を守らなければ」というしがらみがなかったことが大きい。イノヴェーションのジレンマがない分、身動きが軽かったのである。

一方、ＣＤ発祥の国であり世界のＣＤ売上の半分近くを占める我が国は、前年比一％減とひとり負けの様相を呈した。★007それでも大きく見れば、日本の音楽不況も底打ちした格好だった。

世界全体では前年比八％増に。この年、サブスクは世界の音楽ソフト売上の半分以上を占めるに至った。

サブスクがもたらした新たな音楽生活

技術革新は人類の音楽生活を変えてきた。

定額配信すなわちサブスクの最大の功績は、音楽産業をネット時代に適合させたことにある。ネットの普及で、音楽の複製物を売るエジソン以来のビジネスモデルは崩壊したが、サブスクとスマートフォンの組み合わせは、音楽へ自由にアクセスする権利を月額で売る仕組み、アクセス・モデルを完成させた。

では、音楽生活はサブスクの普及でどのように変わったのだろうか？

聴き放題、アルバム崩壊、プレイリスト文化、音楽のシェア、新曲のみならず過去の名曲が活性化した等々。

ここまで読み継いだみなさまならもうおわかりだろう。巷で「サブスクがもたらした音楽生活」と呼ばれるものは実際にはファイル共有、ナップスターの誕生と共に生まれていた。果たしてサブスクは、ファイル共有がもたらした聴き放題を合法化しただけだったのだろうか？

答えは否《いな》である。

一、音楽配信のメディア化

人類が音楽メディアによるプロモーションと日常的に接するようになったのは五〇年代、ラジオとレコードの良好な関係が成立してからだった。

ラジオの普及は一九二〇年代に始まったが、無料で音楽が聴き放題になるとレコード売上は壊滅状態となってしまい、レコードの宣伝とは言い難かった。その三十年後、安価なシングル盤が普及し、ラジオでDJが紹介するようになると、若年層はラジオを聴いて次々とシングル盤を買うようになる。「無料が宣伝になる」という放送時代の常識がここに成立した。

歴史は繰り返すという。

「ファイル共有や動画共有で音楽が無料になっても、宣伝になるからいいじゃないか」

二十一世紀初頭、音楽ファンのみならず、業界人ですらそう考えた。人びとはネット時代のプロモーションを、放送時代の常識で捉えようとしたのだ。

だが現実には、大多数が「ファイル共有や動画共有で聴いたらそれで終わり」という行動を取っていたのは本書で描いた通りだ。結果、音楽産業は再度、危機を迎えた。

技術革新の際、人びとのこうした言行不一致はなぜ起こるのだろう？

それは倫理の問題というよりも、技術革新のもたらす変化を、既存の常識で肯定しようとするために起こる。新技術の産物を使い出す若年層には「じぶんたちは行動も考え方も流行の最先端だ」という思い込みがある。結果、過渡期の若年層は行動のみが新しく、頭は古いままとなり、社会は答えを見失う。

音楽を楽しむにはふたつのフェーズがあると書いた。まず、じぶんの好きな新たな曲に出会う「ディスカヴァリー

（発見）」のフェーズ。次に、お気に入りの曲を繰り返し聴く「リピート」のフェーズだ。

放送の時代は、ディスカヴァリーのフェーズを無料のラジオやテレビが担い、リピートのフェーズを有料のレコード・CDが担った。オンエア曲を録り、別のテープへ編集する作業は面倒で、それが心理的障壁をつくり、役割分担が成り立っていた。

だが、ファイル共有が登場すると、リピートのフェーズも無料で手軽に楽しめるようになった。

ファイル共有は無料だが、放送のような音楽メディアになりえなかったのは、楽曲をダウンロードする前に検索すべきアーティスト名や楽曲名をラジオやテレビ、ネットやリアルの口コミで知る必要があったからだ。

それはｉＴｕｎｅｓミュージックストアも変わらなかった。そこには三十秒の試聴機能があったが、ＣＤストアの体験を模したに過ぎないものだった。どの楽曲を買うべきかは、依然としてほかの音楽メディアに頼るところが大きかったのだ。

そしてファイル共有に少し遅れて、動画配信が誕生した。

「ついにネット時代のＭＴＶが誕生したか」

人びとは色めきだった。事実、ＳＮＳの普及期と相まって確かに上手くいくかに見えたのは描いた通りである。

しかし、動画共有には決定的な問題があった。ファイル共有と同じく気に入った曲を何度でも無料でリピートして聴けたことだ。携帯電話が進化して動画共有が楽しめるようになれば、音楽配信すら不要にしてしまいそうだった。

しかもそれはファイル共有と違って合法なのだった。

そしてユーチューブ誕生から一年後、パンドラが登場した。パンドラはディスカヴァリーのフェーズ、じぶんの好きな音楽の発見に特化していた。

そのおすすめの精度は極めて高く、かつては十にひとつの確率でパンドラで見つけたお気に入り曲が購入されていたと既に紹介した。それはまさにラジオの再発明であり、ネット時代の音楽メディアだった。

だがパンドラは、楽曲販売やサブスクへの参入を躊躇した。その点、同時期に登場し、一時は欧州で天下を取ったもうひとつの〝魔法のラジオ〟ラストFMは先見の明があった。創業者のスティクセルたちは二〇〇五年には、ニッチだったサブスクに目をつけ、参入を表明していた。実現していたら、無料の音楽メディアと有料の音楽配信の、世界初の本格的な融合となったであろう。

しかし二〇〇七年、米放送業界の最大手CBSがラストFMを買収。放送の常識に染まった役員を送り込む。創業チームが会社を去ると、彼らは黒字化を理由に改悪を繰り返し、瞬く間に人気を落としていった。

そして、スポティファイが登場した。

初期のスポティファイは今のように、アプリを開くとずらりとおすすめのプレイリストが立ち並ぶということがなかった。知っているアーティスト名や曲名を検索するのがスタート地点なのは、ファイル共有とあまり変わりなかったのである。

しかし、スポティファイにはこれまでにないものが備わっていた。プレイリストを共有する機能だ。基本無料だったので、人びとはじぶんの創ったプレイリストをSNSで気軽にシェアすることができた。

二〇〇九年、スポティファイのプレイリストを投稿するサイト「シェアマイプレイリスツ」(現playlists.net)が人気を博する。さらに二〇一二年、パンドラと似たおすすめラジオ機能が搭載された。ユーザーの創ったプレイリストから好みを判断し、新しいお気に入り曲との出会いを演出する機能だった。

そして二〇一五年、スポティファイ最大の人気機能となる『ディスカヴァー・ウィークリー』が登場。アプリのトップ画面にユーザーの嗜好に合わせたプレイリストが表示されるようになった。しかもそれは毎週月曜日、中身の全三〇曲がすべて新しくなるものだった。

「スポティファイはじぶんのことを知りすぎていて、怖いくらいだ」

そんな驚きの声がツイッターに溢れかえるほど、そのおすすめの精度は高かった。

同年、音楽配信の王者iＴｕｎｅｓを擁するＡｐｐｌｅ、そしてグーグル傘下である音楽メディアの実質的な覇者ユーチューブも、後を追うかのようにサブスクに参入。どちらもおすすめ機能を全面に押し出していた。サブスクの売りは聴き放題よりも、おすすめ機能の楽しさ、すなわち音楽メディアとしての質が中心となったのである。

ここに音楽配信と音楽メディアの融合が完成した。この年から世界の音楽ソフト売上は連続して上昇し続けることになった。

二、人工知能が音楽番組やプレイリストを創る時代に

それは貧乏に慣れた若者が突如、使い切れぬ富を手に入れたかのようだった。一九九八年、ファイル共有が音楽の聴き放題を事実上もたらすと、人びとは好きなアーティストや流行曲を聴き漁った。が、それ自体は過去の音楽生活と変わりないもので、人びとはほどなくして無限に広がる音楽の大海を前にして途方に暮れだした。

ネットは文字と写真が主体だった。音楽誌を読み漁る人間が少数派だったように、ほとんどの音楽ファンにとって、検索エンジンとウェブサイトからじぶんの感動できる曲を見つけ出すのは面倒すぎたのだ。それを音楽への熱度が低いせいと言うのは厳しすぎる。ラジオの発明以降、音楽との毎日の付き合い方は、ゲームや読書のようにリーン・フォワード(前のめり)に楽しむのではなく、ソファにもたれるようにリーン・バック(後ろにもたれて)で接する方が自然だったからだ。

解が見え出したのはファイル共有の誕生から五年後だった。

二〇〇三年、マイスペースが登場。ＳＮＳの世界的ブームが着火すると、無名ミュージシャンの曲がシェアされて

世界デビューする現象が始まった。同年、人工知能を研究する大学生が機械解析を活用して、ラストFMが誕生したのは既に描いた。

プレイリストを自動生成するラストFMは歴史的だった。人工知能の技術が、人びとの音楽生活に関わり出したからだ。

もともとプレイリストという言葉は一九七二年、ラジオの世界で誕生したものだ。★008 音楽番組の曲順を決めたものをそう呼んでいた。八〇年代には音楽ファンがじぶんの好きな曲をミックステープにまとめ、ウォークマンで楽しむようになったが、それはファイル共有やiTunesミュージックストアで得た曲を、プレイリストにまとめて楽しむかたちで受け継がれていった。

二年後、iPodシャッフルがデビューすると、着想したジョブズも驚くほどブームを起こす。シャッフル自体は人工知能と関わりがなかったが、「じぶんでプレイリストを創らない」潮流が確定的となった。

二〇〇五年に登場したユーチューブとパンドラは、二年前のマイスペースとラストFMが見出した新世界を押し広げた。ユーチューブは音楽ビデオの共有にいっそう向いたSNSであり、パンドラは音楽と人工知能の可能性をいっそう煌めかせたからだ。

先に描いたが、ラストFMは「この曲が好きな人はこの曲も好きです」という協調フィルタリングを軸としていたので、アマゾンと同様の欠点を持っていた。「人びとに知られざる曲は永遠におすすめされない」というコールド・スタート問題だ。

一方、パンドラはアマゾンやラストFMの対極を行った。人気の有無を見ず、コンテンツそのものを、おすすめの理由とする手法だ。当時の技術では、機械解析で精度の高いコンテンツ解析を行うことは厳しかった。そこを、パンドラはミュージシャンたちの手と耳で無理やり実現してみせた。そしてプレイリストを自動生成する段階で、人工知能の技術を活用した。コード進行やテンポ、楽器編成等々、曲の諸元素を四五〇次元に渡ってベクター・モデルなどで解析。遺伝的アルゴリズムなども応用して、人気の有無に左右されない「音楽の民主主義」で勝利してみせたのである。

プレイリストの自動生成(楽曲レコメンデーション・エンジン)というものは、ふたつの段階を持つ。

まず聴取履歴の解析やコンテンツ解析などを経て、楽曲にメタ情報を追加する「タギング」の段階。次に、リスナーの嗜好に合わせて楽曲を選ぶ「選曲」の段階だ。パンドラは、機械解析はタギングの段階においてはミュージシャンの耳に敵わないと判断。逆に選曲の段階では人力よりも、人工知能を活かしたアルゴリズムが効率的だと判断した。

かくの如く分析すると、パンドラの次に来る技術革新にはふたつの方向が予測された。ひとつが、楽曲タギングの段階でもミュージシャンの耳に負けないように機械解析をいっそう進化させる方向。いまひとつが、むしろ選曲の段階で専門家の人海戦術を施す方向。あるいはこのふたつの融合だ。

世界の流れは早かった。二〇〇五年、パンドラと時を同じくして、プレイリストの自動生成に特化したヴェンチャー企業が誕生する。工学系の名門大学MITを母に持つエコーネスト社だった。筆者は同社の日本進出に関わったことがあるが、彼らはその出自にふさわしく、機械解析の可能性を余すところなく追求していた。

まず、複数の音楽配信と提携して聴取履歴のビッグデータを取得し、ラストFMと同様の協調フィルタリングを構築。さらに、グーグルのようにクローラーを走らせ、ニュース・サイトやブログ、SNSのつぶやきなど、ネット上の音楽情報を機械解析し、ミュージック・グラフを構築していた。

それだけでなかった。最も驚いたのは、波形データをスペクトラム化して画像に変換し、進化の目覚ましい画像認識を活用することで、パンドラのような楽曲のコンテンツ解析を目指していたことだった。

いま振り返ると、エコーネストにはふたつの幸運があった。

ひとつめは起業の翌年、ディープラーニングが実用化したことだ。これにより人工知能による画像認識が飛躍的に向上。波形解析によるタギングが実用レベルに到達した。のみならず、ディープラーニングは自動翻訳に見られるように、自然言語処理にも長足の進歩をもたらした。それはネットの海に漂う音楽情報や、歌詞に煌めく言葉の繋がりを、人工知能が抽出する大きな助けとなった。

創業から三年後、定額制配信の復活が始まる。音楽版のグーグルのように、ビッグデータで人工知能を育てるエコーネストにとって、それは第二の幸運だった。スポティファイを筆頭とする様々な音楽配信が、同社の楽曲レコメンデーション・エンジンを採用することになったからだ。

孤高のパンドラに、エコシステムで対抗するエコーネスト陣営。あたかもスマホにおけるApple対グーグルの構図が音楽配信で再現されたかのようだった。

現場レベルの話だが、筆者はSonyにエコーネスト社の買収を提案していた。SonyがAppleより五年も(!)先駆けて音楽サブスクのミュージック・アンリミテッドを立ち上げた関係で、そちらのコンサルも請け負っていた関係からだった。

当時、サブスクの強みは聴き放題だと思われていたが、ほどなく人工知能がサブスクを音楽メディアに変貌させると読み、筆者はそう提案したのだった。だが、当時のSonyは経営基盤を立て直すために資産や事業を売却していた最中で、正直、企業買収は現実的な提案ではなかったように思う。

そうしたなか、この隠れた宝石に目をつけたのが、やはりスポティファイだった。二〇一四年、同社はエコーネストを四千万ユーロ(およそ五十億円)で買収した。

「その買収はテクノロジーの獲得よりも、優れた才能の獲得に主眼があった」★009

当時、スポティファイで機械学習チームを率いていたE・バンハードソンはそう振り返る。実際、そこにはのちに

『ディスカヴァー・ウィークリー』を開発することになる長髪の青年、マット・オーグルがいた。彼はラストFMに就職し、エコーネストに転職してスポティファイに来たという、この時代を象徴する人材だった。

「世界に十二人しか潜在的なファンがいないとしても、その十二人を見つけ出すのがプラットフォームのあるべき姿だと考えていた」

オーグルはラストFM時代の理想をそう振り返る。

「その十二人が一二〇〇万人であっても、一万二千人であっても応えることのできる、そんなプラットフォームだ[★010]」

彼はスポティファイで、突如潰えたラストFMの理想を実現した。それが、毎週水曜に新しい才能を見出す『フレッシュ・ファインズ』と、毎週月曜に人工知能で更新される『ディスカヴァー・ウィークリー』の組み合わせだ。

「我々はまず、のちに人気が出る曲をごく早い時期に見出しているリスナー群、すなわちテイストメーカーを選び出します」

『フレッシュ・ファインズ』でキュレーターを務めるアシーナ・コーミスは説明する。テイストメーカーはアルゴリズムにより匿名で選出されるので、毎週、人選が変わるという。

「彼らが最近、何度も聴き出した曲に耳を通し、そこから『フレッシュ・ファインズ』の候補曲を選出するのです。月に百人以下のリスナーしかいない、そんな曲です」

そこから毎週五つのフィーダー・プレイリストが作成され、ジャンルやムードに合わせてプレイリストが並ぶ「ブラウズ」のコーナーに配置される。

「その五つのプレイリストで人気の出た曲が、毎週水曜日の『フレッシュ・ファインズ』でフィーチャーされることになるのです[★011]」

『フレッシュ・ファインズ』は五百人しかリスナーのいなかったミュージシャンを、キューレーターの力で五万人クラスのミュージシャンにする、プレイリストで出来た〝番組〟だった。プレイリストという言葉はここに至って語源に立ち返ったのである。一方で看板番組の『ディスカヴァー・ウィークリー』は「五万人クラスになった曲を人工知能でリスナーの趣味に合わせて紹介し、百万人クラスの曲に育てていくことが目標となる」と開発者のオーグルは説明する。[★010]

今では毎週金曜にメジャーアーティストの新譜をまとめた番組『ニュー・ミュージック』の人気新作や、毎週木曜に過去のメジャー曲をまとめた番組『スロー・バック』で人気の出た旧譜も『ディスカヴァー・ウィークリー』で紹介されているようだ。スポティファイが技術の力でラジオを再発明しようとしていたのが伺える。

ラストFMからエコーネストを経てスポティファイに来たオーグルは、『フレッシュ・ファインズ』と『ディスカヴァー・ウィークリー』の技術的基礎を創り上げた。

彼はスポティファイ社に入ったとき、音楽マニアのスタッフたちが世間に知られていない素晴らしい曲を聴き放題で探し出すのに熱中していることに気づいた。その発掘作業をアルゴリズム化したのが『フレッシュ・ファインズ』誕生の礎だ。

そして社内ハッカソンのとき、「毎週、二十曲のプレイリストをリスナーの趣味に合わせて自動生成したい」と閃き、それが「毎週日曜深夜に『看板番組』を自動生成する」というアイデアに帰着。『ディスカヴァー・ウィークリー』が誕生した。

それは「人工知能が自動生成する、リスナーひとりひとりにカスタマイズされた看板番組」であり、人類の技術史上でも画期的な出来事だった。パンドラはミュージシャンの耳と人工知能の技術を融合したが、スポティファイはキュレーターの音楽的センスと人工知能の技術を融合してみせたのである。

オーグルと同時期、ひとりの優秀なインターンがやってきた。のちに世界で初めてプロ棋士を破ったアルファ碁のディープマインド社でも活躍することになるサンダー・ディールマンだ。彼の貢献で、スポティファイはディープラーニングも活用するようになる。

「私の感覚では、最高のおすすめ機能を生み出す配分は、協調フィルタリングが九〇%、ディープラーニングが一〇%だ」[★009]と開発責任者だったバンハードソンは語る。

協調フィルタリングだけでは利用者数が巨大になると、おすすめがどんどん人気曲に偏ってしまう。そこをキュレーターの人力とディープラーニングで補完して、無名のアーティストをスターダムに押し上げる道筋をつくるのが、スポティファイ流の「最高のレシピ」だった。

ディープラーニングは選曲だけでなく、楽曲のコンテンツ解析にもいっそう活用されようとしている。二〇一八年、パンドラは、曲をスペクトラムで画像化するのではなく、波形のままで機械解析するモデルで大きな研究成果を上げた。

人工知能と音楽を語るといえば、作曲ばかりが報道される。だが、現実には音楽配信の世界で、既に人工知能の恩恵に浴しているのをほとんどの人は知らないままだ。おそらく、人びとが気づかぬかたちで活用してみせるのが、今の人工知能の技術的限界に最も適した使い方なのだろう。

三、エヴァーグリーン——新曲と名曲が競う時代

日本が工業化社会の頂点を極め、いよいよバブル景気に入ろうとしていた一九八五年だった。工業化社会の終わりと来たる情報化社会を予言した名著『知価革命』が上梓された。同著で堺屋太一は、人類には技術革新で豊富となったモノを追求する気質があり、それが歴史を進める法則となっていると解き明かした。

古代、それは奴隷人口と農業生産の相互的拡大であり、近代においては石炭・石油が生んだ豊富なエネルギーで工

業生産を増産することだった。そしてインターネットが登場すると『知価革命』の予言通り、知識や情報が潤沢な資源となる時代が到来した。

軌を一にして、音楽はCDの物理的な殻を破り、音楽配信で自らを情報そのものに変えた。放送技術は「無料番組」の力で流行のチャートイン曲を巷に溢れさせたが、「聴き放題」が解き放ったのは流行曲のみならず、過去登場したすべての音楽だった。

結果、放送時代に続いてIT時代も音楽ファンは、堺屋太一が発見した法則通りに動いた。レコード・CD時代には流行曲の影に隠れていた過去のカタログ曲が全盛の時代を迎えたのである。

二〇〇四年には、リリースから十八ヶ月以内の最新曲がアメリカの音楽売上を占める割合は六四%だった。それが聴き放題のサブスク売上が主流を占めるようになった二〇一九年にはカタログ曲の売上が六四%、最新曲の売上は三六%と立場は逆転した。[★012] 筆者はレコード会社のコンサルも手がけている関係上、国内でも同様の現象が起きていることを内々で確認している。

こうして最新曲は、過去の名曲と競い合わなくてはならない時代が到来した。といっても七〇年代ロックの名曲が人気を得たというわけではない。カタログ売上の八八%が二〇〇一年以降にリリースされた音楽だ。[★012] 月日が経っても色褪せない曲を「エヴァーグリーン・ソング」と呼ぶが、音楽業界が現代の名曲を尊重するようになったのは二〇一四年頃だった。

その年、何気なくテレビを見ていて驚いたことがあった。街のインタビューで「最近、気に入った新曲は何ですか?」という問いに若者が「バンプの『天体観測』ですかね」と答えていたのだ。リリースされて十二年が経った曲も、ユーチューブで初めて知れば「新曲」になる時代の到来を感じた。

その年からAKB48の「恋するフォーチュンクッキー」やSEKAI NO OWARIの「RPG」など、リリースから一年近くかけてユーチューブの再生数ランキングでTOP3を取る曲が出始めた。その傾向は執筆現在も継続中だ。サブスク後進国と揶揄されることもある我が国だが、聴き放題文化で遅れを取っているとは言い難い。実質、シングル曲が無料聴き放題であるユーチューブの人気は、日本が世界で一、二を争っているからだ。

エヴァーグリーン志向はサブスクが普及するほど、強化されるだろう。サブスクでは再生数が人気と売上を決める。流行を追っただけで数度聴いたら飽きる曲は稼げず、何十回でも、何百回でも聴ける曲が勝つ。そんな時代が到来した。

四、音楽の寡占化と民主主義化が同時進行

「メジャーレーベルとスーパースターの時代は終わる。インターネットの力で音楽の民主主義化が始まる」

ネットの誕生した前世紀末、あまたの人がそう予言した。二〇〇五年には「ウェブ2・0」がバズワードとなり、音楽配信とユーチューブが音楽売上のロングテールを促すと人びとは信じたが、実際には全く逆の現象が起きた。

二〇一四年、人気上位一％のミュージシャンが占める売上の割合は、CDで七五％、iTunesなどダウンロードで七七％、そしてスポティファイなどサブスクで七九％となり、デジタル化するほど寡占化するという調査結果が出たと紹介した。[★013]

「無名ミュージシャンが大量に羽ばたく」と期待されていたユーチューブも傾向に変わりがなかった。全動画の大多数である七割が、全体の再生数のたった一％しか稼いでいなかったのだ。[★014] 筆者にとってこれは予測通りの結果だった。

アマゾンで扱われる商材と違って、無名のミュージシャンは実務的なキーワード検索で拾われる類のものではないのが理由のひとつめ。有史以来、人類は群衆化し、群衆は象徴的人物を求めるゆえに群衆となる事実が理由のふたつめ。そして才能とは、ごく少数ゆえに才能と定義されるのが理由の三つめだ。

何よりも事実上、無料の聴き放題を実現したファイル共有がきっかけで、無名から一躍スーパースターが出た事例がなかったことを、今世紀初頭に経験済みだった。

だからこそ二〇〇五年にパンドラと出会ったとき、背筋が痺れるほどの興奮を覚えた。それは人気の有無を排し、曲の構造的特徴のみでリスナーとミュージシャンを結びつけていたからだ。

その開局から七年後の二〇一二年、パンドラの生む広告収入だけで年間五万ドル(五五〇万円)以上を得たアーティストは八百組を超えた。[★015] 二〇一四年には、パンドラをきっかけに二十万人以上の個別リスナーを得たアーティストは一万五千組に及んだのだった。[★016] しかも、ほぼアメリカ一国のみでつくった数字だ。

スポティファイも二〇一五年に、無名ミュージシャンを発掘する『フレッシュ・ファインド』と、彼らをスターに押し上げる『ディスカヴァー・ウィークリー』を設けることで音楽の民主主義化を推し進めた。スポティファイにおける総再生数の九〇%を占めるアーティストは、二〇一九年には三万組に、翌二〇二〇年には四万三千組にと年々、人気の寡占化が和らいでいる。[★017]

特にアメリカでは、スポティファイの再生数TOP五十曲は、二〇一六年には百億再生、二〇一七年には一四七億再生と年々増えていたのが、翌二〇一八年にはわずか三十七億再生と、前年の四分の一に激減した。[★018] その意味で二〇一八年は音楽ビジネス史上、音楽の民主主義化がアメリカで定着した象徴的な年となった。

とはいえ、いくら技術が進展しても音楽配信で百万人のミュージシャンが生活できる時代は来ないだろう。才能とは数少ない存在だからだ。

それゆえ、いかなる才能も平等に「最初の五百人」と出会える仕組みを整えることがこれからの音楽配信の重要な使命ではないだろうか。その五百人が五万人となり、百万人となる道を、世界は獲得しつつある。

五、アルバム崩壊と神アルバムの時代

「アルバムは死んだ」と言われて久しい。

その議論は前世紀末、ファイル共有がCDの死を宣告したときから始まり、iTunesミュージックストアの単曲バラ売りを受け入れたときから、音楽産業はアルバムビジネスの終わりを意識していた。

スポティファイがiTunesを打ち破った二〇一四年には「プレイリスト文化でアルバムが死ぬ」と議論がみたび繰り返されることになった。

実際、二〇〇〇年のアメリカではアルバム売上は一三二億ドル(約一兆五千億円)と全体の九二%を占めていた。それが二〇一九年にはダウンロードと合わせても十億ドル(約一一〇〇億円)と売上は十三分の一に激減し、総売上のわずか九%になってしまった。[019]

最後のCD大国である日本ですら一九九九年の四五〇〇億円から、二〇一九年にはダウンロード合わせて一二〇〇億円と、アルバム売上は往時の四分の一となっている。売上比率は七九%から五一%に減った。[020]

もはやアルバムに取って代わって、キュレーターとアルゴリズムが織りなすプレイリストがその役割を果たすかに見えた。

「プレイリスト・マーケティング」という言葉が生まれ、キュレーターが目をつけている人気プレイリストの制作者に新曲をプロモーションすると謳う有料サービスが次々と立ち上がった。

アルゴリズムに引っかかるよう、人気プレイリストに載せても「浮かない」ことが曲作りの判断基準になった。ユーチューバーのコラボのように、お互いのファンを融通し合えるよう、フィーチャリングが流行した。

チャートの老舗ビルボートは、アルバム曲のうち一曲でも一五〇〇回再生されれば、アルバム一枚が売れたとカウ

ントするようになり、ますますシングル曲が幅を利かせる時代になったかのようだった。

だが、アルバムに三度めの余命宣告が下された二〇一四年頃、議論とは逆行する現象が起こり始めた。時々、ひとつのアルバムの全曲が、スポティファイのTOPソング・チャートを埋め尽くすようになったのだ。

二〇一四年にエド・シーランのアルバム『X』、二〇一五年にジャスティン・ビーバーの『パーパス』、二〇一六年にドレイクの『ヴューズ』、二〇一七年には再びエド・シーランの『÷』、二〇一八年にポスト・マローンの『ビアボングズ&ベントレーズ』、二〇一九年に再びポスト・マローンの『ハリウッズ・ブリーディング』……。

それぞれ二〇一九年時点で七十三億再生、七十億再生、六十三億再生、九十四億再生、八十億再生、六十四億再生、一曲あたりの再生数も三億から六億と桁違いだった。

「サブスクでプレイリスト全盛の時代が来るが、次は『神アルバム』の時代が来る」[★021]

筆者は我が国でサブスク元年が来ようとしていた二〇一五年初頭にそう予告した。スポティファイのチャートを眺めていて気づいていたからだ。

当然といえば当然だった。初めの曲から最後の曲まで何十回でも通して聴ける「神アルバム」は究極のプレイリストだからだ。国内でも二〇二〇年に米津玄師の『STRAY SHEEP』全曲がサブスクのTOPソング・チャートを埋め尽くす現象が起きている。

二〇一九年、フランス語圏で擡頭《たいとう》する音楽サブスク、ディーザーが英国での調査結果を世に出した。それによると「五～十年前に比べてアルバムを聴かなくなった」と回答した人は五四%に。アルバムを曲順通りに聴く人はわずか二七%だった。一方で「音楽をアルバムで聴いたことがない」と答えた人は、二十五歳以下で一五%にとどまった。神アルバムという若者言葉からも示唆されるように、一九八〇年代以降に生まれたミレニアル世代の方が、終戦直後に生まれたベビーブーマー世代の二倍、アルバムを好んで聴いている。[★022]

アルバムは死なない。死んだのは「捨て曲」だったのだろう。通しで何十回も聴けるアルバムは今後も生き残る。もちろん、それは少数派であり、全体としてはアルバムの売上規模が元に戻ることはないだろう。

アルバムの役割は、サブスク以前・サブスク以降で様変わりした。

スポティファイには、アーティストが自曲の再生傾向を分析できるツールが用意されているが、重要指標になっているのがロイヤリティすなわち忠実度だ。じぶんの曲を毎日再生してくれるコア・ファンが増えるほど、彼らの聴取履歴が契機となって総再生数が伸びる傾向があるとわかったからだ。

その意味で、何十回でも再生してもらえるアルバムを創ることは、ファンの忠実度を上げるために必要不可欠になった。

かつてアルバムは、音楽ビジネスにとって終着点だった。地道にライヴ活動を重ね、地元の評判でラジオでのオンエアを勝ち取り、番組で耳にした音楽ファンがアルバムを買ってくれる。ほとんどのアーティストにとってライヴはむしろ開始点であり、プロモーションのためにチケットの価格を抑えるべく、レコード会社が助成金を出していた時代もあった。

サブスク時代の今、ライヴとアルバムの立場は逆転した。

アルバムのリリースはネット上のイベントとして演出され、話題の開始地点となろうとする傾向を強めている。予告なしに突然アルバムをリリースしてニュースをつくる〝サプライズ・アルバム〟の手法は二〇〇七年にレディオヘッドが初めて行なったが、二〇一六年はリアーナ、ビヨンセ、ソランジュ、フランク・オーシャンなどサプライズ・アルバムの成功が目立った。★023

ビヨンセとフランク・オーシャンはサプライズ・アルバムと同時に、十指に余る音楽ビデオをひとつに紡いだ〝ヴィジュアル・アルバム〟を配信。ニュースを見た視聴者が殺到し、突如のアルバム公開をライヴ・イベントのようにみんなで楽しむひとつの形式を確立した。

　前出のディーザーによる調査でも「アルバム全曲を聴き通すのは、ライヴに参加した後だ」と答えた人が七四％だった。だが、ライヴに足を運ぶのはそれなりのエネルギーと忠実度が求められる。サブスクや動画配信でアルバム公開をイベントとして演出できれば、ハードルを一気に下げられるわけである。

　もちろん、サプライズ・アルバムやヴィジュアル・アルバムはすべてのアーティストにできることではない。サプライズ・リリースだけでニュースになるのはビッグ・

インターネット以前	アルバム	シングル	
20年代	◎	○	蓄音機が家具の王様に。シングルのまとめ売り＝アルバムビジネスが登場。1万円／枚
30年代	×	×	高音質で無料聴き放題のラジオが普及。結果、高価で低音質だったレコードが壊滅
30年代後半	△	△	技術革新でレコードが高音質化。価格破壊、ジャズのトレンドで売上数量は復調
50年代	△	◎	ロックをラジオで流し、安価なシングルを若年層に売って、ライヴに動員して稼ぐ時代に
60年代	◎	○	ストーリー性のあるロック・アルバムが成功。アルバムでも稼げるようになり、黄金時代に
70年代	○	△	ディスコ・ブームの陰りと、テープによる複製の普及でアルバム、シングル共に売上低下
80年代	○	△	テープより高音質なCDが登場。LPの1.5倍曲が入る70分で、アルバムの売上単価も1.5倍に
90年代	◎	×	アルバムビジネスの最盛期。曲のまとめ売りはピークに。CDシングルは当初、売れず苦戦
インターネット以降	**アルバム**	**シングル**	
90年代中頃	◎	○	カラオケでCDシングルも好調に。第三次黄金時代。CDアルバムの収録曲増で「捨て曲」も増加
90年代末期	×	×	ファイル共有の普及で、複製を売るレコード産業のビジネスモデルが崩壊。事実上、すべて無料化
00年代	×	△	有料ダウンロード配信の時代。iTunesや着うたでシングルだけでも有料ビジネスの復活を目指す
10年代前半	×	×	動画共有の普及でシングルが事実上、無料化。動画共有で宣伝し、有料アルバムを売ろうと摸索。だが、アルバムの人気は毀損したまま
10年代後半	プレイリスト文化へ		複製権モデルに代わるアクセス・モデルの普及期。定額制配信では、アルバムに代わってプレイリストが人気に

［図3－4］アルバムとシングルをめぐるビジネスモデルの歴史

アーティストだけだ。アルバム全曲の音楽ビデオを制作する予算はほとんどのアーティストにはない。だが、何十回でも繰り返し楽しめるアルバムを創ることは、才能が結集さえすれば可能だ。

その革新的な音楽性でこの時代にデビューアルバムが七百万枚以上売れたサム・スミスを手がけたプロデューサー、フレイザー・T・スミスは二〇一四年にこう予言した。

「アルバムを制作できるアーティストと、制作できないアーティストにいずれ二極化するだろう。ふたつが交わることは二度とない」[★024]

六、ポスト・プレイリストの兆し――ポッドキャストの復活が示す次の時代

時の流れは早いという。が、あまりにも早いと新たな常識が出来る前に、さらに新しい時代が訪れてしまう。それは音楽サブスクも例外ではなかった。

iPodと共に流行し、iPodと共に去っていったネット時代の音声番組、ポッドキャストが音楽サブスクのなかでプレイリストを凌ぐ勢いを得るとは、どのメディアも、破天荒な起業家さえも予想していなかった。

二〇〇四年、いよいよiPodの世界的ブームが始まろうとしていた年。大学で映画とテレビ制作を学んだケイシー・ウェイランドは、湾岸戦争の最中にあるバグダッドに来ていた。学業を中断し、戦争を衛星中継するスタッフとして従軍したのである。

弾丸が飛び交うなか、拠点のビルを守る部隊をカメラに収めていたとき、彼にやや不謹慎なインスピレーションが舞い降りた。

「入り口を突破されれば、ビルにいる味方の安全が失われるこの状況……。敵をゾンビにしてドラマ化したら最高に面白くなるぞ！」[★025]

母国に戻り大学を出たウェイランドは、従軍時代のアイデアを温め続けた。そして高校で教えながら書き上げたシナリオが、のちに一億ダウンロードを達成してポッドキャスト時代の再来を告げた『ウィー・アー・アライヴ』だったのだ。

ウェイランドは、それをテレビドラマにするために書いた。だが、まだゾンビ・ブームが始まる前の話だ。テレビ局は「ゾンビものは制作費がかかりすぎる」とにべもなく却下した。彼は既に従軍時代のドキュメンタリーもので賞を取っていたが、彼の欲しかったのはジャーナリストの称号ではなく、クリエイターの栄光だった。

そこで彼が目をつけたのが音声番組だった。ポッドキャストなら、一個人の制作費でも映画に引けを取らないスペクタクルを表現できると踏んだのだ。そして始まった『ウィー・アー・アライヴ』は彗星の輝きを放った。

ポッドキャストの復活を語るにあたって外せない、あとふたつの番組がある。

ひとつは架空の田舎町に次々と起こるシュールな事件を「ニュース」にしたコメディ番組、『ナイトヴェールへようこそ』だ。

稀代のホラー作家スティーヴン・キングが地方局のプロデューサーになったらこんな番組を創るのではないか、とニューヨーク・タイムズが評したほどのクォリティで、先の『ウィー・アー・アライヴ』と並んで「影響を受けた」と絶賛するポッドキャスト・クリエイターが多い。★026 二〇一二年から始まり、二〇一九年の初頭には累計二億ダウンロードを超えた。★027

いまひとつが『シリアル』だ。女性ジャーナリスト、サラ・ケイニグが前世紀末に起きた女子高生殺人事件の真相に迫る調査報道番組だが、ＦＢＩをも超える執念で真実を暴いていくその様は、推理小説の傑作に等しい興奮をリスナーに与えた。

『シリアル』は放送業界のピュリッツァー賞とも呼ばれるピーボディ賞を、ＣＮＮやＢＢＣなど並み居る巨人たちの番組に割り込んで、二〇一四年に受賞。その名誉でポッドキャスト復活を世界に知らしめた。
それは音楽を聴くのが当たり前だった音楽サブスクの動向をすら変え始めた。
二〇一八年の時点で、ストリーミング・サービス利用者のうち、「キュレーターの創ったプレイリストを聴く」と答えた人が一五％だったのを超えて、「ポッドキャストを聴く」と答えた人は一八％にもなったのだ。[028]
スポティファイに追い越されたＡｐｐｌｅにとって、それは願ってもない幸運だった。二〇〇五年以来、Ａｐｐｌｅはポッドキャスト界で首位のプラットフォームを維持してきたからだ。
スマートスピーカーの売上でアマゾンの次につけるグーグルは二〇一八年、撤退していたポッドキャストに再参入。[029]グーグル・ポッドキャストは、Ａｐｐｌｅに次ぐ勢力に収まった。
慌てたのがスポティファイだ。二〇一九年に同社が約四億ドル（四四〇億円）で人気ポッドキャストの制作会社を複数買収。「ポッドキャスト・バブル」とも呼ばれる買収合戦が始まった。[030]結果、二〇一九年にポッドキャスト界でＡｐｐｌｅの四分の一の勢力だったスポティファイは二〇二〇年にはＡｐｐｌｅの七割ほどにまで詰め、グーグルを追い越した。[031]
バブルと評されるのには理由がある。ポッドキャストの再ブームに湧くアメリカであっても、その売上規模は二〇一九年に約七億ドル（七七〇億円）ほどだったからだ。[032]これは全米のオンライン広告売上一二四六億ドル（十二兆七〇〇〇億円）の〇・六％にも満たない。[033]
だがポッドキャストは執筆現在、かつてのユーチューブ広告に近い状況にある。売上はまだ小さいが、アメリカでは既に利用者数・利用頻度ともに定着の域に入っているからだ。
二〇二〇年には「先月、ポッドキャストを聴いた」と答えた人は、十二歳以上のアメリカ人口の三七％、十二歳から三十四歳だと四九％に。「先週、ポッドキャストを聴いた」と答えた人は、十二歳以上のアメリカ人口の二四％に到達。一週間でポッドキャストを聴いた平均時間は六時間三十九分となった。[★034] ポッドキャストを聴く習慣が一度つくと、ブログやニュース記事、果てはSNSよりも時間を費やすようになることもわかってきた。[★035]

アメリカは車社会だから、ラジオのようにポッドキャストが伸びたのだろうか。

そういった一面は否めないが、「自宅でポッドキャストを聴く」と答えた人が三十五歳未満で五二%、三十五歳以上で六一%と最多で、次点に「電車、バスで聴く」と答えた人が三十五歳未満で三〇%、三十五歳以上で二〇%、「車で移動中に聴く」と答えた割合は三番手で、三十五歳未満が二四%、三十五歳以上が一八%だった。[★036]

ポッドキャストがユーチューブより優れている点は「ながら聴き」できる点だ。運転のみならず、自宅で家事や宿題、ゲーム、在宅ワークのお供になってくれる。それゆえ、スマートスピーカーの普及(とコロナ禍)がポッドキャスト復活を促したのは間違いないだろう。アメリカでは既に九千万人がアレクサなどスマートスピーカーを所有している。[★037]

とはいえ、それが必須というわけでもなく、「スマホでポッドキャストを聴く」と答えた割合は五五%と、「スマートスピーカーで聴く」と答えた八%を遥かに凌いだ。[★036]

ポッドキャストがアメリカのみのブームなのかというと、これもそうではない。「先月、ポッドキャストを聴いた」と回答した割合は、スウェーデンで三六%、スペインで四〇%、韓国に至っては実に五八%に達した。[★038]

以上から、我が国でもいずれポッドキャストが普及する可能性の方が高い。今、足りないのは社会現象を起こしうる日本語のキラーコンテンツだ。

おそらく刺激的なドキュメンタリーものか、スペクタクルな音声映画ものがブレイクする。その意味で、既存メディアの報道部やトップユーチューバー、文化人が片手間に始めたものはきっかけをつくりそうにない。

前世紀における人気小説家や劇団、映画監督の役割を担うポッドキャスターが、日本にも出てくるだろう。既に世界のトップ・ポッドキャスターの年収は一位のジョー・ローガンが三千万ドル(約三十三億円)となり、世界一のユーチューバー、ライアン・カジの二六〇〇万ドルを超えている。[★039]

公共放送もポッドキャストに前のめりになっている。

アメリカの公共ラジオ網、NPRはネットの普及で若年層のリスナーを一時、失ったかに見えた。しかし二〇一三年からポッドキャストなど、デジタル事業に本気を出した結果、衰退傾向にあった売上は反転。そこから六年で三五%も売上が伸長した。金額にして六七〇〇万ドル(約七十四億円)の増加だ。二〇一九年には毎月二一〇〇万人がNPRのポッドキャストをダウンロードし、ポッドキャストの出版社として全米一位になった。[★040]

世界最大の公共放送、英BBCのポッドキャストへの注力ぶりは桁違いだ。BBCは物語の力を信じた。二〇一九年には三百本ものドラマをポッドキャストで制作。同局はポッドキャストのプラットフォームとしても、英国でスポティファイに次ぐ勢力を築き上げた。[★026]

音楽にとって、ここで課題になるのがポッドキャスターのビジネスモデルだ。

現状、ポッドキャスターは配信プラットフォームから独立してスポンサーを得ている。スポティファイなどサブスク業者は、ポッドキャストがいくら人気を得ようとも、自ら報酬を払う必要はない。

ということは、サブスクのなかでポッドキャストの人気が出るほど、ミュージシャンへの支払いが落ちていく可能性が高く、アメリカではメディアが問題提起するようになった。[★041]ポッドキャスター側も、音楽会社との許諾交渉に苦労したうえ、再生あたりの広告売上をほとんど取られるような使用料を払うのではメリットがない。

今後、最も考えうるシナリオは、ポッドキャストの人気番組にプロモーションとして音楽を無償提供する習慣の定着だ。

アメリカのトレンドを見ると、最も伸びているカテゴリの一位がデザイン、二位がグルメ、三位が音楽インタビューもの、四位が健康関係、五位が音楽の歴史ものとなっている。音楽番組で音楽が流れないというのは、リスナーにとって違和感があり、需要は既に醸成されている。★042

音楽ものに限らず、人気番組にテーマソングが提供される未来は想像に難くない。この文章をお読みになる頃には、既にメジャーレーベルとサブスク業者の間で、ポッドキャストと音楽プロモーションに関する一定の取り決めが実現していることもありうるだろう。二〇二〇年十月、スポティファイは前年に一四〇〇万ドル(約十五億円)で買収したポッドキャストのプラットフォーム、アンカー(Anchor.fm)を使えば様々な曲とトークを並べてラジオＤＪのようにポッドキャスト番組を制作できるツールを公開した。★043

音声で音楽番組が実現すれば、次は映像での実現となるが、既にＡｐｐｌｅ、スポティファイ共に映像に力を入れ始めている。

スポティファイは曜日ごとに「看板番組」を設けている。月曜がリスナーの好みに合わせたおすすめ音楽の『ディスカヴァー・ウィークリー』。火曜が『ポッドキャスト』になった。水曜が新人をプッシュする『フレッシュ・ファインズ』、木曜が旧譜を紹介する『スローバック・サーズデイ』、金曜が人気アーティストの新譜を紹介する『リリース・レーダー』となっている。

執筆時点では土、日が空いているが、どちらかに映像版の音楽番組が用意されることになると筆者は予測している。音楽サブスクは、音楽だけを聴く場所からラジオのように総合的なメディアに変貌していこうとしている。音楽テレビのＭＴＶではいつしか音楽ビデオよりも、バラエティ番組やリアリティ番組に人気が集まった過去もある。歴史はかたちを変えて繰り返されるものだ。

七、曲は短く、ライヴで稼ぐ——50年代と同じ傾向

技術革新はクリエイターに新たな表現を与えるが、同時に人の創造性は技術的特徴に拘束され、いつしか世界はマンネリ化を迎える。

売れたいなら、曲の長さは三分ほどが望ましい——。音楽業界にそんな常識が生まれたのは約百年前、初めて普及したシングル盤が最長三分だった時代に遡る。

五〇年代、ラジオDJが軽妙な語り口でシングル盤を紹介・宣伝する番組フォーマットが開発されると、今度は一分半が要になった。曲を一番と二番の歌に分け、三分を分割する。イントロで惹きつけ、最初のサビ終わりの後、楽器のソロ演奏にDJがトークを被せる。その間に「続きを聴きたい。ちゃんと聴きたい」と思わせるのが制作プロデューサーの腕の見せ所となった。

当時、既にシングル盤は最長六分を片面に収めることができた。が、六分を使い切る曲は一九六五年、ボブ・ディランの「ライク・ア・ローリング・ストーン」の伝説的誕生まで待たねばならなかった。ディランは一曲で短編小説のような物語を描いてみせたかったがゆえに、三分の常識を破らなければならなかった。

六〇年代後半、ビートルズがアルバムをひとつの物語的世界に仕立てる手法を確立すると、七〇年代からアルバム全盛の時代に切り替わった。LPは最長二十三分の曲を収録できたが、「ロックの表現力を交響曲の域にまで高めたい」という創作上の理由でそれを使い切ったのが一九七〇年、ピンク・フロイドの『原子心母』だった。

八〇年代、プログレッシヴ・ロックは下火となったが、CD全盛期の一九九五年には曲の長さは平均四分半に収まっていた。★044 なぜその長さになったのかを研究した論文は見つからなかったが、当時のヒットをMTVが決めていたことを無視できない。

音楽ビデオはその視覚的な力で、〝ながら聴き〟のラジオよりもリスナーの注意を長くとどめることができた。一方で番組をCMで区切ると、十五分弱にトークと合わせて二、三曲を収めるぐらいが望ましかった。「番組構成上、音楽ビデオは五分を超えてほしくない」という編成上の都合があったように思う。

二〇一七年になると、スポティファイのTOP10チャートに入る曲は、三分半を超えるのが稀なほど短くなった。試しに今、調べるとTOP20のうち九曲が三分を切っていた。[★045]

曲の構成も変化した。イントロは平均二十秒から五秒に縮まり、すぐにサビが始まる。楽器の間奏は消失した。曲名も短くなり、英語なら大文字のみで書いて違和感がないものになった。すべて、理由がある。

まず、スポティファイで「一曲聴いた」と判断され、音楽会社に支払いが生じるのは三十秒以上という取り決めがある。聴き放題の世界では、イントロが長かったりAメロがあると、お金がもらえる秒数にたどり着く前に曲をスキップされてしまう確率が上がる。だから最初の三十秒に詰め込めるだけ、詰め込む構成になった。

曲名が大文字で書けるほど短いのは、ツイッターなどで拡散したいとき、目につくようにするためだ。曲自体が短くなったのも理由がある。最後まで再生されないと、アルゴリズムがほかのリスナーにその曲をおすすめしてくれないからだ。

ギタープレイの間奏の代わりに、大サビが置かれるようになったのも理由がある。代表的なのが、ザ・チェインスモーカーズが得意とする「ポップ・ドロップ」の手法だ。

歌の一番と二番の間に、低音を利かした四つ打ちのバスドラ、刺激的なシンセのリフ、そして耳につくヴォーカルのサンプリングで解放的な大サビをつくる。ライヴでこの箇所に来ると、カタルシスを得た聴衆がジャンプし、会場が揺れる。ラジオのパワープレイよりも、ライヴの熱狂が稼ぎをつくる時代にふさわしい間奏の進化だった。ザ・チェインスモーカーズは二〇一五年、六十一週連続でビルボードTOP10にランクインする快挙を遂げ、エイス・オブ・ベイスがつくったギネス記録を二十三年ぶりに更新してみせた。

三分の短い曲。シングルが売れただけでは稼げず、むしろシングルをきっかけにライヴで稼ぐ産業構造。

歴史の目で俯瞰すると、ストリーミングが主流となった二〇一五年以降の音楽シーンは、ラジオＤＪの活躍が音楽不況に終止符を打った五〇年代と酷似している。長かった音楽不況から好況に切り替わったことを含めて、だ。五〇年代のロックは、Ｓｏｎｙが普及させた携帯ラジオの小さなスピーカーに合わせて、音数を減らしてヴォーカルとバスドラが強調される音作りになっていた。奇しくもビットレートの低いストリーミングでの音質に合わせて、ミキシングまで五〇年代の特徴を繰り返している。

ならば、ここに列挙した「ストリーミング時代の曲作り」と呼ばれる特徴も、これから技術革新が訪れるたびに変化していくことは想像に難くない。

近しいところでいえば二〇一七年頃まで、トップユーチューバーの動画は手軽に見られる三分半ぐらいが標準だった。それが二〇二〇年末現在では平均十五分ほどになっている。理由はいくつかある。手短な笑いを生むネタに飽きが来たこと。インスタントな動画はＴｉｋＴｏｋなどほかのプラットフォームが担うようになったこと。チャンネル登録者が百万人単位でつくようになり、長い動画でもついてくるロイヤリティ、忠実度の高いファン層が増えたこと。何より動画クリエイターの動機としては、十五分なら内容の濃い動画を創ってみせることができること。そして、動画が長いほど挟める広告数が増え、利益が上がることがある。音楽でも何か新しい出来事が起これば同様のことが起こると予想できる。

たとえば、スポティファイだ。現在、スポティファイの規約では最初の三十秒で売上が決まり、再生単価はそこから上がることはない。十分の曲を聴き通しても、アルゴリズムは「一回聴いた」としかカウントしない。★044
人気プレイリストに載ることが音楽マーケティングの目標となっていることも含め、サブスクの世界では「音楽の均質化」が進行してしまっている。

だがそのせいで、リスナーが音楽そのものに飽きてしまえば、スポティファイには由々しき事態となる。サブスクは普及期に入った今、あるアーティストのファンを増やすというより、音楽を毎日楽しみたい音楽ファンを増やすことに売上の多寡がかかっているからだ。

近い将来、サブスク配信業者が契約内容を変え、その結果、曲作りが変わってくることは充分ありうるということだ。長期的には新たな楽器の発明やスマホを超える技術革新も待っている。

人類はそうやって少しずつ自らの創造性に眠る新たな側面を、カット・ダイヤのように煌めかせているのかもしれない。

ライヴ売上がCD・配信売上を超える

「今さら音楽配信でもあるまい。時代はライヴだ」

公私ともに大変お世話になった音楽業界の大先輩から、その感想を得たのは二〇一二年、本書誕生の契機となった連載を始めたときだった。

「いや、僕が今、音楽配信を語るのは理由があるんです」そう答えた。

確かに当時、日本の音楽配信は終わっていた。スマホの普及で稼ぎ頭の着うたフルは不治の病に陥り、音楽評論家も音楽ファンもｉＴｕｎｅｓにＳｏｎｙミュージックは参加するのか、ＪＡＳＲＡＣがどうだと他国では見かけない議論で盛り上がっていた。

一方でその年、衰退するＣＤ・音楽配信売上を尻目に、日本のライヴ市場は前年比九％増と、かつてない急成長が

始まっていた。★046

筆者が連載で訴えたのは、ｉＴｕｎｅｓの時代が終わること、そしてサブスクの時代が到来することだった。スポティファイを取り上げるブログもあるにはあったが、新しもの好きが格好いいと思った風の筆致だった。「スポティファイは救世主になる。音楽産業史上、百年に一度の革新だ」という筆者の訴えに目を覚ましたかのように、文字通り列をなして業界人が相談にやってきた。気づけば、心ならずもこの国で、サブスク時代到来の旗振り役になっていた。

筆者がそうなったのは偶々、「ストリーミング？　何それ」状態だった二〇〇〇年からオンライン・ライヴ番組（二十年後の今ようやく流行している）の制作ディレクターとしてライヴ配信番組を何十本も手がけた経歴の持ち主だったから、というのは否定できない。

英語が読め、音楽評論家やジャーナリストが手を出さない海外のビジネスレポートを読み漁っていたというのもあったろう。流行を追うニュースよりも、人びとの魂が生み出す時代のうねりを愛していたという自負もある。だが単純に、ネットが生んだふたつの潮流を意識していた、というのがいちばん大きい。

人はモノより体験に金を払うようになる。コンテンツには金を払わないが、利便性には金を払う時代になる。このふたつだ。

ＣＤは買わないがチケットには金を払う流れは、第一の潮流から十分予測できた。だがそれだけでは、ＣＤに使わなくなった金がライヴに移動したに過ぎない。

ＣＤ時代から、メジャーレーベルやＣＤショップ、著作権管理団体の「搾取」がキャッチーなニュースとなってきた。だがライヴというのはホール代、照明代、ＰＡ代、トランスポート代、セットの構築費、運営費等々、むしろＣＤよりもコストのかかるビジネスだ。それを批判しても的外れ感が出るので、そんな議論が盛り上がることもなかった。

高コスト構造のライヴだけではトップアーティストしか生き残れない。だからこそ、ネット時代のもうひとつの潮流、「圧倒的な利便性」で稼ぐ道が音楽には必要だった。そして二〇〇九年、欧州の音楽業界でスポティファイが話題になりだした。

快進撃を続けるライヴビジネスに加えて、サブスクでレコードビジネスも復活すれば、音楽産業の黄金時代は復活する。そう願ったからこそ、あのとき筆を取った。好運なことに筆者の願い通り、世界は進んでいった。

まず二〇一一年に音楽ソフト産業（レコード産業）売上が下げ止まった。同時に世界の音楽ライヴ売上が音楽ソフト産業のそれを超えた[★047]。日米で、音楽ライヴ売上が音楽ソフト産業売上を超えたのは二〇一五年だ[★048]。同年、世界最大のレコード会社であるユニバーサル・ミュージックの年間売上を、ライヴ産業の帝王ライヴ・ネーション社が追い越した。この年、同社は延べ五億人をライヴに動員したのだった[★049]。

サブスクとライヴで、CD時代を超える黄金時代へ？

振り返ればCD崩壊の始まった二〇〇〇年には、日本の音楽ライヴ売上は一二四三億円で、レコード産業売上五三九八億円の四分の一にも届いていなかった[★050]。北米大陸に至っては、二〇〇〇年のライヴ売上は十七億ドル、アメリカの音楽ソフト売上一四六億ドルの一二％にも満たなかったのである[★051]。

二〇一七年には、北米大陸[★052]の音楽ライヴ売上は八十億ドル（約八八〇〇億円）に。さらには音楽サブスク売上の急成長で、アメリカの音楽ソフト売上は再びライヴ売上を超える九十八億ドル（一兆七八〇億円）を達成[★051]。ライヴ売上と音楽ソフト売上の合計一七八億ドルは、二〇〇〇年の一六〇億ドルを大きく上回った。

二〇一九年には、日本の音楽ライヴ売上は四二三七億円（売値）に到達。音楽ソフト売上二九九八億円と合わせると七二三五億円となり、二〇〇〇年の合計額六六四一億円（卸値）を超えてみせた。[★047]三十歳代になると音楽離れを起こすうえに、少子高齢化で音楽の主要顧客層が四分の三になったこの国で、それは快挙とすらいえた。

音楽ライヴは、いつしか国策の要にすらなっていった。

二〇一二年に発足した第二次安倍政権は〝アベノミクス〟の政策のひとつに観光立国を掲げ、インバウンドを促すライヴ・エンタメ市場がその一柱に選ばれた。政権発足以降、二〇一九年までに同市場は二倍の規模に及ぼうとしていたが、音楽ライヴの売上構成比はそのうち六七％になった。[★047]

東京五輪の開催が、インバウンド政策の総仕上げのはずだった。

急増するライヴ観客を収めきれず売上が停滞する〝二〇一六年問題〟がきっかけとなり、五輪開催の年にオープンを目指して、一万人以上の大規模会場が次々と建設されていった。

音楽フェスを象徴とする観客増加で、ライヴ売上が浮揚したのは事実だが、動員というものは無限に増えるものではない。世界的な視点で見れば近年、ライヴ売上の成長を支えてきたのは、むしろチケット代の急騰だ。

一九九六年、アメリカの音楽チケット代の平均額は二十五・八ドルだったが、二〇一九年には平均九十一・九ドルと、三・六倍にも跳ね上がっている。[★053]それほどまでに「体験」の価値が音楽ファンの間で上がったわけだ。

それは同時に、音楽ライヴ売上の急成長はいつまでも続かないことを意味していた。チケット代もまた、無限に上

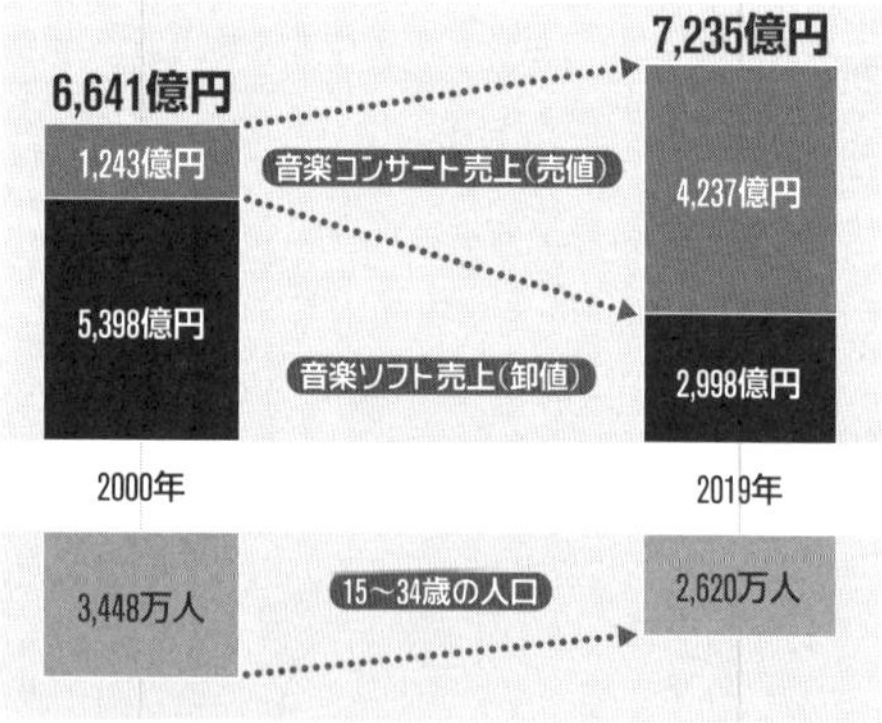

［図3−5］日本の音楽ソフト売上＋音楽コンサート売上

資料：ぴあ総研、日本レコード協会、総務省統計局

昇するものではない。だが、ライヴ売上が安定成長に入った瞬間、今度は音楽サブスクがけん引する音楽ソフト売上の急成長が始まったのだった。

もはや「ＣＤに払わなくなった金がライヴに流れただけ」という状況は終わった。ネットの到来で「時代遅れ」の嘲笑を受けていた音楽産業は、世界のＧＤＰ成長率を超える勢いを得て、ほかの産業から「ネット時代のモデルケース」と賞賛されるまでに至った。

このまま行けばＣＤ時代をすら超える黄金時代が来るはずだった。

だが二〇二〇年の三月、誰も想像しえなかった災厄が突如、世界を襲い、音楽産業は百年間で四度めの谷底へ叩き落とされたのだった。

コロナ・ショックで叩き落とされた音楽産業

「原因不明のウイルス性肺炎が発生している」

ＷＨＯ（世界保健機関）が中国・武漢市保健局のウェブサイトでその情報に接したのは二〇一九年の大晦日だった。正月、発生源と目された海鮮市場が閉鎖されるも新型コロナは瞬く間に拡がり、三週間後には街は封鎖された。だが既に大型連休の春節が始まり、ヴァカンスを求める中国人が世界中へ旅立っていた。

ＷＨＯがようやく「世界的感染」を宣言した三月には欧米諸国でも都市封鎖が執行され、翌月、我が国も緊急事態宣言が安倍首相から発された。

「とにかく人が密集することは避けましょう」

〝ソーシャル・ディスタンス〟が世界中の政府から要請されたが、売上の半分以上を人が密集するライヴに依存する音楽産業にとってそれは悪夢だった。

新型コロナでライヴ市場は文字通り壊滅した。

その惨劇は、インターネットの登場でＣＤ売上が半減した谷間よりも深く、それはむしろ一九三〇年代、ラジオの無料音楽がレコード売上を二十五分の一にしてしまった奈落の底に近かった。

世界中のコンサートを司るライヴ・ネーション社の売上は、都市封鎖の渦中だった四〜六月期には前年比でわずか五十分の一となった。[★054] 同時期、筆者の古巣でもある我が国最大のチケット会社「ぴあ」の連結売上も十分の一に激減した。[★055] 同社は横浜に二万人を収容するアリーナを建設していたが、東京五輪の中止と共に開場は延期された。

〝三六〇度ビジネス〟を標榜し、ライヴ事業への参入度合いを強めていたメジャーレーベルも決して無傷ではなかった。音楽サブスクとライヴの隆盛でようやく黄金時代を取り戻した音楽界は突如、深い闇に叩き落とされた。

特に日本は、サブスクへの移行が遅延しているのが響いた。音楽ソフト売上の七割近くを占めるＣＤやＤＶＤは、いつしかＴシャツのようにライヴ会場で買うアーティスト・グッズの色彩を強めていたからだ。二〇二〇年六月の邦盤ＣＤ売上は、前年の二七％しかなかった。[★056]

ミュージシャンの被害はいっそう甚大だった。ライヴができないというのは、片足を複雑骨折するに等しかったからだ。

「もし自己破産したらさぁ次は俺何して生きていこうかとほんの少し本気で考えてみたりもする」[★057]

ＲＡＤＷＩＭＰＳ・野田洋次郎のツイートは「彼ほどのトップミュージシャンですらそこまで困っているのか」と人びとを驚かせた。だがトップミュージシャンであるからこそ、コロナ禍にいっそう苦しむ事情があった。

近年、日本では個人事務所を開くミュージシャンが増えていた。

業界の慣例として、ＣＤや音楽配信の売上はミュージシャンの取り分が一割行けばいい方だが、好調のライヴ売上は基本的に事務所のものにできたからだ。かわりに興行のリスクは事務所が背負い、アリーナやドームで全国ツアーを敢行すれば億単位の持ち出しが発生する。

「自然災害等と違ってウィルスは興業の保険適用外となる。ドーム4カ所を含む今回のツアー、全部中止にした場合ウチのような個人事務所が生き残る可能性はどのくらいあるんだろうかと考える」[★058]と野田はファンに説明した。

ドームの利用料は一日二千万円近いが、二日公演なら設営に一日、撤去に一日を足して四日分を押さえなければならない。東京、名古屋、大阪、福岡のドームで公演すれば十六日分。利用料だけで三億は超えるが、疫病は興行保険の適用外だ。

ドーム・クラスなら事務所が持つ物販の在庫リスクも億単位となる。世界的ヒットとなった映画『君の名は。』の音楽で絶賛を受けたRADWIMPSは、この年、海外ツアーも組んでいた。

この星の至るところで突如、のしかかった負債がアーティストを苦しめていた。

無観客ライヴでコロナ禍に勝てるのか

「毎日何をすればいいのか分からず不安で息苦しい日々です」コロナでツアーを中断したaikoが番組収録後、楽屋で涙を拭う写真をツイートすると人びとは心を痛めた。「でも朝が来ない夜はないと信じてる。みんな頑張ろうね」[★059]

何でもやらなければ生き残れない時代になった。欧米と事情の異なる日本ではサブスクに消極的な大物アーティストが多かったが、コロナ禍を機に状況は一変。次々と参入を表明した。RADWIMPSのみならずaikoもそのひとりだったが、「サブスク解禁」で彼女を支えようとする音楽ファンが殺到し、三月にはaikoの曲がサブスクのチャートをことごとく埋め尽くす壮挙を成し遂げた。

同月、公演中止となったZepp東京を使ってユーチューブで無観客ライヴを彼女が開催すると、十三万人の視聴者が殺到。その美しい絆は音楽メディアを超えて報道され、コロナ禍に鬱屈する日本人にとって一服の清涼剤となった。とはいえユーチューブの投げ銭で、中止となった公演の赤字を埋めるほど稼げるのか、となれば話は別だった。やはりチケット売上が要るが、人びとはスマホ越しのライヴ鑑賞でもチケットを買ってくれるのか？

そんな疑問に希望を与えたのがK－POPの頂点、BTSだった。米ビルボード・チャートで一位も獲った彼らは、まず四月にユーチューブで無料ライヴを開催。再生数は二日間で五千万を超え、同時接続数も二二四万人に達した。翌五月、チケット一枚が約三五〇〇円のオンライン公演を開催。七万五千人の観客を集めた。

さらに六月の有料ライヴでは、ドーム公演十五回分に相当する七十五万人超の有料視聴者を集め、約二十億円相当の興行売上を無観客で成し遂げた。同時期に発売されたアルバムは日本だけで四十五万枚売れ、アメリカやイギリスでもチャート一位に輝いた。

その前人未到の記録は、暗中模索する世界の音楽業界にとって希望の光となった。ドーム・クラスのスーパー・アーティストなら、無観客ライヴであっても十分、頼りになることを証明したからだ。

特にBTSの映像作りは、業界人の賛嘆をもたらした。実際のドーム公演に全く引けを取らない豪華なセットと光のページェント、さらには映像ならではのCGの駆使。そこまでやればスマホで観ているファンも十分、楽しんでもらえることがわかったからだ。

その後、日本でもサザンオールスターズが十八万人のオンライン・チケット購入者で売上約六億五千万円を達成。ジャニーズの音楽フェスも「チケットとグッズで百億円を超えたのではないか」と囁かれるほどの大成功を収める。フェイスブックやスポティファイもライヴ配信に参入を表明し、国内外でライヴ配信業は群雄割拠の戦国時代に突入した。

しかし、ライヴ配信があるから解決なのか。それは、コロナ禍に苦しむ飲食店主に「客が来ないならウーバーイーツで稼げばいいじゃないか」としたり顔でアドバイスするのに似て、少なくとも筆者は口が裂けても言えなかった。

筆者がライヴ配信の現場にいたのは草創期で、スマホも存在しない二十年近い前のことだ。だが、その経験から音楽ライヴ配信の市場規模は、前年度の音楽ライヴ市場と比べれば十分の一にも満たないだろうと予測できた。

実際、デジタル・ライヴの国内市場規模は二〇二〇年、約一四〇億円と予想する調査（七月）もある。[★060] うち音楽の割合を七割と仮定すると約百億円弱。[★061] 前年度の国内音楽ライヴ売上四二三七億円[★061]のわずか二・四％しかない。

今後、デジタル・ライヴ売上が年々倍増してもライヴ・コンサートの欠損を補う規模へ育つ頃には、とっくにコロナ・ワクチンが行き渡っているだろう。

コロナ禍で再燃したサブスク批判

ライヴ配信市場はコロナ禍を機にニッチから脱出を試みている最中だ。一方で、同時期にさらに巨大となったのが通販のアマゾンや有料動画配信のネットフリックス、宅配のウーバーイーツだった。どれも巣ごもりがフックとなっている。

一方でスポティファイなど音楽サブスクはまだ小さな市場の日本を除き、先進国ではほとんど伸びなかった。それも当然で、音楽サブスクは外出先にスマホで聴けることをフックに有料会員を増やしてきたからだ。

コロナ禍でライヴが壊滅すると、十年前から続くミュージシャンたちのスポティファイ批判が再燃した。「明細書を見るとスポティファイの支払いがとんでもなく少ない」というものだ。

英ガーディアン紙は「コロナ禍を鑑み、スポティファイはこれまでの三倍の楽曲使用料を支払うべきだ」と訴えるミュージシャンの嘆願書を取り上げた。★062

記事によるとスポティファイの一再生あたりの楽曲使用料は平均で〇・三一八セント(約〇・三五円)。メジャーデビューしている場合、ミュージシャン側の取り分はその一〇%以下(契約形態により異なる)で再生あたり〇・〇三五円以下となり、年間五百万円を稼ぐには最低で一億四千万再生が必要になる。バンドならそれをメンバーで分配することになる。

参考までに筆者がコンサルしているトップレーベルから聞いている楽曲使用料を記しておくと、再生あたり〇・五円ほどだ。これは国内外の価格差というより、一流レーベルの価格交渉力によると思う。なお無料のユーチューブが再生あたり〇・三円で、有料のみのAppleミュージックは一円ぐらいだった。

実際にスポティファイが三倍の楽曲使用料を支払えるかといえば、不可能だ。同社は売上の七割を楽曲使用料に充てており、それを三倍したら売上の二倍以上になってしまう。★063 取り分の三割でスポティファイが大儲けしているかといえば、株主から常に赤字体質を批難されており、搾取とは言い難い。

スポティファイのダニエル・エクCEOは批判に応えるかたちで、アーティストへの寄付を発表。ユーザーがアプリから好きなアーティストへ寄付できるようにもした。同様にクラウドファンディングを通じて、自ら資金を募るミュージシャンも増えたが、寄付では根本的な解決策にはならないだろう。

搾取といえば、国内ではすぐにJASRACが槍玉に挙げられるが、実際には音楽配信の楽曲使用料のうち、著作権管理団体の管理手数料分は一%にも満たない(著作権料約七%×管理手数料一一%)。

では昔から言われているように、メジャーレーベルが搾取しているのだろうか。付き合っていればわかることだが社員の年収、領収書の切り方は常識的で、搾取して贅沢している風には見えない。

IFPI(国際レコード産業連盟)は二〇一三年、メジャーデビューの初期投資額が平均で五十万ドル(約五五〇〇万円)と発表した。これは世界デビューを飾るアーティストの平均額で、確かに国内デビューとは桁が違うだろう。かわりに、メジャーレーベルは売上のどれくらいをアーティストに費やしているのか見てみよう。

同年、メジャーレーベルのA&R費は総売上の一五・六%、マーケティング費は一一・四%となり、ミュージシャンへの投資額は総売上の二七%だった。A&R費は一般企業の研究開発費にあたるが、バイオ産業の平均一四・四%やIT産業の九・九%より投資割合が大きい。二〇一七年にはアーティストへの投資比率はさらに上がり、総売上の三三・八%となった。★064

ほかに販管費や人件費などを考えると「今の時代、音楽配信売上はメジャーレーベルとアーティストで折半すべき」という話は、あまり現実的ではない。トップレーベルはCD時代に押さえていた流通売上を音楽配信業者に譲り渡したし、その結果、サブスクの月額利用料のうちレーベルの取り分は五割ほどと、CD時代よりも減っている。アーティストへの投資額は増加の一方にもかかわらず、だ。

サブスク配信業者、著作権管理団体、レーベルのどこも余裕がないとすれば、月額利用料を三倍にするくらいしか、ライヴ収入のなくなったメジャーアーティストをサブスクで支える手段はない。だが音楽を無料で聴こうと思えば簡単にできる時代に、月額三千円は音楽ファンがついてこないだろう。

実は、ここにこそ本書執筆の理由がある。

サブスクだけでは救えない――日本で進む「音楽のデフレ化」

そもそもなぜスポティファイは救世主になれたのだろうか。それは欧米でサブスクの月額利用料十ユーロが、アルバム一枚の値段十五ユーロに近かったからだ。

先進国の音楽ソフト売上は、年平均で国民ひとりあたりアルバム一～二枚ぐらいだった。サブスクの有料会員は年間でアルバム約八枚分を支払うことになる。国民の四人に一人が音楽サブスクを利用すればCDの黄金時代に匹敵する売上が建つ、ということになる。たとえレーベルのアーティスト印税率が変わらなくとも、そうなればメジャーアーティストも自ずとCD時代に匹敵する収入を得ることが理論上、可能だ。

スポティファイは二〇一二年の段階で、既にユーザーの四人に一人を有料会員にしていた。それゆえ当時、まだ小さかったスポティファイを指して「サブスクは音楽の救世主になる」と筆者は予測し、業界に聞き入れていただくことができたのである。

同時に「スポティファイをそのまま真似ても日本では救世主にならない」と筆者は訴え続けたが、そちらの方は聞き流されてしまった。今なら伝わると思うので、本書でもう一度、説明しておきたい。

理屈は単純だ。日本は再販制度でCDの値段が欧米の倍近かった。ならばサブスクの月額利用料を欧米の倍にするか、国民の二人に一人を有料会員にして初めて救世主になれるが、どちらも現実的ではなかったから「そのまま真似しても駄目だ」と訴えたのだ。

実際、日本でサブスクは月額一九八〇円で始まったが、スマホ・アプリの相場でそれは高すぎた。LINEミュージックやスポティファイ、Appleミュージックが国内で始まった二〇一五年には現在の月額九八〇円で落ち着いた。この値付けだと「サブスクはCDに比べて儲からない」という計算になる(だから、コロナ禍が襲うまで国内の大物アーティストはサブスクへの参入に躊躇していた)。

そうすると次は、国民の半分を音楽サブスクの有料会員にできるのか、ということになる。実はスポティファイは二〇一七年の時点で母国スウェーデンとノルウェイで国民の半数を有料会員にしているので絵空事とは言い難い。★065

だが日本には「三十代になると音楽に使うお金が半減する」という国民性があるうえ、少子高齢化が世界一進んでいる。[★066] 音楽の主要顧客となる十五歳から三十四歳の人口は約二六〇〇万人。[★067] その時点で、既に国民の五人に一人ほどだ。

少子高齢化は古代ローマ帝国も経験した文明病であり、その解決は筆者の範疇を遥かに超えている。アメリカ並みに生涯、音楽にお金を使う文化を創るのも一世代で片付く仕事ではない。かといって「音楽配信にも再販制度の適用を」と訴えるのも時代の流れと逆行している。

となれば、定額制＋アルファの何かを生み出さなければ、音楽配信が普及するほど日本で〝音楽のデフレ化〟が進行することになる。

本書をここまで読み進めた方なら察しがつくかもしれないが、それは危機であると同時にチャンスであると筆者は考えていた。

アメリカでｉＴｕｎｅｓミュージックストアが生まれたのは、世界で初めてファイル共有の猛威に襲われたからだ。スウェーデンでスポティファイが生まれたのは、同国で全くｉＴｕｎｅｓミュージックストアが機能しなかったからだ。世界で初めて危機に陥った国には、世界に先んじて新しい答えを生み出すチャンスが来る。

「定額制＋アルファが必要です。一緒に創ってみませんか」と筆者は方々のコンサル先で話していたが、「海外に前例がない」「現実的ではない」という壁にことごとく跳ね返されてしまった。だが、日本は何度も「世界初」の答えを生み出してきた独創的な国だったはずだ。

それを伝えなければと思い、本書の元となる原稿を二〇一三年から連載してきた。ＳｏｎｙはウォークマンやＣＤそしてモバイル配信で、世界の音楽生活を変えてみせた。紙幅の都合上、別の機会に詳説するがスティーブ・ジョブズは日本のＳｏｎｙとトヨタから多大なる影響を受けてｉＰｈｏｎｅを生み出した。ｉＰｈｏｎｅの誕生がなければ、サブスクによる音楽産業の復活はなかった。

コロナ禍は世界の音楽産業に「サブスクだけでは何かが足りない」と気づかせた。そして日本はどこよりも、その厳しい現実を痛感し、解決せざるをえない立場にいる。CDが誕生した一九八二年から十九年後に〝ポストCD〟を目指して音楽サブスクは登場した。ちょうどその十九年後が執筆現在の二〇二〇年となる。歴史的な速度感からも〝ポスト・サブスク〟は気の早い話ではない。

今こそ日本が〝ポスト・サブスク〟を成功させてみせる時期ではないだろうか。

〝ポスト・サブスク〟のフレームワークは既に歴史が示している

「定額制だとひとりあたりの売上が決まっていてどこか物足りない。音楽でも〝ソシャゲ〟みたいな面白いことはできないものですかね？」

実はそんな感想を二〇一四年頃、音楽サブスクの立ち上げにいくつか関わっている最中、音楽会社から何度か聞いていた。

「月額のポイント購入制はどうですか。そうすれば月額だけでなく昔のジュークボックスみたいに一時間ごとの聴き放題もポイント制でできますし、ＬＩＮＥスタンプのように、コミュニケーション用の何かが売れるようになりますよ。追加でポイントを買ってくれるようにもなります」

筆者はそんな提案をしていたが、そのたびに壁となっていたのが音楽サブスクと違って海外に成功事例がないことだった。加えて、ただでさえ音楽会社がサブスク参入の取りまとめに手こずっているときに、前代未聞の話でハードルをさらに上げるのは非現実的だった。

日本という国は古代には中国を、近代には欧米を手本に成長してきた伝統から、海外の最新事情を変革の梃子にしたがるきらいがある。だがネットの普及した現代にあって、海外の業界ニュースぐらいは誰でも読める時代だ。それだけでは変革の力にならない。特に危機の時代は、新たな答えの候補が乱立する。どれが時代の徒花で、どれが未来に繋がる正解かを見抜くのは、時代のうねりと創造の精神、このふたつを感じ取る心のみが頼りになる。その心なくして最新事情の分析を試みてもほとんど意味がない。

だから本書で、創造のスピリットに満ちた人間がいかに音楽産業のうねりを創ってきたかを描いてきた。端的にいえば、我々凡人であっても、歴史とイノヴェーターの生き様をヒントに、新しい答えを摑み取れるのではないか、ということだ。

「定額制＋アルファ」というのは別に雲を摑むような話ではない。

もともと、音楽サブスクは有料テレビを参考に誕生したことを第二部で描いたが、欧米で無料テレビに勝利した有料テレビのビジネスモデルは「月額の基本チャンネル＋月額の追加チャンネル＋都度課金（映画などのペイパービュー）＋広告売上」で構成されていた。

この歴史を知っていれば二〇一二年の段階で〝ポスト・サブスク〟がどんな風に出来上がっていくかはある程度、予測できた。筆者が早い時期から「定額制＋アルファ」を提唱していたのはそれが理由だ。残りは具体化するだけだった。

幸か不幸か、コロナ禍でその議論は喫緊の課題と変わった。もはや聞き流されることはないと思うので、改めてフレームワークを提示しておきたい。

有料テレビにおける月額基本チャンネル・パックは、そのままスポティファイやＡｐｐｌｅミュージックの月額会員が実現した。広告売上モデルも、音楽でもパンドラやユーチューブ、スポティファイの無料会員を通じて既に現実化している。

残りは「サブスク時代と相性のいい都度課金とは何か」「音楽サブスクにとっての月額の追加パックとは何か」のふた

つとなる。

まず、「定額制配信＋都度課金」の可能性だ。

広義に捉えればライヴや物販も都度課金に含まれるかもしれないが、ここではスマホで基本となる少額決済、すなわちマイクロペイメントに話を絞りたい。

音楽配信におけるマイクロペイメントは着うたやｉＴｕｎｅｓのダウンロード販売が当初、成功を収めたのは第二部で描いた。今はスマホがあれば、ユーチューブでシングル曲は無料で聴き放題。アルバムもサブスクに加入すれば同様だ。

二〇一二年に「ダウンロード販売は衰退する運命にある」と筆者は述べたが、実際にそうなった。世界の音楽ダウンロード関連販売は同年の四十四億ドル（約四八〇〇億円）をピークに、二〇一九年には十五億ドル（約一六五〇億円）へ激減した。[★068]

だが、「もうｉＴｕｎｅｓは古いから」という理由だけで、音楽産業はマイクロペイメントを諦めるべきだろうか。かつて音楽サブスクは「ｉＴｕｎｅｓと比べると時代遅れで需要がない」と判を押されたが、いくつかの変数をいじると救世主に生まれ変わった。そんな経験から、ニュースを頼りに「古い」「新しい」で答えを探すべきではないと思う。

逆説的だが、ニュースの語る〝最先端〟は過去に過ぎない。

たいていの場合、ニュースになる時分にはピークが近づいており、それを追いかけてもイノヴェーターたちの十年前を追っているだけになる。時流に乗っているときならそれでよいが、答えの候補が乱立する時代の端境にあっては、正解を知ろうとするより、鷹のように空から〝今〟を見渡す方が未来が見えるだろう。

スマホゲーム――近隣業界に出現した〝ポスト・サブスク〟のかたち

十字を心に浮かべていただきたい。

中心には今のじぶんがいて、左右には同時代に生きる隣人たちがいる。そして下から吹き上がる時代のうねりが今を通り、上にある未来へ飛翔している。

十字の下に歴史的なイノヴェーターを置き、右に海外の最新事例を置くだけでなく、左に近隣産業の事例を置けば、〝今〟という時代をいっそう見渡すことができるはずだ。

音楽産業は、スマホの普及を機にマイクロペイメントという大事な柱を失ったわけだが、スマホとマイクロペイメントは本来、相性のよいものである。それは近隣産業のゲーム業界を見れば一目瞭然だ。

日本はガラケー時代からモバイルゲーム市場をけん引してきた。モバゲーやグリーの〝ソシャゲ〟は世界でモデルにされ、スマホ時代に海外市場はアプリ内課金によるマイクロペイメントを駆使して、パッケージやダウンロード販売が主体のコンシューマーゲーム市場(プレステやニンテンドースイッチなど)を追い越した。

日本は総売上こそ中国やアメリカにスマホゲームで世界一を譲ったが、ひとりあたりの平均売上(ARPU)では依然として世界一だ。二〇一八年、日本におけるスマホゲームのARPUは一三五ドル(約一万五千円)と、音楽サブスクのそれよりかなり高い。★069

先の節にて「月額料金を倍にしない限り、音楽サブスクは日本で救世主とならない」と述べた。だがスマホゲームをヒントにして、楽曲販売に変わるマイクロペイメントを開発してサブスクと組み合わせれば、月額料金を倍にする必要もなくなるのではないか。それが二〇一四年頃、筆者の立てた仮説だった。確信があったというほかは特別、独創的な言ではなかったと思っている。

二〇一九年、コンシューマーゲームの世界売上は四七九億ドルだったのに対し、スマホゲーム市場は六八五億ドル(約七兆五千億円)となった。[★070] これは世界の音楽ソフト売上の約三・四倍に相当する。

余談だがこの年、スマホゲームで日本一となったのがほかならぬＳｏｎｙミュージックだった。同社のゲーム『フェイト・グランドオーダー』は社会現象を起こし、年間七一一億円を売り上げた。[★071] 音楽会社ながら初代プレステを生み出してみせたＳｏｎｙミュージックのヴェンチャースピリットは健在のようだ。

ゲーム市場はコロナ禍の巣ごもり需要でむしろ加速している。ある調査では、コロナ禍の前は前年比九％増が予想されていたが、執筆現在は前年比一二〜一五％増に上方修正された。[★072]

好調なスマホゲーム市場を押さえる日本のＳｏｎｙミュージックは、同社傘下が製作を担当したアニメ『鬼滅の刃』の大ヒット、米津玄師の記録的セールスなども相まって、ほかの音楽会社がコロナ不況に喘ぐ二〇二〇年に月間ベースで過去最高益を叩き出している。夏にその話を聞いたときは心底、驚いた。

話を戻そう。スマホゲームのマイクロペイメントには、三つのタイプがある。物語やステージの進展のたびに課金を促すストーリー型、ゲーム内のコミュニティで認知欲求を満たすコミュニケーション型、そしてゲーム内のイベントを盛り上げるイベント型だ。

そのうち、イベント型は音楽での活用がすぐイメージできると思う。実際、コロナ禍で突如、ライヴ配信が定着すると、イベント映像のペイパービューやライヴ配信の投げ銭が、無視できぬ売上になってきた。

二〇二〇年の四月、コロナ禍でライヴ会場へ向かう足が途絶えると、ライヴ配信アプリが脚光を浴び、国内非ゲーム・アプリ売上のＴＯＰ10に17ＬＩＶＥが初めてランクインした。[★073]

同年九月にはＡｂｅｍａＴＶが、ＥＸＩＬＥの率いるＬＤＨの主催する音楽イベントをペイパービューで配信。これが奏効して、長らく同ランキングのＴＯＰ３に収まっていた音楽サブスクのＬＩＮＥミュージックを超え、第二位

に急浮上した。★074

どちらも音楽専用アプリではない点は留意したいが、17もＡｂｅｍａも共に、ユーチューブの国内アプリ売上（投げ銭とサブスク）を既に超えている。

「要するに投げ銭とオンライン・チケットですね。今さら何が新しいのか」

ここまで読んで、そう訝る方もいらっしゃることだろう。実は、スマホゲームを応用して斬新な音楽ライヴ配信を創った会社がアメリカにある。

その話をする前に、もうひとつの近隣業界で起きた〝ポスト・サブスク〟についても聞いていただきたい。

音楽が未来を連れてくる

「音楽産業は炭鉱のカナリアだ」

そんな言葉を紹介した。目と耳が人間の最大の感覚器官だ。技術的に言えば、音声コンテンツはデータ量が軽いので、技術革新が未熟な初期にはまず耳を満たすものから技術は利用されてゆく。会話を除くなら、いつの時代も音楽こそ音声コンテンツの王様だった。音楽は人びとの魂を奪う魔力を持っている。

イノヴェーターも音楽ファンであることが多いから「音楽で面白いことをしたい」という衝動に駆られる。だから、技術革命が来るたびに、音楽産業は春の嵐に巻き込まれ、傍観者たちから誹りを受けてきた。

「音楽ビジネスはなんて時代遅れなんだ」と。

しかし、実際には音楽の桜はすべての産業に先立って、新しい時代の嵐に揺さぶられているのだ。ゆえにこそ、音楽産業はじぶんたちで新しい答えを出すしかなかった。そして、音楽の世界に生まれた新しい答えを手本にして、ほかの業界は危機を乗り越えてきた。サブスク・モデルは今やコンテンツの世界を超えて常識化したが、今世紀のサブスク・ブームは音楽から始まった。

いつの時代も、音楽が未来を連れてくる。

それは出版業界でも起きた。ファイル共有がアメリカで社会問題化した二〇〇〇年、コンテンツ産業の重鎮たちが集まり「音楽を襲った無料の嵐は遠からず本や映画をも飲み込む」と結論づけた。

そしてナップスターを買収し、ファイル共有を音楽サブスクに転生させることで同意したと、ナップスターの物語で紹介した。そのとき、コンテンツ産業の重鎮たちは映画や本も、ほどなく見放題、読み放題のサブスクになると頭に描いていた。彼らは歴史に倣い、音楽でまずモデルを創ろうとしたのである。だが、二〇〇一年のパソコンと配信の組み合わせでサブスクは機能しなかった。

ジョブズがｉＰｏｄとｉＴｕｎｅｓミュージックストアで、ハードとソフトの両輪を回してみせると二〇〇八年、アマゾンのジェフ・ベゾスがこれを踏襲。キンドルの名で電子書籍リーダーと書籍のダウンロード配信が誕生したが、ネットから押し寄せる無料の活字が氾濫するなか、出版業界は年々売上を落としていった。

それは音楽も同じ状況だった。ｉＰｏｄとｉＴｕｎｅｓがこの世の春を謳歌しても、音楽ソフト売上は年々下がる一方だった。しかし、音楽はまた新たな答えを見つけた。スマートフォンとサブスクリプションという、次なるハードとソフトの両輪だった。二〇一〇年、動画に耐えうる第四世代（４Ｇ）の携帯通信が普及すると、この両輪はネットフリックスの飛翔を扶《たす》け、ドラマや映画もサブスクの時代に入った。

そして世界の音楽ソフト売上でサブスクが主流になった二〇一五年、アマゾンは再び音楽に倣い、キンドル・アンリミテッドで書籍のサブスクに参入した。本の世界もまた、サブスクが新たな答えになるかに見えたが、その仮説が早くも崩れ去った国がマンガ大国の日本だった。そして、日本はサブスクに代わる新たな答えを見つけた。

マンガ・アプリは物語の力で〝ポスト・サブスク〟を実現した

日本では、出版売上のうちマンガが三分の一を占めている。その総売上は二〇一九年に五千億円、往時のCD売上とほぼ等しい。[★075] そのうち半分以上がデジタル売上で、国内電子書籍市場の八六％がマンガだ。[★076]

ネットのもたらす違法な無料化がマンガを襲ったのは、音楽と比べて遅かった。違法サイトの漫画村が六百万人超のユニークユーザーを集めて社会問題化したのは二〇一八年、[★077] ナップスターの誕生から二十年後にあたる。

音楽において救世主的な役割を果たしたスマートフォンだったが、マンガ界には破壊をもたらした。大型化したスマホが普及した結果、ダウンロードせずとも違法サイトで簡単に読めるようになったからだった。

同年、漫画村が閉鎖されたときに巻き起こった議論は、前世紀末から音楽業界にいた人間にとっては懐かしさすら感じる内容だった。いわく「漫画村が閉鎖されても次の違法サイトが立ち上がるだけ」「無料で読んでる人間は無料だから読んでただけで、閉鎖は売上増に繋がらない」「出版業界が協力して広告モデルの公式サイトを作るしかない」等々。

その意味で、マンガ業界は音楽がファイル共有で経験したことを二十年遅れで繰り返しているようにも見えた。だがマンガは音楽や映像と違って、スマートフォンとサブスクが解答にならない立場にあった。

「講談社の6誌が読み放題できる『コミックＤＡＹＳ』が月額７２０円でしたよね。そこがどれほど成功するかで基準は決まるとは思うんですけど……。音楽や動画のサブスクリプションでよくある月額１０００円程度なら、自分は軽く出します」

ねとらぼ記者の感想に、ＬＩＮＥマンガの原田圭運用部長はこう答えた。

「『コミックＤＡＹＳ』が1誌15作品読めると思うと、だいたい90作品くらいで７００円ほどで読めるわけじゃないですか。漫画村の規模で言うと、何十万タイトル。これを月額1000円でやろうとすると、回していけませんよね(苦笑)。月額1万円でも足りるのかという話だと思うんですよ★078」

筆者の試算ではマンガのサブスクも月額一万円なら四二〇万人、月額千円なら四二〇〇万人の有料会員がいれば、ようやく現在のコミック売上を賄えるようになる。これは音楽サブスクで全盛時代のCDと同じ売上を建てようとする場合とほとんど等しい。

問題は音楽と同じく、これを現実的な数字と取るかどうかだ。

日本の音楽産業は「CDを併売すれば補える」と見立てて月額九八〇円の道を選んだ側面がある。実際、音楽サブスクの立ち上げを手伝っているとき、そういう話をたびたび聞いた。最悪、CDとの併売が駄目でも好調なライヴ売上があった。音楽レーベルは三六〇度ビジネスを旗印に、これまで音楽事務所の縄張りだったライヴ事業にも参入度合いを深めていた。

出版社にとって、音楽レーベルのライヴ事業に相当するものはアニメかもしれない。アニメならサブスクとの相性もよいだろう。だが「ミュージシャンはライヴがあるんだから音楽配信で稼げなくてもよいだろう」と無神経に言えないように、「アニメがあるからコミックは要らない」とはならない。それはそれ、これはこれだ。

マンガ界はサブスクと単行本の併売を現実的とは見なかった。加えて、マンガというものはもともと、雑誌が定額制のサブスクにあたる。週刊誌なら週額、月刊誌なら月額だ。そのうえに単行本の売上を積み増すビジネスモデルだったわけで、これがサブスクのみになった場合を考えると、市場の縮小を懸念するのが自然な反応だった。

マンガ界はアマゾンなどのように音楽に範を取るのではなく、スマホ・ゲームの「基本無料+マイクロペイメント」を踏襲する道を選んだのだった。

かつてスティーブ・ジョブズは、アルバムを単曲のバラ売りにすることで音楽の世界にマイクロペイメントを実現してみせたが、アルバムの全曲はなかなか売れなくなった。その点、マンガは有利だった。単行本を分割した一話ごとに売る〝話売り〟であっても、読者はストーリーを追うので、歯抜けで買うことがないからだ。

のみならず、話売りは柔軟なフリーミアム・モデルを構築できた。初めの十話と最新回を無料にして間の話を有料にすれば、物語の衝撃的な始まりから、物語の佳境、人気の過熱したクライマックス、どのタイミングで来た読者も取り込むことができた。あるいは一日一話無料を様々な作品で用意すれば、読者が毎日アクセスする習慣を構築できた。

ナップスターが閉鎖に追い込まれたとき、日本からは想像がつかないほどアメリカで報道が激化したがその結果、ナップスターのクローンがいっそう人気を得る結果となってしまった。当時、音楽産業は違法ダウンロードの代わりとなるべきサブスクの立ち上げに失敗してしまったのが響いたのは、お読みいただいた通りである。

一方で、違法マンガサイトが社会問題化したとき、マンガ・アプリの王者ＬＩＮＥマンガは既に五周年を迎えていた。それゆえ、漫画村が閉鎖したタイミングで積極的にマーケティング予算を投入し、売上を急激に拡大することができた。★079

二〇一九年、電子書籍の国内利用率は約四五％だったが、うち無料のみの利用率は二〇％で、残り二五％が有料だ。★075スポティファイ同様、電子書籍市場の成長をけん引するマンガ・アプリもフリーミアム・モデルが日本で健全に機能していることが伺える。

かつては電子書籍といえばアマゾンだったが、二〇二〇年半ばの調査では同社キンドルの国内利用率は二六％、ＬＩＮＥマンガは二五％と僅差で、既に逆転は見えている。ＬＩＮＥマンガのライバル、ピッコマの一五％、少年ジャンプ＋の一四％強などを合わせると、マンガ・アプリはアマゾンを既に超えた。★075

週一更新の作品を毎週少額で購読するマンガの話売りは〝マイクロ・サブスク〟とも見なせる。その意味でマンガ・

アプリは、月額定額とは異なる〝ポスト・サブスク〟のかたちを示したと言えるだろう。

マイクロ・サブスクがマンガで成立した条件は、話を紡ぐストーリー性だ。今の音楽が、かつての吟遊詩人のように物語を歌い上げるのは難しいかもしれないが、それでも時間芸術である音楽はそれ自体がストーリー性を内包している。

そもそも一曲の歌詞もまたストーリーを持つものであり、音楽はシングルであってもアルバムであってもストーリー性と無関係なものではない。

音楽においてアルバムという言葉はもともと、たくさんのシングル・レコードをまとめ売りしたものを指していた。やがて一枚のレコードに何曲も入れられるようになったが、アルバムが音楽産業を支えるビジネスになったのは、ビートルズがアルバムに世界観とストーリー性を与えて社会現象を起こしたのがきっかけだった。

先に「サブスクのプレイリスト文化で逆にアルバムが復活しつつある」と紹介したが、アルバムやプレイリストもまた、ストーリー性を表現できるものだ。

SNS全盛時代の今にあっては、マーケティングもいっそうストーリー性が求められるようになった。写真や動画を添えた投稿は、ライヴやリリースの告知だけでなく、アーティストの個人的物語をファンと共有する大事な道具になっている。

楽器の進展だけが音楽に新表現を与えてきたのではなかった。ラジオの発明、シングルとアルバム・レコードの普及、音楽テレビの登場からストリーミングに至るまで、音楽を運ぶメディアのかたちに合わせて音楽のかたちも変遷していった。

サブスクが十五年の時をかけて進化して脚光を浴びたように、ｉＴｕｎｅｓの衰退で終わったかに見えるマイクロペイメントが今後、漸進的に正しい答えを顕していく未来もあるだろう。それは音楽に新たな物語を与えるかもしれないのだ。

　以上を踏まえたうえで、音楽におけるポスト・サブスクのかたちを語りたい。

"中国の夢"から始まったサブスク元年

　行き詰まった江戸に明治維新をもたらした薩長土肥、日本に経済敗戦したアメリカを蘇らせたシリコンバレー等々、メインストリームが行き詰まったときにフリンジストリーム(傍流)から新たな答えが到来するのが歴史の法則だ。それは音楽産業であっても同じだったのは本書で描いた通りである。

　中国人のアンディ・イングが、スポティファイの快進撃を目の当たりにしたのは、彼がノルウェイのノキア社で働いていたときだった。

　それはほとんど啓示だった。

　彼の母国は違法コピー天国だった。音楽は無料なのが当たり前で、人びとはライヴ以外に金を払う気が全くなかった。中国版のグーグル、バイドゥで曲名にmp3の文字を添えて検索すれば、音楽はいくらでも無料で手に入った。中国は二〇一〇年、日本のGDPを追い越して二世紀ぶりに経済大国へ返り咲いたが、音楽ソフト売上は国民ひとりあたりわずか十円ほどしかなかった。★080
　音楽にお金を払う習慣が育たなかった理由を中国人の気質に求めるのは、蔑視が過ぎるかもしれない。二十世紀の中国人はみんな貧しくてレコードやCDを買う余裕などなかった。我が国も敗戦から高度成長が到来するまでは欧米からパクリ天国と蔑まれた時期がある。文化産業は国が豊かになってしばらくして開花するものだ。

　ノキア社に勤めていたイングの母国、中国のミュージシャンたちは、十九世紀アメリカで人気絶頂のなか野垂れ死んだスティーブン・フォスターと同じような劣悪な環境下にあった。だが中国でスポティファイと同じフリーミアムの音楽サブスクを立ち上げれば、焼け野原のような母国の音楽界を救えるのではないか。そう奮い立ったイングは翌二〇一一年、帰国し、巨大IT企業テンセントに転職した。

イングにとって幸運だったのは翌二〇一二年、習近平総書記が中国共産党大会でアメリカン・ドリームに擬えた政策理念「中国の夢」を発表したことだった。中国共産党は二〇四九年までにアメリカを超える野望を隠さなくなった。その野望が音楽産業にインパクトをもたらすことになる。

共産党政府が著作権法を整備したのは今世紀初頭だったが、長らく著作権違反を看過してきた。★081 厳密に違法コピーを取り締まれば、知財大国アメリカの技術特許や文化財が未成熟な国内市場を支配してしまう恐れがあったからだろう。だが世界第二の巨大経済を擁して自信をつけた中国共産党は知財ビジネスでも世界一を目指すべく、その根幹たる特許と著作権の保護育成に舵を切ったのだった。

中国政府はmp3の無料ダウンロードで広告売上を稼いできたIT企業に一年の猶予を与えた。そして二〇一三年の夏、中国ITの最大手バイドゥとテンセントは無料のmp3を削除し、音楽サブスクを開始すると発表した。

中国の音楽サブスクは一部の曲が基本無料で、有料会員になるとすべての曲を聴けるという仕組みが取られた。その意味でスポティファイよりものちのユーチューブ・ミュージックに近かったが、彼らはじぶんたちでその答えに到達したのだった。

しかし音楽にお金を払う習慣というものは一年や二年で育つものではない。ひとりあたりのGDPに合わせて月額は先進国の四分の一ほどと格安に設定されたが、それでも中国の音楽市場がサブスクですぐに春を迎えるということはなかった。

中国にとってサブスク元年となった二〇十四年、彼の国の音楽サブスク売上はわずか一五〇〇万ドル弱(十六億円強)、無料配信の広告売上と比べても四分の一にも満たなかった。[★082] イングは期待外れの顔を隠せなくなったテンセントの経営陣を説得し続けていた。

「この国では七億人がアプリで音楽を聴いています。スポティファイの事例を考えてください。七億人の三割でも有料会員になれば何が起きるか」

問題は、そこまで至るのにどれほどの歳月を待たねばならないかだった。五年なのか、十年なのか。有料会員になってくれる比率は一%にも満たない状況に、テンセントと契約を結んだ欧米メジャーレーベルもため息をついていた。

「ゲームや動画コンテンツの世界で起きたことを考えるなら、中国の音楽産業に爆発的な成長の余地があることは明白です[★083]」

彼は、そうも説得していた。実はサブスクよりも、こちらのせりふの方に未来は潜んでいたのである。

サブスクを超えた中国テンセントのソーシャル・エンタメ売上

二〇一九年、あれから五年が経っていた。

その年、中国のGDPは日本の三倍弱だったが、音楽ソフト市場は日本の四分の一強の六二〇〇万ドル(約六八〇億円)だった。[★084] それでも五年前の〝サブスク元年〟と比べて、その売上は六倍ほどに急成長していた。同年、中国の音楽コンサート売上は四十三億人民元(約六九〇億円[★085])。音楽ソフト売上はサブスクにけん引されて、ライヴとほぼ同規模にまで育ったのである。

しかし、中国ではそれ以上のことが起こっていた。

その頃、イングの所属するテンセント・ミュージック・エンタテインメント社は既にアメリカの株式市場に上場していた。豊富な資金力を誇る同社は音楽サブスクの国内競合を買収した。

その支配力を武器に、テンセント・ミュージックは欧米メジャーレーベルの楽曲を一括してバイドゥなど競合他社へサブ・ライセンスするほどの立場になっていた。のみならず、ユニバーサル・ミュージックやワーナー・ミュージックの株式を一部取得し、中国市場への参入を諦めたスポティファイとも株式を交換。テンセント・ミュージックは先進国の音楽産業にすら隠然たる影響力を持つに至った。

サブスクを基軸に国内音楽ソフト市場の四分の三を領するに至ったテンセント・ミュージックは、中国における音楽配信の帝王と言ってよかった[★081]。だが、同社を「中国版のスポティファイ」と言うには何か辻褄の合わないことが進行していた。

その年、テンセント・ミュージックは六億四四〇〇万人の月間リスナーを誇っていた。その数字に勝てるのは世界でも独りユーチューブのみであり、スポティファイよりも三億七七〇〇万人も多かった[★086]。

一方で同社サービスの有料会員は六%にとどまった[★087]。スポティファイの有料会員比率である四六%弱と比べると弱々しく[★088]、イングがテンセントに転職した際、主張した「中国にスポティファイのようなフリーミアム・モデルを導入すれば救世主になる」という前提は壊れているようにも見えた。

事実、売上報告書を読むと音楽配信売上は全体の三割ほどしかなく、謎の主力が爆発的な黒字を生んでいたのだ[★089]。

聴き放題の音楽サブスクは音楽ファンにとっては天国だが、定額制ゆえひとりあたりの売上が頭打ちとなり、事業的にはシビアなものがあると先に触れた。スポティファイはその赤字体質を株主からいつも批判されてきた。

だがテンセント・ミュージックは上場当初から見事な黒字体質をつくり上げていた。二〇一九年、同社の売上は前年比三九%増だったが、営業利益の伸びはそれ以上の一二七%増にも及んでいた[★089]。

イングたちはサブスクとは別に、マイクロペイメント（都度課金）でヘヴィーユーザーを深掘りする、スマホゲームのような強力なビジネスモデルを築いていたのである。彼らはそれを「ソーシャル・エンタテインメント」と呼ぶ。

その年、テンセント・ミュージックにおける音楽サブスクのひとりあたりの月間売上（ARPPU）は九・三人民元（約一五〇円）に過ぎなかったが、ソーシャル・エンタメのそれは一三八・五人民元（約二二二〇円）にも及んだ。★089

われわれ日本人の感覚でいえばどれくらいか把握するために、日本人ひとりあたりのGDPが中国人の四倍であることを援用してみよう。同社の音楽サブスク売上は四倍すると約六百円／人月。ソーシャル・エンタメ売上を四倍すると約九千円／人月で、年間なら約十万七千円／人年にもなる。

もし、日本でソーシャル・エンタメ売上が立つようになれば、それはコロナ禍で顕になったサブスクとライヴが持つ弱点を補って余りあるものになる。

ミュージック・ソーシャル・エンタメ売上、略してMSEとは一体、何なのか？　それを知れば、あと少し手を伸ばすだけで、次の答えが届く場所に我々はいると気づくだろう。

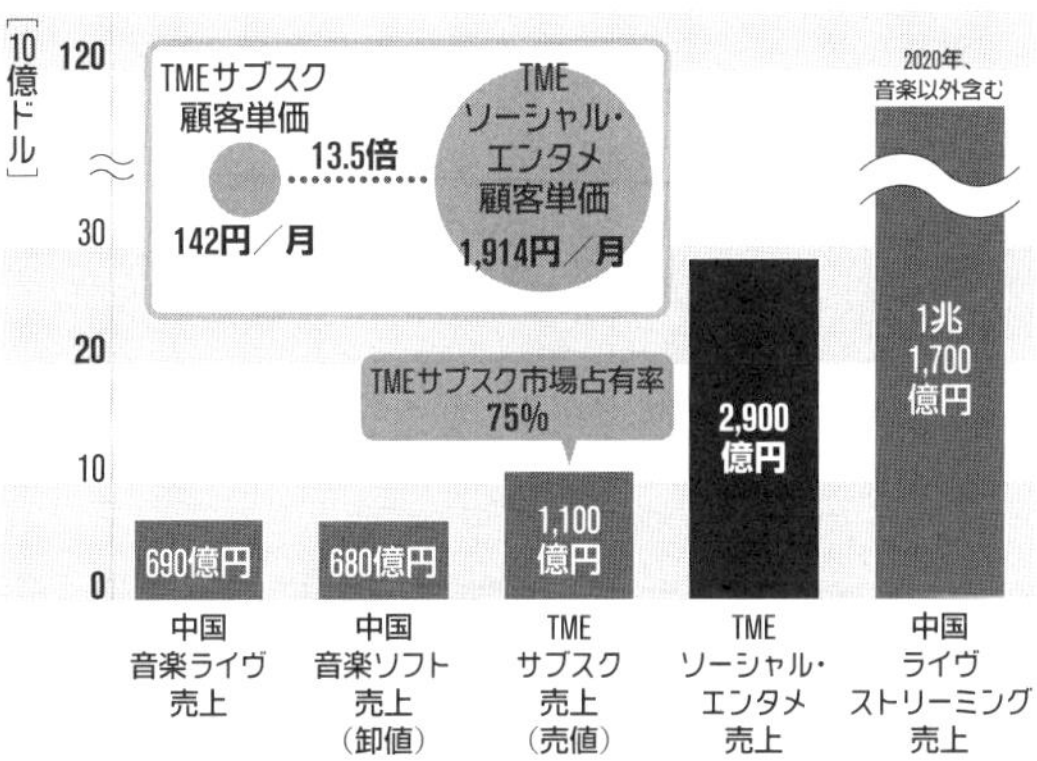

［図3−6］中国音楽市場（2019年）

110円／ドル、16円／人民元で換算。TMEはテンセント・ミュージック・エンタテインメント。

サブスクを超える中国のライヴ配信売上、その核はカラオケだった

技術革新とイノヴェーションは完全な同義語ではない。技術革新は、初期の開発意図とは異なる利用法が見つかって、初めて時代を画すイノヴェーションになることが多いからだ。

デジタル回線は長距離電話の効率的伝送のために生まれたが、インターネットの基礎技術になったときに花開いた。レコードは初め、コンサートの代替だったが、今やその子孫たる音楽ソフト産業はライヴ産業とは別個の価値を日夜、創造している。

音楽ビデオもやはりライヴの代替として生まれたが、音楽と映像の融合した新しい表現を纏《まと》ったとき、音楽そのものすら変える革新となった。

人類史上、初めてストリーミングされたのは音楽ライヴだったが、それがライヴ中継ではなく楽曲の配信に利用されるとCDに代わる音楽サブスクの誕生に繋がり、ストリーミングは時代を変えたのだった。

コロナ禍に襲われたとき、先進国のミュージシャンたちはストリーミングの原点であるライヴ配信に立ち返った。初期の音楽ビデオがそうであったように、それが生ライヴの代替に過ぎないなら、時代を変えるほどのことは起こらない。ワクチンの普及後は、ツアー初日やファイナルの日も遠距離に住むファンがライヴに参加できるようになる、といった副次的な立ち位置にとどまるだろう。

だが、ライヴ配信を初期の意図とは異なったかたちで使ったならどうなるのか?

ライヴ配信の先駆者として二〇一二年にニューヨーク株式市場へ上場を果たした中国のジョイ社(Joyy)はもともと、ゲームを主戦場としていた。だが現在、同社のライヴ配信アプリ、ビゴ・ライヴ(BIGO LIVE)は非ゲーム分野のアプリ売上世界ランキングでパンドラに次ぐ九位につけ、ライヴ配信では売上世界一となっている。★090 その快進撃の

きっかけをつくり、同社をライヴ配信で世界一の企業に育てたのが実は音楽だった。

それはコロナ禍より遥か昔、スマホすら普及していない頃に起きた。ジョイ社はPCゲームのプレイをウェブカメラでライヴ配信できる「YY」を運営していたが、ある日、スタッフたちは驚愕すべき事態に遭遇した。ゲーマーたちがチャットルームをどのように使っているか調べたところ、ゲームの実況中継をするよりも、もっと熱中していることがあったのだ。それがカラオケだった。あちこちの部屋で歌の上手い、かわいい女の子たちがフォロワーを集めて毎晩、熱狂を生んでいた。

ジョイ社は試しに、オンラインでカラオケ・コンテストを開いてみることにした。するとまたもや予想外のことが起きた。登録会員にコンテストのヴァーチャル・チケットを無料配布したのだが、それがオークション・サイトにて高値で売買されだしたのだ。理由はチケットに付いている投票券だった。お気に入りの女の子をなんとしても優勝させたいと、フォロワーたちが買い漁っていた。

商機に敏いのが中国人の伝統だ。「これこそ探し求めていたブレイクスルーだ」と彼らは気づき、キャンディや綿あめ、ハートやビールの絵文字を十円かそこらの少額で売り出した。金額の四割がライヴ配信者に行く仕組みだったのだが、上限の二百万円分を買って〝オキニ〟へ貢ぐフォロワーがすぐに続出した。★091
これを見たジョイ社は、フォロワーたちが貢ぐほどお気に入りのライバーが出世する仕組みをつくり上げた。同時に、ライヴ配信で多額のギフティングを貢いだフォロワーが勲章を得て、ライバーと優先的に会話できるよう誘導した。今では中国の音楽ライバーは、チェキ(自撮りの写真)のような手作り感あふれる写真や歌詞ポスターをライヴ配信で随時、販売できるようになっていて、そのデジタルグッズ売上も凄まじい。

日本人ならこの話を読んですぐさま想起するものがあるはずだ。

「ミュージック・ソーシャル・エンタメ(MSE)のサービスは、日本独特のCDベースのビジネスモデルをデジタ

ル版にしたものだ」とゴールドマンサックス証券でアナリストを務めるドミトリー・パツコフは語っている。★081

そう、ポスト・サブスクの本命、MSEはAKB48の握手券商法とそっくりなのだ。その核にはソーシャル・カラオケがミラーボールのように輝いていた。

ジョイ社のライヴ配信YYはゲームや出会い系、サブスクなど「儲かる」と言われるジャンルなら何でも手がけていたが、なかでも音楽分野の伸び率は凄まじく、二〇一四年には同社の売上をけん引する圧倒的な稼ぎ頭に成長した。★092

この商機を逃さなかったのがイングたちの競合であった音楽サブスク、クーゴウ(KuGou)だった。当初はテンセントのQQミュージックと同様、無料会員ばかりが増えて芳しくなかったのだが、ソーシャル・カラオケの機能を追加すると化学変化が起きた。スポティファイの模倣から離れた、極めてオリジナル性あふれる中国流の音楽サブスクが誕生した瞬間だった。

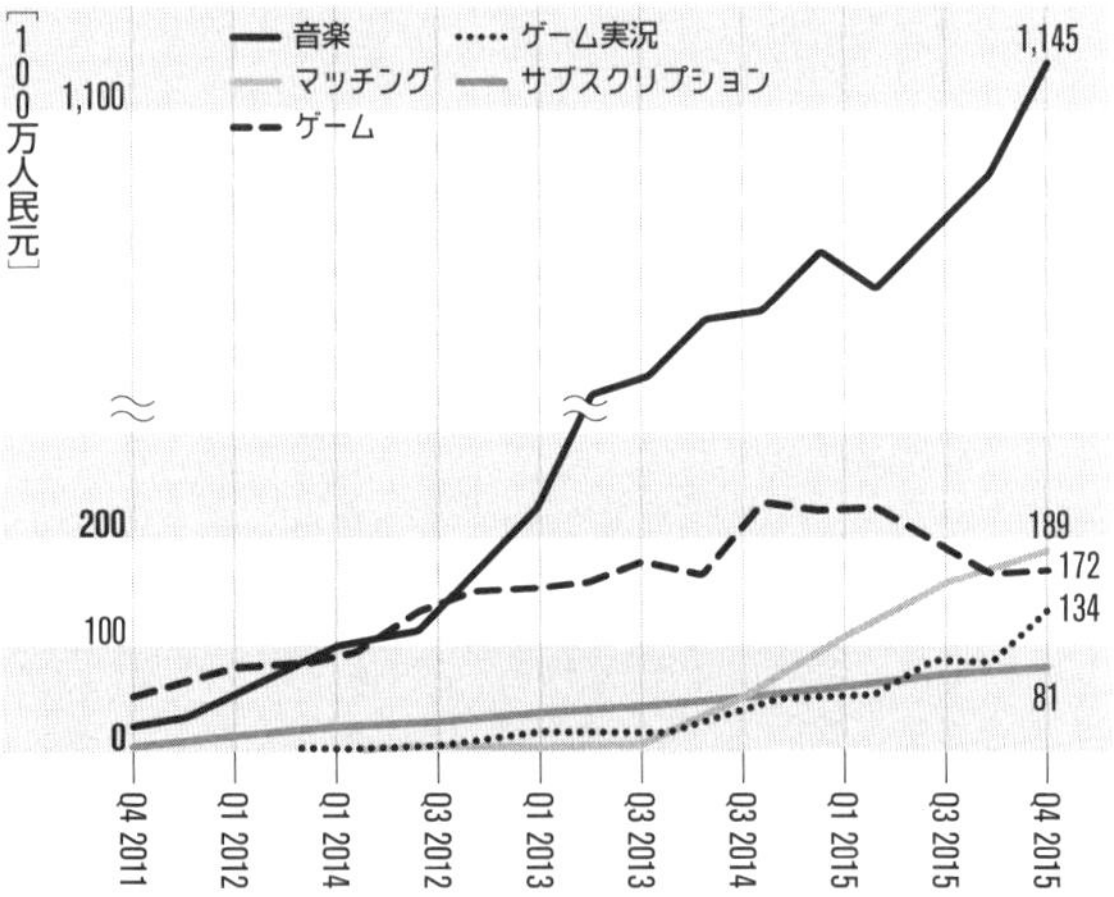

［図3－7］ジョイ社の分野別売上推移（2011年Q4～2015年Q4）

資料：Joyy Inc. IR

クーゴウのユーザー・インターフェースは独特だ。スポティファイやAppleミュージックで音楽を聴くと、美術館で絵が展示されているかの如く、スマホにジャケ写がおとなしく表示され、その下には再生ボタンが最も目立つかたちで置かれている。我々はそれが当たり前で疑うこともない。

だがクーゴウでは、ジャケ写やライヴ写真の上を、ニコニコ動画のようにリスナーのコメントが絶え間なく流れていく。そしてコメントの末尾にはハートの絵文字やビールの絵文字が付いている。ここがポイントだ。弾幕で流れる絵文字は、プレゼント箱ボタンを押して購入したギフティングである。クーゴウでは再生ボタンよりも目立つかたちでプレゼント箱のボタンが配置されている。

クーゴウはギフティングでファンの団結と競争心を煽っている。ギフティングを受けた曲ほどクーゴウ内のランキングを駆け上がり、ファンたちはじぶんのオキニを一位の座に輝かせようと熱中する。

ファン同士でも競争を煽る。ギフティングに多額をつぎ込んだユーザーには、特別称号のバッヂが与えられ、アーティストからお礼のコメントを添えたチェキが届いたりもする。

ゴールドマンサックス証券が「MSEはAKB48のCD握手券商法をデジタル化したもの」と喝破したのも頷けるだろう。

この仕組みはプロの楽曲のみに適用されるのではない。

どの曲を聴いても下にはマイクのボタンが表示される。押すとアプリが曲からヴォーカルを自動的に取り除いて、カラオケを楽しめるだけでなく、歌い終わればそれをすぐに投稿できる仕組みになっている。

ジョイのライヴ配信と同じく、特にかわいい女の子が上手く歌ったカラオケには大量のギフティングが集まる。彼女たちがプロに混じって人気ランキングを駆け上がっていくことすら可能だ。

クーゴウはジョイ社同様、ライヴ配信(現KuGou Live)も二〇一一年から手がけていた。音楽サブスク、ライヴ配信、ソーシャル・カラオケの三つを融合してみせたクーゴウは人気、売上ともに龍の如く天へ飛翔。中国ナンバーワンの音楽サブスクとなった。★093

テンセントも遅れを取ったわけではなかった。ジョイ社のライヴ配信ブームは畢竟《ひっきょう》、カラオケであると見抜いたイングたちは音楽サブスクとは別に、ソーシャル・カラオケのアプリ、ウィーシング《WeSing》(全民K歌)を二〇一四年に立ち上げていた。ジョイ社のライヴ配信が音楽で爆発的に伸びた年だ。このソーシャル・カラオケがやはり、我々日本人には予測不能な化学反応を起こした。

それは、中国は全国津々浦々の地方都市で起きた、敬老の精神から騒音問題に至った奇妙なムーヴメントだった。中国の公園といえば、我々は太極拳を静かに舞う老人たちを想起する。だがそれは日中の話だ。中国の夜の公園の支配者は、ヤンキーならぬ意気軒昂な五十代のおばちゃんたちである。

彼女たちは「お昼にやるのはお年寄りに迷惑だから」と日が暮れてからやってくる。派手なジャージのようなおそろいの衣装を着て、毎晩、大音量の音楽をかけながらヒップホップとも太極拳とも判じかねる謎のダンスに興じるのだ。

夜のおばちゃんたちのダンス・ブーム、〝広場舞《グアンチャンウー》〟は当局も放っておけぬほどの騒音問題を引き起こした。広場に面したマンションのベランダからは「毎晩毎晩、喧しいんだ!」という叫び声と共に、バケツで水が降ってくる。それでもおばちゃんたちは動じない。バスケットコートを占拠された若者たちが「僕らは予約を取ってるんです。ここはダンスの場所ではないでしょう」と抗議しても、「うるさいわね。若者は年上を敬いなさい」とビンタを張ってくる。★094

文化大革命の大混乱のなか生まれた彼女たちはずぶとく、パワフルだ。そんなおばちゃんたちが昼に見つけた遊びがあった。それがソーシャル・カラオケだ。

中国の地方都市ではカラオケ屋で歌って呑むのが数少ない貴重な娯楽だった。だがさすがに昼から外で呑んだくれるのは気が引けるし、金がかかる。夜はカラオケよりダンスをしたい。そこに現れたカラオケ・アプリ、ウィーシングはおばちゃんたちにとって昼の救世主となった。

リビングでヘッドセットを付け、アプリを起動して近所の友だちとグループでライヴ配信を始める。ひとりが歌うとみんなが称賛し、拍手や花束、ビールのヴァーチャル・ギフトを贈り合う。それは換金可能なので、真昼のオンライン・カラオケ会の飲み代にもなるわけだ。

中国のおばちゃんたちの熱中するウィーシングは億単位でユーザーを増やしていった。歌うのは夜にみんなで踊る曲だったり、みんなが見ているカラオケ専門チャンネル(KTV)の人気曲だ。ジョイ社のライヴ配信YYは素人の女の子たちをスターにしたが、テンセントのウィーシングは街のおばちゃんたちをスター気分にさせた。

立ち上げから三年後、テンセントのウィーシングは四億六千万人にものぼる巨大な登録者数を擁するに至った。それは同社傘下の世界的な超人気スマホゲーム、「キング・オブ・グローリー」の登録者数である二億人を遥かに超えていた。[★095] この年、ウィーシングのユーザー層は十三歳から二十二歳の若年層が七割を占めるようになった。だが、依然としてヘヴィーな課金ユーザー層は五十五歳から六十歳だという。[★095]

おばちゃん発のブームが若者に伝播したという意味では、〝冬ソナ〟の韓流ブームからK-POPブームへ連なった日本の経緯と似ていたかもしれない。今後、東アジアは高齢化が進む。可処分所得と可処分時間を兼ね備えた中高年主婦層のブームが、社会を変える例は跡を絶たなくなるかもしれない。

ジョイ、クーゴウ、テンセントは三者三様に、音楽でゲームを超える熱狂と儲けを中国のスマホ上に創り出したのだった。

ポスト・サブスクを花開かせたテンセントの巨大エンタメ・ネットワーク

二〇一六年には、中国は早くもライヴ配信ブームに沸いていた。コロナ禍の四年前のことである。

同年、テンセントは、音楽サブスクのクーゴウとクーウオを運営するチャイナミュージックコープを買収。QQミュージックやウィーシングと合わせて世界最大級の音楽会社テンセント・ミュージック・エンタテインメントを発足させた。二年後には、同社は時価総額二・六兆円でニューヨーク株式市場に上場している。

親会社のテンセントはＬＩＮＥの進化形とも呼びうる存在だ。現金の廃れた彼の国で、電子決済でも、テンセントのウィーチャットペイは首位のアリペイと四対六で国内を二分するほど普及している。

それだけでない。テンセントは中国でユーチューブのような動画共有、ネットフリックスのような動画サブスク、トゥイッチのようなゲーム・ライヴ配信、ティンダーのようなマッチング・アプリ、売上世界一のスマホゲーム・プロダクションの運営に成功している。

ソーシャル・カラオケやライヴ配信で得たギフティングは、ウィーチャットペイに〝換金〟してあらゆることに使えるようになっている。

我々日本人の生活に即して例えれば、ＬＩＮＥミュージックでお気に入りの曲を見つけたら、カラオケ機能で動画を撮ってＴｉｋＴｏｋに投稿するとＬＩＮＥでも共有される。フォロワーからＬＩＮＥペイに換金可能なヴァーチャル・ギフトが届き、それでネットフリックスやティンダー、ゲームのＦＧＯを楽しむこともできるし、友だちがシェアした動画に送るギフティングの元手にもすることができて、人気者になればそれだけでも食べていける、という感じだ。

マルチ・ミリオンセラーを連発するテンセントのアルバム先行配信

フリーミアムの音楽サブスクが第一の矢、ソーシャル・エンタメが第二の矢なら、テンセントのイングは第三の矢も音楽の世界に放っていた。

「今や我々は、ひとつのアルバムを平均で五百万枚以上売ってみせることもたやすくなりました」とイングは語る。★096

聴き放題でアルバムを五百万人に聴いてもらえるようになった、という話ではない。テンセントは話題性のある新作アルバムを先行配信で、iTunesのようにダウンロード販売したら、五百万枚以上売れるアルバムが続出するようになったのだ。

まず二〇一六年、彼らが実験的に台湾の人気アーティスト、ジェイ・チョウの新作アルバム『ベッドタイム・ストーリーズ』を実験的にサブスク内で先行ダウンロード販売すると十六万人が購入。これが先行事例となって翌二〇一七年には、中国で大ヒットした映画『ワイルド・スピード ICE BREAK』のサントラが一週間でミリオンセーを達成した。その実績が買われて同年、K-POPの超人気グループ、ビッグバンの新作アルバムの国内独占先行配信権を獲得し、六百万枚のダウンロード・セールスを記録。この成功で、欧米メジャーレーベルも乗り気になった。

「信じられないかもしれませんが、我々はテレビでも何千もの音楽番組を展開しています。非常にお金がかかりますがね」とテンセントのデニス・ハウ副社長は説明する。「欧米や韓国のトップアーティストが我々に相談へ来るのは、弊社なら中国全土にプロモーションができるからです[★097]」

テレビは古い、などという先進国の常識は中国では通用しない。遅れてきたこの大国ではテレビもまた成長期にあるからだ。冷静に見れば、テレビはライヴで視聴体験を大衆がシェアできるという点で、ネット時代の流れに合致している。

二〇一九年には、テイラー・スウィフトの新アルバム『ラヴァー』を、テンセント・ミュージックはたった一日で六百万枚、売ってみせた。聴き放題の時代にiTunesのようなアルバムのダウンロード販売は通用しない、とスポティファイの創業者ダニエル・エクは音楽業界を説得してきた。だが、テンセントはサブスク時代の常識を早くも壊したのだ。

「欧米のやらなかったウィンドウ戦略ですよ。まず先行販売でアルバムを売り、その二、三ヶ月後にサブスクの有

料会員が聴けるようになります。無料会員がアルバムの全曲を聴けるようになるのは最後です」★098

アルバムの販売価格はサブスクの月額ぐらいだという。テンセントには有料会員が三種類あり、安めの月額会員が人気なことを考え合わせると、日本で同じことをするならばアルバムはサブスク会員なら五百円から千円の間で買える仕組みになるのではないだろうか。

二〇二〇年、米津玄師のアルバム『STRAY SHEEP』が全曲をサブスクに解禁しつつも一五〇万枚超のセールスを記録したように、音楽ファンはデジタルネイティブ世代であっても、じぶんの愛するアーティストに「お布施」したい気持ちを持ち続けている。必要なのは、彼らが納得できるエンゲージメントの表現手段をデジタルでも用意することだ。いつまでもTシャツやタオルだけでは工夫がない。

筆者は業界でサブスクの旗振り役をしているときからずっと「音楽サブスクは最終解ではなく、そこへ至る大切な通り道です。だからスポティファイを真似して終わりというのはやめましょう」と訴えてきた。

もし聴き放題が究極の最終解なら、アーティストがスタジオで精魂込めて創った音源に対する音楽ファンのエンゲージメントは「聴く」だけになってしまう。

再生あたり一円もいかないサブスクだけで、音楽ファンにエンゲージメントを表現しろと言っても無理がある。それは消費者である音楽ファンにとって一見、天国に見えてその実、アーティストが精魂込めたスタジオ作品をティッシュ一枚に近いコモディティにしてしまう不合理な仕組みだ。サブスクが悪いという話ではなく、サブスクだけでは駄目なのだ。

愛するアーティストをレッド・オーシャンに沈めるのではなく、ファンの力でブルー・オーシャンに連れ出す仕組みこそ、ポスト・サブスク時代の歴史的使命となるはずだ。

テンセントが目指す音楽レーベルの未来形

かくしてテンセントは、先進国の音楽産業に新しい答えを提示した。

「この七年間、違法コピーとの戦いに明け暮れました。まるで戦場にいる気分でした」とイングはテンセントでの毎日を振り返る。[★099]

中国の若者にとって音楽はタダで聴けるのが当たり前だった。それが今ではイングたちの合法な音楽サービスの顧客の七割が若年層になった。

「しかも十代の子たちがいちばん、音楽にお金を払う気持ちが強いのです！」

彼はそう言って、インタビュワーに破顔してみせた。[★098]

じぶんの大好きなものにはお金を払ってでも応援したがるのが人間という生き物だ。イングたちはライヴ会場と同じように、アーティストへの愛情（エンゲージメント）を生き生きと表現できるスペースに音楽配信を変えてみせた。

もはやテンセントは、イングが初めに目指した「中国版のスポティファイ」を超えた価値を創造していた。そうしなければ先進国と社会的変数が異なる中国の音楽を救うことができなかったのだ。

二〇一九年、目標を達成したイングはテンセント・ミュージックの経営陣から退いた。そして今は、じぶんが大好きな音楽フェス文化を中国に根付かせるべく、ＳｏｎｙミュージックとＥＤＭのイベント会社を運営している。

イングが去った後もテンセント・ミュージックは未来へ向けて走り続けている。ソーシャル・エンタメの未来形を生むＶＲの開発投資だけでない。動画や曲を投稿した素人歌手やインディーミュージシャンから将来の人気者を見出すＡＩには特に力を入れている。イングの跡を継いだ副社長のデニス・ハウは語った。

「インディーミュージシャンは曲を投稿できるだけでなく、我々のプラットフォームと契約を結ぶことができま

す。私たちは彼らをテンセント・ミュージシャンと呼んでいます」[★097]

顧客のメジャーレーベルと競合しないためにテンセントはレーベルを持たない方針だが、強《したた》かにプロフェッショナルなユーザー・ジェネレイテッド・コンテンツ（PUGC）のプラットフォームを構築している。彼らが目指すのは音楽レーベルそのものではなく、音楽配信とレーベルの融合だ。

先進国のミュージシャンが前世紀から夢見てきた音楽レーベルの未来形を、中国のテンセントはテクノロジーの力で実現しつつあるのかもしれない。

日本でもサブスク、ライヴに匹敵する潜在市場規模

もし日本でソーシャル・エンタメ売上（MSE）が立ち上がったら、どれほどの潜在規模になるのだろうか？

大雑把でもよいからシンプルに試算して規模感を得てみよう。二〇一九年、中国の音楽ソフト売上は約六八〇億円、音楽ライヴ売上は約六九〇億円、テンセント・ミュージックのソーシャル・エンタメ売上は約二九〇〇億円だった。

同年、日本の音楽ソフト売上は約三千億円、音楽ライヴ売上は約四二〇〇億円、音楽ライヴ配信売上は約三九〇億円だ。[★100]

テンセントのソーシャル・エンタメ売上は中国の音楽ソフト売上の約四・三倍。これを日本の音楽ソフト売上と掛け合わせると一兆三千億円近くとなる。もちろん、このすべてが音楽側に入るわけではないが、その三割であっても三九〇〇億円となり、その規模感は、ライヴや音楽ソフトと並ぶ潜在市場となる可能性を感じさせる。

ソーシャル・エンタメ売上の核はソーシャル・カラオケだと書いたが、日本のカラオケの市場規模は五三〇〇億円

だ。[101] 一千億円単位というのはそこからも感じることができる。

ただ、既存のカラオケでは、音楽側に入ってくるのはＪＡＳＲＡＣに著作権使用料として支払われる一二〇億円程度に過ぎないのが音楽産業にとって長年の課題でもあった。[102]

カラオケ産業は飲食が売上を大きく占めるのもあるが、作詞作曲だけを扱う著作権は料率が低い。カラオケでは、音楽配信やＣＤ売上の半分を占める原盤権収入を得られないという側面は無視できない。

サブスク、ライヴに続く〝第三の柱〟となる鍵は原盤権

筆者は今、サブスクやライヴ配信アプリにカラオケ機能を追加したら面白いよ、という話をしているのではない。ソーシャル・エンタメ売上が音楽産業にとってサブスク、ライヴに続く第三の柱になるためには原盤権の活用こそ肝要になる。

簡単に言えば、カラオケ屋のカラオケ音源でやっても音楽側の実入りは数％しかないが、かつてＣＤシングルに入っていたようなヴォーカル抜きのスタジオ音源でソーシャル・カラオケをやれば、ギフティング売上の数十％を音楽側も得ら

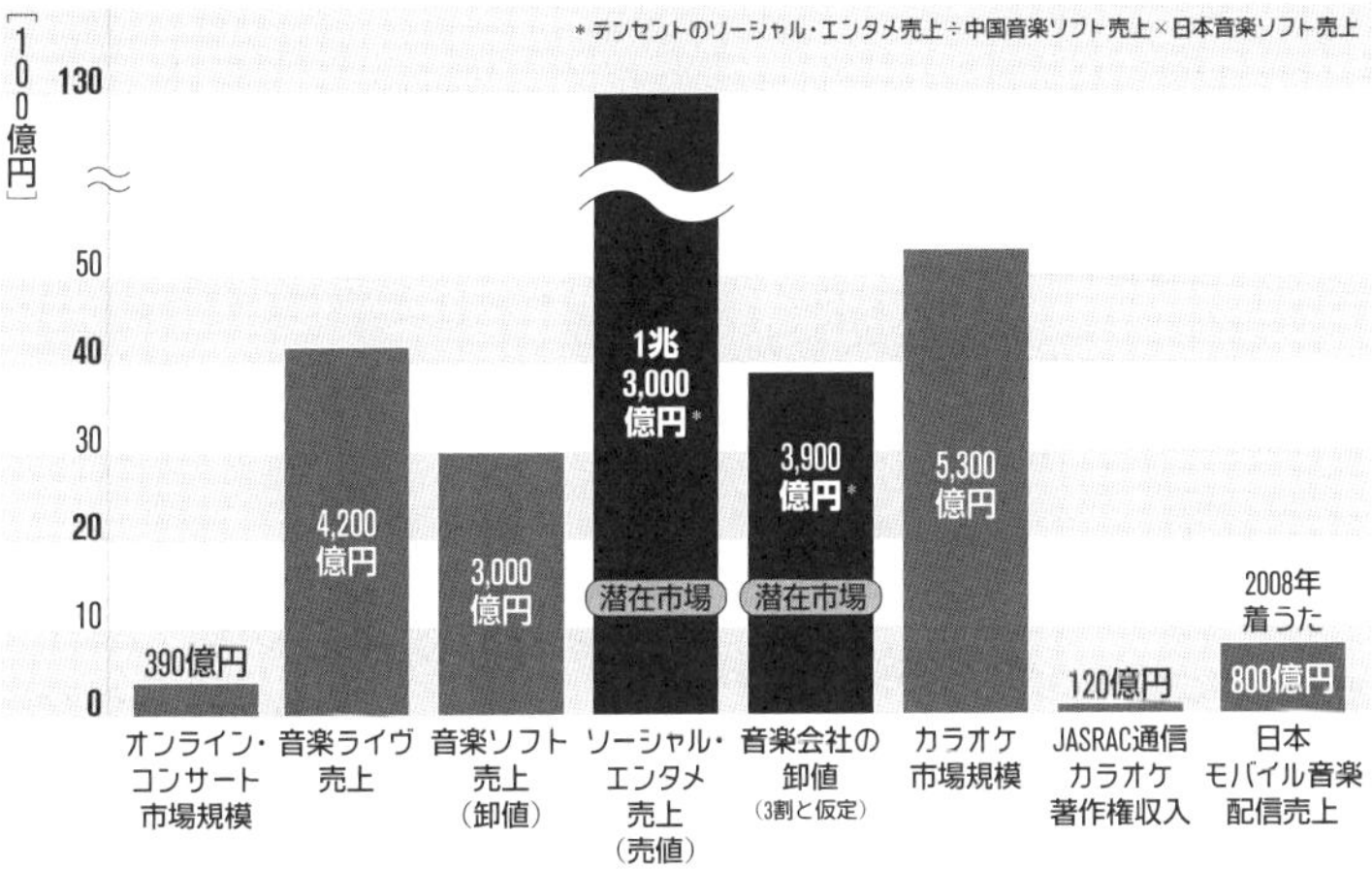

[図3－8] 日本音楽市場(2019年)

テンセントの数値をベースにソーシャル・エンタメ売上の潜在的市場を予測すると……。

れるということだ。

歴史は繰り返すとたびたび語ったが、日本は既に似たような問題を自らの創意工夫で乗り越えてみせた歴史を持つ。かつて着メロは携帯電話が普及する際のキラーコンテンツとなったが、わずかな著作権収入しか入らないという苦悩を音楽側は味わった。だがSonyミュージックはCDと同じ音源を着うたにするアイデアを実現し、原盤権で音楽側に大きな還元のある仕組みに変えた。

レコードの誕生からサブスクに至るまで、原盤権のこれまでの活用法は〝聴く〟ことばかりに目を囚われていたのかもしれない。ポスト・サブスクは、音楽を〝楽しむ〟新しい原盤権の活用法を求めている。

なぜ先行していたはずの日本でソーシャル・カラオケは誕生しなかったか

テンセント・ミュージックの提示した新しい音楽売上の可能性を、既に欧米では音楽産業の経営陣も知っているのは間違いがない。同社はユニバーサル、ワーナー、スポティファイとそれぞれ九%、四%、九%の株式を持ち合っており、米Sonyミュージックも四%を出資しているからだ。

一方で、〝投げ銭〟がサブスク以上の可能性を秘めていると知る日本の業界人に、筆者はまず会ったことがない。ちょうど十年前、定額制配信が同じ状況だった。そんなニッチなサービスがいずれ音楽産業を支配すると信じる日本人はいなかったので、言論に興味のなかった筆者が声を挙げざるをえなくなった。

実は、二〇一三年というかなり早い時期から、中国のライヴ配信ブームにすぐ気づいて起業に成功した人物が日本にもいる。

朝のワイドショー「スッキリ!」のレギュラーコメンテーターにもなり、若手起業家の星となった前田裕二だ。彼の立ち上げたショールーム(SHOWROOM)は国内ライヴ配信アプリの先駆けとなり、分社独立の際、Ｓｏｎｙミュージックからも出資を受けている。

だが執筆現在、ショールームで活躍するライバーはトークがメインである。中国ＹＹを手本に起業した彼が、音楽こそギフティング売上を駆動するドライバーだということを知らぬはずがない。

しかも小学生の頃からずっと弾き語りで投げ銭を得ていた彼がＹＹを見て起業を決意したのは、中国のように音楽ライバーから人気ミュージシャンが誕生する環境をつくりたかったからだ。★103

もともと日本は〝歌ってみた〟で中国より先行していた。音楽サブスクとカラオケを融合したクーゴウの弾幕コメントもニコニコ動画を模倣したものだ(細かく言うとニコニコを模倣した「ビリビリ」を模倣した)。日本と中国の違いは、〝歌ってみた〟では著作権法違反で人気歌手の歌を使えなかったが、著作権の甘かった中国では気にせず使えた、というだけに過ぎない。

ここで根本的な質問をしたい。

「ネットで勝手に音楽を使ってはいけない」という常識の根拠は何か？

それは許可なく勝手に使われては音楽業界側にお金が入らないのが理由ではなかったか。許可を与えた場でどんどん使ってもらって、そこで莫大な売上が生まれて、少なからぬ割合で音楽側に入るのなら、その常識は前提が崩れている。

もともとカラオケは日本の発明だ。九〇年代末、日本は世界に類を見ないＣＤシングルの全盛時代を謳歌したが、それはカラオケ・ブームに押されて、カラオケトラックの入ったＣＤシングルが飛ぶように売れたからだ。同じカラオケ・ブームでもＣＤなら原盤権収入を得ていいが、ギフティング売上だと音楽レーベルが原盤権収入を得てはいけない理由はあるのだろうか？

ただ音楽レーベルとJASRACが、ライヴ配信業者と包括契約を結べばいいだけの話ではないだろうか。月額課金よりもギフティングが稼ぎうるなら、サブスク業者はOKで、ライヴ配信業者はNGとする理由もない。

しかも音楽配信の登場時と状況が違う。あのときは音楽配信がCD売上を喰う恐れがあって交渉が難航したが、ソーシャル・エンタメ売上にはサブスクやCDの売上を喰う〝イノヴェーションのジレンマ〟もない。

おそらくだが、歌い手4：レーベル3：ライヴ配信業者3ほどの売上分配がいちばん盛り上がるのではないだろうか。

次節から、筆者が中国のソーシャル・カラオケ以上に衝撃を受けた話をしよう。

セッションズ——パンドラ創業者の再挑戦

「パンドラにいた日々が終わる頃、私の心はズタズタになりました。私は傷心のなか、会社を去りました。神に突然、おまえは次に何をしたいか考えろ、と突きつけられた気分でした」★104

パンドラの創業者ティム・ウェスターグレンは二〇一七年、まるで若き日のジョブズの如く、じぶんの会社から追われるようにして去った。その理由を彼は口を閉ざして語らない。だが傷心のウェスターグレンが生きる目標を失っていたのは確かだった。

じぶんの時代は終わった。金は使い切れないほど出来たし、後進の起業家たちを育てて社会に恩返しするか……。彼がとあるヴェンチャーファンドの運営に参加したのは、そんな気持ちだったからかもしれない。

その縁で、彼は投資先だったスマホゲーム会社の相談役を引き受けたのだが、それが人生の新たな章に連なっているとは思いもしなかった。音楽出身の彼にとって、それは刺激的な体験だった。

「ゲームには信じられないほどの金が流れ込んでいます。それは精緻に組み上げられた仮想経済圏で、ある意味、ゲームは音楽をリープフロッグしていました」★105

脱パッケージビジネスへ向かったという意味ではゲーム産業も音楽と変わりなかったが、そのビジネスモデルはサブスク一辺倒になった音楽と比べ、遥かに複雑な進化を遂げていた。

ある日、ユーザー数が伸び悩んで、と相談する若手ＣＥＯに彼はアドバイスした。

「ゲームより、音楽の方が客層が広い。音楽に行ってはどうか」★104

確かにそうかもしれません、とゲーム開発者でもあるスーＣＥＯは答えた。彼の脳中に浮かんだのはゲーム業界で盛り上がっているライヴ配信のことだった。

アメリカではトゥイッチ(Twitch)がゲーム実況でライヴ配信の先駆けとなったが最近、ゲーム好きのミュージシャンがトゥイッチで弾き語りを配信して話題になりだしていた。一方で中国では、ゲームから始まったライヴ配信が音楽を機に大衆化して、既に爆発的なブームを起こしていた。この流れはアメリカにも来るのではないか？

それからふたりで話し合った。なかでも中国テンセントがギフティングでサブスクを倍する売上を出して、それを音楽ライバーと折半している話はウェスターグレンにとって衝撃的だったのだろう。

パンドラを創業したとき、ウェスターグレンは〝ミュージシャンの中産階級〟を創ることが目標だった。

確かにパンドラはその優れたレコメンデーション・エンジンで数々の無名ミュージシャンに万単位のオーディエンスを創出することに成功した。だがパンドラは再生あたり〇・一円に満たぬほどの楽曲使用料をミュージシャンに払うことしかできなかったし、音楽サブスクの時代が到来するとそれはいっそう悪化した。サブスクの楽曲使用料は広告売上主体のパンドラ・ラジオ時代より高くはなった。だがこれまで音楽会社とミュージシャンにほぼ半々で払っていたものがすべて音楽会社に渡るようになり、ミュージシャンは音楽会社からその数%を得るほかなくなってしまったのだ。上場企業としてパンドラがサブスクへの参入を拒めなくなったとき、彼の夢は潰えた。

ミュージシャンのためのライヴ配信アプリを一緒に創ろう、というのが若き後進へのウェスターグレンの提案だった。

テンセントのような圧倒的な稼ぎを出すビジネスモデルを、ミュージシャンに解放するのだ。これこそストリーミング時代にミュージシャンの中産階級を創る最終解だ、とウェスターグレンは燃え上がっていた。彼は、若きスーに熱く語った。

「考えてみてくれ。今のアメリカでは、二十二歳の才能あふれるミュージシャンが演奏よりもウーバーで稼いで暮らしている。何か間違ってないか?」

その言葉はスーにとって天啓だったという。★104 単なるトゥイッチの音楽版ではなく、中国のソーシャル・カラオケの模倣でもない、ミュージシャンが稼げる全く新しいライヴ配信。スーのなかで創造の魂が「行け」と囁いた。

運命なのか、偶然なのか。

生活に苦しむミュージシャンを救うべくウェスターグレンたちが創ったライヴ配信アプリ、セッションズ(sessionslive.com)は二〇二〇年三月、アメリカがコロナ禍でちょうど都市封鎖に見舞われたタイミングで人びとの前に姿を現した。

ミュージシャンを宣伝するセッションズの〝プロモーション・エンジン〟

もともとセッションズの前身となるプロジェクトは、VRで音楽フェスを開くという、ありがちな企画だった。だが、その方向では既存のライヴの代替でしかない。セッションズのコア・コンピタンスはオンライン・コンサートとは別のところにあるべきだった。

だからユーザー・インターフェースはVRではなく、スマホ・アプリのものにした。それこそトゥイッチに近いUIで、中国のようにギフティングを競うゲーミフィケーションをランキングに取り込んだ構成である。

パンドラの核がアプリの背後にあるレコメンデーション・エンジンであったように、セッションズの革新はアプリそのものよりも、その裏にあった。

一、プロモーション・エンジン

「私たちのゴールは至ってシンプルで、ミュージシャンが稼ぐのを助けること。それにはマーケティングと収益化が必須ですが、ミュージシャンに供給不足となっているのはまさにこのふたつです」[★106]

セッションズが生み出したのは、「これは」という音楽ライバーを見出すと様々な媒体に宣伝を仕掛ける〝プロモーション・エンジン〟だ。

ユーチューブやインスタグラムでターゲットに選ばれた層が広告を見てセッションズに来ると、まるで音楽フェスに訪れたようになる。見に来たライヴ配信だけでなく、じぶんに合いそうだとおすすめされたほかのミュージシャンも見てまわり、お気に入りを見出していく。

これまでレコメンデーション・エンジンといえば、スポティファイであってもユーチューブであっても、じぶんたちのなかのユーザー層に働きかけるものであった。

だが無名の新人がユーチューブに投稿したり、チューンコア(TuneCore)を使ってスポティファイで配信してもそれ自体は宣伝にならない。再生数で売上もおすすめも決まる仕組みでは、アップロードしただけでは浮上しようがなかった。

ツイッターやインスタグラムに投稿しても、ＳＮＳの黎明期ならまだしも、有名人の投稿すらスルーされる飽和期にあっては読まれることすらない。必然的に、宣伝費を持たない無名ミュージシャンはネットの大海に沈んだままとなる。構造的な問題だ。

だがセッションズのプロモーション・エンジンは、宣伝費をセッションズがすべて持つ。アーティストはセッションズで配信するだけで、宣伝費を賄ってもらえる。

セッションズのプロモーション・エンジンは、自社サービスの内ではなく外に働きかける、レコメンデーション・エンジンの革新だった。それは宣伝費もフォロワーも持たない無名ミュージシャンにとって真の解決手段となりうるものだ。

二、ダイレクト・ペイメント

名門大学のスタンフォードを出ながらも、若き日のウェスターグレンはツアー・ミュージシャンの道を選んだ。だから新進のミュージシャンにとって「ＣＤや配信で稼げないならライヴで稼げばいいじゃないか」という風潮がどれほど胡散臭いものであるか、嫌というほど痛感していた。

バンに乗って街から街へ旅行する毎日。体力だけでなく、宿泊代やガソリン代が身を削っていく。ホールのブッキング代もあるし、チケットの宣伝費もかかる。人気が出て規模が大きくなれば、今度はスタッフの人件費や顎足代、グッズ制作のために借金をしなければならなかった。

だが顎足代のかからぬライヴ配信がもし宣伝もやってくれるなら、ミュージシャンはそうしたものから自由になれるのだ。自身の経験から、ライヴで経費がかからないのなら週に百人のオーディエンスでも十分に食べていけると直覚していた。

ただしCDや音楽配信のように、ミュージシャンの手にするのが売上のごく一部なら、ウェスターグレンの理想はまた破れるしかない。

だから、セッションズはミュージシャンへの直接支払い、すなわちダイレクト・ペイメントを明確にした。オンライン・チケットやギフティングの売上から三割の〝Apple税〟が差し引かれることは避けられなかったが、三割がセッションズ、ミュージシャンはそれより多い四割が直接支払われる仕組みをつくった。

セッションズが売上の一部をもらう根拠は運営費とミュージシャンの宣伝費だ。これならプロモーション・エンジンで宣伝した音楽ライバーが売れるほど、セッションズも潤うウィンウィンの関係を築けるはずだった。

セッションズのベータ版は、わずか一五〇組のミュージシャンで始まった。もちろん、有望だが無名のミュージシャンに絞った。

そして半年も経ずして、わずか三百人のフォロワーでも一晩のライヴ配信で一万ドル(約一一〇万円)を手にするミュージシャンが出てきた。オンライン・チケット代が三十ドルで三百人分、それにギフティング(投げ銭)が合わさるダイレクト・ペイメントならそれくらいは稼げるのだ。

「アマチュア・ミュージシャンなら多いと一時間で七百ドル(八万円弱)、プロなら一時間で最高二万ドル(約二二〇万円)ぐらいは稼いでいます。セッションズが三〇%をいただいた後の数字ですよ」とウェスターグレンは語る。★106

そのうえ、ライヴ配信は、自宅が無理でも練習スタジオを借りれば十分可能で、スタッフ代も旅行代も不要。チケットを買い取ってじぶんで売る必要もない。セッションズで毎週演奏すれば、もうアルバイトは不要になった。

それはアルバイトの必要がない中堅ミュージシャンにとっても朗報だった。セッションズのライヴ配信なら、ツアーの人件費やホール代のために借金をする必要もないからだ。ヴァーチャル・ギフトならTシャツやタオルのように在庫を抱えることもない。

「私はパンドラでたくさんのミスをしました。それは認めます。今、それを正そうとしているのです」とウェスターグレンは言う。

パンドラはオーディエンスを創ったが、オーディエンスを収益化する手段をミュージシャンに与えられなかったと彼は悔いていた。

ショーン・パーカーがナップスターでやり残した聴き放題の収益化をスポティファイで成し遂げたように、ウェスターグレンはパンドラでやり残したオーディエンスの収益化をセッションズで実現しようとしている。

「アーティストのロングテールは幾度となく後回しにされてきましたが、これこそファイナル・アンサーになり得ると自負しています」[★107]

三、ペアリング

ショールームの前田裕二が中国のYYを視察したとき、どうしても現場で確認したいことがあったという。[★108]それは内容の質の高さだ。中国の人気ライバーの女の子たちはかわいくて歌も魅力的というだけではなかった。誰もがトップユーチューバーのように、一見素人風に見えて企画力、トーク力、コミュニケーション力に優れていたのである。

彼は中国の現場でタネと仕掛けを発見した。ライバー同士が地域ごとにグループをつくって、教え合い、高め合って人気配信の方程式を共有していたのだ。

この仕組みはセッションズでも取り入れられている。セッションズで配信が決まったアーティストは、担当コーチとペアリングすることになっている。

「アーティストには、演奏の時間はライヴ配信の半分にとどめて、半分はオーディエンスとのコミュニケーションに充てるのが大事な鍵となると伝えています」とCEOのスーは語る。[★106]

トークが仕事でないミュージシャンには一見、負担に思えるが、アメリカでは無名ミュージシャンはクラブで演奏し、客からチップをもらって暮らしている。常連客に挨拶し、軽く会話を交わして絆を深める、同じ要領でエンゲージメントを高めるのがギフティング売上には必須となるわけだ。コーチはほかにもSNSでの上手な交流法やトラブルシューティングのコツも教え、コミュニケーションが下手なミュージシャンを助けている。

「ライヴ配信をやって隣に投げ銭箱を置いておけば上手くいく、という話ではありません」とウェスターグレンは言う。[★107] セッションズで配信するミュージシャンになるということは、ユーチューバーがUUUMのような事務所に所属するのに近いメリットまでも提供されるのだ。

セッションズは音楽会社の未来形を示唆している

乱立するライヴ配信のなかでもセッションズの革新性、特にそのプロモーション・エンジンの威力は早速、メジャーレーベルの興味をも惹きつけた。

ワーナー・ミュージックの要請を受け、ウェスターグレンたちは人気歌手アリー・ブルックのライヴ配信と新曲の宣伝を引き受けたが、セッションズのプロモーション・エンジンは一五〇〇万回の広告インプレッションで彼女をiTunesチャートのナンバーワンに押し上げてみせた。

それは音楽会社の新しいかたちすら示していた。

レコードやCDの時代、ミュージシャンはメジャーレーベルと契約しなければスタジオ音源も作れなければ、作品を世に問うことすら不可能だった。だがDTMとDTVの普及で音源とビデオの制作はミュージシャンでも賄えるレベルになり(低予算で表現は制限されるが)、チューンコアなどを使えば簡単にじぶんの作品を音楽配信にも掲載できるようになった。

メジャーレーベルに残った主な役割はマネジメントとプロモーションになったが、同時に再生あたり一円に満たぬサブスク収入では超人気アーティストならまだしも、中堅アーティストの宣伝までは十分にできなくなってしまった。人気アーティストになる志がない限り、メジャーレーベルと契約するメリットがかなり減っている。

だが、セッションズのようなプロモーション・エンジンとダイレクト・ペイメントなら中堅アーティストや新人であっても、ウィンウィンの関係を構築可能だ。

セッションズは配信する無名アーティストを開始時に一五〇組、半年後に五百組と精選した。「これは」と思うアーティストを見つけ、絞って、育て、売りにかけるという仕組みは、もはや音楽レーベルに近い。

中国のポスト・サブスクが音楽の新しい楽しみ方を示したなら、ウェスターグレンたちのポスト・サブスクは、ミュージシャンと配信業者そしてレーベル、この三者の未来形までも問いかけている。アーティスト、音楽ファン、そしてレーベルの美しい関係を、彼は再創造しようとしているのかもしれない。

今のあなたを動かすものは何か、と問われウェスターグレンは答えた。

「時代の寵児になるとか、上場してやるという野望で私は動いていません。それはパンドラで成し遂げました。いま望んでいるのは三十年後の未来、誇りに思えるものを創ることです。すべてを動かす志は気高くあるべきですから」★106

挫折を経たヴィジョナリーは今、音楽の未来と共に復活しつつある。

ユーチューブの支払いはサブスクのたった三十分の一しかない

批判されただけで成長する人間はめったにいない。じぶんの抱える問題を解決する新しい答えは結局のところ、じぶんで見出すしかないからだ。悲しいことにその瞬間はこれまでの生き方が通用しなくなるまでやってこない。ライヴの高コスト体質やサブスクの低収益率は、外野に言われるまでもなく当事者たちは認識していたが、コロナ禍に至ってようやく新しい答えが求められるようになった。同じく新しい答えがようやく希求されるようになった場所がある。ユーチューブだ。

ライヴ、サブスク全盛の時代と言われているが、この星で音楽が最も消費されている場所はユーチューブだ。問題は宣伝の場というより、無料で消費される場になってしまったことだった。

二〇一五年、日本でも「ユーチューブでお気に入りの曲に出会った後、あなたはどうしましたか？」という問いに「ユーチューブで聴いて済ませた」と答えた人は八二%で、デジタルネイティブ世代に限ると九〇%だった。[★109]

その二年後、人類がストリーミングで音楽を楽しむ時間の四六%が無料のユーチューブ上であったにもかかわらず、その楽曲使用料は音楽ソフト産業売上の五%しかなかったと国際レコード連盟は報告した。[★110]

「サブスクからの支払いが低い」というミュージシャンの批判を紹介したが、同調査でサブスクの年間顧客単価は卸値ベースで二十ドル五セント（約二二〇〇円）だ。無料会員のことがあるものの、年間なら一万円以上あるはずの月額使用料のうち、音楽会社に支払われる割合はずいぶん低い。

だがそれ以上に問題だったのが、動画共有の顧客単価だった。それはひとりあたり年間でわずか六十五セント（約七十円）で、サブスクの三十分の一しかなかったのだ。[★110]

これを音楽業界では「ユーチューブのバリューギャップ問題」と呼んでいる。日本ではなかったが、欧米では錚々《そうそう》たる大物アーティストたちが抗議運動を起こしたこともある。

テイラー・スウィフトを筆頭に、ポール・マッカートニー卿、ビリー・ジョエル、U2などレジェンドたちから始まり、ケイティ・ペリー、レディ・ガガ、デッドマウスのようなEDMの若き巨星たちが声を上げげた。

この抗議は著作権法の改正運動にまで進み、そのプレッシャーもあってユーチューブは大手レーベルの音楽ビデオには再生あたり〇・三円を支払うようになった。さらにはユーチューブ自身も定額制配信を用意。スポティファイと同じフリーミアム・モデルとなったことで一応の解決を見せた。

だがコロナ禍でライヴ売上が激減したミュージシャンたちからまた批判が再燃。都市封鎖が始まった三月には欧州議会で抗議が認められ、著作権法の改正が可決されたが、本質的には音楽サブスクの利用率が五〇%を超えるまで、これだけでは解決しないだろう。

危機は人間を成長させてくれる、と本節の冒頭に書いた。コロナ禍を機にサブスクの本質的限界に人類は向き合いだし、おかげで、より収益力の高いポスト・サブスクの姿が見えてきた。

同じく、ユーチューブのバリューギャップ問題を危機と認めて深く見つめれば、これも新しいイノヴェーションに繋がってゆくのではないか。

ポスト・サブスクの話題を締めくくるにあたって、無料動画のさらなる可能性について論じておこう。

音楽ビデオから音楽番組へ——ユーチューブ問題は無料でも解決できる

二〇〇五年以来、ユーチューブで音楽ビデオはキラーコンテンツであり続けてきた。その後、動画投稿数はゲームが音楽を超えていったが、超人気動画の数は依然として音楽が圧倒している。

二〇一九年、動画数はゲームが全体の三七％の一方、音楽は五％に過ぎなかったが、ゲーム動画の平均再生数は一三六回だったのに対し、音楽動画は二九九四回と二十倍以上だった。再生数が十億回以上の超人気動画の割合に至っては、ゲームはわずか〇・五％で音楽が八三％。今も音楽はユーチューブ界の帝王だ。★111

同年、ユーチューブの広告売上は一五二億ドル弱（約一兆七千億円弱）だったが、たとえばその年、日本の音楽ソフト産業が得た音楽動画の広告売上は三十三億円に届かなかった。★112 音楽ソフト売上の一％と、世界と比べても酷い。トップユーチューバーに等しい広告単価を持ち、圧倒的な再生数を誇る音楽ビデオがなぜこれほど稼げないのだろうか。

単純化すると、ユーチューブでの稼ぎは「動画投稿数×尺（≒広告数）×再生数×広告単価」で決まる。この公式でトップユーチューバーとアーティストを比較すると次のようになる。

○トップユーチューバー——動画投稿数（ほぼ毎日）×尺（十五分以上）×再生数（数十万）×広告単価

○メジャーアーティスト——動画投稿数（年に数本）×尺（三分）×再生数（数千万）×広告単価

まず動画投稿数だが、アーティストは年に一度アルバムを出したとしたら、シングル曲の二本ほどを音楽ビデオにする。一方、トップユーチューバーは毎日更新が基本だ。制作費的にも百万円単位の音楽ビデオを毎日創ることは不可能である。

次に、ユーチューブの広告収入は再生数だけでなく、その動画に何本の広告を差し挟めるかでも決まるので、再生時間すなわち動画の尺が売上を左右する。それゆえ、初期のユーチューバーの動画は五分を切る短いものが多かったのが、段々と長くなり、今では三十分以上の長い動画を毎日投稿するトップユーチューバーも珍しくない。結果、ユーチューブの広告は五分に一度くらいの頻度で差し込まれると仮定すると、ユーチューバーの動画には一本あたり広告が三回から六回ほど表示できるのに対し、音楽ビデオは一本再生しても広告が表示されるかされないかだ。

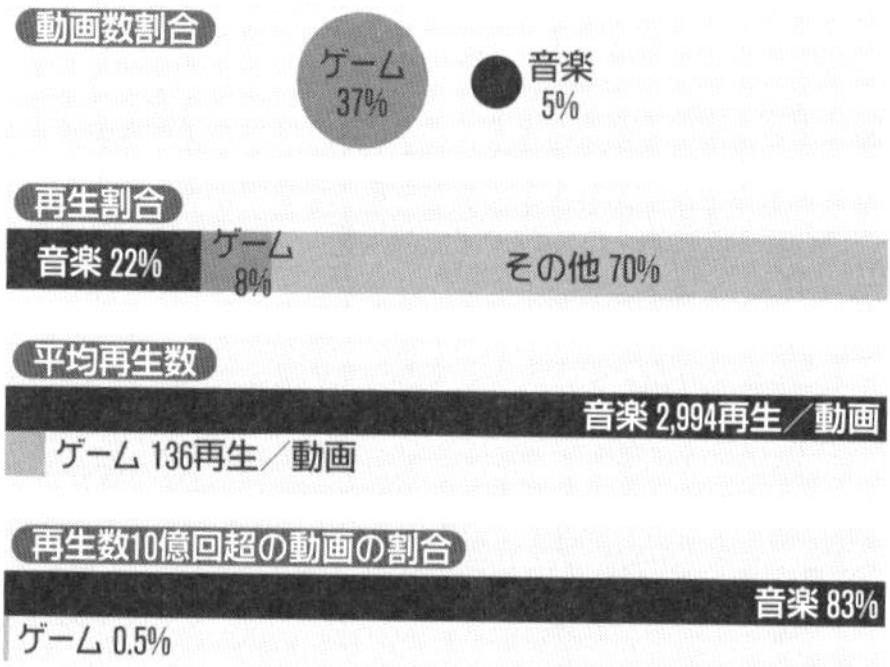

［図3－9－1］ユーチューブは依然、音楽が最強
資料：Pex

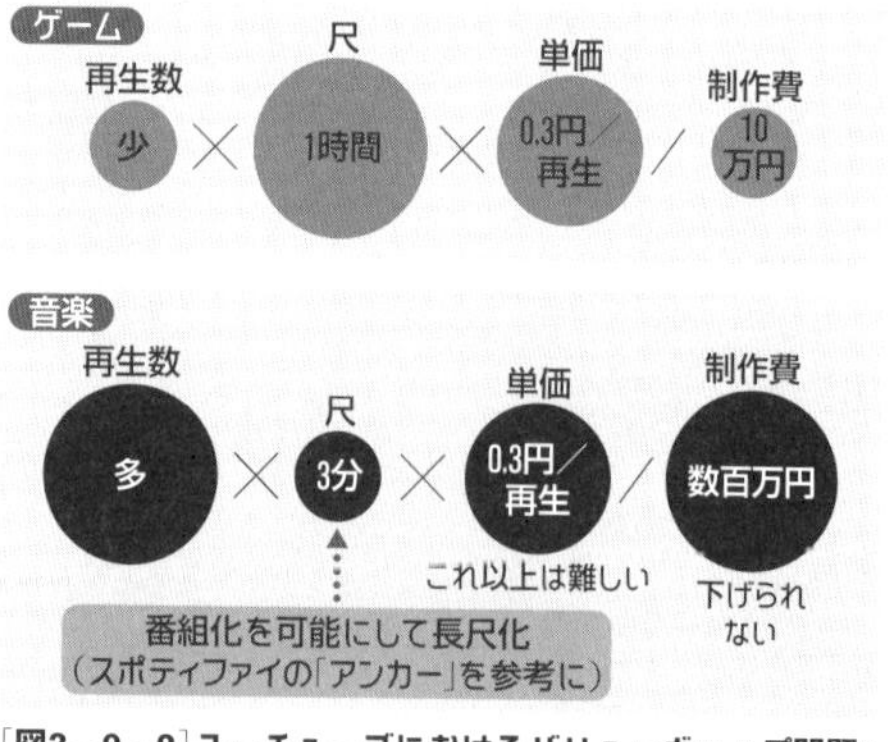

［図3－9－2］ユーチューブにおけるバリューギャップ問題：対策を方向転換すべき

音楽ビデオは人気で圧倒しているにもかかわらず、ユーチューブの支払いが悪いのは尺と投稿頻度に問題があるわけだ。

最後に広告単価だ。ユーチューブのバリューギャップ問題に対して音楽産業は、これまで再生あたりの支払い額を上げるべくグーグルと交渉してきたが、スポンサーありきの世界で音楽だけ広告単価を何倍にもするのは不可能であるため、おのずと限りがある。

その交渉は粛々と進めていけばよいが、その間に音楽側も工夫すべきことがあるのではないか、というのが本節を設けた理由だ。

かつてラジオはレコード産業を破壊したが、転じて両者を蜜月関係に導いたのがラジオDJだったのは第一部で描いた。ユーチューブと音楽を真のウィンウィン関係にするパズルの最後のピースは何か、今こそ真剣に考えるべきだ。

話は単純だ。「尺と投稿頻度に問題がある」と指摘したが、これは音楽ビデオ一辺倒だからだ。音楽番組にしてしまえば、三十分の尺で週に一本以上を投稿するのは簡単になる。

二〇二〇年、動画サブスクのＨｕｌｕで音楽ドキュメンタリー番組が成功し、ガールズグループのＮｉｚｉＵが世界的な人気を得てデビューできたことで、ネット上の音楽番組の威力は認識済みだと思う。

ここでようやくＭＴＶの歴史を第一部で描いた目的が明らかになる。

ＭＴＶの創業者たちは、音楽ビデオの羅列で番組を創っても視聴率はあまり稼げない問題に直面した。実際、日本でも音楽ビデオを並べた番組は地方局の深夜枠の穴埋めぐらいにしかなれなかった。

だがＭＴＶは、ＶＪという存在を発明した。芸能人ではなく、視聴者がじぶんと同一視できる素人風のＶＪがアーティストと会話して番組を進め、トークの合間に音楽ビデオを流す番組フォーマットが出来上がると、初めてＭＴＶは人気テレビ局として成立したのである。

ここまで話せばお気づきになるだろう。トップユーチューバーにこのＶＪをまかせてはどうか、という提案だ。

ユーチューブ上に様々な音楽番組が花開くと素晴らしいことになる。当然そこで〝スパチャ〟（ギフティング）も募ればよい。となれば、なぜこれまでユーチューブで音楽番組が投稿されてこなかったのか、その原因を取り除いてやればおのずと次の時代は拓かれる。

原因はやはり原盤権の二次利用だ。権利者である音楽レーベルが自身のチャンネルで流す分にはよいが、ユーチューバーたちがメジャー音源を使った番組で稼ぐのは許諾が必要になる。だが広告収入が発生するので、ユーチューバーと音楽会社の分配のルールが必要となり、ハードルが高くなっている。ここを整備してはどうだろうか。

まずは音楽会社がトップユーチューバーの誰かと一緒に自社のアーティストでユーチューブ上に番組を作ってみる。そこでユーチューバーとアーティストとの利益分配の頃合いを見定める。その経験を参考に、今度はユーチューブと音楽会社で取り決めをつくり、誰もが音楽を使って自由に動画を創れるようにできないだろうか。

既にスポティファイは、アンカー(Anchor.fm)を使ってポッドキャスターが番組上で自由に音楽を利用できるよう、音楽レーベルと交渉を始めていると見られる(執筆現在)。

また、中国テンセントがカラオケで山のようなギフティング売上を積み上げてみせたのを見て、欧米メジャーレーベルは原盤権を使ったギフティング売上の獲得へ向かうべきか検討している。

実は、「ユーチューバーが音楽を自由に利用できるようにして音楽会社も稼ぐ」という道は、ポッドキャスターや音楽ライバーに原盤権の利用を解放するのと軌を一にしている。ゆえに無料動画の新しい収益化もポスト・サブスクなのだ。

音楽レーベルの根幹は原盤権ビジネスだ。それは「聴く」ための利用から「楽しむ」ための利用へと向かいつつある。それこそ、ポスト・サブスクの核なのだ。

ポスト・サブスクのビジネスモデルは複合技

音楽ソフト産業のビジネスモデルは、ポスト・サブスクでどのようなかたちを取るか、図にまとめておこう[**図3-10**]。

まずモデルケースに選んだテレビ業界のフレームワークを思い出していただきたい。いちばん下の土台には、無料である地上波の広告モデルがあった。有料テレビは、その上に月額の基本チャンネル・パック、三段めに月額の追加チャンネルを置き、最後に都度課金のペイパービューを頂点に乗せたピラミッドだ。ポスト・サブスクのビジネスモデルも、同様にピラミッドになっている。

一、ポッドキャストやユーチューブの音楽番組で強化された無料モデル

一段めの最も層が広い無料モデルは、これまでスポティファイやパンドラ、ユーチューブの広告売上が担っていた。ポスト・サブスク時代はこれに加え、ポッドキャストの音声番組やユーチューブ上の音楽番組が促す広告売上も加わる。楽曲から番組へ向かう流れだ。

二、月額制の音楽サブスク

二段めに置かれる月額制のサブスクに変化はない。ポスト・サブスクに入ったからといって、スポティファイやＡｐｐｌｅミュージックが衰退することはなく、その意味で、ＣＤやｉＴｕｎｅｓがサブスクの到来で衰退したような破壊的イノヴェーションとは異なる。ポスト・サブスクは、いわばサブスク時代の発展型となる。

三、アーティスト・チャンネルとハイレゾ・サブスク

日本で音楽サブスクが本格的に始まる前後に、好きなアーティストの曲だけが聴ける月額制のアーティスト・チャンネルが実験されたことがある。それは上手くいかなかったが、ここへ来てリニューアルが進み、復活してきた。すなわち、会員だけが見られるライヴの収録映像や、アーティストの普段の素顔を捉えたユーチューブ的な動画のアーカイヴ、そしてオンライン・イベントのチケットや、生ライヴのチケット先行予約権などが用意されたものだ。

内容的に音楽サブスクやユーチューブと齟齬することのないプレミアムを会員に提供できるので、デジタル時代のファンクラブとして定着するだろう。

また、ニッチだったハイレゾ・サブスクがアマゾンの参入で活力を得始めた。月額でいえば二千円弱で事実上、通常のサブスクに毎月千円のオプションを追加したのと同じことになる。ハイエンドのヘッドフォンやスマートスピーカーといった音楽ハードが好調な環境がハイレゾ配信を後押ししている。

前世紀末にmp3が登場して以来、「音楽ファンはいい音など求めていない」というのが音楽業界の常識だった。だが近年、この流れに変化の兆しが見える。

二〇一五年の日本の調査だが「ユーチューブの音質が気になるか」という問いに対し、「気にならない」と答えた人は二三%と意外にも少数派だった。「気になるが無料だから構わない」と答えた人が五六%の多数派となり、「好きな曲を何度も聴くと気になる」と答えた層は二〇%になった。★109 好きな曲はいい音で聴きたい層はそれなりにいるのである。

ただ、筆者はハイレゾ配信の手伝いもしていたので正直に申し上げるが、現時点のハイレゾはふつうの音と驚くほどの差はなく、決定打に欠けるのは否めない。

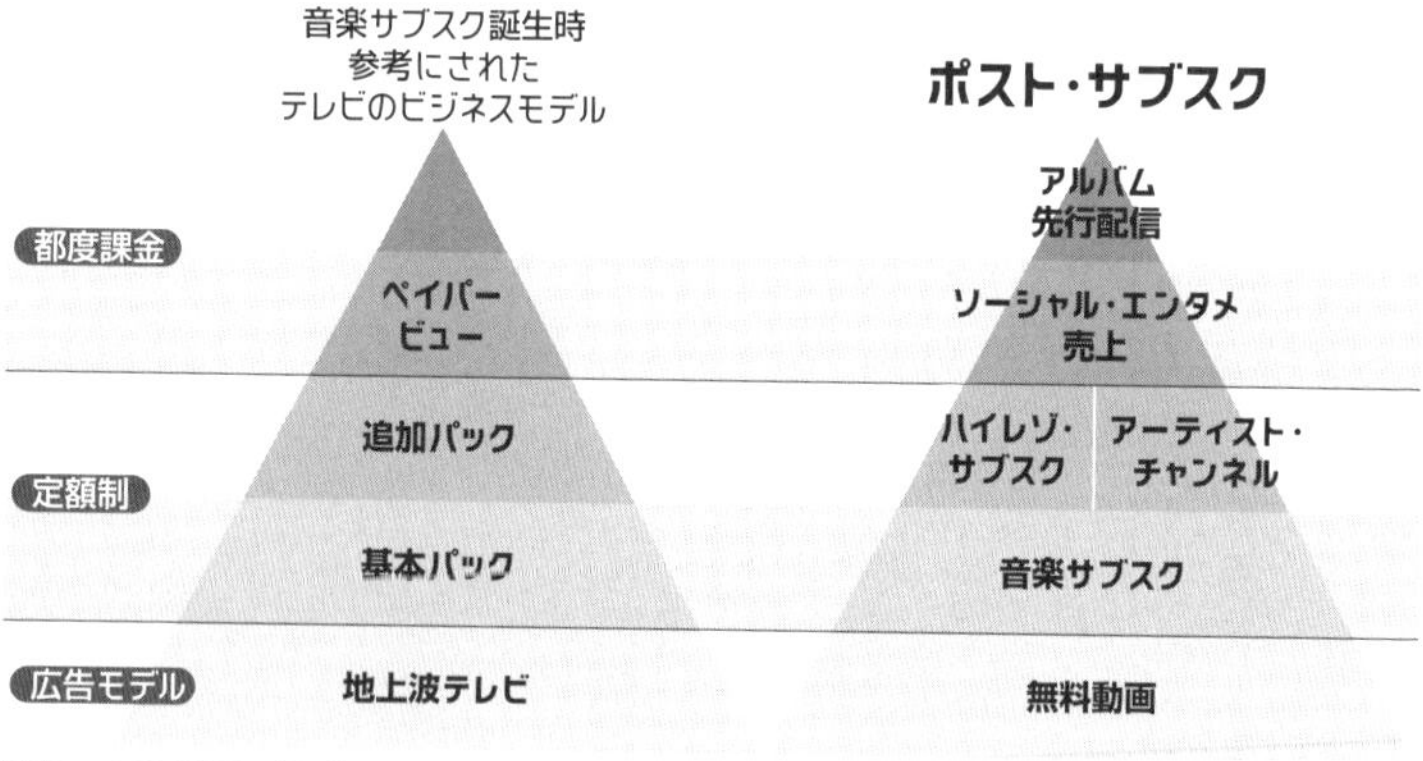

［図3－10］ポスト・サブスクのビジネスモデル

だが、ドルビーやSonyなどが高解像度とは異なるアプローチで「いい音」を開発中だ。聴かせてもらったこともあるが、聴けば誰でも違いがわかるものだった。

その詳細は控えるが、音楽ファンの求める「いい音」の定義は変わりつつある。オーディオマニア的なものから、ライヴや映画館のような臨場感をもって「いい音」と音楽ファンは呼ぶようになったので、テクノロジー側もそちらに向かいつつあるようだ。

サブスクやライヴ配信の過去から学んだように、現状はニッチでも変数をいじると化けることはよくある話だ。流行の盛衰をいたずらに追わず、鍵となる変数は何になるか、冷徹な目で見出すのが未来を読む秘訣だと思っている。

四、ライヴ配信、ソーシャル・カラオケ、ギフティング

二、三の月額定額制の上に置かれるのが、ギフティングとオンライン・チケットを課金モデルとしたソーシャル・エンタメ売上だ。特にギフティングは、音楽産業が待望していた収益力を生みうるマイクロペイメントである。その道では先輩格にあたるスマホゲームと同じく、コア・ファンを深堀りするビジネスモデルとして音楽産業でも定着してゆくだろう。

そのキラーコンテンツがライヴ配信とカラオケであることは本章で述べた通りだ。ライヴ配信の可能性は単なるオンライン・コンサートを遥かに超えたもので、音楽配信をC2Cに解放するのみならず、高コスト体質ゆえにライヴの黄金時代の恩恵を受けられなかった、中堅以下のミュージシャンにとっても救世主的な存在になってゆくだろう。

ギフティングを〝投げ銭〟と訳すと言葉の響きに騙されるので、その訳語はもう使わない方がいいかもしれない。

五、アルバム先行配信

ピラミッドの頂点に来るのが、テンセントが成功してみせたアルバム先行配信だ。売上規模的にはポスト・サブスクのなかで最も小さくなるので、最後に置いた。衰退期のCDには、握手券やチケット先行予約権などが付加されたが、アルバム先行配信にも特別ライヴ配信のチケットや、アーティスト・チャンネルが三ヶ月無料になるコード、お気に入り曲へのギフティング機能などが付録されてゆくだろう。

アルバム販売に限らず、これからのデジタル・プレミアムはファンに何かを与える方向のみならず、ファンの「愛情表現をしたい」という欲求を満たすベクトルを兼ね備えなくてはならない。

以上のようにポスト・サブスクは「次の時代はスポティファイだ」とひとことで言えた二〇一〇年前後とは様相が異なる。

むしろウォークマン、MTV、CDなど複数のイノヴェーションが合わさって到来した音楽産業の第三次黄金時代に近いものになるだろう。ポスト・サブスクは複合技《コンプレックス》なのだ。

二〇三〇年以降の中長期的展望

ポスト・サブスクは向こう十年の短期的展望だ。本書を締めくくるにあたり、中長期的な展望にも簡単に触れておく。十年以上先を予測するのに最も堅実な手法は、「有望視される要素技術はどの段階で化け、社会のどの変数を動かすか」に注目しておくことだと思う。

十〜二十年後の中期的展望は、ウェブ3・0の進捗具合に注目しておくのが最も無難である。だが「ウェブ1・0はブラウザ中心の閲覧の時代、2・0はSNS中心のコミュニケーションの時代、3・0はブロックチェーンで中央集権解体と個人情報保護の時代」という論は、願望的予測のきらいがある。

それゆえ、ウェブ3・0を構成する要素技術を追っていた方がよい。ブロックチェーン以外にはクラウドAI、IoT（モノのインターネット）、XR（クロスリアリティ）などがそうだ。

このうちクラウドAIは、音楽配信のレコメンデーション・エンジンで既に実用化されていることは本書で描いた。人工知能と聞いて作詞作曲ばかりに目を向けるのはやめた方がよい。それは量子コンピューティングなどの登場で、〝意味〟を理解する〝強いAI〟が生まれるまで人の心を動かすものに原理的になりえない。

残りのIoTはおそらく新種の楽器、XRはライヴ配信の未来形になる。

一、IoTが新たな楽器とメガ・トレンドを生む

まずIoTによる楽器の革新についてだ。

ピアノとヴァイオリンの発明がクラシック音楽を生み出し、エレキギターがロックを、そしてサンプラーがヒップホップを生んできたように、革新的な楽器の登場は音楽産業にメガ・トレンドを起こす。

これまでインターネットの技術が音楽の中身そのものを劇的に変えたわけでなかったのは、革新的な楽器の登場には繋がらなかったからだ。だがIoTは違う。

モノのインターネットは端末側のセンサーに付随するAIと、クラウドの向こうにあるAIのふたつが要素技術になる。このうち、未だ発展途上にあるのがセンサー側のAIだ。

技術的な未来予測の定番に「軍事技術を観察しておく」という手法がある。実際、AIの活用やスマホ的な情報端末

などは前世紀の湾岸戦争で既に実戦投入されていた。ここで筆者が着目しているのが、戦闘機の操縦をサポートするAIだ。

それは複雑を極め、人間には制御不能になった翼のコントロールを再び操縦桿一本でコントロールできるものに変え、人間の操縦能力に拘束されていた飛行性能を飛躍的に上げることに成功した。

つまり、AIはユーザー・インターフェースの革新にも使われる。SiriやアレクサなどのUIもその成果だ。楽器のユーザー・インターフェースはこの数百年間、弦を叩くか(鍵盤)、はじくか(ギター)、擦るか(ヴァイオリン)の三つからほとんど変わっていない。

コンピュータは現実の楽器にはありえない物理モデルを可能にするが、その表現の可能性を十分に引き出すユーザー・インターフェースは、これから誕生するのではないか、ということだ。

二、XR、ライヴ配信の未来を決めるのはバッテリーだ

執筆現在、iPhoneが誕生して十四年が経とうとしている。この間、ポスト・スマートフォンとしてスマートスピーカーが普及し、ポッドキャストや音楽サブスクの普及を助けたが、ポスト・スマホの本命とされるスマートグラスは完成の域に到達していない。

iPhoneがスマホ時代の嚆矢《こうし》となったのは、静電容量式接触液晶パネルの量産が可能になった瞬間をジョブズが狙ったからだ。現在、スマートグラスを構成する要素技術のうちいちばんのボトルネックとなっているのがバッテリーの軽量化だ。化学に依存する電池は情報技術の飛躍的向上の恩恵を受けにくい部分である。

技術的には仮想現実と現実の融合であるXR(クロスリアリティ)は既に実用化されているが、社会を変える勢いを出すタイミングはバッテリーの技術革新次第となる。

スマートグラスはSNSやユーチューブをも時代遅れにしてゆく可能性がある。スマホのカメラ越しでXRの可能性を見損なうのは避け、ボトルネックが取れて花開くタイミングを注意深く見定めていく必要がある。それはVRでライヴがリアルに追体験できる、という既存の発想を遥かに超えていくはずだ。

三、ブロックチェーンの真価は権利DBではない

ウェブ3・0の要素技術のうちブロックチェーンはその中核として語られることが多い。

その中央集権を否定する分散処理システムから「ブロックチェーンの権利DB(データベース)はメジャーレーベルからミュージシャンを解放する」と、ファイル共有の登場時と同じ論調が一部で復活した。

ブロックチェーンの設計思想であるピア・ツー・ピア(P2P)は前世紀末、ナップスターと共に誕生したが、当時の議論まで再燃すると懐かしささえ覚える。

しかしブロックチェーンを使った効率的な権利DBは、むしろメジャーレーベルが積極的に研究するようになった。DBの管理は労が多く利の少ない業務であり、ブロックチェーンを使って業界全体で取り組んだ方が効率的だと気づいたからだ。ここからもわかるように、ブロックチェーンを権利処理のDBとして使っても業務の効率化にとどまり、それだけでは破壊的な革新とはならない。

ブロックチェーンで音楽を変えるのなら、コンテンツそのものに使うことと、マイクロトランザクションの利用が大事だ。

エジソン以来続く原盤権を複製するビジネスが崩れていった歴史を本書で描いてきた。ネットは限りなくゼロに近いコストで、データを無限に複製・伝播できる仕組みだったからだ。

だが仮想通貨で活用されているように、ブロックチェーンは許可されないデータの複製を潰す能力を有している。

これを使えば複製不能なコンテンツが可能であり、ブロックチェーン・ベースの配信プラットフォームなら、配信数限定でプレミアムを出したコンテンツを売ることも理論上は可能だ。プレミアムな録音データを、熱狂的なファンたちが名画のように売買する世界も誕生しうる。百DL限定で発売して、音楽ファンの間で転売が成立するたびに手数料の数十%が音楽レーベルに入る仕組みすら可能だ。つまり複製権ビジネスが復活することすら起こりうるのだ。

次に、マイクロトランザクションとは、一銭単位の商取引をコンマ秒で無数に成立させる仕組みのことだ。仮想通貨の話を出したが、ビットコインやイーサリアムが貨幣の代替になれなかったのは、分散処理に徹するあまりマイクロトランザクションができないからだ。

技術革新でマイクロトランザクションが可能な仮想通貨が誕生すると、音楽配信の世界に破壊的な事件が発生しうる。

「一曲を一円分で一回再生できる」というスマートコントラクトを仮想通貨につけられるようになれば、スポティファイのような音楽配信プラットフォームを通さずとも聴き放題が楽しめるようになるからだ。アプリ売上の三割を取る〝Ａｐｐｌｅ税〟も存在意義を失い、ＡｐｐストアもｉモードのようにＵ衰退していく未来もありうる破壊的なイノヴェーションになる。

ブロックチェーンの基礎技術であるピア・ツー・ピアに関しては、金融よりも音楽の方が先輩だ。始まりのナップスターはそもそも一元化とピア・ツー・ピアの融合だった。スポティファイがピア・ツー・ピアをダウンロードからストリーミングに応用して誕生したが、効率化を求めて分散処理と一元管理の併用へ向かった歴史も既に持っている。

その歴史を踏まえると、分散処理で複製不能な信用を創出すると同時に一元管理で高速化も実現するのはごく自然な流れだ。そんなエンタメ・プラットフォームが姿を見せたら、それは次の時代の帝王が産ぶ声を上げたと受け止めた方がよいだろう。

スポティファイ、ネットフリックス、Apple、ユーチューブと立ち並ぶ配信の巨人たちは決して万古不易の牙城に住んでいるわけではないのだ。

四、量子コンピュータ、強いAI、BUIが生む全く新しい音楽作品

三十年後の未来予測は人知をもってしては不可能かもしれない。だが、ある程度イメージできることもある。

我々人間の頭脳を構成する神経細胞の基底では、量子学的な現象が起きている、と量子脳理論は説く。量子コンピューティングが生む新たなニューラルネットワークは物事の意味を理解し自意識すら持ちうる〝強いAI〟を誕生させうる。そして、我々は脳に直結したブレイン・ユーザー・インターフェース(BUI)を通じて、強いAIとネットで繋がるようになるかもしれない。

そのとき、スマホやサブスク・アプリも、蓄音機やカセットテープと同じく博物館に並ぶものになっているだろう。おそらく〝強いAI〟とBUIで育った未来の世代は「録音した、何度聴いてもどこも変わらない曲」に退屈してしまうだろう。彼らにとって、聴くたびに演奏と歌声を微妙に変え、様々な表情を見せる楽曲こそ、シングルやアルバムとして聴くべき作品になっているのかもしれない。

確実に言えるのは、百年後も千年後も、人類は技術革新で社会を変え続け、音楽産業はその荒波に呑まれつつもキラーコンテンツの主として、いち早く新たな答えを示していく立場にあるだろう、ということだ。

音楽は未来永劫、人の社会を動かす魔力を放ち続けるだろう。人びとの魂を動かすのは、魂の放つ輝きの軌跡と、その結晶であるからだ。

おわりに

八年前のことだった。本書誕生のきっかけとなったミュージックマンでの連載(musicman.co.jp)が人気を博し、「会って話を聞いてほしい」という方々と、自由が丘の喫茶店でコーヒーを飲む日々が続いていた。

「榎本さん。連載、全部読みました。それで僕もスポティファイやパンドラと同じことを日本でやってみたいと思うのです。まだ日本にないですから。どう思いますか?」

少なからぬ方がそんな風に質問してきたが、そのたびに筆者は答えに窮した。

「そのまま同じことをやっても答えにならないかもしれませんよ」

そう言って、理由を説明することもあったが、じぶんは何か根本的なところで伝え方を間違ったのではないか、という気持ちが日に日に募っていった。

「海外ではこんな新しいことをやっている。日本も早く真似しなければ乗り遅れる」という風潮を煽り、薄れつつある日本の創造性を後退させることに加担してしまったのではないか、と。

それではサブスクの次にあるはずの最終解も、残念ながら日本から出てくることはない。誰か一緒に面白いことをやってみないか、という気持ちで書き始めた連載だったが、逆のことを起こしていると気づいてしまった。

実はその年、二〇一三年には本を出すつもりだった。連載で載せた原稿をまとめ、サブスクが勃興しつつある海外の最新事情を伝えるものだ。原稿の最後に、音楽産業の復活が近いと信じきれない業界の仲間たちを勇気づける章を書き足した。

音楽産業はインターネットの襲来を超える破滅を過去に経験しており、先人たちはイノヴェーションを重ねて乗り越えていった、という内容だった。そう、本書の「神話の章」である。

その章を書き終えたとき、朧気《おぼろげ》ながら伝えるべきだったことを見出した気がした。答えらしきものを提示するよりも、もっと大事なことがあった。日本人の魂に潜む創造の精神にこそ、筆者は火をつけなければならなかったのだ。

すべてを書き直すべく、歴史篇を書き進めるうちに、Ｓｏｎｙの盛田昭夫や大賀典雄のように、その創造性の炎で人類の音楽生活を変えてみせた日本人がいたことを筆者も改めて思い知らされた。

そして彼らを範としたスティーブ・ジョブズがどれほど日本の影響を受けてｉＰｈｏｎｅを創造したかを発見した。のみならず、その誕生物語を書いていくうちに、じぶんの思い違いに再び気づくことになった。

若き日の彼は天才だったが、ダメ経営者だった。そんな彼が史上最強の経営者に生まれ変わったのは、人が変わるほどの個人的な成長があったからだ、と痛感したのだ。

イノヴェーションは決して技術やアイデアだけで生まれるのではなく、人の魂の成長が深く関わっていると思い知った瞬間だった。しかもその成長にはＳｏｎｙとの個人的つながりだけではなく、戦後日本とアメリカの文明的な交差が影響していた。

筆者は世に問うべき本の中心に、ジョブズのプライヴェートな成長と、その結果が如実に出たｉＰｈｏｎｅ誕生物語を置こうと原稿を進めていった。本書の第三部ではくすぶったまま終わるパンドラやスポティファイが花開くのは、ｉＰｈｏｎｅがあったからこそである。

できれば、本書にその原稿も載せたかったのだが、そうすると、ただでさえ分厚いこの本が六法全書並みになってしまう。

だから音楽産業百年の歴史中、最も重要な三年間が本書で空白となり、突如、「カデンツァ」を迎える構成になった。そのことをお詫び申し上げる。最後を終章とせず、カデンツァと名付けたのは、この楽章はいったん終わるが、読者から拍手が起きれば第二楽章に入れると願ったからだ。

本書が評判を呼べば、残りの原稿を続編としてどこかのタイミングで世に問うこともできるはずだ。そこでもう一度、ここまで読んでくださったみなさまと旅路を共にすることができれば、作家としてこれ以上の幸せはないだろう。

二〇二一年一月六日　二度めの緊急事態宣言発令、前夜に記す

出典・注釈

第一部――神話

神話の章　かつて音楽産業は壊滅した

★001――Neil V. Rosenberg and Charles K. Wolfe "The Music of Bill Monroe (Music in American Life)", University of Illinois Press (2007) p.1, Regina Lee Blaszczyk "American Consumer Society, 1865-2005", Wiley-Blackwell (2008) p.144, Richard Crouse "Big Bang, Baby: Rock Trivia", Dundurn Press Ltd. (2000) p.131

★002――"RIN 2012", IFPI

★003――Victor Ginsburgh and C. D. Throsby "Handbook of the Economics of Art and Culture Vol.1", North Holland (2006) p.140

★004――Andre Millard "America on Record: A History of Recorded Sound", Cambridge University Press (1995) pp.72-74

★005――Millard "America on Record", pp.59-60。現在価値は労働価値で計算し、110円/ドルで換算。http://www.measuringworth.com

★006――同上 p.64

★007――同上 pp.77, 102-107

★008――Susan J. Douglas "Listening IN: Radio and American Imagination", University of Minesota Press (1999) p.90, l.1957

★009――Eric P. Wenaas "Radiola: The Golden Age of RCA, 1919-1929", Sonoran Publishing (2007) p.23

★010――David L. Morton Jr. "Sound Recording: The Life Story of a Technology", The Johns Hopkins University Press (2006) p.93

★011――Douglas B. Craig "Fireside Politics: Radio And Political Culture in the United States, 1920-1940", Johns Hopkins University Press (2005) p.12

★012――"Exploring The Computer And Internet Use At Home", NTIA of U.S. Department Of Commerce (2011) p.1 http://www.esa.doc.gov/Reports/exploring-digital-nation-computer-and-internet-use-home

★013――Jean Pierre Lion "Bix: The Definitive Biography Of A Jazz Legend (Bayou Jazz Lives)", Continuum International Publishing Group (2005) p.134, William Ruhlmann "Breaking Records: 100 Years of Hits", Routledge (2004) p.52, David Meyers, Arnett Howard, James Loeffler and Candice Watkins "Columbus: The Musical Crossroads", Arcadia Publishing (2008) p.35

★014――"Grammy Magazine Vol.7 to 9", National Academy of Recording Arts and Sciences (1989) p.50, Asa Briggs "Serious Pursuits: Communications and Education", University of Illinois Press (1991) p.53, Rick Kennedy, Randy McNult "Little Labels - Big Sound: Small Record Companies and the Rise of American Music", Indiana University Press (1999) xv

★015――Morton Jr. "Sound Recording", p.164

★016――Millard "America on Record", p.164

★017――Morton Jr. "Sound Recording", pp.96-98

★018――労働価値で計算し、110円/ドルで換算。http://www.measuringworth.com

★019———Millard "America on Record", pp.162-170
★020———Peter Tschmuck "Creativity and Innovation in the Music Industry", Springer (2012) p.93
★021———Millard "America on Record", p.183
★022———Michael Stamm "Sound Business: Newspapers, Radio, and the Politics of New Media", University of Pennsylvania Press (2011) pp.62-63
★023———Morton Jr. "Sound Recording", p.91, Millard "America on Record", p.174
★024———Lion "Bix", p.134, Ruhlmann "Breaking Records", p.52, Meyers, Howard, Loeffler and Watkins "Columbus", p.35

黄金の章 四十年かかった音楽産業、黄金時代の再来

★001———David L. Morton Jr. "Sound Recording: The Life Story of a Technology", The Johns Hopkins University Press (2006) p.84
★002———同上 p.104
★003———同上 p.88
★004———Wolfman Jack with Byron Laursen, Have Mercy "Interview with Tony Pigg", Warner Books (1994) pp.39-40
★005———John A. Jackson "Big Beat Heat: Alan Freed and the Early Years of Rock & Roll", Schirmer Books (1991)
★006———Michele Hilmes and Jason Loviglio "Radio Reader: Essays in the Cultural History of Radio", Routledge (2001) p.377
★007———Pierre Salinger "P.S.: A Memoir", St. Martin's Press (2001) p.95
★008———Dafydd Rees, Luke Crampton "Rock Stars Encyclopedia", DK Publishing, Inc. (1999) p.1103
★009———Susan J. Douglas "Listening IN: Radio and American Imagination", University of Minesota Press (1999) p.228
★010———筆者はTOP40も好きだ
★011———Andre Millard "America on Record: A History of Recorded Sound", Cambridge University Press (1995) p.234
★012———Morton Jr. "Sound Recording", p.88。背景には、30年代にジュークボックスの普及で、クラブやレストランで演奏する8,000人が失業した経緯がある。実際には、ジュークボックスはオペレーターとレコーディングで2万人の雇用を生んだとビルボード誌は反論している。Billboard, Nielsen Business Media, Inc. (8 Aug. 1942) p.63
★013———Millard "America on Record", p.229
★014———筆者はシナトラも嫌いではない
★015———Douglas "Listening IN", p.248 l.5492
★016———Philip H. Ennis "The Seventh Stream: The Emergence of Rocknroll in American Popular Music", Wesleyan University Press (1992) p.259
★017———Millard "America on Record", p.234

日本の章 日本が世界の音楽産業にもたらしたもの

[主な参考文献]

◇有沢創司『終りなき伝説—ソニー大賀典雄の世界』文藝春秋、1999年
◇大賀典雄『SONYの旋律 私の履歴書』日本経済新聞出版、2003年

◇ソニー広報センター『ソニー自叙伝』ワック、1999年
◇辻野晃一郎『グーグルで必要なことは、みんなソニーが教えてくれた』新潮社、2010年
◇盛田昭夫『MADE IN JAPAN（メイド・イン・ジャパン）わが体験的国際戦略』朝日文庫、1990年
◇クレイトン・クリステンセン著、伊豆原弓訳『イノベーションのジレンマ 技術革新が巨大企業を滅ぼすとき（Harvard Business School Press）』翔泳社、2001年
◇クレイトン・クリステンセン、マイケル・レイナー著、櫻井祐子訳『イノベーションへの解 利益ある成長に向けて（Harvard Business School Press）』翔泳社、2003年
◇クレイトン・M・クリステンセン、スコット・D・アンソニー、エリック・A・ロス著、宮本喜一訳『明日は誰のものか イノベーションの最終解（Harvard Business School Press）』ランダムハウス講談社、2005年
◇ジェフリー・S・ヤング、ウィリアム・L・サイモン著、井口耕二訳『スティーブ・ジョブズ 偶像復活』東洋経済新報社、2005年
◇ジョン・ネイスン『ソニードリーム・キッズの伝説』文藝春秋、2000年
◇Bill Roedy "What Makes Business Rock: Building the World's Largest Global Networks", Wiley (2011)
◇Craig Marks and Rob Tannenbaum "I Want My MTV: The Uncensored Story of the Music Video Revolution", Dutton Adult (2011)
◇Susan J. Douglas "Listening IN: Radio and American Imagination", University of Minesota Press (1999)
◇John Shepherd, David Horn, Dave Laing, Paul Oliver and Peter Wicke "Continuum Encyclopedia of Popular Music of the World", Continuum International Publishing Group (2003) p.508
★001———Larry Rosin "The car is the top audio listening location", Edison Research (25 Sept. 2018) https://www.edisonresearch.com/the-car-is-the-top-audio-listening-location/
★002———当時は、TV番組をビデオ・カセットテープに録画していた。その磁気式テープの規格にVHSとベータマックスがあったが、Sonyはベータマックス陣営だった
★003———IFPIの1996年発行のデータを参照した
★004———アメリカ人にしってもヒーローだった盛田は、自伝を英語で出した。訳は筆者

月面の章　メディアが音楽を救うとき——MTVの物語

［主な参考文献］

◇Bill Roedy "What Makes Business Rock: Building the World's Largest Global Networks", Wiley (2011)
◇Craig Marks and Rob Tannenbaum "I Want My MTV: The Uncensored Story of the Music Video Revolution", Dutton Adult (2011)
◇David L. Morton Jr. "Sound Recording: The Life Story of a Technology", The Johns Hopkins University Press (2006)
◇Jack Banks "Monopoly Television: MTV's Quest to Control the Music", Westview Press (1996)
◇Jacob Hoye, David P. Levin and Stuart Cohn "MTV Uncensored", Pocket Books (2001)
◇Robert Sam Anson "THE EIGHTIES: Birth of an MTV Nation", Vanity Fair (Nov. 2000) http://www.vanityfair.com/culture/features/2000/11/MTV200011
◇Susan J. Douglas "Listening IN: Radio and American Imagination", University of Minesota Press (1999)
★001———引用元の一次ソースはCDVJの調査(2016)。https://newspicks.com/news/1712017/body/
★002———インフレ調整をしていないことに留意されたい。元データ：Gronow。http://musicbusinessresearch.wordpress.com/2010/03/29/the-recession-in-the music-industry-a-cause-analysis/
★003———引用元の一次ソースはRIAAの公表データ。http://techcrunch.com/2012/08/14/

youtube-is-for-music/, http://www.riaj.or.jp/report/mediauser/pdf/softuser2011.pdf
★004——引用元の一次ソースはRIAAの公表データ。http://www.businessinsider.com/these-charts-explain-the-real-death-of-the-music-industry-2011-2
★005——ムービーチャンネルはHBOと双璧を成す世界的な映画専門チャンネル。ニコロデオンは、ディズニー・チャンネルと双璧を成す子ども向け専門テレビ局
★006——Craig Marks and Rob Tannenbaum "I Want My MTV: The Uncensored Story of the Music Video Revolution", Dutton Adult, Kindle edition (2011) Location No.519
★007——Jack Banks "Monopoly Television: MTV's Quest to Control the Music", Westview Press (1996) p.32
★008——Robert Sam Anson "THE EIGHTIES: Birth of an MTV Nation", Vanity Fair (Nov. 2000) http://www.vanityfair.com/culture/features/2000/11/mtv200011
★009——R. S. Denisoff "Inside MTV", Transaction Publishers (1988) p.44
★010——Bill Roedy "What Makes Business Rock: Building the World's Largest Global Networks", Wiley (2011) p.83
★011——Marks and Tannenbaum "I Want My MTV", Kindle edition, Location No.969
★012——調査会社ニールセンの1982年10月のレポート
★013——YouTubeのデータは"Average Time Spent Daily on Social Media", BroadbandSearch (2020) https://www.broadbandsearch.net/blog/average-daily-time-on-social-media、YouTubeの音楽視聴率は"Pex claims music was 22% of total YouTube views in 2019", Music Ally (5 Aug. 2020) https://musically.com/2020/08/05/pex-claims-music-was-22-of-total-youtube-views-in-2019/、Spotifyのデータは Kristen Majewski "Meet your audience", Spotify Ad Studio (2018) ＊広告付きリスナーの平均時間 https://adstudio.spotify.com/meet-your-audience
★014——"US Time Spent with Media 2019", eMarketer (30 May 2019) https://www.emarketer.com/content/us-time-spent-with-media-2019、NHK「テレビ・ラジオ視聴の現況」(2020年3月1日) ＊2003年から30分減少 https://www.nhk.or.jp/bunken/research/yoron/pdf/20200301_11.pdf
★015——Steven Levy "Ad Nauseam: How MTV Sells Out Rock and Roll", Rolling Stone (8 Dec. 1983) p.33
★016——公式にはCBSレコード、MTV共にこのやり取りを否定している。Robert Christgau "Rock 'n' Roller Coaster", Village Voice (7 Feb. 1985) pp.37-40

地球の章　MTVのグローバル経営から学ぶ、クールジャパンの進め方

★001——1990年時点で欧州のシェアは全世界の35%、アメリカは31%、日本は12%。Billboard (12 Oct. 1991) p.3
★002——Laura Stampler "Millennial And Pandora Dispute Who's 2nd To Google In Mobile Ads", businessinsider.com (16 June 2012) https://www.businessinsider.com/pandora-now-2nd-only-to-google-in-mobile-ads-2012-6
★003——VIACOMのIR, Final_2013_Q2_Trending_Schedules.pdfより試算
★004——E. Jacobs "Rock, hard work and hard places", Financial Times (5 June 2011) http://www.ft.com/cms/s/0/088b793c-8e28-11e0-bee5-00144feab49a.html
★005——Ian Burrell "The Vietnam vet who thinks MTV can make the world a better place", The Independent (16 Nov. 2009) https://www.independent.co.uk/news/media/tv-radio/the-vietnam-vet-who-thinks-mtv-can-make-the-world-a-better-place-1821543.html

★006———Bill Roedy "What Makes Business Rock: Building the World's Largest Global Networks", Wiley (2011) p.258
★007———"Bill Roedy The Man Who Took MTV To The World", Fast Thinking (Feb. 2012) p.17
★008———Joe Dangelo "Bono, Shaggy, Macy Gray to play AIDS benefit in South Africa", MTV (12 Dec. 2002) http://www.MTV.com/news/articles/1459064/bono-shaggy-aids-benefit.jhtml
★009———Billboard (28 Nov. 1992) p.45
★010———Roedy "What Makes Business Rock", p.120
★011———Billboard (12 Oct. 1991) p.3
★012———ミュージックマン「第26回 中井 猛氏」2002年4月3日 https://www.musicman.co.jp/interview/19476
★013———ミュージックマン「第102回 栗花落 光氏」2012年2月13日 https://www.musicman.co.jp/interview/19626
★014———Amanda Andrews "MTV president Bill Roedy has taken his music channel from the Berlin Wall to SpongeBob SquarePants", The Telegraph (29 Jan. 2011) http://www.telegraph.co.uk/finance/newsbysector/mediatechnologyandtelecoms/media/8289896/MTV-president-Bill-Roedy-has-taken-his-music-channel-from-the-Berlin-Wall-to-SpongeBob-SquarePants.html
★015———"Recent Trends in U.S. Service Trade 2018", USITC https://www.usitc.gov/publications/332/pub4789.pdf
★016———"VIACOM Press Release" (16 Nov. 2018) https://ir.viacom.com/static-files/e84e813a-1e00-48fe-aca1-e447c13fe80a
★017———Roedy "What Makes Business Rock", p.165
★018———VH1やMTV Classic、CMTなど姉妹チャンネルを合わせると、音楽テレビの契約数は11億2,370万人に達する。"VIACOM Pulse"(31 Mar. 2013)
★019———サイゾーウーマン「1話に41億円!? 映画を超える品質となった米ドラマの驚きの製作費」2011年5月18日 http://www.cyzowoman.com/2011/05/post_3512.html
★020———Tim Ryan "LOST opportunity?", Honolulu Star-Bulletin (26 Jan. 2005) http://archives.starbulletin.com/2005/01/26/news/story2.html
★021———"Global Advertising Market Report & Forecast 2020-2025", IMARC Group (2019) https://www.imarcgroup.com/television-advertising-market
★022———4Gamer.net「ヒューマンメディアの『日本と世界のメディア×コンテンツ市場データベース』2019年版が発刊」2019年3月19日 https://www.4gamer.net/games/999/G999905/20190319043/

［その他の参考文献］

◇David L. Morton Jr. "Sound Recording: The Life Story of a Technology", The Johns Hopkins University Press (2006)
◇Jack Banks "Monopoly Television: MTV's Quest to Control the Music", Westview Press (1996)
◇Jacob Hoye, David P. Levin and Stuart Cohn "MTV Uncensored", Pocket Books (2001)
◇WILLIAM H ROEDY, Press Articles http://www.billroedy.com/press/

栄光の章 続・日本が世界の音楽産業にもたらしたもの

★001———有沢創司『終りなき伝説―ソニー大賀典雄の世界』文藝春秋、1999年、p.65
★002———David L. Morton Jr. "Sound Recording: The Life Story of a Technology", The Johns Hopkins University Press (2006) p.170

★003——『終りなき伝説—ソニー大賀典雄の世界』p.66
★004——同上 p.59
★005——大賀典雄『SONYの旋律 私の履歴書』日本経済新聞出版、2003年、p.66
★006——『終りなき伝説—ソニー大賀典雄の世界』p.165
★007——1967年と2011年の平均月収比較で換算。http://www.measuringworth.com/
★008——ジョン・ネイスン著、山崎淳訳『ソニー ドリーム・キッズの伝説』文藝春秋、2000年、p.190
★009——ソニー・マガジンズ ビジネスブック編集部『大賀典雄語録 時代を開拓する先見経営家』ソニー・マガジンズ、1998年、p.85
★010——ミュージックマン「第48回 丸山 茂雄氏」2006年6月16日 https://www.musicman.co.jp/interview/19518
★011——『SONYの旋律 私の履歴書』p.162
★012——『終りなき伝説—ソニー大賀典雄の世界』p.170
★013——1980年と2011年の平均月収比較で換算。http://www.measuringworth.com/
★014——『終りなき伝説—ソニー大賀典雄の世界』p.200
★015——同上 p.212
★016——FCC http://www.cclab.com/billhist.htm
★017——Sony 公式社史 http://www.Sony.co.jp/SonyInfo/CorporateInfo/History/SonyHistory/2-07.html
★018——Albert Einstein, John Stachel, Anna Beck and Peter Havas "The Collected Papers of Albert Einstein, Volume 1", Princeton University Press (1987) p.xxi
★019——ミュージックマン「第78回 大賀 典雄氏」2010年2月17日 https://www.musicman.co.jp/interview/19578
★020——当初の名前は CD Compact Player
★021——なお Sony Music Entertainment の名称は1991年からだが、前後の文脈に合わせた。『SONYの旋律 私の履歴書』p.206
★022——同上 p.202
★023——『終りなき伝説—ソニー大賀典雄の世界』p.277
★024——『SONYの旋律 私の履歴書』p.231
★025——ミュージックマン「第78回 大賀典雄氏」
★026——ここでいう Sony ミュージックは、日本の Sony ミュージック。米国に籍を置き、日本以外の世界市場を担う Sony ミュージックとは兄弟会社の関係にある
★027——任天堂 IR 情報 http://www.nintendo.co.jp/ir/library/historical_data/pdf/consolidated_sales1303.pdf
★028——ふたつのせりふをまとめた。『SONYの旋律 私の履歴書』p.15, 260

第二部—— 破壊

破壊の章 未来は音楽が連れてくる——疾風怒濤、ナップスターの物語

★001——Chad Bawer "Metallica Join Spotify as Lars Ulrich and Former Napster Foe Sean Parker Make Peace", LOUDWIRE (6 Dec. 2012) http://loudwire.com/metallica-join-spotify-as-lars-ulrich-and-former-napster-foe-sean-parker-make-peace/
★002——Sean Ludwig "Enemies no more: Metallica's Lars Ulrich & Napster's Sean Parker on the

future of music", Venturebeat (6 Dec. 2012) http://venturebeat.com/2012/12/06/former-adversaries-lars-ulrich-sean-parker-talk-piracy-spotify-the-future-of-music/
★003——David Kirkpatrick "With a little help from his friends", Vanity Fair (6 Sept. 2010) https://www.vanityfair.com/culture/2010/10/sean-parker-201010
★004——Alex Winters "Downloaded", VH1 (2013) 00:05-00:15
★005——同上 00:10-00:20
★006——"Sean Parker", Biography https://www.biography.com/business-figure/sean-parker
★007——Joseph Menn "All the Rave: The Rise and Fall of Shawn Fanning's Napster", Crown Business (2003) p.9
★008——Winters "Downloaded", 00:00-00:10
★009——Sony Corp. of America v. Universal City Studios, Inc., argued in 1983
★010——Fonovisa Inc. vs. Cherry Auction Inc. Case, filed in 1993
★011——Menn "All the Rave", p.67
★012——同上 p.100
★013——同上 p.160
★014——同上 p.353
★015——同上 pp.150-151
★016——同上 p.162
★017——Winters "Downloaded", 00:50-01:00
★018——John Alderman "Sonic Boom", Basic Books (2001) p.129
★019——Eltjo Buringh & Jan Luiten Van Zanden "Charting the "Rise of the West": Manuscripts and Printed Books in Europe, A Long-Term Perspective from the Sixth through Eighteenth Centuries", The Journal of Economic History, Vol.69, No.2 (2009) pp.409-445 (417, table2)
★020——Winters "Downloaded", 00:15-00:25
★021——David Gjester "This Is the Story of How Convenience Killed Piracy In Norway...", Digital Music News (31 July 2013) https://www.digitalmusicnews.com/2013/07/31/norwaypiracy/
★022——Menn "All the Rave", p.145
★023——Winters "Downloaded", 0:50:00-1:00:00
★024——John M. Murrin "Liberty, Equality, Power: A History of the American People, Concise Edition; 6th edition", Cengage Learning (2013) p.238
★025——"Foster", Meet the Musicians https://www.meetthemusicians.us/foster
★026——"List of best-selling singles", Wikipedia http://en.wikipedia.org/wiki/List_of_best-selling_singles
★027——David S. Kidder and Noah D. Oppenheim "The Intellectual Devotional: American History: Revive Your Mind, Complete Your Education, and Converse Confidently about Our Nation's Past", Modern Times (2007) p.49
★028——Van Lindberg "Intellectual Property and Open Source: A Practical Guide to Protecting Code", O'Reilly Media (2008) p.78
★029——Maurice Hinson and June Montgomery "Meet the Great Composers", Alfred Music (1997) p.29
★030——Eneas Sweetland Dallas, Once a Week Magazine (15 July 1871)
★031——1849〜1864年の合計。Mike Read "Major to Minor: The Rise and Fall of the Songwriter", Sanctuary Publishing (2000) p.42

★032———1860年のCPIをベースに、1ドル110円で換算し総収入を活動期間の11年分で割った。http://www.measuringworth.com

★033———Richard Nieva "Ashes to ashes, peer to peer: An oral history of Napster", Fortune (5 Sept. 2013) https://fortune.com/2013/09/05/ashes-to-ashes-peer-to-peer-an-oral-history-of-napster/

★034———Menn "All the Rave", p.191, 195

★035———同上 p.245

★036———Shawn Tully "Big Man Against Big Music Think the record companies will bury Napster?" CNN Money (14 Aug. 2000) http://money.cnn.com/magazines/fortune/fortune_archive/2000/08/14/285578/index.htm

★037———Winters "Downloaded", 00:40-00:50

★038———Nieva "Ashes to ashes, peer to peer", Menn "All the Rave", p.336

★039———Winters "Downloaded", 01:05-01:15

★040———Menn "All the Rave", p.232

★041———Joseph Menn "The Lowdown Download Blues", Los Angeles Times (6 Apr. 2003) https://www.latimes.com/archives/la-xpm-2003-apr-06-tm-napster14-story.html

★042———以降、公聴会における証言は下記より引用。合衆国政府印刷局 http://www.gpo.gov/fdsys/pkg/CHRG-106shrg74728/pdf/CHRG-106shrg74728.pdf

★043———"Let's Play", IFPI / RIAA (2010) p.6。なお、日本でのメジャーデビューはこれほどかからない。3分の1程度だ

★044———Chuck D "'Free' Music Can Free the Artist", The New York Times (29 Apr. 2000) https://www.nytimes.com/2000/04/29/opinion/free-music-can-free-the-artist.html, Jancee Dunn "Madonna Can't Stop the Music", Rolling Stone (28 Sept. 2000) https://www.rollingstone.com/music/music-news/madonna-cant-stop-the-music-164212/

★045———Alderman "Sonic Boom", p.117

★046———Winters "Downloaded", 00:55-01:05

★047———"73% in College Student Survey Use Napster" Los Angeles Times, From Reuters (16 May 2000) http://articles.latimes.com/2000/may/16/business/fi-30513

★048———マドンナ:044を参照、プリンス:"Prince Takes 'Work' To Napster" Billboard (2 Apr. 2001)、ジ・エッジ:"World Exclusive: U2 Ready to Rock Again" Billboard (7 Oct. 2000)、ビリー・ジョー・アームストロング:Reuters (12 Feb. 2001)、デイヴ・グロール:dotmusic.com (15 Sept. 2000)、デイヴ・マシューズ:Jaan Uhelszki "Dave Matthews Does Napster", Rolling Stone (12 Jan. 2001) https://www.rollingstone.com/music/music-news/dave-matthews-does-napster-63122/、コートニー・ラヴ:コートニー・ラヴの節を参照、チャック・D:044を参照、マイク・D、フレッド・ダースト:Don Waller "Dr. Dre joins fray, files Napster suit", Variety (16 Apr. 2000) https://variety.com/2000/biz/news/dr-dre-joins-fray-files-napster-suit-1117780936/、モービー:Howard Cohen "2000s best, worst in pop were one and the same: Napster", Billings Gazette (30 Dec. 2000) https://billingsgazette.com/news/features/magazine/s-best-worst-in-pop-were-one-and-the-same/article_39e17503-06e0-5594-8277-c63f5817b95f.html、ベン・フォールズ:"Mark McGrath and the Red Hot Chili Peppers speak out about Napster", Entertainment Weekly (4 Aug. 2000) https://ew.com/article/2000/08/04/mark-mcgrath-and-red-hot-chili-peppers-speak-out-about-napster/

★049———Menn "All the Rave", p.250

★050———PC Watch「米Microsoft、司法省との独占禁止法訴訟で敗訴」2000年4月4日 http://

pc.watch.impress.co.jp/docs/article/20000404/ms.htm
★051———『ソニードリーム・キッズの伝説』p.206
★052———Winters "Downloaded", 01:05-01:15
★053———Menn "All the Rave", p.229 オルキンの同調査を引用した判例は以下。A&M Records, INC. v. Napster, Inc., 114 F.Supp.2d 896 (N.D. Cal. 2000)
★054———Menn "All the Rave", p.245
★055———053を参照。以下でも判決文を読める。https://law.justia.com/cases/federal/district-courts/FSupp2/114/896/2343353/
★056———Winters "Downloaded", 01:30-01:40
★057———Sean Parker "Sean Parker's email to Spotify's Daniel Ek", Genius (25 Aug. 2009) https://genius.com/Sean-parker-sean-parker-s-email-to-spotifys-daniel-ek-annotated
★058———Winters "Downloaded", 01:30-01:40
★059———"Courtney Backs Metallica Star", NME (18 June 2000)
★060———Winters "Downloaded", 01:25-01:35
★061———Menn "All the Rave", p.257
★062———Winters "Downloaded", 01:15-01:25
★063———Alec Foege "Pressed Suit", New York (20 Nov. 2000) http://nymag.com/nymetro/news/bizfinance/biz/features/4089/
★064———Alderman "Sonic Boom", p.164
★065———Alderman "Sonic Boom", Chap.8
★066———Menn "All the Rave", p.266
★067———"Napster to get Christmas rebirth", BBC (28 July 2003) http://news.bbc.co.uk/2/hi/entertainment/3102501.stm
★068———Anna Wilde Mathews, Martin Peers & Nick Wingfield "Music Industry Is Finally Online, But There Aren't Many Listeners", The Wall Street Journal (7 May 2002) https://www.wsj.com/articles/SB1020718334251265480
★069———Walter Isaacson "Steve Jobs", Simon & Shuster (2011) Chap.30
★070———Menn "All the Rave", Epilogue
★071———榎本幹朗「定額制配信でアーティストは稼げるのか？」Yahoo!ニュース、2005年7月22日 https://news.yahoo.co.jp/byline/enomotomikiro/20150722-00047771/
★072———榎本幹朗「スポティファイ上陸、足止め4年『真の理由』(中編)」NewsPicks、2016年8月9日 https://newspicks.com/news/1712017/body/
★073———Jake Brutlag "Speed Matters", Google AI Blog (23 June 2003) http://googleresearch.blogspot.jp/2009/06/speed-matters.html
★074———スティーブン・レヴィ「ショーン・パーカーの帰還——Napsterの亡霊と、音楽の新しい黄金時代(1)」WIRED、2012年4月29日 http://wired.jp/2012/04/29/the-second-coming-01/
★075———Menn "All the Rave", p.318
★076———Brendan Greeley "Spotify's Ek Wins Over Music Pirates With Labels' Approval", Bloomberg (14 July 2011) http://www.bloomberg.com/news/2011-07-14/spotify-wins-over-music-pirates-with-labels-approval-correct-.html
★077———Lucian Parfeni "As Metallica Arrives on Spotify, Napster's Sean Parker Makes Peace with Lars Ulrich", Softpedia News (7 Dec. 2012) https://webscripts.softpedia.com/blog/As-Metallica-

Arrives-on-Spotify-Napster-s-Sean-Parker-Makes-Peace-with-Lars-Ulrich-312946.shtml
［その他の参考文献］
◇クリス・アンダーソン著、高橋則明訳『フリー〈無料〉からお金を生み出す新戦略』NHK出版、2009年
◇"Napster, Inc. History", FundingUniverse, Based on "International Directory of Company Histories Vol.69", St. James Press (2005) http://www.fundinguniverse.com/company-histories/napster-inc-history/
◇"The Noisy War Over Napster", The Daily Beast (4 June 2000) http://www.thedailybeast.com/newsweek/2000/06/04/the-noisy-war-over-napster.html

再生の章　スティーブ・ジョブズが世界の音楽産業にもたらしたもの

★001———ジェフリー・S・ヤング、ウィリアム・L・サイモン著、井口耕二訳『スティーブ・ジョブズ偶像復活』東洋経済新報社、2005年、第10章 p.399
★002———筑紫哲也NEWS23「筑紫哲也×スティーブ・ジョブズ『電脳社会の新世紀』」TBS、1999年2月
★003———林信行監修『スティーブ・ジョブズは何を遺したのか』安藤国威・Sony元社長インタビュー、日経BP社、2011年、p.59
★004———"Apple Special Event at the Flint Center at DeAnza College, 5 Oct 1999", all about Steve Jobs.com https://allaboutstevejobs.com/videos/keynotes/special_event_imac_dv_1999
★005———"Interview with Gil Amelio", Stanford University (24 Mar. 2000) http://silicongenesis.stanford.edu/transcripts/amelio.htm
★006———『スティーブ・ジョブズは何を遺したのか』p.58
★007———日経デザイン編『アップルのデザイン』日経BP社、2012年、第4章 p.66
★008———ディスカバリーチャンネル『アップル再生 iPodの挑戦』Happinet、2007年、9:30
★009———Brent Schlender "How Big Can Apple Get?", Fortune (21 Feb. 2005) http://money.cnn.com/magazines/fortune/fortune_archive/2005/02/21/8251769/
★010———Fred Kaplan "Sound man", Boston Globe (26 Mar. 2000) http://www.lammindustries.com/INTERVIE/boston%20globe.html
★011———Alex Winters "Downloaded", VH1 (2013) 1:32-1:35
★012———"Apple falls short", CNN Money (17 Jan. 2001) https://money.cnn.com/2001/01/17/technology/earns_apple/
★013———Nilay Patel "Steve Jobs as Apple's CEO: a retrospective in products", The Verge (25 Aug. 2011) https://www.theverge.com/2011/08/25/steve-jobs-apples-ceo-retrospective-products/
★014———ウォルター・アイザックソン著、井口耕二訳『スティーブ・ジョブズII』講談社、2011年、第29章 pp.153-154
★015———『スティーブ・ジョブズは何を遺したのか』p.57
★016———『アップル再生 iPodの挑戦』13:00
★017———Walter Isaacson "Steve Jobs", Simon & Shuster (2011) Chap.40 p.540
★018———スティーブン・レヴィ『iPodは何を変えたのか』ソフトバンククリエイティブ、2007年、第3章 pp.92-93
★019———『iPodは何を変えたのか』第3章 p.90
★020———『スティーブ・ジョブズII』第29章 p.157
★021———NHKスペシャル取材班編『Steve Jobs Special ジョブズと11人の証言』講談社、2012年、ジョン・スカリーの章 pp.153-155

★022———Isaacson “Steve Jobs”, Chap.30 p.387
★023———同上 Chap.30 pp.387-388
★024———同上 Chap.32 p.418
★025———Phil Keys「iPodの開発（第5話）」日経クロステック、2008年7月17日 https://xtech.nikkei.com/dm/article/NEWS/20080710/154602/
★026———Isaacson “Steve Jobs”, Chap.35 p.464
★027———Phil Keys「iPodの開発（第3話）」日経クロステック、2008年7月15日 https://xtech.nikkei.com/dm/article/NEWS/20080710/154600/?P=3&ST=nedpc
★028———リーアンダー・ケイニー著、三木俊哉訳『スティーブ・ジョブズの流儀』ランダムハウス講談社、2008年、第7章 p.271
★029———Isaacson “Steve Jobs”, Chap.25 p.337
★030———同上 p.334
★031———MOVIE PROJECT編『スティーブ・ジョブズ1995 ロスト・インタビュー』講談社、2013年、p.76
★032———盛田昭夫『MADE IN JAPAN（メイド・イン・ジャパン）わが体験的国際戦略』朝日文庫、1990年、第4章 p.275
★033———『iPodは何を変えたのか』第3章 p.109
★034———『スティーブ・ジョブズの流儀』第7章 p.275
★035———Isaacson “Steve Jobs”, Chap.30 p.390
★036———「iPodの開発（第5話）」
★037———『スティーブ・ジョブズ 偶像復活』第11章 p.434
★038———『iPodは何を変えたのか』第1章 p.22
★039———同上、第3章 p.116
★040———『スティーブ・ジョブズの流儀』第7章 p.276
★041———ケン・シーガル著、高橋則明訳『Think Simple アップルを生みだす熱狂的哲学』NHK出版、2012年、第6章 p.162
★042———『スティーブ・ジョブズ1995 ロスト・インタビュー』p.90
★043———“Apple iPod Introduction at Apple Campus, 23 0ct 2001”, all about Stebe Jobs.com https://allaboutstevejobs.com/videos/keynotes/ipod_introduction_2001
★044———Phil Keys「iPadの開発（第7話）」日経クロステック、2008年7月22日 https://xtech.nikkei.com/dm/article/NEWS/20080710/154604/?P=3
★045———WIRED 保存版特別号「WIRED X STEVE JOBS」コンデナスト・ジャパン、2013年、p.107
★046———『アップル再生 iPodの挑戦』21:30
★047———『iPodは何を変えたのか』第1章 p.29
★048———『スティーブ・ジョブズ 偶像復活』第11章 p.434
★049———『iPodは何を変えたのか』第6章 p.220
★050———Alex Ross “Listen To This”, The New Yorker (16 and 23 Feb. 2004) http://www.therestisnoise.com/2004/05/more_to_come_6.html
★051———Leander Kahney “Music Magic Found in the Shuffle”, WIRED (15 Apr. 2004) https://www.wired.com/2004/04/music-magic-found-in-the-shuffle/
★052———Steven Levy “The Perfect Thing: How the iPod Shuffles Commerce, Culture, and Coolness”, Simon & Schuster (2006) pp.167-168
★053———iLounge http://www.ilounge.com/

★054———アルファ碁がプロ棋士を破った2015年が第三次人工知能ブームの始まりとすると、人工知能を使ったパンドラ・ラジオが登場したのはその10年前の2005年だった

★055———『スティーブ・ジョブズII』第30章 p.172

★056———『スティーブ・ジョブズ 偶像復活』第11章、p.446

★057———Winters "Downloaded", 20:00-25:00

★058———CDアルバム1枚の価格を16ドルとする。アメリカの流通コストは高いので50%が差っ引かれるとすると、レーベルの売上は8ドルだ。アーティストにはその12%(仮)の0.96ドルが入る。対して、99セント／曲のバラ売りを許可した場合、売上はシングルカットされる3曲×99セントとなる。iTunesの流通コストは30%だから、レーベルの売上は2.08ドル。アーティストには、その12%(仮)の0.25ドルが入る。よってレーベルの売上は8ドルから2.08ドルに、アーティストの収入は0.96ドルから0.25ドルになる。RIAAの言(第一部)にしたがって、100万ドルをアルバムの予算に使ったとしよう。レコーディングに20万ドル、アーティストへの前払金(アドバンス)に20万ドル、ミュージックビデオ3本に20万ドル、全米ツアー支援に10万ドル、プロモーション費用に30万ドルだ。CDアルバムなら100万÷8ドルで、12.5万枚でトントン。だが99セント／曲でバラ売りすると、100万÷0.7ドルで、143万ダウンロードでようやく回収できる。シングルカットの3曲で割ると、1曲あたり47.6万ダウンロードだ

★059———Winters "Downloaded", 20:00-25:00

★060———Devin Leonard "Songs In The Key Of Steve", CNN Money, from Fortune (12 May 2003) http://cnnmon.ie/1jegdwS

★061———"TRANSCRIPT–Bill Gates and Steve Jobs at D5", AllThingsD (31 May 2007) http://allthingsd.com/20070531/d5-gates-jobs-transcript/

★062———『スティーブ・ジョブズ1995 ロスト・インタビュー』p.70

★063———『スティーブ・ジョブズ 偶像復活』第11章 p.440

★064———Leonard "Songs In The Key Of Steve"

★065———『アップル再生 iPodの挑戦』21:30

★066———『iPodは何を変えたのか』第5章 p.208

★067———同上 p.186

★068———Levy "The Perfect Thing", p.158

★069———会話は資料を基に創作。『iPodは何を変えたのか』第5章 p.186

★070———同上 p.187

★071———『スティーブ・ジョブズ 偶像復活』第11章 p.448

★072———ウォルター・アイザックソン著、井口耕二訳『スティーブ・ジョブズ』講談社、2011年、第30章 p.181

★073———音楽産業売上の191億ドルはIFPIの数字。音楽流通の127億ドルは音楽産業の取り分を6、音楽流通の取り分を4と仮定して試算。ホームオーディオ売上の150億ドル、ならびにヘッドフォン市場の220億ドルはFuturesource Consulting調べ。スマートフォン売上の5,220億ドルはGFK調べ(2018年)。https://www.audioxpress.com/news/headphones-to-generate-nearly-21-billion-in-2018-according-to-futuresource-consulting-s-latest-headphone-report、https://www.futuresource-consulting.com/press-release/consumer-electronics-press/global-home-audio-trade-revenues-approached-15-billion-in-2018/、https://www.gfk.com/insights/press-release/global-smartphone-sales-reached-522-billion-in-2018/

★074———Phil Key「iPadの開発(第9話)」日経クロステック、2008年7月24日 https://xtech.nikkei.com/dm/article/NEWS/20080710/154606/?P=1&ST=nedpc

★075———『スティーブ・ジョブズ』第30章 p.183
★076———『アップル再生 iPodの挑戦』29:00
★077———Isaacson "Steve Jobs", Chap.31 p.407
★078———ふたつのせりふをひとつにまとめた。「WIRED X STEVE JOBS」pp.101-103
★079———Leonard "Songs In The Key Of Steve"
★080———Leander Kahney「アップルの音楽配信、好調な滑り出し」WIRED、2003年5月6日 https://wired.jp/2003/05/06/アップルの音楽配信、好調な滑り出し/
★081———『iPodは何を変えたのか』第5章 p.193、『アップル再生 iPodの挑戦』21:30
★082———Leander Kahney「アップルの巧みなブランド戦略を探る(上)」WIRED、2002年12月6日 https://wired.jp/2002/12/06/アップルの巧みなブランド戦略を探る上/
★083———『スティーブ・ジョブズII』第29章 p.167
★084———"Apple Special Event, iTMS Introduction, 28 Apr 2003", all about Steve Jobs.com https://allaboutstevejobs.com/videos/keynotes/itunes_store_introduction_2003
★085———『iPodは何を変えたのか』第9章 pp.352-353
★086———前刀禎明『僕は、誰の真似もしない』アスコム、2012年、第2章 p.81
★087———資料の該当部を会話に起こした。同上 p.82
★088———Phil Keys「iPodの開発(第11話)』日経クロステック、2008年7月28日、https://xtech.nikkei.com/dm/article/NEWS/20080710/154608/
★089———『スティーブ・ジョブズII』第30章 p.195
★090———"People: John Mayer", CTPost (21 June 2010) http://www.ctpost.com/music/slideshow/People-John-Mayer-864/photo-2214346.php
★091———Phil Keys「iPodの開発(第12話)』日経クロステック、2008年7月29日 https://xtech.nikkei.com/dm/article/NEWS/20080710/154609/
★092———iPod mini発表前日の2004年1月16日の株価は1.53ドル、iPod U2 Special Edition発表前日の10月25日は3.40ドル
★093———『アップル再生 iPodの挑戦』29:00
★094———BCN+R「iPodがウォークマンにシェアで敗れる、約4年8か月、242週ぶり」2009年9月2日 https://www.bcnretail.com/news/detail/090902_15139.html
★095———StatCounter http://gs.statcounter.com/os-market-share/mobile/japan
★096———Roy Trakin "Jimmy Iovine", Ad Age (16 May 2005) http://adage.com/article/entertainment-marketers-of-the-year/jimmy-iovine/103178/
★097———『スティーブ・ジョブズII』第31章 p.217
★098———卸値ベース。"RIN 2009", IFPI, p.29
★099———『アップル再生 iPodの挑戦』35:00
★100———引用部分は筆者訳。U2 "Original of the Species" (2004) Interscope
★101———Levy "The Perfect Thing", p.173
★102———キャッチは筆者による。Lisa Eadicicco et al. "The 50 Most Influential Gadgets of All Time", TIME (3 May 2016) https://time.com/4309573/most-influential-gadgets/
★103———Mitch Ratcliffe "iPod Get People Laid and Can Improve Their Memories, Too!" Ratcliffe Blog (9 Dec. 2005) http://ratcliffeblog.ratcliffe.com/2004/12/09/ipods-get-people-laid-and-can-improve-their-memories-too/
★104———Dan Rys "Alex Wilhelm, Crazed Hits Blogger, Named Warner Bros. Director Of A&R",

Billboard.biz (13 Nov. 2012) https://www.billboard.com/biz/articles/news/record-labels/1083692/alex-wilhelm-crazed-hits-blogger-named-warner-bros-director
★105———“The Infinite Dial 2019” Edison Reserch (May 2019) p.35 https://www.edisonresearch.com/wp-content/uploads/2019/03/Infinite-Dial-2019-PDF-1.pdf
★106———Dave Itzkoff “The Pitchfork Effect”, WIRED (1 Sept. 2006) https://www.wired.com/2006/09/pitchfork/
★107———Mark Mulligan “Spotify, the Decline of Playlists and the Rise of Podcasts”, Music Industry Blog, From MIDiA (11 Apr. 2009) https://musicindustryblog.wordpress.com/2019/04/11/spotify-the-decline-of-playlists-and-the-rise-of-podcasts/
★108———『iPodは何を変えたのか』第9章 p.357
★109———Kelefa Sanneh “Embracing the Random” The New York Times (3 May 2005) http://nyti.ms/1mnYXXl
★110———Megan Gibson “Happy 10th Birthday iTunes!” TIME (28 Apr 2013) http://entertainment.time.com/2013/04/28/happy-10th-birthday-itunes/
★111———Levy “The Perfect Thing” p.172
★112———より正確にはCDなどの物理売上。“RIN 2012” / “GMR 2016”, IFPI
★113———Paul Resnikoff “Apple Terminating Music Downloads ‘Within 2 Years’”, Digital Music News (11 May 2016) https://www.digitalmusicnews.com/2016/05/11/apple-terminating-music-downloads-two-years/
★114———“GMR 2019”, IFPI
★115———Jeff Goodell “Steve Jobs: The Rolling Stone Interview”, Rolling Stone (25 Dec. 2003) https://www.rollingstone.com/music/music-news/the-rolling-stone-interview-steve-jobs-233293/
★116———“RIN 2009”, IFPI, p.29
★117———“U.S. Sales Database”, RIAA https://www.RIAA.com/u-s-sales-database/
★118———Sony ニュースリリース「『プレイステーション 2』全世界生産出荷累計9,000万台を達成」2005年6月3日 https://www.jp.playstation.com/info/release/nr_20050603_ps2.html、日本経済新聞「PS2の累計販売台数1億5000万台突破」2011年2月14日 https://www.nikkei.com/article/DGXNASDD140G9_U1A210C1TJ1000/
★119———“World Sales 2005”, IFPI, p.1
★120———Resolution Media社Bryson Meunier氏のリサーチによると、2008年のユーチューブでのクエリーのうち86%がエンタテインメント・カテゴリであり、エンタテインメントのクエリーの71%が音楽だった。つまり86%かける71%で、ユーチューブでのクエリーの61%が音楽であった。日本レコード協会の2011年度の調査でも、動画投稿サイトの視聴の6割が音楽という結果が出ている。Bryson Meunier “YouTube video keyword research and characteristics of popular YouTube queries”, Mobile SEO Insights (22 May 2008) http://www.brysonmeunier.com/youtube-video-keyword-research-and-characteristics-of-popular-youtube-queries/、日本レコード協会「動画サイトの利用実態調査検討委員会 報告書」http://www.riaj.or.jp/release/2011/pdf/20110808_2report.pdf
★121———1999年6月1日にロンチしたナップスターは、2000年9月1日にはユーザー数3,000万人に到達。2005年4月23日に最初の動画を公開したユーチューブは、2006年10月6日、グーグルによる買収が報道される頃に5,000万人に到達した。“Court could shutter Napster on Monday”, MTV (9 Feb. 2001) http://www.mtv.com/news/1439254/court-could-shutter-napster-on-monday/、Andrew Ross Sorkin and Jeremy W. Peters “Google to Acquire YouTube for $1.65 Billion”, The New York Times

(9 Oct. 2006) http://www.nytimes.com/2006/10/09/business/09cnd-deal.html?_r=0

★122———Pete Cashmore "YouTube: the next Napster?" Marshable (23 Oct. 2006) http://mashable.com/2006/10/23/youtube-the-next-napster/

★123———Winters "Downloaded", 20:00-25:00

★124———"Digital Music Report 2011", IFPI, p.16

★125———『iPodは何を変えたのか』第5章 p.202

★126———"Digital Music Report 2009", IFPI, p.3

明星の章　音楽と携帯電話——東の空に輝いた希望の光

★001.———松永真理『iモード事件』角川書店、2000年、p.62

★002———同上 p.58

★003———"International Telecommunication Union World Telecommunication Development Report and database and World Bank estimates", EconStats http://www.econstats.com/wdi/wdiv_597.htm

★004———夏野剛『iモード・ストラテジー』日経BP社、2000年、pp.231-237

★005———『iモード事件』p.151

★006———Businessweek (17 Jan. 2000)

★007———モバイル・コンテンツ・フォーラム監修『モバイルビジネス白書2002』翔泳社、2001年、p.53

★008———同上 p.40

★009———モバイル・コンテンツ・フォーラム調べ、2009年7月17日付 https://www.mcf.or.jp/wordpress/wp-content/uploads/2013/10/MobileContent_market_scale2008.pdf

★010———ミュージックマン「第48回 丸山 茂雄氏」2006年6月16日 https://www.musicman.co.jp/interview/19518

★011———本節の盛田昌夫氏の発言は筆者の本人取材に基づく

★012———"International Telecommunication Union World Telecommunication Development Report and database and World Bank estimates", EconStats http://www.econstats.com/wdi/wdiv_610.htm

★013———ネットレイティングス調べ、2003年5月26日付 http://www.netratings.co.jp/news_release/2011/06/15/News05262003.pdf

★014———小野島大『音楽配信はどこへ向かう？』インプレス、2013年、今野敏博さんに聞く(1)

★015———本節の今野敏博氏の発言は筆者の本人取材に基づく

★016———本節の会話は筆者の盛田昌夫氏への取材に基づく

★017———Gartner調べ、2005年 http://www.gartner.com/newsroom/id/492248

★018———モバイル・コンテンツ・フォーラム監修『ケータイ白書2009』インプレスR&D、2008年、p.121

★019———"RIN 2009", IFPI

★020———日本レコード協会「日本のレコード産業2009」P.8

第三部——使命

先駆の章　救世主、誕生前夜——ジョブズと若き起業家たち

★001———NHKスペシャル取材班編『Steve Jobs Special ジョブズと11人の証言』NHK出版、2012年、p.152

★002———HP Computer Museum http://www.hpmuseum.net/display_item.php?hw=43

★003———Playboy (Feb. 1985)
★004———"'You've got to find what you love,' Jobs says", Stanford Report (14 June 2005) http://news.stanford.edu/news/2005/june15/jobs-061505.html
★005———ジェフェリー・S・ヤング著、日暮雅通訳『スティーブ・ジョブズ　パーソナルコンピュータを創った男(下)』JICC出版局、1989年、第18章 p.220
★006———ピクサーについては、ウォルター・アイザックソン著、井口耕二訳『スティーブ・ジョブズII』講談社、2011年、p.383。ネクストについては、脇英世『IT業界の冒険者たち』ソフトバンククリエイティブ、2002年、スティーブ・ジョブズの章
★007———Dan Fastenberg "Timeline Of A Revolutionary: The Rise of Steve Jobs", AOL News (25 Aug. 2011) https://www.aol.com/2011/08/25/timeline-of-a-revolutionary-the-rise-of-steve-jobs/
★008———Alan C. Kay "A Personal Computer for Children of All Ages", Xerox Palo Alto Research Center (1972) p.1 http://www.mprove.de/diplom/gui/kay72.html
★009———"Apple Future Vision 1987" http://youtu.be/JIE8xk6Rl1w
★010———Steven Levy "Bill And Andy's Excellent Adventure II", WIRED (Jan. 1995)
★011———織田孝一「霧の中の狂想曲」WIRED、1997年6月号
★012———原文は「アップルがじぶんたちはパーソナル・コミュニケーターを作ることで電話を再発明するんだと言い始めたとき、僕らは思ったね。『なんだ、連中はマークに言った話を変えちまったのか』って」。Levy "Bill And Andy's Excellent Adventure II"
★013———Walter Isaacson "Steve Jobs", Simon & Schuster (2011) Chap.42 p.567
★014———Michael Kanellos "General Magic: The Most Important Dead Company in Silicon Valley?" Forbes (18 Sept. 2011) http://www.forbes.com/sites/michaelkanellos/2011/09/18/general-magic-the-most-important-dead-company-in-silicon-valley/
★015———Fortune (8 Nov. 1998)
★016———Fortune (24 Jan. 2000)
★017———本書第一部「日本の章」
★018———以下のコンピュータ科学の史観はこちらを基礎とした。小林雅一『クラウドからAIへ　アップル、グーグル、フェイスブックの次なる主戦場』朝日新聞出版、2013年
★019———当時、人気があったDTMソフト
★020———プロミュージシャンとエンジニアが一時期、ほぼ全員使っていた録音ソリューション
★021——— Steven Levy "In The Plex: How Google Thinks, Works, and Shapes Our Lives", Simon & Schuster (2011) p.35
★022———同上 p.218
★023———Levy "In The Plex", p.213
★024———Chris Tryhorn "Nice talking to you... mobile phone use passes milestone", The Guardian (3 Mar. 2009) http://www.theguardian.com/technology/2009/mar/03/mobile-phones1
★025———Fred Vogelstein "Dogfight: How Apple and Google Went to War and Started a Revolution", William Collins (2013) p.24
★026———Isaacson "Steve Jobs", Chap.36 p.467
★027———同上 Chap.24 p.309
★028———Gary Wolf "Steve Jobs: The Next Insanely Great Thing", WIRED (1 Feb. 1996) https://www.wired.com/1996/02/jobs-2/
★029———Vogelstein "Dogfight", p.157

★030——Joshua Topolsky"Steve Jobs live from D8", Engadget (1 June 2010) http://www.engadget.com/2010/06/01/steve-jobs-live-from-d8/

★031——Joshua J. Drake, Zach Lanier etc. "Android Hacker's Handbook", Wiley (2014) p.2

★032——Larry Page "Update from the CEO", Google Official Blog (13 Mar. 2013) http://googleblog.blogspot.jp/2013/03/update-from-ceo.html

★033——internetlivestats.comによる統計。http://www.internetlivestats.com/internet-users/#trend

★034——ルイス・V・ガースナー著、山岡洋一、高遠裕子訳『巨象も踊る』日本経済新聞出版、2002年

★035——サムスン社員のせりふは二書の同シーンのセリフから。Levy "In The Plex", p.214、Vogelstein "Dogfight", p.54

★036——Julian Wall "Introducing... Association of Independent Music (AIM)", ICMP (21 Nov. 2019) https://www.icmp.ac.uk/blog/introducing-aim

★037——Eliot Van Buskirk (Evolver.fm) "The Man Who Invented Scrobbling and Changed the World", WIRED (20 Nov. 2012) http://www.wired.com/2012/11/richard-jones-scrobbling/

★038——Steven Bertoni "Sean Parker: Agent Of Disruption", Forbes (21 Sept. 2011) http://www.forbes.com/sites/stevenbertoni/2011/09/21/sean-parker-agent-of-disruption/

★039——Van Buskirk "The Man Who Invented Scrobbling and Changed the World"

★040——David Kirkpatrick "The Facebook Effect: The Inside Story of the Company That Is Connecting the World", Simon & Schuster (2011) p.47

★041——David Kirkpatrick "With a little help from his friends", Vanity Fair (6 Sept. 2010) https://www.vanityfair.com/culture/2010/10/sean-parker-201010

★042——Kirkpatrick "The Facebook Effect", pp.47-49

★043——同上 p.188

★044——Pando Daily "Spotify's Daniel Ek: Sean Parker Is Irrational, But...", YouTube (8 Nov. 2012) http://youtu.be/ByFHGH7AL2I

★045——榎本幹朗「メジャーレーベルの創った『究極のソーシャルミュージック』はなぜ失敗したのか」ミュージックマン、2012年7月12日 https://www.musicman.co.jp/column/20194

★046——Kirkpatrick "The Facebook Effect", p.135

★047——同上 p.59

★048——松井博「Steve Jobsは本当に『ビジョナリー』だったのか？」まつひろのガレージライフ、2011年10月10日 http://matsuhiro.blogspot.jp/2011/10/steve-jobs_09.html

★049——日本レコード協会 https://www.riaj.or.jp/f/data/index.html

★050——SonyとAppleの公式HPに基づく

★051——Vogelstein "Dogfight", p.26

★052——Isaacson "Steve Jobs", Chap.42 p.570

★053——"iPod History", Apple.com https://www.apple.com/pr/products/ipodhistory/

★054——Levy "The Perfect Thing", p.175

★055——Isaacson "Steve Jobs", Chap.41 p.538

★056——本書第二部「再生の章」

★057——記述から会話を再構成。Vogelstein "Dogfight", p.29

★058——後藤直義、森川潤『アップル帝国の正体』文藝春秋、2013年、p.128

★059——Vogelstein "Dogfight", p.29

★060———以下の記述から会話を再現。Kirkpatrick "The Facebook Effect", p.129
★061———より正確には、CBSへの抗議がFCCに来た件数
★062———Shaheem Reid "Janet, Justin, MTV apologize for Super Bowl flash", MTV (1 Feb. 2004) http://www.MTV.com/news/1484738/janet-justin-MTV-apologize-for-super-bowl-flash/
★063———Jim Hopikins "Surprise! There's a third YouTube co-founder", USA Today (11 Oct. 2006) http://usatoday30.usatoday.com/tech/news/2006-10-11-youtube-karim_x.htm
★064———Miguel Helft "With YouTube, Student Hits Jackpot Again", The New York Times (12 Oct. 2006) http://www.nytimes.com/2006/10/12/technology/12tube.html
★065———Alexaを使って計測 www.alexa.com
★066———Nate Anderson "Smoking guns, dark secrets aplenty in YouTube-Viacom filings", Ars Technica (19 Mar. 2010) http://arstechnica.com/tech-policy/2010/03/smoking-guns-dark-secrets-spilled-in-youtube-viacom-filings/
★067———Jean Burgess, Joshua Green "YouTube: Online Video and Participatory Culture", Policy (2009) p.41
★068———同上 p.44。2007年8・10・11月のyoutube.comで「Most Viewed」「Most Favorited」「Most Responded」「Most Discussed」の4ランキングに登場した4,320本の動画。本文中の「プロの制作したもの(コンテンツ)」は"Traditional content"を意訳した
★069———高橋信頼『「異例な利用率」——すべて英語のビデオ共有サイトYouTube, 日本から212万人が利用』日経クロステック、2006年4月27日 https://xtech.nikkei.com/it/article/NEWS/20060427/236455/
★070———Mark Sweney "YouTube overtakes MySpace", The Guardian (31 July 2006) http://www.theguardian.com/technology/2006/jul/31/news.newmedia
★071———"OK Go: 'Making money from YouTube is like finding change in the street'", NME (21 Feb. 2012) https://www.nme.com/news/music/ok-go-5-1281131
★072———ユーチューブの売上はeMarketerの数字。テレビ産業の売上は下記。Ben Munson "Global TV and video revenue will hit $559B by 2022: report", FierceVideo (14 Aug. 2018) https://www.fiercevideo.com/video/global-tv-and-video-revenue-will-hit-559b-by-2022-report
★073———"Google buys Youtube for $1.65 billion", NBC News (10 Oct. 2006) http://www.nbcnews.com/id/15196982/ns/business-us_business/t/google-buys-youtube-billion/
★074———Levy "In The Plex", p.250
★075———Andrew Ross Sorkin and Jeff Leeds "Music Companies Grab a Share of the YouTube Sale", The New Yrok Times (19 Oct. 2006) http://www.nytimes.com/2006/10/19/technology/19net.html?ex=1318910400&en=ec61050b7a1e91df&ei=5090&partner=rssuserland&emc=rss&_r=0
★076———Craig Marks, Rob Tannenbaum "I Want My MTV: The Uncensored Story of the Music Video Revolution", Dutton (2011) Chap.48
★077———Michael Benson "From the Baroque age, a modern spirit", The New York Times (27 Jan. 1985) http://www.nytimes.com/1985/01/27/arts/from-the-baroque-age-a-modern-spirit.html
★078———David Marchese "Jay-Z: Nirvana 'Stopped' Hip-Hop for a Second", SPIN (5 Oct. 2012) http://www.spin.com/articles/jay-z-nirvana-stopped-hip-hop-for-a-second/
★079———"Nirvana vs. Pearl Jam – Make some noise debate", Noisecreep (12 Dec. 2013) http://noisecreep.com/nirvana-vs-pearl-jam-make-some-noise-debate/
★080———Marks and Tannenbaum "I Want My MTV", Chap.48-49

★081——同上 Chap.52

★082——同上 Chap.50

★083——BH90210 Ratings http://www.bh90210.co.uk/ratings/

★084——Joan E. Solsman "Post-YouTube, MTV revives the video star – briefly", CNET (4 July 2013) http://www.cnet.com/news/post-youtube-mtv-revives-the-video-star-briefly/

★085——Marks and Tannenbaum "I Want My MTV", Introduction

★086——同上 Chap.53

★087——"U.S. Online Video Viewing Surges 13 Percent in Record-Setting December", Comscore, Press Release (4 Feb. 2009) https://www.comscore.com/jpn/Insights/Press-Releases/2009/2/US-Online-Video-Viewing-Sets-Record

★088——"Comscore Releases October 2013 U.S. Online Video Rankings", Comscore, Press Release (15 Nov. 2013) https://www.comscore.com/jpn/Insights/Press-Releases/2013/11/comScore-Releases-October-2013-US-Online-Video-Rankings

★089——Doug Gross "Teens' first choice for music listening? YouTube", CNN (15 Aug. 2012) http://edition.cnn.com/2012/08/15/tech/web/teens-music-youtube/

★090——HP Cheung "2018 MTV VMAs Hit Record Low Ratings & Viewership", Hypebeast (22 Aug. 2018) https://hypebeast.com/2018/8/2018-mtv-vmas-record-low-ratings-viewership

★091——Marks and Tannenbaum "I Want My MTV", Chap.53

★092——Vogelstein "Dogfight", p.29

★093——Daniel Roth "Google's Open Source Android OS Will Free the Wireless Web", WIRED (23 June 2008) http://archive.wired.com/techbiz/media/magazine/16-07/ff_android?currentPage=all

★094——Vogelstein "Dogfight", p.30

★095——同上 p.33

★096——Isaacson "Steve Jobs", Chap.36 p.469

★097——日本レコード協会「2014年度 音楽メディアユーザー実態調査」http://www.riaj.or.jp/report/mediauser/

★098——調査対象となった中学生〜大学生の人数と20代の人数を導き出し、合算して計算し直した

★099——解放宣言は"And you'll see why 1984 won't be like 1984. "を意訳。"1984 Apple's First Macintosh Commercial", YouTube (12 Dec. 2005) https://youtu.be/OYecfV3ubP8

★100——CPIで現在価値に直し、120円/ドル換算した。http://www.measuringworth.com

★101——Isaacson "Steve Jobs", Chap.15

★102——小林弘人「What's ネクスト ネクスト・コンピュータ　叶えられた祈り」WIRED、1995年1月号、p.53

★103——ブラッド・ストーン著、井口耕二訳『ジェフ・ベゾス 果てなき野望』日経BP社、2014年、第1部 第2章

★104——以下のデータに基づく。Anita Elberse "Blockbusters: Hit-making, Risk-taking, and the Big Business of Entertainment", Henry Holt and Co. (2013)

★105——本節を含むパンドラ誕生の数節の会話やシーンは、下記のインタビュー記事を基に再構成した。せりふ回しは創作を含む。Stephanie Clifford "Pandora's long strange trip", Inc. (1 Oct. 2007) https://www.inc.com/magazine/20071001/pandoras-long-strange-trip.html%23、Zurb "Podcast of Tom Conrad's talk on Apple, Pets.com, and Pandora" http://zurb.com/soapbox/events/6/Tom-Conrad-ZURBsoapbox、Kevin Smith "Pandora: We're Not Scared Of Apple", Business Insider (2

Nov. 2012) http://www.businessinsider.com/tom-conrad-pandora-interview-2012-11、Susan Mernit "Pandora exec steps back: Tom Conrad out as CTO", Live work Oakland (18 Mar. 2014) https://web.archive.org/web/20140704193157/http://liveworkoakland.com/2014/03/18/pandora-co-founder-steps-back-tom-conrad-stepping-down-as-cto/、Bambi Francisco Roizen "Best Pandora stories, speeches, interviews", Vator (15 June 2011) http://vator.tv/news/2011-06-15-best-pandora-stories-speeches-interviews、Kevin Rose "Foundation 22 // Tom Conrad", YouTube (7 Nov. 2012) https://youtu.be/2xNjYhynDPI

★106———Center for Computer Research in Music and Acoustics

★107———David Hornik "Pandora and Persistence", VentureBlog (7 Sept. 2005) http://www.ventureblog.com/2005/09/pandora-and-persistence.html

★108———Rose "Foundation 22 // Tom Conrad", 37:10

★109———日経デザイン編『アップルのデザイン』日経BPマーケティング社、2012年、第4章

★110———ジム・コリンズ、モートン・ハンセン著、牧野洋訳『ビジョナリー・カンパニー4』日経BP社、2012年、第4章、p.169

★111———ラジオ広告売上はU.S. Census Bureu "2007 Service Annual Survey. Information Sector Servicie" (Mar. 2009)、サブスク売上はSirius XM社の2005年の売上 http://investor.siriusxm.com/annuals.cfm

★112———Linda Tischler "Algorhythm and Blues", Fast Company (1 Dec. 2005) http://www.fastcompany.com/54817/algorhythm-and-blues

★113———2005年当時、テレビ広告352億4,900万ドル(約4兆3,000億円)、ペイテレビ353億8,600万ドル(約4兆3,000億円) U.S. Census Bureu "2007 Service Annual Survey. Information Sector Servicie"

★114———terrasig "Pandora Radio and the Music Genome Project", ScienceBlogs (21 Sept. 2006) http://scienceblogs.com/terrasig/2006/09/21/pandora-radio-and-the-music-ge/

★115———NHKおよびレコード協会の調査(2014年)が参考資料。筆者の確認した支出のファクトは未公表だったので、具体的な数字は控えた。https://www.nhk.or.jp/bunken/summary/yoron/lifetime/pdf/110223.pdf, http://www.riaj.or.jp/report/mediauser/pdf/softuser2013.pdf

★116———"Pandora...the best music site on the internet!" Ravi Raman Blog (2006) http://sethigherstandards.com/pandorathe-best-music-site-on-the-internet/

★117———Scott Gerber "The Ah-ha Moment That Launched Pandora", Inc. (24 Apr. 2013) http://www.inc.com/scott-gerber/tim-westergren-the-ah-ha-moment-that-launched-pandora.html

★118———実際にはSony系列で7社など、重なるところもある。http://www.riaj.or.jp/about/member.html

★119———Rose "Foundation 22 // Tom Conrad", 31:30

★120———Malin Roos "The story of Daniel Ek – Mr. Spotify", Expressen (5 Jan. 2015) http://www.expressen.se/nyheter/the-story-of-daniel-ek--mr-spotify/

★121———John Seabrook "Is Spotify the music industry's friend or its foe?" The New Yorker (17 Nov. 2014) http://www.newyorker.com/magazine/2014/11/24/revenue-streams

★122———Jeff Goodell "Steve Jobs: The Rolling Stone Interview", Rolling Stone (25 Dec. 2003) https://www.rollingstone.com/music/music-news/the-rolling-stone-interview-steve-jobs-233293/

★123———より正確には再発明。古代の地中海には竜骨を持つ船があったらしい

★124———Ernesto "Sweden Warns Kids Against The Pirate Bay", Torrent Freek (2 Feb. 2008) https://torrentfreak.com/sweden-warns-kids-against-the-pirate-bay-080202/

★125———Brendan Greeley "Spotify's Ek Wins Over Music Pirates With Labels' Approval", Bloomberg (14 July 2011) https://www.bloomberg.com/news/articles/2011-07-14/spotify-wins-over-music-pirates-with-labels-approval-correct-
★126———両角達平「なぜスウェーデンの若者の投票率は高いのかその①」Tatsumaru Times、2013年1月2日 http://tatsumarutimes.com/archives/842
★127———Dorian Lynskey "Is Daniel Ek, Spotify founder, going to save the music industry ... or destroy it?" The Guardian (10 Nov. 2013) http://www.theguardian.com/technology/2013/nov/10/daniel-ek-spotify-streaming-music
★128———"RIN 2008", IFPI, p.53
★129———本節の歴史観は右に基づく。イヴ・コア著、久保実訳『ヴァイキング―海の王とその神話』創元社、1993年、竹田いさみ著『世界史をつくった海賊』ちくま新書、2011年ほか
★130———ジェフリー・S・ヤング、ウィリアム・L・サイモン著、井口耕二訳『スティーブ・ジョブズ偶像復活』東洋経済新報社、2005年、第2章 p.90
★131———Karl Auerbach "Severe Tire Damage, The Internet's First Live Band", History of the Internet (20 July 2014) https://history-of-the-internet.org/videos/std/
★132———Jake Brutlag "Speed Matters", Google AI Blog (23 June 2003) http://googleresearch.blogspot.jp/2009/06/speed-matters.html
★133———John Cionci "A Tribute to the mixtape", Spotify official blog (6 Dec. 2007) https://news.spotify.com/us/2007/12/06/a-tribute-to-the-mixtape/

カデンツァ　音楽産業の復活とポスト・サブスクの誕生——そして未来へ

★001———"RIN 2013", IFPI, p.7。2014年版以降のRINだと為替レート調整などで2012年はプラス成長からマイナス成長に変更され、プラス成長は2015年からとなったが、2013年当時の各媒体の反響を鑑み2012年の数字を採用した
★002———榎本幹朗「Spotifyジャパンが語る。日本と世界の音楽についての15のデータ」ミュージックマン、2014年7月14日 https://www.musicman.co.jp/business/14309
★003———Jacob Poushter "Smartphone Ownership and Internet Usage Continues to Climb in Emerging Economies", Pew Research Center (22 Feb. 2016) https://www.pewresearch.org/global/2016/02/22/smartphone-ownership-and-internet-usage-continues-to-climb-in-emerging-economies/
★004———"The Infinite Dial 2020", Edison Research (19 Mar 2020) p.40 https://www.edisonresearch.com/wp-content/uploads/2020/03/The-Infinite-Dial-2020-from-Edison-Research-and-Triton-Digital.pdf
★005———日本レコード協会「日本のレコード産業2019」
★006———マーケティングリサーチキャンプ「モバイル＆ソーシャルメディア月次定点調査(2020年8月度)」https://marketing-rc.com/report/report-monthly-20200910.html
★007———"GMR 2020", IFPI
★008———Merriam-Webster https://www.merriam-webster.com/dictionary/playlist
★009———Erik Bernhardsson, works at Spotify "How did Spotify get so good at machine learning? Was machine learning important from the start, or did they catch up over time?" Quora (26 Jan. 2017) https://www.quora.com/How-did-Spotify-get-so-good-at-machine-learning-Was-machine-learning-important-from-the-start-or-did-they-catch-up-over-time

★010——“Matt Ogle talks Discover Weekly and Spotify’s personalised evolution”, Music Ally (21 Mar. 2016) https://musically.com/2016/03/21/matt-ogle-discover-weekly-spotify/
★011——厳格な引用ではなく、せりふを編集した。“All About Fresh Finds”, Spotify for Artist (11 Nov. 2016) https://artists.spotify.com/blog/all-about-fresh-finds
★012——Ed Christman “Catalog Conundrum: Labels Eyeing Ways to Market Older Music as Streaming and Hot Singles Dominate”, Billboard (17 Oct. 2019) https://www.billboard.com/articles/business/streaming/8533315/catalog-music-labels-market-older-music-streaming-singles
★013——発表は2014年だがデータは2013年。Mark Mulligan “The Death of the Long Tail”, Music Industry Blog (4 Mar. 2014) https://musicindustryblog.wordpress.com/2014/03/04/the-death-of-the-long-tail/
★014——Ben Whitelow “Almost all YouTube views come from just 30% of films”, Telegrahp (20 Apr. 2011) https://www.telegraph.co.uk/technology/news/8464418/Almost-all-YouTube-views-come-from-just-30-of-films.html
★015——Tim Westergren “Pandora and Artist Payments”, Pandora.com (9 Oct. 2012) https://blog.pandora.com/the-pandora-story/pandora-and-artist-payments/
★016——ティム・ウェスターグレン、Pandora Mediaのメールマガジン、2015年1月6日付
★017——Tim Ingham “Spotify Dreams of Artists Making a Living. It Probably Won’t Come True”, Rolling Stone (3 Aug. 2020) https://www.rollingstone.com/pro/features/spotify-million-artists-royalties-1038408/
★018——Tim Ingham “What Is Happening to Streaming’s Superstars?” Rolling Stone (7 June 2019) https://www.rollingstone.com/pro/features/what-is-happening-to-streamings-superstars-845395/
★019——RIAAの公表データより算出
★020——日本レコード協会のデータより計算
★021——榎本幹朗「連載第55回　iTunesでアルバム崩壊、YouTubeでシングル無料化。次に来るプレイリストの時代は稼げるか」ミュージックマン、2015年1月13日 https://www.musicman.co.jp/column/20254
★022——Andre Paine “Played in full? Deezer reveals album listening habits”, Music Week (3 Oct. 2019) https://www.musicweek.com/digital/read/played-in-full-deezer-reveals-album-listening-habits/077629
★023——Da’Shan Smith “Surprise Albums: 17 Drops That Shocked The Music World”, uDiscoverMusic (2 June 2019) https://www.udiscovermusic.com/stories/surprise-albums-drops-shocked-world/
★024——Hannah Ellis-Petersen “Album spins closer towards its final track as a viable format”, The Guardian (29 July 2014) https://www.theguardian.com/music/2014/jul/29/album-music-format-streaming-playlists-extinction
★025——Kevin Lilley “Veteran behind popular zombie podcast is back for spinoff”, Army Times (20 June 2015) https://www.armytimes.com/off-duty/movies-video-games/2015/06/20/veteran-behind-popular-zombie-podcast-is-back-for-spinoff/
★026——Misha Ketchell “Podcast revolution: the rise and rise of audio storytelling”, The Conversation (8 Jan. 2020) https://theconversation.com/podcast-revolution-the-rise-and-rise-of-audio-storytelling-128356
★027——Amelia Heathman “Welcome to Night Vale’s creator on how to make a successful podcast”,

Evening Standard (29 Jan. 2019) https://www.standard.co.uk/tech/welcome-to-night-vale-jeffrey-cranor-interview-live-london-shows-a4047571.html

★028———2018Q3時点でのアメリカ、イギリス、オーストラリア、カナダ、ブラジル、メキシコ、ドイツ、日本を対象にした調査結果。Mark Mulligan “Spotify, the Decline of Playlists and the Rise of Podcasts”, Music Industry Blog (11 Apr. 2019) https://musicindustryblog.wordpress.com/2019/04/11/spotify-the-decline-of-playlists-and-the-rise-of-podcasts/

★029———Brian Barret “Google's New Podcast App Could Turbocharge the Industry”, WIRED (19 June 2018) https://www.wired.com/story/google-podcasts-app-hands-on/

★030———Jack “A Quick Look at Venture Capital, Funding, and Acquisitions in Podcast-land”, Lime Link (25 May 2019) https://lime.link/blog/a-quick-look-back-at-venture-capital-funding-and-acquisitions-in-podcast-land/

★031———“2020 Mid-Year Podcast Industry Report”, Voxnest Blog (30 June 2020) p.11 https://blog.voxnest.com/2020-mid-year-podcast-industry-report/

★032———“IAB U.S. Podcast Advertising Revenue Study: FY 2019 & 2020 COVID-19 Impact”, IAB (13 July 2020) https://www.iab.com/insights/iab-u-s-podcast-advertising-revenue-study-fy-2019-2020-covid-19-impact/

★033———“Internet advertising revenue report: Full year 2019 results & Q1 2020 revenues”, IAB (May 2020) p.4 https://www.iab.com/wp-content/uploads/2020/05/FY19-IAB-Internet-Ad-Revenue-Report_Final.pdf

★034———“The Infinite Dial 2020”, p.61

★035———“The Podcast Trends Report 2019”, Discover Pods (Sept. 2019) p.13 https://discoverpods.com/wp-content/uploads/2019/09/The-Podcast-Trends-Report-2019-1.pdf

★036———Nic Newman “Podcasts: Who, Why, What, and Where?” Reuters Institute Digital News Report (24 May 2019) http://www.digitalnewsreport.org/survey/2019/podcasts-who-why-what-and-where/

★037———Bret Kinsella “Nearly 90 Million U.S. Adults Have Smart Speakers, Adoption Now Exceeds One-Third of Consumers”, Voicebot.ai (28 Apr. 2020) https://voicebot.ai/2020/04/28/nearly-90-million-u-s-adults-have-smart-speakers-adoption-now-exceeds-one-third-of-consumers/

★038———Ross Winn “2020 Podcast Stats & Facts (New Research From Oct 2020)”, Podcast Insights (Updated: 6 Oct. 2020) https://www.podcastinsights.com/podcast-statistics/

★039———Brad Hill “Forbes lists the (very) top-earning podcasters”, RAIN News (4 Feb. 2020) https://rainnews.com/forbes-lists-the-very-top-earning-podcasters/, C Vicky McKeever “This eight-year-old remains YouTube's highest-earner, taking home $26 million in 2019”, CNBC Make It (20 Dec. 2019) https://www.cnbc.com/2019/12/20/ryan-kaji-remains-youtubes-highest-earner-making-26-million-in-2019.html

★040———“NPR Annual Report 2013/2019” https://media.npr.org/documents/about/annualreports/FY13_annualreport.pdf, https://media.npr.org/documents/about/annualreports/2019_Annual_Report.pdf

★041———Bruce Houghton “OFFICIAL: Podcasts Are A Major Threat To Music Industry Revenue”, Hypebot (19 Dec. 2019) https://www.hypebot.com/hypebot/2019/12/fact-podcasts-are-a-major-threat-to-music-industry-revenue.html

★042———“2020 Mid-Year Podcast Industry Report”, p.16

★043———Todd Spangler “Spotify Now Lets You Add Music Tracks to Podcast Shows”, Variety (14

Oct. 2020) https://variety.com/2020/digital/news/spotify-add-songs-podcast-shows-1234804222/
★044———Zachary Mack "How streaming affects the lengths of songs", The Verge (28 May 2019) https://www.theverge.com/2019/5/28/18642978/music-streaming-spotify-song-length-distribution-production-switched-on-pop-vergecast-interview
★045———Spotify Global Top100 (10 Sept. 2020)
★046———一次情報源はぴあ総研。井上猛雄「『ぴあ』がインバウンド戦略に危機感、タイムリミットは『東京オリンピック』」ビジネス＋IT、2016年8月24日 https://www.sbbit.jp/article/cont1/32586
★047———一次情報源はPollstar。"The Power of Live", Live Nation, p.7 https://livenationforbrands.com/wp-content/uploads/2019/04/LN_Power-of-Live_WhitePaper.pdf
★048———レコード産業売上はRIAAおよびRIAJの発表。https://www.riaa.com/u-s-sales-database/, https://www.riaj.or.jp/f/issue/industry/
ライヴ産業売上は日本がぴあ総研、アメリカ（正確には米加墨の3ヶ国合計）がPollstar。ミュージックマン「ぴあ総研、2019年のライブ・エンタメ市場が6,000億円を突破し過去最高となる速報値を公表 2020年のコロナ禍の影響を試算」2020年7月1日 https://www.musicman.co.jp/business/326164、Terrance Tompkins "An analysis of ticket pricing in the primary and secondary concert marketplace", International Journal of Music Business Research, p.41 https://musicbusinessresearch.files.wordpress.com/2019/04/volume-8-no-1-april-2019-tompkins_end.pdf
★049———UMGの売上が51.1億ユーロ、ライヴ・ネーションが76億ドル。https://www.billboard.com/articles/business/6882461/universal-music-2015-earnings, https://www.prnewswire.com/news-releases/live-nation-entertainment-reports-fourth-quarter-and-full-year-2015-results-300226493.html
★050———前節の046および047を参照
★051———前節の047および048を参照
★052———このデータでは北米大陸はアメリカ、カナダ、メキシコを指す。Pollstar調べ
★053———Lucas Shaw "Concerts Are More Expensive Than Ever, and Fans Keep Paying Up", Bloomberg (10 Sept. 2019) https://www.bloomberg.com/news/articles/2019-09-10/concerts-are-more-expensive-than-ever-and-fans-keep-paying-up
★054———Ethan Millman "Live Nation's Second-Quarter Revenue Dropped 98% in 2020", Rolling Stone (5 Aug. 2020) https://www.rollingstone.com/pro/news/live-nation-revenue-concerts-q2-2020-1040181/
★055———ぴあ株式会社IR
★056———日本レコード協会 統計情報
★057———野田洋次郎ツイート、Twitter、2020年2月28日 https://twitter.com/yojinoda1/status/1233117486079307781
★058———野田洋次郎ツイート、Twitter、2020年2月28日 https://twitter.com/yojinoda1/status/1233116435896922112
★059———aikoツイート、Twitter、2020年4月3日 https://twitter.com/aiko_dochibi/status/1246071915644473344
★060———佐藤和也「国内のデジタルライブ市場、2021年に314億円と急拡大を予測——CyberZらが調査」CNET Japan、2020年7月30日 https://japan.cnet.com/article/35157469/
★061———ぴあ総研「2020年のライブ・エンタテインメント市場は、対前年約8割減に。ぴあ総研が試算値を下方修正」2020年10月27日 https://corporate.pia.jp/news/detail_live_enta_20201027.html

★062——Laura Snapes “Musicians ask Spotify to triple payments to cover lost concert revenue”, The Guardian (19 Mar. 2020) https://www.theguardian.com/music/2020/mar/19/musicians-ask-spotify-to-triple-payments-to-cover-lost-concert-revenue

★063——Josh Constine “How Spotify is finally gaining leverage over record labels”, Tech Crunch (18 Mar. 2017) https://techcrunch.com/2017/03/18/dictate-top-40/

★064——Quentin Burgess “IFPI's ‘Investing in Music’ report shows record labels invest US $4.3 Billion in A&R and marketing”, Music Canada (25 Nov. 2014) https://musiccanada.com/news/investing-in-music-report-shows-record-labels-invest-us-4-3-billion-in-ar-and-marketing/

★065——Daniel Sanchez “48% of the Entire Swedish+Norwegian Population Is Paying for Streaming”, Digital Music News (14 Aug. 2017) https://www.digitalmusicnews.com/2017/08/14/spotify-youtube-sweden-norway-streaming/

★066——日本レコード協会「2015年度　音楽メディアユーザー実態調査」https://www.riaj.or.jp/f/pdf/report/mediauser/softuser2015.pdf

★067——総務省統計局発表の2019年10月時点での人口

★068——“GMR 2019”, IFPI, p.33

★069——“Top 50 Mobile Games Markets”, Allcorrect Games (11 May 2019) https://allcorrectgames.com/insights/mobile-game-market-index/

★070——Omer Kaplan “Mobile gaming is a $68.5 billion global business, and investors are buying in”, Tech Crunch (23 Aug. 2019) https://techcrunch.com/2019/08/22/mobile-gaming-mints-money/

★071——「“ファミ通モバイルゲーム白書2020”最新市場動向が発表。国内年間課金売上トップは『FGO』。もっとも遊ばれたのは『ポケモンGO』」ファミ通.com、2020年1月29日 https://www.famitsu.com/news/202001/29191590.html

★072——“Covid-19 accelerates global video gaming market to $170 billion”, Consultancy-me.com (14 Sept. 2020) https://www.consultancy-me.com/news/3041/covid-19-accelerates-global-gaming-market-to-170-billion

★073——Social Game Info「LINE、20年1月の国内非ゲームアプリ売上ランキングでTOP3独占、6ヶ月連続　AbemaTVとタップル誕生のCAグループも好調」2020年2月13日 https://gamebiz.jp/?p=259683

★074——Social Game Info「『ABEMA』が20年9月の非ゲームアプリの売上ランキングで2位に浮上　サイバーエージェントの決算は10月28日の予定」2020年10月20日 https://gamebiz.jp/?p=279192

★075——河村鳴紘「マンガ・アニメ・ゲームの市場比較　一番大きいのは？」Yahoo! Japan、2020年8月14日 https://news.yahoo.co.jp/byline/kawamurameikou/20200814-00193032/

★076——富岡晶「電子書籍の市場規模、前年から2割増の3473億円に。利用サービスでは『Kindleストア』が僅差の1位【インプレス総研調べ】」Web担当者Forum、2020年8月21日 https://webtan.impress.co.jp/n/2020/08/21/37186

★077——株式会社Photonic System Solutions「日本におけるインターネット上の海賊版サイト及びアプリの定量化と分析」2019年9月 http://www.jimca.co.jp/research_statistics/reports/PSS_Report_20191025_JPN_final_public.pdf

★078——黒木貴啓「漫画のサブスクや無料広告モデルは可能か 業界1位『LINEマンガ』に聞く5年の軌跡と漫画ビジネスの未来」ねとらぼ、2018年8月11日 https://nlab.itmedia.co.jp/nl/articles/1808/04/news006_3.html

★079——LINE株式会社「2017年12月期通期決算説明会」2018年1月31日 https://scdn.line-apps.

com/stf/linecorp/ja/ir/all/17Q4EarningReleases_JP.pdf
★080———“RIN 2011”, IFPI
★081———Dmitry Pastukhov “Music Market Focus: China Streaming and Recording Business (Part 1/2)”, Soundcharts (21 May 2019) https://soundcharts.com/blog/music-market-focus-china-part-1
★082———“RIN 2015”, IFPI
★083———インタビューを基に会話を復元した。Rhian Jones “Spotify and Apple Music will struggle in China. Meet the reason why…”, Music Business Worldwide (25 Jan. 2017) https://www.musicbusinessworldwide.com/spotify-and-apple-music-will-struggle-in-china-meet-the-reason-why/
★084———“RIN 2020”, IFPI
★085———Zhang Rui “China's colossal show market waiting for renewal after COVID-19”, China.org.cn (31 Mar. 2020) http://www.china.org.cn/arts/2020-03/31/content_75882609.htm
★086———Glenn Peoples “Tencent Music Entertainment Revenues Jumped 34% to $3.65B in 2019”, Billboard (16 Mar. 2020) https://www.billboard.com/articles/business/digital-and-mobile/9336166/tencent-music-entertainment-2019-earnings-revenue-report
★087———Stuart Dredge “Tencent Music now has nearly 40m people paying for music”, Music Ally (17 Mar. 2020) https://musically.com/2020/03/17/tencent-music-now-has-nearly-40m-people-paying-for-music/
★088———Todd Sparngler “Spotify Zooms to 124 Million Premium Subscribers in Q4, Record Quarterly Gain Driven by Promos”, Variety (5 Feb. 2020) https://variety.com/2020/digital/news/spotify-q4-2019-premium-subscribers-podcast-investments-1203493393/
★089———“Tencent Music Entertainment Group Announces Fourth Quarter and Full Year 2019 Unaudited Financial Results”, Tencent Music Entertainment, Press Release (31 Dec. 2019) https://ir.tencentmusic.com/2020-03-16-Tencent-Music-Entertainment-Group-Announces-Fourth-Quarter-and-Full-Year-2019-Unaudited-Financial-Results
★090———Sunny Chen “Top Grossing Apps Worldwide for March 2020”, Sensor Tower (15 Apr. 2020) https://sensortower.com/blog/top-grossing-apps-worldwide-march-2020
★091———Zoe Chace “YY Changes Its Tune After Karaoke Is A Hit”, NPR (15 Dec. 2014) https://www.npr.org/2014/12/15/370878848/yy-changes-its-tune-after-karaoke-is-a-hit
★092———Tracey Xiang “Virtual Gifts Are Still The Top Earner In China's Live Video Streaming Market”, Medium (6 May 2016) https://medium.com/@traceyxiang/virtual-gifts-are-still-the-top-earner-in-chinas-live-video-streaming-market-7b41c328a0f4
★093———2018年7月時点のMAU。ソースは081に同じ
★094———withnews「中国で毎晩踊りまくる『広場舞』ブーム　騒音トラブルがすごすぎる」2015年3月15日 https://withnews.jp/article/f0150318000qq000000000000000G0010301qq000011664A
★095———Huxiu “With over 400 Million Users, How did Tencent's WeSing Make a Fortune?” Pandaily (7 May 2018) https://pandaily.com/with-over-400-million-users-how-did-tencents-quanmin-k-ge-make-a-fortune/
★096———Rhian Jones “Spotify and Apple Music will struggle in china meet the reason why”, Music Business Worldwide (25 Jan. 2017) https://www.musicbusinessworldwide.com/spotify-and-apple-music-will-struggle-in-china-meet-the-reason-why/
★097———Indran Paramasivam “An interview with Dennis Hau, Group Vice President of Tencent Music Entertainment”, Bandwagon (10 Oct. 2019) https://www.bandwagon.asia/articles/dennis-hau-tencent-music-interview

★098———Stuart Dredge "Tencent Music's Andy Ng talks China and expansion", Music Ally (6 June 2017) https://musically.com/2017/06/06/tencent-music-andy-ng-china-midem/

★099———Eamonn Forde "Tencent Music's Andy Ng talks AI recommendations and karaoke expansion", Music Ally (18 Oct. 2019) https://musically.com/2019/10/18/tencent-music-andy-ng-ai-recommendations-karaoke/

★100———日中の音楽ソフト産業売上:"GMR 2020", IFPI。中国の音楽ライヴ市場規模:Laurie Chen "Beijing unveils plans to become 'international music capital' in 5 years - Inkstone", Inkstone (2 Jan. 2020) https://www.inkstonenews.com/arts/china-beijing-unveils-plans-become-major-international-music-capital-2025/article/3044315。テンセント・ミュージック・エンタテインメントのソーシャル・エンタメ売上は同社のIR https://ir.tencentmusic.com/2020-03-16-Tencent-Music-Entertainment-Group-Announces-Fourth-Quarter-and-Full-Year-2019-Unaudited-Financial-Results。日本の音楽ライヴ市場規模:ぴあ総研「ぴあ総研、2019年のライブ・エンタメ市場が6,000億円を突破し過去最高となる速報値を公表。2020年のコロナ禍の影響を試算」2020年6月30日 https://corporate.pia.jp/news/detail_live_enta_20200630.html

★101———酒場の業務カラオケ市場とカラオケボックス市場を合わせた売上。全国カラオケ事業者協会「カラオケ白書2019」「(同)2020」

★102———JASRAC「2019年度事業報告書」

★103———手塚伸弥「DeNAファウンダー南場智子が5年かけて口説き落とした男 | 前田裕二 SHOWROOM」キャリアハック、2014年11月12日 https://careerhack.en-japan.com/report/detail/402

★104———KC Ifeanyi "'Pandora Broke My Heart': Tim Westergren, Digital Radio Pioneer, Returns to Break the Music Industrial Complex", Medium (1 May 2020) https://medium.com/fast-company/pandora-broke-my-heart-tim-westergren-digital-radio-pioneer-returns-to-break-the-music-1637660afb13

★105———Amy X. Wang "Pandora's Ex-CEO Tim Westergren Wants to (Finally) Make Artists Money", Rolling Stone (4 Sept. 2020) https://www.yahoo.com/entertainment/pandora-ex-ceo-tim-westergren-191522349.html

★106———Tatiana Cirisano "Tim Westergren's Sessions Livestreaming Platform Launches $75M Marketing Fund For Artists", Billboard (19 Nov. 2020) https://www.billboard.com/articles/business/9486300/tim-westergren-sessions-livestreaming-platform-marketing-fund-emerging-artists/

★107———Joe Sparrow "Tim Westergren talks Sessions: 'Artists need to recover their audience'", Music Ally (16 Sept. 2020) https://musically.com/2020/09/16/tim-westergren-talks-sessions-artists-need-to-recover-their-audience/

★108———村上万純「『生配信で月1000万円の子も』"努力が実る"SHOWROOMにアイドルのタマゴが殺到する理由」ITmedia、2017年7月5日 https://www.itmedia.co.jp/news/articles/1707/05/news009.html

★109———CDVJ「音楽生活に関するアンケートの分析」ユーザー意識調査 2015年11月

★110———"GMR 2018", IFPI, p.27

★111———Stuart Dredge "Pex claims music was 22% of total YouTube views in 2019", Music Ally (15 Aug. 2020) https://musically.com/2020/08/05/pex-claims-music-was-22-of-total-youtube-views-in-2019/

★112———日本レコード協会「日本のレコード産業2020」p.10

年表

第一部——神話

レコード・ラジオ・ウォークマン・MTV・CD

レコード［神話の章］

1877年	◎**エジソンが録音の特許登録** ＊1879年、電球／1880年、発電機／1891年、キネトスコープ(のぞき眼鏡式)を発明
1886年	◎エミール・ベルリナーがエジソンのライバル、ベル研究所でエジソン式を改良、グラフォフォンを開発
1887年	◎エジソン、ベルリナーの“改良”に触発され「フォノグラフ」を完成
1888年	◎**世界初のメジャーレーベル**、エジソン・レコードが創立。エジソン社、ハードとソフトの両輪を始める
1889年	◎コロムビア・レコード設立。グラフォフォンの特許に基づく
1894年	◎エミール・ベルリナーがグラモフォンをアメリカに紹介。シリンダーではなくディスク方式のレコードを使用
1897年	◎アメリカで不況。ビッグ・スリー(エジソン、ビクター、コロムビア)は、行商人による訪問販売を活用。エジソンは「最高のスモールビジネス」と言って従業員を募集 ◎当時のビジネスモデル＝❶正規購入のみ修理とアップデートを受け付けることで、ディスカウントを防いだ ❷レコードのセレクションの魅力。当時、数少ない大規模レコード店にしか、ストックがなかった ◎家庭へのレコードの普及が始まった。エジソン「音楽は贅沢品ではなく、生活必需品」
1900年	◎コロムビア、レコードの素材をワックスからセルロイドに変えて音質と再生可能回数を大幅改良。ディスク方式となり、長時間再生が可能に。エジソンのドラム式レコードは2分だった
1901年	◎エミール・ベルリナーの会社合併、ビクター・トーキングマシン社誕生
1902年	◎ビクター、イタリアのテノール歌手エンリコ・カルーソと世界初の専属契約。バラードを録音。レコードプロデューサー、フレッド・ガイズバーグがビクターイギリス本部に要求した契約金400ドルはなかなか許可されなかった
1906年	◎ビクターのヒット商品、「デザイン」に優れた**ビクトローラ**発売。アンティーク家具とトーキングマシンの融合した大ヒット家電に。ディスク方式のレコードプレーヤー(トーキングマシン)は家電の王様となった ◎この頃までは、「技術」がレコード産業のキーファクターだったが変化の兆し
1907年	◎エンリコ・カルーソの「衣装をつけろ(I Pagliacci)」が**世界初のミリオンセラー**に。1902年に発売されたレコードは計500万ドルの資産を作ったという。この成功により、人気オペラ歌手の専属契約の獲得競争がメジャーレーベル間で始まる。人気歌手は、契約金と最新のスタジオ録音環境を求めて契約に応じるように ◎レコード産業はハード中心からソフト中心に。エジソンはこの流れを嫌気
1910年	◎平均的なレコード店のストックは3〜5,000枚 ◎当時の宣伝先は新聞。広告コンセ

	プトは「発明(うちで何でも聴ける)」。ビクターはHMVの「ニッパー犬」でブランディング。各社、広告に数百万ドルを投入し、各家庭に普及へ ◎レコードに押されて、楽譜を売る音楽出版とピアノ産業が衰退
1913年	◎エジソンもついにドラム式からディスク方式のレコードに転換。プラスチックをレコード素材に。1910年代、レコード産業は第一次黄金時代を迎える。◎当時のレコードメーカーはハード、流通、ソフトの垂直統合モデルで、中抜きなしの完全コントロールを実現。秀逸なビジネスモデルを誇っていた ◎この頃、タレントの確保がキーファクターに。当時の音楽の中心はミラノ、ロンドン、パリ。ヨーロッパの音楽的才能を確保するのに、トーキングマシン製造者の国際ネットワークが効果を発揮 ◎欧州の販売会社には、上流階級が出資。オーナーの趣味を反映して、クラシック・レコードの全盛期へ繋がる
1914年	◎アメリカで国勢調査。トーキングマシン製造者は18社。総売上2,700万ドルのうち、400万ドルがエジソン社、1,600万ドルがビクター社
1917年	◎アメリカ、第一次世界大戦に参戦。ティンパンアレイは数百の軍歌を出版。レコードも軍歌一色に ◎キャバレー閉鎖。ミュージシャンが軍隊招集され、レコードかピアノしか音楽を楽しめなくなった。軍隊キャンプでもレコードの需要は高く、トーキングマシンは爆発的に売れ、レコード産業はインストールベースを確立 ◎欧州戦線のキャンプに送られたトーキングマシンとレコードにより、アメリカ大衆音楽が欧州進出 ◎ビクターのNYスタジオ、白人ジャズバンドODJBの「リバリー・ステイブル・ブルース」を録音。黒人はスタジオ入りできなかった。3分に収まるよう即興を排して編曲。ドラムは音飛びを起こすので控え面に→オリジナルとは違う、メジャーレーベル製の「(スウィート)ジャズ」の歴史が始まる
1920年	◎**エジソン・レコード、売上のピーク。**ラジオが急激な普及とレコード産業の過当競争が始まり音楽不況が始まる。当時ラジオはレコードよりも高音質だった ◎ピアノメーカーや家具メーカーがトーキングマシン制作に参入し、1914年に18社だったメーカー数は、1918年に166社(総売上1億5,800万ドル)に ◎エジソン社のトーキングマシン製造数は1920年の14万台から1921年に3万台に。ビクターは56万台から32万台に。コロムビアは破産 ◎ビッグ・スリーは、ハードではなくソフトで稼ぐほかなくなる→カタログ獲得に血道を上げ、オペラ界の大物歌手と専属契約→インディーズ(小規模メーカー)は、隙間マーケットのブルースとジャズをレコード化
1924年	◎ウェスタン・エレクトリック社(電話を発明したベル研が親会社。のちにトランジスタの特許取得)の開発した**電気録音**をビクターとコロムビアが実験。音質でラジオに追い越された状況の改善を目指す
1929年	◎世界大恐慌。エジソン、レコード事業から撤退。レコード産業は壊滅状態
1941年	◎太平洋戦争を機に、アメリカでは**レコードをラジオにかけるように**なる。それ以前はレコード会社の許可なくレコードをラジオでかけることはできなかった
1948年	◎コロムビアが33 1/3rpm LPを発表。音質でラジオに勝ち、レコード産業復活の基礎を創る
1949年	◎RCAビクターが45 rpmとディスクチェンジャーを発表
1950年	◎RCAビクター、LPレコードも発売

1951年	◎コロムビア、45 rpmを発売
1954年	◎トランジスタ・ラジオ(リージェンシー社製)が発表
1957年	◎東京通信工業(Sony)の世界最小、**ポケットラジオTR-63**が発売され、世界的ヒットに。ラジオでロックを聴いて、シングル・レコードを買う文化が始まる。音楽産業の第二次黄金時代の幕開け
1962年	◎フィリップス社が**コンパクトカセット**を発表
1979年	◎Sonyから**ウォークマン発売。**カセット文化が世界を席巻し、LPの衰退が始まる
1981年	◎**MTV開局。**音楽をあまりかけなくなったラジオに代わって、音楽メディアの王様となる
1982年	◎**CDが発売**される
1986年	◎**CDがLPの生産数を超す。**売上の大きいアルバムが中心となり、レコード産業は史上最高の黄金時代を創出(第三次黄金時代)
1993年	◎LPは消滅に近い状態に
1999年	◎**ナップスターが登場し、CDの衰退**が始まる
2008年	◎LPの静かなブーム始まる。5年後にアメリカで年間売上600万枚超に

ラジオの創生期［黄金の章］

1839年	◎ファラデー、電磁気学の基礎となる研究を完成
1864年	◎マクスウェルの方程式
1868年	◎マクスウェル、「電磁波」の存在を予言
1876年	◎アレクサンダー・グラハム・ベルが**電話を発明**
1888年	◎ヘルツが電磁波を検出。マクスウェルの理論を実証
1889年	◎のちのGE社の母体となるエジソン・ジェネラル・エレクトリック社をJ.P.モルガンの出資で創立。エジソンが社長
1894年	◎マルコーニが電信システムを開発
1897年	◎マルコーニ、イギリスで特許を取得し、マルコーニ無線電信会社を創立
1901年	◎マルコーニ、大西洋横断の無線電信に成功
1906年	◎12月24日のクリスマスイヴ、**無線による音声通信**の成功。カナダ人レジナルド・フェッセンデン(ラジオ放送の父)がアメリカ・マサチューセッツ州から初の音声放送。ヘンデル「クセルクセスのラルゴ」のレコード演奏のほか、ヴァイオリン伴奏と共に「さやかに星はきらめき(O Holy Night)」を自ら歌い、福音書第2章を朗読。船上の無線ぐらいのクォリティだったが、話題とならず忘れ去られた
1909年	◎マルコーニ、無線技術の発展に貢献したことでノーベル物理学賞を受賞
1911年	◎経営困窮のためレジナルドは株主に見放され、自ら創設したNESCO社から追放。同社と裁判に
1914年	◎第一次世界大戦勃発。連合国陣営がドイツの海底通信ケーブルを遮断(1956年に米英間ケーブル開通)したことから、無線通信の需要が高まる。ドイツ陣営は開戦当初中立国だったアメリカの無線インフラに頼るように
1917年	◎合衆国政府は無線技術を軍の管理下に
1918年	◎終戦直前、軍による無線の独占を延長する法案が否決
1919年	◎米海軍大将とGE幹部が会合。マルコーニの米支社(本社イギリス。アメリカ全国

	ネットの無線通信会社)へのAMラジオトランスミッター売却中止を要請。かわりにアメリカで会社を創れば、独占的に商業電波の使用を認める提案 ◎GE社は海軍の提案を受け入れ、マルコーニ社米法人を買収。これを母体に、RCA(Radio Corporation of America:アメリカ・ラジオ社)を創立。◎GE社のヤング(54歳)も共同マネージャー。ビジネスモデルを発案した29歳のサーノフもマネージャーとなり、テレビ、カラーテレビ、放送産業の形成に多大な影響を与える
1920年	◎法廷闘争で無線通信の特許が管財人の管理に。ウェスティングハウスがその特許を買い、RCA社に転売
1926年	◎RCA社、**放送ネットワーク**NBCを創立
1928年	◎フェッセンデン、RCAから多額の和解金を得る。4年後他界。晩年は湖畔で静かに発明に専念。水力発電の開発や、(タイタニック号の悲劇に触発されて)ソナーの開発に尽力、石油資源探査法、ポケットベルの特許など。名言「発明家とは、実用化される5年前に需要の可能性を見出すことができる者である」を遺す

レコード産業がラジオの衝撃を乗り越えるまで［神話の章］

1924年	◎ウェスタン・エレクトリック社(ベル研親会社。トランジスタ特許公開→Sony井深)の開発した電気録音、ビクターとコロムビアが実験。電気録音でレコードの周波数は3,500Hz超に ＊**電気の高音質の恩恵を最初に受けたのは、レコードではなくラジオ**
1927年	◎ビクターがクラシック向けに初のディスクチェンジャーを発売。600ドル。当時のレコード、3〜4分／枚。「アルバム」の起源
1930年代	◎独立系レコードをかけるディスクジョッキーの番組が人気に。レコードの販促に繋がるディスクチェンジャー技術を使った24枚式のウーリッツァー製がヒット。1934年＝売上5,000台→1939年＝3万台。1940年には数十万台が稼働。パイロットメディアに。レコードストアへ顧客を戻した
1930-40年代	◎「周波数レンジ、ノイズレシオ、ディストーション」がキーワードに
1931年	◎RCA／ビクターが初期LP(1948年登場のLPとは異なる)を発表。33 1/3rpm、片面20分。1枚の値段は78rpmより高かったが、「アルバム」は半額以下に。技術的欠陥として、モーターの揺れを制御できなかった。LP対応プレーヤーは当初高額の350ドル。78rpmプレーヤーの10倍以上 ◎英EMI(当時Electrical Musical Instrument、元・英コロムビア[1897年〜])、ムービングコイルを発明 ◎WE社がレコードの材料にビニライトを使う技術を開発。レコードの音質が1万Hzにまで改善 ◎同年、英特許にステレオ録音が登録。しかしステレオレコードの商業化は1958年
1932年	◎**北米レコード産業売上、1929年＝7,500万ドル→1932年＝600万ドル** ◎ラジオ受信機売上、4,400万台→2,300万台 ◎恐慌時代、ラジオはわずかな高収益セグメントに集中せざるをえなかった。そのひとつであるクラシックの愛好家(Hi-Fiマニア)がレコードをギリギリで買い支えた ◎RCA、ビニライト製レコードを業務用録音ディスクとして発売開始 ◎RCAが、ラジオにアタッチできる廉価版レコードプレーヤー、Duo Jr.を16.50ドルで発売し、ヒット
1933年	◎S.ルーズヴェルト大統領当選、**禁酒法廃止。バーが復活し、ジュークボックスも復活**
1934年	◎アセテート製レコードの業務用録音ディスクをプレスト社が発売。**録音品質とコスパが急上昇。**ワックス製のマスターディスクは100〜150ドル

	だったが、アセテート製は1.25〜2.00ドルだった。ラジオ局、小規模スタジオの録音活動が盛んに。1937年には50万枚の業務用ブランクディスクをプレスト社は売り上げた。小規模ながら業務用録音ディスクが家庭にも普及開始
1936年	◎初のFMラジオ局が登場するが広まらず、レコード産業は助かる。FMがブームになるのは1970年前後から
1934-37年	◎**北米レコード産業売上、2桁台の成長**
1937年	◎ヒンデンブルグ放送を皮切りに、ワイヤー録音したニュース番組が欧州のネットワークで氾濫 ◎欧州には「ラジオ番組にレコード、録音物をかけてはいけない」という商習慣はなかった
1938年	◎**北米レコード産業売上、100%プラス成長**
1939年	◎北米レコード産業売上、68%プラス成長
1936-40年	◎RCA社のレコードの平均価格は半額に
1941年	◎米、**第二次世界大戦**に参戦
1942年	◎原材料を運ぶ海路が日本により遮断され、**レコードの材料不足が深刻化**し成長鈍化 ◎アメリカのレコード売上枚数はようやく往年のピーク、1億4,000万枚に

放送産業とレコード産業の融合[神話の章|黄金の章]

1919年	◎RCAがGE社から分社・独立。AT&Tも資本参加
-1920年	◎アメリカは、アマチュア放送と民営ラジオが、公営より先に始まった点でユニーク
1921-22年	◎独立系ラジオ局の時代。ノンコマーシャルの非営利組織による、レコードの放送が多かった ◎GE/RCA、AT&Tが放送ネットワーク設立。広域的なコンテンツと広告のシェアが始まる ◎AT&Tの長距離電話網がネットワークの重要な機能に
1922年	◎政府によるラジオ規制開始。アマチュア放送は停波。連邦無線委員会の免許更新基準は「ハイクォリティなライヴ・エンタテインメントを提供できるか」→コンテンツをレコードに頼っていた独立局も危機に→ネットワークに組み込まれる
1926年	◎RCAが**放送ネットワーク**NBCを設立(のちにABCがNBCから派生)
1927年	◎コロムビア・レコード、放送ネットワークCBSを設立(1938年に逆買収)
1929年	◎**放送産業のRCAがビクターを買収** ◎米国音楽家連盟がすべての録音物の放送禁止運動
1930年	◎反トラスト法でGEとウェスティングハウスはRCAの株主から外れる。GEはラジオ受信機を自ら生産・販売することに
1937年	◎3大ネットワークのNBCが**初めて録音番組を放送** ◎当時、ライヴ番組はネットワークの最大の強みだった。ローカル放送は当時から録音番組やレコードを使用していた
1938年	◎コロムビア・レコード、元子会社のCBSに逆買収される
1943年	◎ABCがNBCから分離独立。独禁法対策として、RCAがNBCブルーネットワークを売却。ABCと改称

＊神話の章の年表はおもに以下を基礎にした。◇David L. Morton Jr. “Sound Recording: The Life Story of a Technology”, The Johns Hopkins University Press (2006) ◇Andre Millard “America on Record: A History of Recorded Sound”, Cambridge University Press (1995)

ラジオでレコードをかけるのが禁止され、解禁されるまで［黄金の章］

1922年	◎合衆国政府による規制開始。**アマチュア放送は停波**
1928年	◎この頃、ウェスタン・エレクトリック社の16インチ録音ディスクが業務で普及 ◎シカゴラジオのパーソナリティがトランスクリプション・ディスク（録音時間15分）を使用して、『Amos 'n' Andy』を番組配給開始
1930年代	◎DJ番組の先駆け、アル・ジャービスの『Make Believe Ballroom』（KFWB in LA）は、レコードで仮想スウィングパーティを演出
1930年	◎ネットワークの番組、**週128時間中、録音番組は11時間**に過ぎなかった
1931年	◎米国音楽家連盟の要請を受けて、レコード会社は“not licensed for radio broadcast”とレコードのラベルに記入するように
1932年	◎米国音楽家連盟はパフォーミングライツ料の支払い確立も目指す。トランスクリプション・ディスクについては成立したが、通常のレコードの放送には認められなかった
1935年	◎著名バンドリーダーのフレッド・ウェアリングが圧力団体を作り、すべての**レコードの放送禁止を目指す。**フィラデルフィア州でフレッドの音源を放送できないかたちで勝訴。裁判が方々で起こる
1941年	◎日米開戦
1942年	◎原材料を運ぶ海路が日本により遮断され、**レコードの材料不足が深刻化** ◎**アメリカ軍向けの放送**、ARRSが始まる。**レコードを放送に多用** ◎戦後のラジオ番組に多大な影響。イギリスへの米大衆音楽の伝播にもなった ◎「レコード会社のレコードコンテンツの所有権は購入時に消滅」の判決が続出。許可なくラジオでレコードをかけられるようになった

ラジオがレコード産業に第二次黄金時代をもたらすまで［黄金の章］

1940年代	◎第二次世界大戦の特需で再びLAやデトロイトの工場に黒人労働力の需要。1,200万人が移動。ブルース、そしてロックンロール誕生の下地となる。第一次世界大戦後の大移動がジャズ・ブームの母体を創ったのと同じ動き
1940年	◎**ラジオ局の3分の1を新聞社が所有**するように
1946-51年	◎規制緩和。NYで200〜1,000ワットの**小規模局の数が5倍に。**平均聴取人口／局は6万から3万へ半減。ターゲットを絞った**専門局（ナローキャスティング）**になっていく。TOP40専門局誕生の下地となる
1950年代	◎**テレビ・ブーム**始まる。60年代には世界的にも**大量消費社会**を形成 ◎ラジオの人気パーソナリティがテレビに移動。ラジオDJがかわってヒーローになるまで、ラジオにコンテンツ不足が続く
1952年	◎黒人向けの番組を白人も聴く兆し。LAのドルフィン・レコードストアではR&Bレコードの40%を白人が購入 ◎白人の若者に黒人音楽を紹介する**アラン・フリードのようなラジオDJ**が新たなヒーローに
1954年	◎**ラジオ聴取のパーソナル化。**70%の世帯がふたつ以上のラジオを所有。対して、テレビは家庭に1台。◎**DJトークはコミュニティ志向へ**。You & Me、現在形、口語（黒人のスラング、ライム）、質問、共通体験といった

	スタイルを確立
1956年	◎**Sonyの安価な小型トランジスタ・ラジオがヒット。10代の若者がマイラジオを買い、じぶんの部屋でロックンロールを聴けるように** ◎エルヴィス・プレスリーの大ブレイク。ラジオ・テレビ・映画のクロスメディアで、ロックンロールが世界に広がる ◎**中古車とカーラジオの流行**へ。音楽のモバイル化が始まる。屋外視聴は15～30%に ◎TOP40フォーマットが誕生。TOP40が人気を得るにつれ、DJのプレゼンスが下がっていく
1959年	◎ラジオ機の価格破壊が進み、**シングル・レコードも若者に買いやすい値段に** ◎ラジオ、シングル、ロックンロールで**レコード産業は第二次黄金時代**に ◎1954年に2億1,300万ドルだったレコード売上は3倍の6億1,300万ドルに ◎**ペイオラ・スキャンダル**で人気DJたちが追放される。ロックンロール・ブームが収束

＊黄金の章の年表は以下を基礎にした。◇Susan J. Douglas "Listening IN: Radio and American Imagination", University of Minesota Press (1999)

テープレコーダー誕生からウォークマンまで［栄光の章］

1940-45年	◎アメリカでポータブル・ワイヤーレコーダー、ドイツでカートリッジ式テープレコーダー(マグネットフォン)が軍用技術として発達。オシロスコープやレーダーの記録に使用された
1945年	◎終戦と共にドイツの高品質なテープレコーディング技術が輸入。長時間LP用の録音が可能に。ステレオ録音も容易に ◎エディット、オーバーダビング、リバーブ(Echo Chamber)→ミュージシャンは「絶対間違えない」が必須でなくなる→若いロックンロール・バンドがスタジオに ◎この段階では、テープレコーダーはテクニックを要する難しい機材だった。軍で電気技術に従事していたエンジニアたちが軍から払い下げてもらったり、改良したりして、Hi-Fiコミュニティの母体を創り出す
1946年	◎ABCが録音のニュース番組シリーズを放送し、人気を得る。ABCは既存ネットワークに対抗するため、商習慣を破壊してでもレーティングを取りにいった ◎ABC、録音を使い、西海岸でタイムディレイ放送を開始
1949年	◎比較的安い家庭用テープレコーダーが登場 ◎Hi-Fiの記事が新聞に出始める
1950年代	◎テレビ・ブーム始まる。60年代には世界的にも大量消費社会を形成 ◎スタジオでテープレコーディングが普及→1960年代にインディーズに払い下げ→のちにロックンロール・ブームを支えるインディーズレーベルが育つ ◎ロックンロールの登場でラジオも好調。後半にはベビーブーマーも参入し、レコード売上は大躍進 ◎家庭用テープレコーダー登場。販売価格は現在価値で数十万円
1950年	◎**東京通信工業(Sony)が日本初のテープレコーダーを発売**
1956年	◎レス・ポールがマルチチャンネル・レコーディング。オーヴァーダビングの手法を開発。
1958年	◎ロックンロールの登場で、安価なオーディオ環境でパンチの出るマスタリングが追求されるように

1960年代後半	◎スタジオでテープを活用した高度な編集テクニックが追求される。パンやエディット、オーヴァーダビング、リバーブなどを駆使した「サイケデリック・サウンド」が流行。ドラッグカルチャー、東洋の神秘主義を表現
1963年	◎Sonyの大賀典雄、フィリップスとコンパクトカセット規格に関する交渉をまとめる
1965年	◎**Sonyとフィリップス、コンパクトカセット規格**を無償公開
1966年	◎ビーチ・ボーイズ、アルバム『ペット・サウンズ』で**オーヴァーダビング**によってレイヤーを重ね、ポップスシーンにおいてシンフォニックな手法を確立 ◎ビートルズの『サージェント・ペパーズ・ロンリー・ハーツ・クラブ・バンド』、129日のスタジオワークを経て完成。スタジオワークは創作の重要な一部に(同アルバムの発売は'67年)
1969年	◎Sony、**録画用ベータテープ**を媒体とした商業用PCMレコーダーを開発。デジタル・コンテンツの技術的先駆となる
1975年	◎Sony、ベータマックス発売。**テープ文化は音楽から動画へ拡大。**現在の動画文化に続く世界が始まる
1979年	◎7月——**ウォークマン発売。**プレイリスト文化の原型となる**ミックステープ文化、音楽を持ち歩く文化、ヘッドフォン文化**が世界に普及
1983年	◎1月18日——**ベータマックス裁判。**アメリカでユニバーサルが、Sonyの録画機は著作権侵害と訴える。Sonyの盛田昭夫会長、「タイムシフト」の概念を提唱してアメリカ国民を味方につけ勝訴。**私的複製の権利が成立**した

CDとSony［栄光の章］

1877年	◎エジソンが録音の特許登録
1886年	◎エジソン式の音質を改良したグラフォフォンが特許取得
1888年	◎世界初のメジャーレーベル、エジソン・レコードが創立
1908年	◎4月11日——井深大誕生
1917年	◎**アインシュタイン『放射の量子論について』**発表。**レーザーの理論**
1921年	◎1月26日——盛田昭夫誕生
1926年	◎ウェスタン・エレクトリック社のP・M・レイニーがPCMの特許
1927年	◎日本ビクター創立。1923年の関東大震災以後の大幅関税アップから、国産の道へ。1877年のエジソンの録音特許から半世紀後のこと
1930年	◎1月29日——大賀典雄誕生
1946年	◎**東京通信工業(Sony)創業**
1950年	◎東京通信工業が日本初のテープレコーダーを発売 ◎大賀、芸大教授会と東京通信工業大崎工場に乗り込む
1954年	◎大賀、留学。Sony嘱託に
1957年	◎東京通信工業の世界最小ポケットラジオTR-63発売。世界的ヒットに。ラジオでロックを聴いて、シングル・レコードを買う文化が始まる。音楽産業の第二次黄金時代が始まる
1959年	◎大賀、盛田昭夫に口説き落され、「プロと二足のわらじ」を履いてSonyに入社。テープレコーダー製造部長(事業本部長)に就任

1961年	◎**大賀、Sonyにインダストリアル・デザイン導入。**のちにiPhoneも踏襲する「ブラック&シルバー」のデザイン言語を設定。3部長を兼任(デザイン室長、広報部長)
1962年	◎GE、**半導体レーザーを発明**
1963年	◎大賀、フィリップスとコンパクトカセット規格に関する交渉をまとめる
1964年	◎大賀、Sony取締役に。東フィルコンサートで居眠り。音楽家を断念
1965年	◎Sonyとフィリップス、**コンパクトカセット規格**を無償公開
1967年	◎盛田、大賀の言を受け、CBSソニーの設立を30分で決断。ソフト路線の第一歩となる ◎NHKが業務用PCMレコーダーを開発
1968年	◎**CBSソニー設立。脱演歌**など、日本の音楽業界に革命を起こす ◎AT&TがIntegrated Digital Services Network(ISDN)の構築開始。デジタル・ネットワークの技術的先駆となる
1969年	◎Sony、ベータを媒体とした商業用PCMレコーダーを開発。デジタル・コンテンツの技術的先駆となる
1970年	◎CBSソニー黒字化 ◎ベル研、のちに**「トランジスタの目」となるCCD**を発明。Appleのギル・アメリオが当時、開発チームにいた
1972年	◎MCA、ビデオディスクのプロトタイプを展示
1973年	◎CBSソニー本社ビルが建設され、大賀は涙した。**山口百恵デビュー。**歌詞で若者の私小説を描くスタイルを確立。7年でシングル1,600万枚、LP416万枚、映画込みで525億円を稼ぎ出す
1975年	◎Sony、ベータマックス発売。現在の動画文化に続く世界が始まる
1977年	◎Sony、PCM録音機発売。盛田邸でPCMをカラヤンが聴く ◎フィリップスとMCAの12インチ・レーザーヴィジョン発表、翌年発売→VHS、パイオニアのLDに負ける ◎Apple II発売
1978年	◎CD試作品(直径30cm)。フィリップスでオッテンスがCDを見せる ◎CBSソニー、日本一のレコード会社に。利益率世界一。ボーナス額は親会社Sonyを抜く。貯金300億円超となり、**CD革命の資金**となった
1979年	◎**3月**――大賀、ヘリ事故から退院。井深大の発明したウォークマン(プロトタイプ)を盛田が見る ◎**6月**――フィリップスとCDの共同開発を契約。**「レコード100周年計画」**が本格始動 ◎**7月**――ウォークマン発売 ◎**12月**――CDの規格をめぐり、Sonyとフィリップス社で技術競争
1980年	◎**6月**――フィリップスと手打ち。CD規格が決まる
1981年	◎カラヤン、盛田邸でCDを聴く ◎**4月――ザルツブルクでカラヤンがCDをプロモート**
1982年	◎**4月**――アテネでビルボード主催のIMIC会議。大賀、レコードからCDへの転換を提案。レコード産業から猛批判を浴びる ◎半導体レーザーの量産をシャープが実現。LSIもソニー技術陣が開発 ◎**8月**――大井川のCD工場で量産の目処が立つ。**世界初のCD、ビリー・ジョエルの『ニューヨーク52番街』**を生産。◎**8月24日**――トランジスタ、CCD開発の功労者である岩間和夫社長逝去。葬儀で大賀の歌うフォーレが流れる ◎**9月――大賀、Sony社長就任。**記者会見でカラヤンの逸話を披露する ◎**10月――Sony初のCDプレーヤー**、CDP-101発売(168,000円)

1983年	◎MSX、**ファミコン**の発売。大賀、ゲームがレコードビジネスと近いことに気づく
1984年	◎**CDウォークマン**のD-50、盛田の指示により原価の半分の価格で発売。**初代Mac発売。**Sonyの発明した3.5インチ・フロッピー・ドライブの供給を受けるため、**スティーブ・ジョブズが盛田昭夫を訪問**する
1985年	◎Sonyの8ミリビデオ発売。スティーブ・ジョブズ、Appleから追放
1986年	◎**CDがLPの生産を超す**
1988年	◎SonyがCBSレコードを買収。のちに世界の3大メジャーレーベルのひとつとなるSonyミュージックエンタテインメントが誕生
1989年	◎CD生産枚数＝1億9,000万枚、LP＝200万枚に ◎7月16日――カラヤン、自宅で逝去。居合わせた大賀も心労で心臓発作を起こす。大賀入院→コロンビア・ピクチャーズ買収を決意、Sonyピクチャーズ設立へ
1990年	◎**Sony、任天堂のスーパーファミコンにPCMのLSIを供給。**CD-ROMの共同開発を契約
1991年	◎WWW稼働。**インターネット時代が始まる**
1992年	◎**Sony、MDを発売。**大賀が商品企画を手がけた。初のApple PowerBookをSonyがOEM生産
1993年	◎CESで任天堂がフィリップスとCD-ROMドライブを共同開発すると宣言。Sony、ゲーム機で独自プラットフォームを開発する道を選択。SMEの下にSCE設立
1994年	◎**プレイステーションが発売**され、大ヒット
1995年	◎**Sony社長は出井伸之に。**大賀は代表取締役会長に。**ウィンドウズ95発売**
1996年	◎VAIO、米国で先行発売。サイバーショット発売
1997年	◎10月――スティーブ・ジョブズ、Appleに復帰 ◎12月19日――井深大逝去
1999年	◎**ナップスターが登場し、CDの衰退が始まる。**Sonyとフィリップス、コピー保護の付いた次世代CDのSACDを開発 ◎10月3日――**盛田昭夫逝去。**2日後、Appleイベントでジョブズが盛田を追悼
2000年	◎**PS2、DVDの普及に貢献。**規格競争は大連合に負けたが、ハードとソフトで取り返した
2001年	◎Apple、「21世紀のウォークマン」である**iPodを発売**
2003年	◎**ソニーショック。**Apple、iTunesミュージックストア開始
2005年	◎ハワード・ストリンガー、Sony CEOに
2007年	◎Apple、「究極のiPod」である**iPhoneを発売**
2011年	◎4月23日――**大賀典雄逝去** ◎10月5日――**スティーブ・ジョブズ逝去**
2012年	◎平井一夫、Sony CEOに

＊Sony関連の年表は以下を基礎にした。◇ジョン・ネイスン『ソニー ドリーム・キッズの伝説』文藝春秋、2000年 ◇有沢創司『終りなき伝説―ソニー大賀典雄の世界』文藝春秋、1999年 ◇大賀典雄『SONYの旋律 私の履歴書』日本経済新聞出版、2003年 ◇Sony公式サイト「Sony History」http://www.sony.co.jp/SonyInfo/CorporateInfo/History/SonyHistory/index.html

＊Sony関連以外の年表は以下を基礎にした。◇Morton Jr. “Sound Recording” ◇Millard “America on Record”

第二部──破壊
ナップスター、iPod、携帯電話

1950年	◎8月11日──Apple共同創業者スティーブ・ウォズニアック誕生。のちにApple Iで、パーソナル・コンピュータの実質的発明者に
1952年	◎Sony、ウェスタン・エレクトリック社からトランジスタのライセンスを取得
1954年	◎9月4日──盛田昭夫の次男、盛田昌夫誕生
1955年	◎2月24日──スティーブ・ジョブズ誕生。養子に出される ◎10月28日──ビル・ゲイツ誕生。東部の裕福な家庭
1957年	◎Sony、トランジスタの量産に成功
1958年	◎Sony、ポケットラジオTR-610がヒット。パーソナル・オーディオ時代へ
1969年	◎ベル研究所が「半導体の目」CCDを発明。のちにジョブズ復帰を促すApple CEO、ギル・アメリオも開発メンバー
1972年	◎8月──ゼロックス社のアラン・ケイ、論文でタブレットPC(Dynabook)構想を発表
1973年	◎初のGUI(Alto)がゼロックスパロアルト研究所で誕生 ◎モトローラ社のマーティン・クーパー博士、**携帯電話を発明** ◎3月26日──グーグル創業者、ラリー・ペイジ誕生。祖父はGMの工場労働者。父はAIの教授。母はプログラミングの教師 ◎8月21日──セルゲイ・ブリン誕生。のちのグーグル共同創業者。父は数学者。母はNASAの研究員
1976年	◎4月1日──Apple社創業 ◎4月11日──Apple I発売(CPU 1Mhz, メモリ4kb)。パーソナル・コンピュータの時代始まる
1977年	◎6月10日──**Apple II発売、爆発的ヒットで上場へ**
1978年	◎Sony、CCDカメラの開発に成功。**デジカメの基礎**に
1979年	◎6月──ジョブズとゲイツ、ゼロックスパロアルト研究所で**アラン・ケイの開発したGUI**を見る。GUI OSの開発をふたりは決意。アラン・ケイの**ダイナブック構想(タブレット型コンピュータ)**にも強い影響を受ける ◎7月1日──Sony、**ウォークマン発売。**音楽を携帯する文化が始まる ◎12月3日──ショーン・パーカー誕生。のちのナップスター共同創業者、フェイスブック初代社長、スポティファイ取締役
1980年	◎11月22日──ピアー・ツー・ピア技術を開発したショーン・ファニング誕生
1981年	◎Sony、**初のデジタルスチルカメラ**開発(マビカの試作機。アナログ方式。2HDフロッピー)
1982年	◎10月1日──CBSソニーとEPICソニーと日本コロムビアが**世界初のCD**を日本で発売
1983年	◎5月──ジョン・スカリー、ジョブズに請われてペプシを辞め、AppleのCEOとなる
1984年	◎1月──**Macintosh 128K**(M68000、8MHz、512×342 resolution)発売。**GUIの時代到来**
1985年	◎Sonyから**ハンディカム**1号機CCD-M8。**個人が動画撮影する時代に** ◎5月31日──スティーブ・ジョブズ、Appleの取締役会から追放 ◎9月13日──**ジョブズ、Apple社を退職。**パーソナルワークステーションのネクスト社を創業

1986年	◎2月3日——ジョブズ、ピクサー社を創立。CG制作ツール販売の会社だったが上手くいかなかった
1987年	◎MPEGのアルゴリズム、ドイツで誕生。CD-ROMを想定。mp3の基礎となる論文も ◎AppleでNewtonプロジェクト始まる
1988年	◎富士フイルム、デジタルカメラFUJIX DS-1P開発(発表のみ)
1989年	◎ジョブズ、**ネクストキューブを発売**するも低調 ◎10月——**ポケットに入る携帯電話マイクロタック**をモトローラが発売。**携帯電話の普及始まる**
1990年	◎5月——ジェネラル・マジック・プロジェクトがApple社内で始動。タッチパネルを搭載した情報端末にアプリと電話を集約し、「クラウド」でアプリケーション・サービスを提供するという、スマートフォンの雛形となるコンセプト。のちにアンドロイド社を創業するアンディ・ルービンやiPodの父となるトニー・ファデルが在籍していた ◎11月13日——**WWWの誕生**。初のウェブページをティム・バーナーズ=リーがネクストで制作
1991年	◎3月——ジョブズ、ロリーン・パウエルと結婚 ◎10月21日——Apple、**パワーブック100発売。ノートPCの基本形**が完成。SonyがOEM製造
1992年	◎ビースティ・ボーイズ、**メジャーアーティスト初のウェブ・プロモーション**。インディアナ大学の学生、イアン・ロジャースの個人サイトを公式サイトとして承認。ロジャースはツアーに同行し、ライヴレポートが評判を呼ぶ ◎Sony、MDウォークマンMZ-1とCCD-VX1(初の家庭用CCDビデオカメラ)を発売 ◎マイクロソフトで**タブレットPCを目指すWinPadプロジェクト**始まる(のちにウィンドウズCEへ) ◎1月——丸山茂雄、SME代表取締役副社長就任 ◎1月7日——Appleが**Newtonを発表**。CESでジョン・スカリーCEOがPDAの定義と共に公開。Apple社内では「**Newtonで電話を再発明する**」と語っていた
1993年	◎クリントン政権、情報スーパーハイウェイ構想。NTTのVI&P構想がきっかけ。大学などに優先的にブロードバンドを敷設する計画が始動 ◎**音楽インターネット・コミュニティ**の元祖、IUMAが創立。ロブ・ロード、ジェフ・パターソンのバンドの楽曲をNews GroupにMP2で投稿。西洋音楽に飢えていたトルコ、ロシアからダウンロードされる ◎スティーブ・ジョブズのネクスト社、ハードウェア事業から撤退 ◎1月——携帯電話普及率:スウェーデン7.9%、アメリカ4.4%、香港4.1%、イギリス2.4%に対し、日本は1.3%(「Mobile Communications」1993年3月25日号) ◎1月23日——**Mosaic(ウェブブラウザ)の元祖**がマーク・アンドリーセンの手によって公開。ドットコム時代始まる。◎3月——ドコモがPDC(第2世代デジタル)開始 ◎4月30日——**CERNがWWWを無料で一般公開**。インターネットが民間に開放された ◎11月——ソニー・コンピュータエンタテインメント、SMEの子会社として設立される
1994年	◎IMUAが有料化。**音楽コミュニティによる有料音楽配信**の先駆 ◎リアルネットワークスをロブ・グレイザーが創業。**ストリーミングの先駆的企業** ◎アーティスト・ダイレクト創業。**アーティストグッズのオンライン販売サイト**の老舗に ◎iEEE1394(Firewire、i.Link、DV端子)をAppleが開発。デジタルビデオカメラに採用され、iMac DV、iPodの誕生へ繋

	がってゆく ◎日本で携帯電話の買取制度開始。価格破壊が起こり、**日本で携帯電話の普及始まる** ◎1月——ジェネラル・マジック、マジックキャップOSをマックワールドエクスポで発表 ◎2月——Appleがデジカメのクイックテイクを発売。コダック製。カシオのQV-10より早かった ◎7月——**アマゾン**が本のネット通販会社として創業 ◎9月——CDNOWがロンチ。**CD通販の先駆け**。2001年にアマゾンに業務委託、実質吸収される ◎12月3日——**初代プレイステーション発売**
1995年	**mp3のコーデックがISOから公開**される ◎**ウォークマンの全盛期**。この年発売されたWM-EX1は最も販売台数が多い機種となった ◎CD-ROMドライブのHP 4020i(フィリップス製)発売。1,000ドル以下の値付けで、CD-ROMの普及が始まる ◎2月10日——ジェネラル・マジック上場。**スマートフォン時代の先駆的企業** ◎3月——カシオ計算機のデジカメQV-10がヒット。日本勢のデジタルガジェットが世界的ブームに ◎3月1日——**ヤフー**創業。ポータルサイトの全盛期へ ◎8月24日——**ウィンドウズ95**発売。インターネットの世界的普及のきっかけとなる ◎9月——Sony、初のDV方式(i.LINK、規格未承認)のデジタルカムコーダDCR-VX1000発売。ジョブズがデジタルハブ構想を着想するきっかけとなる ◎11月——Sony、ソニー・コミュニケーションネットワーク(So-net)を設立。出井CEO、「ITと家電の融合」を目指す ◎11月25日——ピクサーの**『トイ・ストーリー』劇場公開**。この年の映画興行部門で売上No.1を記録。CGアニメーション映画の時代を切り拓く ◎11月29日——ピクサー上場。創業したスティーブ・ジョブズはこれで社会的に復活 ◎12月15日——**検索エンジンのアルタビスタ公開**。グーグル登場まで検索エンジンのトップだった
1996年	◎1月——リキッド・オーディオ創業。**有料ダウンロード配信の先駆け**となるが、のちにナップスターで壊滅状態に ◎「広末涼子、ポケベルはじめる」のCM放映開始。女子高・大生に**ポケベルのブーム**が巻き起こる。iモードブームの母胎に ◎Sonyが初代VAIO PCV-T700MRをアメリカで先行発売。AV編集が可能 ◎グーグルの原型となる検索エンジン、バックラブがスタンフォード大学で開発される ◎3月——パーム・パイロット発売。**PDAのブーム**が起こる ◎5月——ドコモが**世界初の着メロが使える携帯**、N103を発売(ダウンロード不可のプリセット方式) ◎12月——**スティーブ・ジョブズ、Appleに復帰**
1997年	◎1月27日——NTTドコモ、モバイルマルチメディア事業立ち上げの社長命令が榎啓一に下る ◎2月——Apple、ネクスト買収を決定 ◎4月——**ウィンアンプ公開**。GUIベースのmp3プレーヤーソフト。PCが音楽再生機器に変わった ◎5月——**初のソーシャルネットワーク**、sixdegrees.comがロンチ ◎6月——ドコモでメール(SMS)が始まり、**ケータイメールのブーム**。初の着メロ配信がアステルで始まる ◎6月10日——クレイトン・クリステンセン教授の**『イノベーションのジレンマ』が出版**される。ジョブズも愛読 ◎8月9日——Think Differentキャンペーンが始まり、Appleブランドの失地回復が始まる ◎9月——リアルネットワークス、動画ストリーミングのサービスをロンチ。**動画配信の先駆者** ◎9月16日——ジョブズ、Appleの暫定CEOに ◎11月——PDAの

先駆だったAppleのNewton、ジョブズにより廃止される

1998年

◎有名ハッカーサイトのw00w00を16歳のハッカーが創設。ファイル共有アプリ、ナップスターとチャットアプリWhatsApp開発の母胎となる ◎**1月**——ショーン・ファニング、ノースウェスタン大学に入学。ルームメイトがmp3ファイルのリンク切れに怒っているのを見てファイル共有を着想 ◎**2月**——丸山茂雄、SME代表取締役就任。盛田昌夫がSME理事、今野敏博がSonyミュージック・オンラインに ◎**3月**——**mp3プレーヤーの先駆け、**MPMan(32MB)、3万9,800円で発売 ◎**5月**——**iMac発表**(8月発売) ◎**8月**——**ナップスターのアプリ完成。**大学生のショーン・ファニングがプログラミング ◎佐野元春の**ライヴストリーミング。**日本初の有料配信 ◎**8月15日**——iMac G3発売 ◎**9月7日**——**グーグル創業。**ラリー・ペイジたちの友人のアパートで始まった ◎**9月15日**——初期mp3プレーヤーのヒット作、Rio PMP300(32MB、約8曲)の発表。価格199.95ドル ◎**10月8日**——RIO、RIAAから告訴。1992ActによりRioは保護され、RIAAが敗訴。Rioの発売台数は20万台 ◎**10月22日**——NTTドコモが東証に上場 ◎**10月28日**——**デジタルミレニアム著作権法**(DMCA)、発効。IT産業の発達に大きな影響を与える「**セーフハーバー条項**」が含まれていた ◎**11月9日**——ジョブズ、フォーチュン誌上で「携帯電話の革命は眼を見張るべきものがある」と語る ◎**11月19日**——iモードのプレス会見。失敗に終わる ◎ミュージックネット社がEMI、AOL、BMG、リアルネットワークスによって設立。2年後、定額制ストリーミングをスタートさせる

1999年

◎**1月1日**——ノキアの携帯電話、3210発売。1億6,000万台売れ、欧州もモバイル時代に突入 ◎**1月25日**——iモードのCM制作発表会。広末涼子の出席で今度は成功 ◎**2月22日**——NTTドコモの**iモード始まる。世界初のモバイルインターネット** ◎**5月**——ジョン・ファニング、スポーツクラブで甥のショーン・ファニングにサインさせ、ナップスターの筆頭株主に。ナップスターについての問い合わせが人気音楽コンサルタントのテッド・コーエンに殺到 ◎**6月1日**——AOL(社長ボブ・ピットマン)、ウィンアンプとスピナーを4億ドル(約400億円)の巨額で買収 ◎ナップスター社が創業。ビジネスモデルを検討する毎日 ◎**6月13日**——Mac用のmp3プレーヤー、サウンドジャムを元Apple社員が開発。のちにAppleが買収し、iTunesに ◎**6月21日**——mp3ブームの嚆矢、mp3.comがIPO。アラニス・モリセットが株を売却。ピーク時は、1日に400万曲がダウンロードされた ◎**7月**——ナップスターのジョン・ファニング、テッド・コーエンに同社のCEOを依頼し、断られる ◎**7月21日**——AppleからノートブックのiBook発売。初期の命名はMacman ◎**8月23日**——ブロガーがサービスイン。**ブログの時代が始まる** ◎**9月**——ナップスター、テッド・コーエンとコンサルタント契約 ◎**9月23日**——ナップスター、RIAAから話し合いを求めるeメールを受け取るが無視 ◎**10月**——ナップスター、15万会員、同時接続数2万2,000人に ◎のちに裁判の決定的証拠となるナップスターの「10月メモ」が書かれる ◎ナップスター主催のレイブパーティ。ナップスターは最強の音楽ブランドに ◎RIAAが求めるサービス一時停止とフィルタリングをナップスター暫定CEOのエイリーン・リチャードソンが拒否 ◎**10月3日**——Sonyの**盛田昭夫逝去** ◎**10月5日**——iMac DV発表。スロットローディング方式ドライブを採用したことでCD-Rドライブの搭載が遅れ、mp3ブームを取り逃す。

ジョブズ、Macイベントで盛田を追悼 ◎11月——ナップスターをフィーチャーしたmp3特集、ワイアード誌に掲載。違法性の指摘。**ファイル共有のブーム**が広がる ◎11月——コンパック、HDDプレーヤーのPJB-100 5GBを発売 ◎11月15日—— Sony、フラッシュメモリ型ウォークマンをCOMDEX(ラスベガス)でストリンガーが発表。**有料ダウンロード配信のビットミュージック**開始も発表 ◎11月16日—— Sony、バイオギアを発売 ◎12月—— Sony、メモリースティック・ウォークマン「NW-MS7」を発売。音楽再生ソフト、ソニックステージの前身となるオープンエムジー・ジュークボックスもリリース ◎SME(日本)上場廃止 ◎ナップスター、コーエンの斡旋でEMIのジェイ・サミットと会う。違法を指摘される ◎ベルテルスマンからもナップスターにコンタクト。トム・ギーゼルマン、違法mp3の流通量に顔が青ざめる ◎mp3.com、**定額制ダウンロード配信**のPay for Playを開始 ◎12月7日——ナップスター、RIAAから告訴 ◎12月20日—— Sonyミュージック、**ダウンロード販売のビットミュージック**を開始。石井竜也など44タイトル

2000年

◎1月——**パンドラ創業。**初期は音楽レコメンデーション・エンジンを、インターネット放送ではなくCD通販サイトに提供することを目指し、苦戦 ◎OSX発表。のちにiOSの基礎となる ◎サウンドジャムをAppleが極秘で買収。**iTunesのベース**となる ◎アーティスト・ダイレクトにSME、ユニバーサル、BMG、ワーナー、EMIが9,750万ドル(97.5億円)を出資 ◎ストリーミングコンテンツの85%がリアルネットワークスに。しかし**Apple、マイクロソフトのストリーミング配信参入**で、リアルネットワークスのビジネスモデルだったサーバーソフト販売が苦境に ◎1月10日——ビジネスウィーク誌17日号表紙にドコモの榎・夏野・松永が載る ◎インターネット最大手AOLがメディア財閥タイム・ワーナーと合併、AOLタイム・ワーナーとなる(この合併は失敗し、2002年に社名をタイム・ワーナーに戻し、2009年にAOLを分離) ◎1月12日—— mp3.com、音楽ロッカーサービスのBeam-it開始。レーベルに無断だったためユニバーサルに告訴される ◎2月—— RIAAのヒラリー・ローゼンCEO、レーベル重役たちにナップスターをデモンストレーション。**米レコード産業の経営陣、ナップスター問題の重大さにようやく気づく** ◎ナップスターを禁止する大学に対し、チャド・ポールソンが抗議団体SAUCを組織。社会現象に ◎ナップスターのショーン・ファニング、ロサンゼルス・タイムズ紙とニューヨーク・タイムズ紙の表紙に ◎3月——ナップスターのオフィスにMTVが取材。ショーン・ファニングとショーン・パーカーは若者たちの憧れとなる ◎3月4日—— SCEからPS2発売。累計1億5,000万台売れ、DVD普及の基礎にもなった ◎3月14日——検索サーバ不要・オープンソースのファイル共有アプリであるグヌーテラをAOL傘下のNullsoftが公開。ウィンアンプ開発者が開発 ◎3月28日——アーティストグッズ通販のアーティスト・ダイレクトがIPO。わずか6,000万ドル(60億円)の資金調達に。**ナップスター旋風で音楽系IT企業はバブル崩壊** ◎4月3日—— Sonyミュージックの盛田昌夫の音頭でレーベルゲートが設立される。**日本でレーベルが合同で音楽ダウンロード配信を開始** ◎ 4月12日—— USB2.0のホストコントローラLSIをNECが製品化 ◎4月13日——**メタリカ、ナップスターを告訴** ◎4月14日——ナップスターとメタリカに学生運動

家のチャド・ポールソンが公開質問状 ◎**4月26日**——ナップスター、ドクター・ドレーからも告訴 ◎ **5月3日**——ナップスター社にメタリカのラーズ・ウルリッヒ自ら、違法ダウンローダーの名簿コピーを段ボールで届ける。ナップスターの過熱報道はピークに ◎**5月5日**——米地方裁判事マリリン・パテルが、ナップスターはセーフハーバーの適用外と判決 ◎**5月10日**——ナップスター、メタリカの要請に従い、段ボールの名簿にあったユーザーアカウントをすべて削除 ◎**5月11日**——ナップスター、ウェビー賞でスタンディング・オベーション。ふたりのショーンは会場でナップスター社倒産の危機を知る ◎**5月20日**——**ドットコムクラッシュ。**NASDAQは10%以上の下げ。米株式市場は1.3兆ドル(130兆円)を失い、音楽系IT企業はナップスターとドットコムクラッシュで壊滅状態に ◎同時期、動画ストリーミングのリアルビデオが10ドルの定額制動画配信を開始したが、ドットコムクラッシュで頓挫 ◎**5月22日**——ナップスター、ヴェンチャーキャピタルのハマー・ウィンブラッドから1,300万ドル(13億円)の出資を受ける。ナップスターのCEOはハマー・ウィンブラッドのハンク・バリーに。その晩にウォーレン・バフェットやマーク・アンドリーセンたちの参加するパーティにふたりのショーンは出席 ◎**5月25日**——ユニバーサルのエドガー・ブロンフマン会長がリアルネットワークスとジョイントプロジェクトを発表 ◎**5月末**——ナップスター裁判の宣誓証言で、パーカーの書いた「10月メモ」が明るみに。セーフハーバー条項の適用は不可能になる ◎**6月**—— Sonyからフラッシュメモリ型ウォークマン「NW-E3」発売 ◎**6月12日**—— RIAA、ナップスター停止の仮処分申請 ◎**6月14日**——ナップスターに対し、RIAAが差止め請求 ◎**6月20日**——ヴィヴェンディ(メディア財閥No.2)がシーグラム(ユニバーサルを含む)を340億ドル(3兆4,000億円)で買収 ◎**7月5日**——シーグラムのブロンフマン会長、カリフォルニア空港でナップスターのハマー、バリーと会談 ◎**7月11日**——**ナップスター、第1回公聴会。**メタリカ、ラーズ・ウルリッヒの要請で**米上院議会にて開かれる** ◎**7月13日**——ナップスターのバリーCEO、ユニバーサルのエドガー・ブロンフマン会長、ベルテルスマンのトマス・ミデルホフCEO、Sonyの出井伸之CEO、ハワード・ストリンガーとで極秘会談。**ナップスターをメジャーレーベルが接収し、定額制配信として合法化する方向で基本合意** ◎**7月17日**—— EMI、100アルバムをウィンドウズ・メディアでダウンロード販売。購入手続きに13ステップも必要だった ◎**7月21日**—— CD通販のCDNOWをベルテルスマンが1億1,700万ドル(117億円)で買収 ◎**7月26日**——ナップスターの仮差止めを判事が承認。ナップスター、1日で敗れる。全米のトップニュースに。AOL、ナップスター買収の興味を失う ◎7月28日——ナップスターの上告、第9巡回控訴裁判所が承認 ◎**8月**—— ショーン・パーカー、休暇を切り上げナップスターに出社。バリーCEOに無視され、退職 ◎**8月20日**——Sony、HDDレコーダーのSVR-715発売 ◎秋——**スティーブ・ジョブズ、mp3プレーヤーの自社開発を主張** ◎**9月7日**—— MTV最大の祭典VMAにショーン・ファニング登壇 ◎**10月**—— KDDI発足(DDI、KDD、IDOが7月にブランドをauに統一) ◎**10月2日**——ナップスター、第9巡回控訴裁判所の控訴院で口頭弁論。ショーン・ファニング、タイム誌の表紙に ◎**10月12日**——ワイアード誌が主催するレイブアワードで、ナップスターが受賞。コートニー・ラヴのメジャーレーベルを批判する演説が世界中にインパクトを与える ◎**10月31日**——ナップス

ターにベルテルスマンが2,000万ドル(20億円)の転換社債発行(のちに8,500万ドルに増額)。ユーザー数3,300万人。定額制ダウンロード配信の開発を発表。BMGは告訴取り下げ、カタログ提供を約束 ◎**冬**——ナップスター、RIAAの要請していたフィルタリングに合意 ◎**11月**——**世界初のカメラ付き携帯**(J-PHONE VP-210)＊PHSでは1999年9月に京セラVP-210が発売されていた ◎**11月20日**——Sony、メモリースティックを搭載し、ATRAC形式の音楽を再生可能な携帯C404Sを発売。のちの**ウォークマン・ケータイへ**連なってゆく ◎**12月1日**——丸山茂雄SME社長退任。後任は岸栄司

2001年

この年、ジョブズがMac OSを載せたVAIOを持ってSonyに来社 ◎**1月**——ドコモのPHSで**モバイル音楽配信**のM-Stage Musicが始まるが、ヒットしなかった ◎**1月9日**——iTunes公開。CD-Rドライブを搭載したiMac(Early 2001バージョン)を公開。デジカメやmp3プレーヤーなどのデジタルガジェットをMacに繋ぐ「デジタルハブ構想」が発表される ◎**春**——のちに「iPodの父」と呼ばれるトニー・ファデルにAppleのハード総責任者ルビンシュタインから電話。mp3プレーヤー制作のコンサルティング依頼 ◎**1月18日**——iアプリの誕生。**ケータイでアプリが動くように**なり、PCに近づく ◎**2月12日**——ナップスターに著作権のある音楽のトレードを止めるよう、第9巡回控訴裁判所がマリリン・パテル裁判官の仮処分を承認する判決 ◎**2月13日**——ショーン・ファニング、記者会見で夏に新サービスを公開すると発表 ◎**2月20日**——ナップスター、10億ドル(1,000億円)の和解金を提案。1曲あたり数セント。2日後、RIAAから拒否される ◎**2月22日**——CD-Rドライブを載せたiMac発売(Early 2001バージョン)。マックワールドエクスポ東京でiTunesとCD-Rを使った音楽生活「リップ、ミックス、バーン」のコンセプトを発表 ◎**3月2日**——ナップスターのデビッド・ボイズ弁護士、著作権のある100万曲のトレードを削除すると、連邦地方裁判所に提案 ◎**3月6日**——パテル判事、仮処分を修正し命じ直す。フィルタリングの命令。レコード会社はデータ提出協力 ◎**3月19日**——PS3用のCPU、CELLの開発に東芝、IBM、SCEが合意。ファイル共有にヒントを得たピア・ツー・ピア・コンピューティングのコンセプトを取り込んだCPU設計 ◎**4月**——**ナップスターに関する2度めの公聴会が米上院議会で開催。**ナップスターのバリーCEO、今回はオリン・ハッチ議員をサポートするも、ハッチ議員既に議会で孤立 ◎**5月19日**——**Appleストアの1号店・2号店が開店** ◎**5月21日**——mp3.comを、ヴィヴェンディ・ユニバーサルが3億7,200万ドル(372億ドル)で買収 ◎**6月**——ナップスター、第9巡回控訴裁判所に再審理を請求するも却下される ◎**6月27日**——ナップスター、フィルタリング稼働するも2%の漏れ。マリリン・パテル裁判官はこれを許さないとハンク・バリーCEOは判断 ◎**7月1日**——**ナップスター、サービス停止。**当時の同時接続ユーザー数は200万人。ユーザーの建てたオープン・ナップサーバーは閉鎖不可のため、ナップスターは継続利用できた ◎**7月3日**——日本でレーベルモバイル(レコチョク)創業。国内メジャーレーベル主導で世界初の本格的なモバイル音楽配信を目指す ◎**7月12日**——ナップスター停止を継続する命令。著作権物のトレードを100%ブロックするまでという条件付き ◎ドクター・ドレー、メタリカとナップスターが和解 ◎**7月前半**——ナップスターのCEOはハンク・バリーから、ベルテルスマン出身のコンラッド・ヒルバーズに交代 ◎**7月後半**——ハードディスクを搭載し

	たmp3プレーヤーの先駆け、Nomad Jukebox 6GBが発売される ◎8月24日――ウィンドウズXP発売。マイクロソフト、PCの全盛期 ◎9月――日本、ヤフーBBでブロードバンドに価格破壊が起こる。従来の約半額に ◎9月11日――アメリカ、**同時多発テロが発生** ◎10月――Sony、iTunesに対抗するため、ソニックステージをVAIOにプリインストール ◎英ボーダフォンが、J-PHONE(日本テレコム)を買収→**日本の「写メ」(写真付きケータイメール)が世界に拡散** ◎**日本で世界初の3G開始**(ドコモのFOMA)。米に比べ5年進んでいた ◎**マイクロソフトでSurface計画発動**(ピンチ、ドラッグ、スワイプ、フィンガー操作を目指し、iPhoneよりも早く実装した) ◎10月22日――**iPod発表**(11月10日発売) ◎11月――Nomad Jukebox 20GB発売 ◎レーベルモバイルも着メロ開始 ◎12月3日――**定額制ストリーミング音楽配信**のラプソディがListen.comによって創業される。参加はインディーズのNaxos程度 ◎12月4日――定額制ストリーミング音楽配信のミュージックネットがロンチ。AOLタイム・ワーナー、BMG、EMI陣営 ◎12月19日――定額制ストリーミング音楽配信のプレスプレイがSonyとヴィヴェンディ・ユニバーサルによってロンチ。ヤフー、MSNミュージック、ロクシオとのパートナーシップ。mp3.comスタッフが制作したシステム
2002年	◎**ジョブズ、各レーベルと交渉始める** ◎マイクロソフト、リキッド・オーディオのDRM特許を購入 ◎Sonyとリアルネットワークスが業務提携 ◎**ラストFM創業** ◎1月――**定額制配信のナップスターII稼働**。配信曲はベルテルスマンの7万曲のみ。2億5,000万ドル(250億円)での和解をメジャーレーベルに提案 ◎2月――ナップスターでリストラ ◎2月20日――マイクロソフト、パワードスマートフォン2002リリース。「スマートフォン」の語源に ◎2月26日――Apple、テクニカルグラミー賞受賞 ◎3月22日――フレンドスターがロンチ。**SNSブームの先駆け**に ◎3月――ミュージックネット、開始4ヶ月で会員わずか4万人 ◎4月――ナップスター、ベルテルスマンから1,500万ドル(15億円)で買収依頼 ◎auがNTTに続いて3G(CDMA2000 1x)サービス開始 ◎6月――ラプソディに5大メジャーの音源ようやく出揃う ◎6月3日――ナップスター倒産。豊富なキャッシュがありながら倒産したため、ベルテルスマンによる計画倒産を疑われる。のちにベルテルスマンがナップスターの巨額賠償金を引き受ける原因に ◎6月21日――映画『マイノリティ・リポート』にマイクロソフトSurface風のデバイスが登場。**マルチタッチ**を表現 ◎6月26日――ノキア7650、**「スマートフォン」**として発売される。OSはS60(2001年発表) * Webkitを使ったフルブラウザ(Web Browser for S60)は2005年11月に搭載 ◎6月29日――ミデルホフ、ベルテルスマンのCEOを退任 ◎7月17日――**ウィンドウズに対応したiPod 2nd**(Firewireのみ)発表 ◎10月1日――将来のアンドロイド開発者が創った**スマホの先駆け**、Danger Hiptop/T-Mobile Sidekick発売 ◎11月6日――ウィンドウズXPタブレットPCエディション発売。**ジョブズ、これを受けてタブレットの開発を決断**。開発は中断したが、のちにスマートフォンへ技術を転用。iPhone誕生へ繋がる ◎11月15日――プレスプレイがワーナーと契約、5大メジャー揃う ◎11月12日――初期SNSのひとつ、プラクソを元ナップスターのショーン・パーカーが創業 ◎11月18日――SMEとユニバーサル、ミュージックネッ

トに参加合意。5大メジャー揃う ◎12月10日——**モバイル音楽配信の先駆け、着うたリリース** ◎12月末——パソコンワールド誌、プレスプレイとミュージックネットを2002年の「Worst PC Product」に選定。◎レコード産業はウェブのオープン思想を取り入れるべきとするOpen Music ModelをMITのシューマン・ゴーズマジャムダーが論文で発表 ◎この年、iPodの累計販売台数は60万台に

2003年

◎ラストFMとオーディオ・スクロブラーが統合。ソーシャルラジオとミュージックグラフの誕生 ◎1月——リキッド・オーディオ、アンダーソン・メディアに売却 ◎ヴィヴェンディがmp3.comをCNETに売却 ◎モトローラ、携帯電話のRazr V3開発開始 ◎3月17日——ブラックベリー6210、RIMから発表。**初期スマートフォン市場を支配** ◎3月21日——Rioの運営元ソニックブルー(元ダイアモンド・マルチメディア)が破産 ◎4月——日本、ブロードバンドの利用率が53.6%に ◎4月1日——盛田昌夫、日本のSME社長に ◎4月25日——**Sonyショック。**日経7,700円割れ。デジタル家電で遅れ(ジレンマ) ◎4月28日——**iTunesミュージックストア、40万曲でスタート。**1週間で100万曲を売り上げる。iPod 3rd発売。USB搭載で、iTunes以外のソフトでウィンドウズに接続可能に ◎5月19日——ロクシオ、ナップスターブランドも裁判所から500万ドルで買い、プレスプレイも買収。新生ナップスターに ◎8月——リアルネットワークス、Listen.comからラプソディを買収。ストリーミングとダウンロードの定額制 ◎マイスペースがロンチ。**音楽をフックにSNSのブームを世界に起こす** ◎9月3日——ルック・ルック社、世界中の13〜35歳までのネットユーザー2万人を対象にアンケート。クールな製品の1位=カメラ付き携帯、2位=プレステ、3位=iPod ◎10月——**スティーブ・ジョブズ、膵臓がんと診断**される ◎**アンディ・ルービン、アンドロイド社を設立。**すべての機器に載る革新的なOSの開発を目指す ◎10月9日——Apple、iTunes+iPodのシルエットCM放映開始 ◎10月16日——**ウィンドウズ版iTunesミュージックストア発表** ◎11月——パケット定額制、auが開始 ◎Palm Treo 600、mp3プレーヤー機能付きが発売に ◎12月——ファデルたち**Appleの幹部、音楽ケータイの登場に危機感。**他社ケータイにiTunesミュージックストアをインストールして広める防衛策を企画 ◎12月13日——PSX発売。UIにクロスメディアバーを採用 ◎12月末——**Sonyウォークマン、24年で出荷数累計3億4,000万台に** ◎年内——ビットミュージック、2万曲を200円から150円に。割安アルバムも ◎12月末——**iPodの累計販売台数は200万台に**

2004年

◎1月——RealPlayerミュージックストア、ロンチ。iTunesのDRMをリバースエンジニアリングして、RealPlayerでもiTunesでの購入曲を再生可能に ◎1月6日——**iPod mini**(1インチ、酸化処理でカラー化、**スポーツ、ファッション、女性受け**)発売 ◎マックワールドエキスポSFにジョン・メイヤーが登壇 ◎2月4日——**フェイスブック、ロンチ**(2月1日創業) ◎3月——前刀禎明、ジョブズと面接。iPodでウォークマンに勝つ策を提案 ◎4月1日——Gmail、ロンチ。**クラウド・コンピューティングの普及**が庶民に始まる ◎Moraスタート(レーベルゲートをリニューアル) ◎5月14日——**フルブラウザを載せた携帯電話**PHS、AH-K3001(DDIポケット・京セラ)発売 ◎6月——

	元ナップスターの**ショーン・パーカーがフェイスブックの初代社長に** ◯6月17日——日本SME代表取締役は盛田昌夫から榎本和友に ◯7月——Sony、HDD搭載のネットワークウォークマンNW-HD1発売。mp3非対応 ◯**iTunes、1億曲のダウンロード販売を達成** ◯7月1日——モトローラから携帯電話Razr V3発売。1億4,000万台の大ヒットに ◯7月26日——iPodを持ったジョブズがニューズウィーク誌の表紙に。**iPodが文化現象となる** ◯7月31日——ジョブズ、がん手術。3ヶ所に転移 ◯8月——米ブロードバンドの家庭での普及率51.42％に ◯秋——Sony、ソニックステージを公開。音楽再生ソフトでmp3にようやく対応 ◯10月——書籍『The Long Tail: Why the Future of Business Is Selling Less of More』(邦題『ロングテール「売れない商品」を宝の山に変える新戦略』)の基となる連載がワイアード誌に発表される ◯10月13日——着うたフル、発表(開始は11月19日)。**世界初の本格的なモバイル音楽配信** ◯10月20日——フェイスブック、ファイル共有のワイヤーホッグをテスト公開 ◯10月26日——iPod U2エディション発表。**iTunesミュージックストアの世界的ブーム**始まる ◯11月7日——**ジョブズ、携帯電話事業への参入を決断** ◯12月12日——Sony、PSP発売 ◯12月——iTunesで2億曲ダウンロード達成。米レコード産業はiTunes中心の時代に。ジョブズ、この頃までに携帯メーカーと組む音楽ケータイ計画の方は放棄 ◯Sony、Appleに対抗してコネクトカンパニーを設立 ◯iPodの累計販売台数は1,000万台に
2005年	◯米AT&T、スプリント、ベライゾンが3G開始(T-Mobile除く) ◯ミュージックネット売却される ◯1月11日——iPod Shuffle発表。**iPodが日本でウォークマンのシェアを抜く** ◯2月——ポッドキャストが流行。**個人が番組を持つ時代に** ◯2月14日——ユーチューブ、ロンチ、**動画共有の時代始まる** ◯4月14日——W31S着うたフル、ATRACに対応。**ウォークマン・ケータイ**で巻き返し図るSony ◯6月6日——Apple、WWDCでiPod好調とインテルへの移行を発表。ジョブズの様子から体調不良が噂となる ◯6月12日——**ジョブズのスタンフォード大学スピーチ** ◯6月28日——iTunes 4.9、ポッドキャストに対応。誰もがラジオ番組を発信できる時代へ ◯7月21日——**「ラジオの再発明」パンドラ・ラジオ**、ロンチ。音楽で人工知能の活用始まる ◯8月2日——ウォークマン・ケータイW800、イギリスで発売。転送150曲まで ◯8月4日——日本でiTunesミュージックストア開始。カタログは100万曲 ◯8月15日——**グーグルがアンドロイド社を買収。**スマートフォン市場進出が噂される ◯9月7日——**iTunesケータイ**、モトローラROKR E1発売。ケータイでの楽曲購入不可。持ち運べるのは100曲までと限定的。ワイアード誌が「こんな電話が未来なのか？」と酷評 ◯9月8日——Sony、新シリーズNW-A発表(11月19日発売)、ネットワークウォークマン名称廃止。コネクトプレーヤー、リリース。mp3完全対応 ◯iPod nano発表(2006年2月発売) ◯10月——iPod第5世代発売。動画対応に ◯11月10日——**ソフトバンク、携帯電話事業の免許取得** ◯12月——**日本初のスマートフォン**、W-ZERO3発売(PHS。キャリアはウィルコム、メーカーはシャープ、OSはマイクロソフト) ◯iPodの累計販売台数は4,200万台に
2006年	◯1月——au LISMO開始。着うたフルがPCでも聴けるように。**日本型の音**

	楽配信完成 ◎1月24日——**ディズニーがピクサー社の買収を発表**(5月買収)。ジョブズは、ハリウッドの巨人ディズニーの筆頭株主に ◎2月—— iTunes、10億曲ダウンロードを達成 ◎2月7日——日本でモバゲータウンがロンチ。7月に100万会員。**ソーシャル・ゲームのブーム**始まる ◎3月6日——ソフトバンク、ボーダフォン日本買収発表 ◎4月5日—— Apple、ブートキャンプを公開。Mac上でウィンドウズが動くように ◎6月——ソーシャル・ゲームのラプチャー社をショーン・ファニングがロンチ ◎6月18日——日本でFOMAユーザーがmovaユーザーを上回る。3Gが主流の時代に ◎6月20日—— Sony、日本初のウォークマン・ケータイW42S発売 ◎8月1日——**定額制配信のスポティファイ創業**。サービス開発とコンテンツ獲得に2年を費やし2008年にロンチ ◎9月26日——フェイスブック、一般公開 ◎10月14日——ソフトバンクが3Gを開始 ◎10月9日——**グーグルがユーチューブを買収** ◎11月11日——**Sony、PS3発売** ◎11月14日——マイクロソフトが携帯音楽プレーヤー、Zuneを発売 ◎12月—— iPodの累計販売台数は8,800万台に
2007年	◎1月—— iTunes、20億曲ダウンロードを達成 ◎1月9日——**iPhone発表。** 620Mhz CPU, 128MB RAM, 4-16GB。Apple Computer、社名からComputerを削除

＊ナップスターほか、初期音楽配信関連の年表は以下を基礎にした。◇ジョセフ・メン著、合原弘子＋ガリレオ翻訳チーム訳『ナップスター狂騒曲』ソフトバンククリエイティブ、2003年 ◇John Alderman "Sonic Boom", Basic Books (2001)

＊Apple関連の年表は以下を基礎にした。◇Apple Inc. Press Release ◇Microsoft Corporation Press Release ◇Google Inc. Press Release ◇ウォルター・アイザックソン著、井口耕二訳『スティーブ・ジョブズI・II』講談社、2011年 ◇ケイン岩谷ゆかり著、井口耕二訳『沈みゆく帝国 スティーブ・ジョブズ亡きあと、アップルは偉大な企業でいられるのか』日経BP社、2014年 ◇フレッド・ボーゲルスタイン著、依田卓巳訳『アップルvs.グーグル：どちらが世界を支配するのか』新潮社、2013年

第三部——使命

ライヴ配信ほか

1993年	◎6月24日——パロアルト研究所からインディーズバンドSevere Tire Damageが**世界初のライヴ・ストリーミング配信**
2006年	◎12月12日——ニコニコ動画(仮)サービス開始。ユーチューブなどの動画上にコメントを表示してみんなで楽しむサービスだった
2007年	◎1月16日——ネットフリックス、定額制レンタル利用者にオンデマンド・ストリーミング配信提供を発表。**動画サブスク**の先駆者に ◎3月——ニコニコでゲーム『ロックマン2 おっくせんまん！』のサントラに歌をあてた動画が人気に。**"歌ってみた"**ブームが始まる ◎11月19日—— Amazon Kindle Store誕生。**電子書籍**のDL販売 ◎12月25日——ニコニコ生放送が誕生。ニコニコ動画の**ライヴ配信**
2008年	◎3月6日—— Apple、Appストア発表 ◎3月12日—— Hulu登場。無料を武器にネットフリックスに一時追いつく ◎3月20日—— Roku発表、ヒット。**テレビとネットの融合**が加速 ◎7月11日—— iPhone 3G発売。**アプリの時代始まる** ◎7月——アメリカのAppストア・ランキングでパンドラが1位に ◎7月——ゲーム実況アプリのYYが中国で誕生。PC版 ◎10月7日——のちの**音楽サブスク**

	の王者スポティファイ、サービスイン。無料と定額制のフリーミアム・モデル
2009年	○**1月9日**――仮想通貨ビットコイン誕生。P2Pの**ブロックチェーン技術** ○**3月**――ポッドキャストの音声ホラードラマ『We're Alive』がスタート。10年後の第二次ポッドキャスト・ブームへ繋がってゆく ○**6月26日**――初音ミクのファンだった中国人の徐逸がニコニコ動画を模倣した弾幕ビデオ共有サイトMikufansを開始
2010年	○**1月24日**――中国の動画共有MikufansがBiliBiliに名称変更。「中国のユーチューブ」と称されるようになってゆく ○**6月30日**――Huluアプリ登場。前日より動画サブスクのHulu Plus開始
2011年	○**1月21日**――テンセントWeChat誕生。中国No.1、世界No.5のSNSになる(2020年時点) ○**2月22日**――Amazon Prime Video開始 ○ネットフリックス、初のオリジナル連続ドラマ『リリハマー』を配信 ○**4月**――ユーチューブがライヴ配信機能を公開 ○**10月29日**――ファブレットSamsung Galaxy note発売。**大型スマホ**の時代へ
2012年	○**11月21日**――YYがNASDAQに上場(のちにJoyyへ社名変更)。ライヴ配信業界のけん引役に
2013年	○**4月9日**――**LINEマンガ**誕生。一話単位の話売りと無料購読の組み合わせ ○8月5日―テンセントがWeChat Payを開始。中国No.2の電子決済に ○**8月15日**――スウェーデン人ゲーマーPewDiePieがユーチューブ・チャンネル登録者数で世界一に。**ユーチューバーの時代**をけん引 ○**11月25日**――SHOWROOMサービス開始。日本産のライヴ配信アプリの先駆者に
2014年	○世界の音楽ソフト売上で**デジタル売上が物理売上(CDなど)を超える** ○YYのライヴ配信で音楽が大人気に。**ライヴ配信ブーム**が中国で始まる ○**2月10日**――トゥイッチがJustin.tvから分離独立。ゲーム実況でアメリカのライヴ配信ブームの先駆者となる ○**7月**――Amazon Kindle Unlimitedスタート。月額制の本読み放題 ○**9月22日**――少年ジャンプ+が誕生。月額課金と無料購読の組み合わせ
2015年	○日米で**音楽ライヴ売上が音楽ソフト売上を超える** ○**5月**――「中国のユーチューブ」、BiliBiliもライヴ配信に参入 ○**6月6日**――台湾発のライヴ配信アプリ、17 Live登場。BIGO LIVEに次ぐ人気を得る ○**6月30日**――**Appleミュージック**誕生。Appleも楽曲DL販売からサブスクへシフト ○**10月4日**――ネットフリックス『ワンパンマン』配信開始。ストリーミング勢による日本アニメの独占制作が初ヒット ○**11月12日**――YouTube Music誕生。ユーチューブによる音楽サブスク
2016年	○世界の音楽ソフト売上で**サブスクがダウンロード販売を超す** ○**1月**――BiliBiliがテレビ東京と取引開始。同サイト上で人気だった違法アニメ動画の合法化を推進 ○**3月**――BIGO LIVE誕生。YYの中国国外ブランド。ライヴ配信アプリで世界一に ○**4月**――Facebook Live誕生。フェイスブックのライヴ配信 ○**6月21日**――**ユーチューブのバリューギャップ問題**にテイラー・スウィフトをはじめとする186人の大物アーティストが抗議声明 ○**9月**――Douyin(TikTok)が中国で誕生。ショートムービーに特化した動画共有。TikTokでブレイクするアーティストが続出。音楽に強いSNSの決定版となる ○**11月**――Instagram Live Video誕生。インスタグラムのライヴ配信

2017年	◎1月12日――ユーチューブで**スーパーチャット**機能が公開。中国のライヴ配信で流行した**ギフティング**機能(投げ銭)を取り入れたもの ◎3月――パンドラがサブスクに参入 ◎7月――パンドラ創業者ティム・ウェスターグレンCEOが退職
2018年	◎4月――IFPI(国際レコード産業連盟)がユーチューブのバリューギャップ問題を年間報告書で非難 ◎10月――アメリカのインターネット・トラフィック、ネットフリックスが31%に ◎12月14日――中国**テンセント・ミュージック**が時価総額2.6兆円でNY上場。サブスクと**ソーシャル・エンタメ売上**で世界最大級の音楽会社に
2019年	◎世界で**サブスクが音楽ソフト売上の過半数**を占めるようになる ◎ポッドキャスト人気が再燃し、**ポッドキャスト・バブル**が起こる ◎ネットフリックスの会員数が1億3,900万人に。事実上、世界最大のテレビ網となる ◎1月1日――ネットフリックスで『KonMari ～人生がときめく片づけの魔法～』配信開始。世界的な人気を得た近藤麻理恵がイチローや安倍首相(当時)と並ぶ著名な日本人に ◎2月2日――人気オンラインゲームの『フォートナイト』内でマシュメロがコンサートを開き、1,000万人以上の聴衆を集める。ゲームが音楽ライヴのスペースに
2020年	◎1月4日――TikTokがワーナー・ミュージックと楽曲使用許諾契約。三大メジャーと契約締結となり、音楽配信やライヴ配信を強化へ ◎1月23日――中国武漢が**コロナ禍**で都市封鎖 ◎1月31日――Huluで『Nizi Project』配信開始。邦人ガールズグループNiziUは世界的な人気を得てデビュー ◎3月――コロナ禍で欧米諸国も都市封鎖。**ライヴ市場に大打撃** ◎3月13日――**Sessions Live**誕生。ミュージシャン専用のライヴ配信 ◎3月26日――バリューギャップ問題に対応し、**EU議会が著作権法改正**を承認 ◎4月――TikTokがライヴ配信機能を公開

音楽が未来を連れてくる

時代を創った音楽ビジネス百年の革新者たち

榎本幹朗 Mikiro Enomoto
1974年東京生。作家・音楽産業を専門とするコンサルタント。上智大学に在学中から仕事を始め、草創期のライヴ・ストリーミング番組のディレクターとなる。ぴあに転職後、音楽配信の専門家として独立。2017年まで京都精華大学講師。寄稿先はWIRED、文藝春秋、週刊ダイヤモンド、プレジデントなど。朝日新聞、ブルームバーグ取材協力。NHK、テレビ朝日、日本テレビにゲスト出演。

初版発行　2021年2月12日
2刷発行　2021年3月12日

著――――――――――榎本幹朗《えのもとみきろう》

デザイン――――――小沼宏之［Gibbon］
編集――――――――小澤俊亮［DU BOOKS］
発行者―――――――広畑雅彦
発行元―――――――DU BOOKS
発売元―――――――株式会社ディスクユニオン
東京都千代田区九段南3-9-14
［編集］TEL.03.3511.9970 ｜ FAX.03.3511.9938
［営業］TEL.03.3511.2722 ｜ FAX.03.3511.9941
http://diskunion.net/dubooks/

印刷・製本―――――大日本印刷

ISBN978-4-86647-134-1
Printed in Japan

本書の感想をメールにてお聞かせください。
dubooks@diskunion.co.jp